广东改革开放30年研究丛书

广东省哲学社会科学“十一五”规划2007年度规划特别委托项目

为中国政治转型探路

——广东政治发展30年

肖　滨等　著

廣東省出版集團
广东人民出版社
·广州·

图书在版编目（CIP）数据

为中国政治转型探路：广东政治发展30年／肖滨等著．—广州：广东人民出版社，2008.11
（广东改革开放30年研究丛书）
ISBN 978－7－218－05999－0

Ⅰ．为…　Ⅱ．肖…　Ⅲ．政治—研究—广东省—1978～2008　Ⅳ．D676.5

中国版本图书馆CIP数据核字（2008）第179641号

出 版 人	金炳亮
责任编辑	郑　毅　卢雪华
装帧设计	张力平　陈小丹
责任技编	周　杰
出版发行	广东人民出版社
印　　刷	佛山市浩文彩色印刷有限公司
开　　本	787毫米×960毫米　1/16
印　　张	28.25
插　　页	1
字　　数	407千
版　　次	2008年11月第1版　2008年11月第1次印刷
书　　号	ISBN 978－7－218－05999－0
定　　价	57.00元

如果发现印装质量问题，影响阅读，请与出版社（020－83795749）联系调换。

【出版社网址：http://www.gdpph.com　　电子邮箱：sales@gdpph.com
图书营销中心：020－37579695　37579604】

总　　序

汪　洋

中国的改革开放走过了30年的伟大历程。广东是中国改革开放的先行地区，在改革开放和现代化建设中一直走在全国前列，充分发挥了“试验田”、“窗口”和“示范区”作用。在纪念中国改革开放30周年之际，认真研究总结广东改革开放的成就和经验，有助于深化人们对改革开放重要意义的认识，对于全省人民深入贯彻落实科学发展观，继续解放思想，坚持改革开放，促进经济社会又好又快发展，夺取全面建设小康社会的新胜利，加快推进社会主义现代化，具有深远的历史意义和重大的现实意义。

第一，研究广东改革开放，要系统总结广东改革开放30年的伟大成就，进一步坚定深化改革、扩大开放的信心和决心。

30年来，广东历届省委、省政府团结带领全省人民，高举中国特色社会主义伟大旗帜，发扬敢为天下先的精神和“杀出一条血路”的勇气，解放思想，实事求是，与时俱进，开拓创新，推动经济社会发展取得了举世瞩目的巨大成就。

实现了从一个经济比较落后的农业省份向全国第一经济大省的历史性跨越。1978—2007年，全省GDP总量增长41倍，人均生产总值翻了四番，经济总量先后超过了亚洲"四小龙"中的新加坡、香港和台湾地区，已处于世界中等收入国家水平。目前，全省经济总量约占全国的1/8，源于广东的财政总收入约占全国的1/7，进出口总额占全国的近30%。

实现了从计划经济体制向社会主义市场经济体制的历史性转变。30年来，广东人民以改革创新精神推动着改革开放的伟大实践，率先创办经济特区，率先引进"三来一补"、海外的先进技术设备和管理经验及创办"三资"企业，率先进行价格改革，率先改革投资体制，率先进行金融体制改革，率先实行土地有偿转让，率先实行产权制度改革，等等，在建立和完善社会主义市场经济体制方面走在全国前列。同时，政治、文化和社会等领域的改革也取得了重大进展。

实现了从封闭半封闭向全方位开放的历史性转变。积极加强对外往来和友好合作，努力推进与港澳地区和内地省市区的区域经济合作，大力实施"走出去"战略，形成了多层次、多形式、多功能的全方位对外开放新格局。对外贸易不断扩大，1978—2007年，广东进出口总额增长近400倍，约占全国的30%；到2007年底，累计实际利用外资达到1945亿美元，约占全国的1/5；全省经核准的非金融类境外企业已超过1800家，业务遍及90多个国家和地区。

实现了从温饱向宽裕型小康迈进的历史性跨越。改革开放30年是人民群众得到最多实惠的时期。1978—2007

年，全省城镇居民人均可支配收入、农民人均纯收入分别增加了43倍和29倍，居民消费结构优化，公共服务明显增加，人民生活水平总体达到小康，珠三角地区率先达到宽裕型小康。经济快速发展提供了越来越多的就业岗位，大量的外来务工人员在广东安居乐业。社会保障体系加快向城乡居民覆盖，保障能力不断增强。教育、文化、卫生、体育等各项事业迅速发展。

30年来，广东充分利用毗邻港澳的地理优势，大力推进粤港澳合作，对香港、澳门顺利回归祖国并保持繁荣稳定发挥了重要的促进作用，为彰显“一国两制”伟大构想的成功实践作出了积极贡献。作为中国先发展起来的区域之一，广东十分注重推动国家区域发展总体战略的实施，努力帮助和带动中西部地区发展，为促进全国共同发展、共同富裕发挥了重要作用。

广东的实践雄辩地证明，改革开放符合党心民心、顺应历史潮流，方向和道路是完全正确的。只要坚定不移地推进改革开放，广东就一定能继续书写科学发展的奇迹，中国特色社会主义道路就一定会越走越宽广。

第二，研究广东改革开放，要深入概括广东改革开放30年的宝贵经验，进一步开创改革开放和社会主义现代化建设新局面。

广东作为全国改革开放的试验区，每前进一步都离不开党中央的亲切关怀和正确领导，都是坚定不移学习实践中国特色社会主义理论、坚定不移贯彻党的路线方针政策的结果。1992年春，邓小平同志视察南方发表重要谈话，要求广东“力争用二十年的时间赶上亚洲‘四小龙’”。2000年春，江泽民同志视察广东，提出了“三个代表”重要思想，要求广东“增创新优势，更上一层楼，率先基本实现社会主义现代化”。2003年春，胡锦涛总书记视察广东，提出了科学发展观的思想，要求广东抓住机遇，加快发展、率先发展、协调发展，在全面建设小康社会、加快推进社会主义现代化进程中更好地发挥排头兵作用。广东时刻牢记中央的重托，始终坚持以邓小平理论、“三个代表”重要思想为指导，深入贯彻落实科学发展观，坚定不移地用党的创新理论武装头脑、指导实践、推动工作，结合广东实际创造性地贯彻落实中央的路线、方针、政策，努力为全国的改革开放探索道路、积累经验、做出贡献。

坚持以解放思想引领改革开放，不断冲破不合时宜的观念束缚。我们深刻认识到解放思想是正确行动的先导，是扫除思想障碍、引领发展的“法宝”，是推动改革开放的强大动力。我们坚持一切从实际出发，求真务实，求新思变，积极将解放思想形成的共识，转化为政策、措施、制度和法规，把解放思想贯穿于改革开放和社会主义现代化建设的全过程。

坚持以经济建设为中心，推动经济社会又好又快发展。我们深刻认识到发展对于全面建设小康社会、加快推进社会主义现代化，具有决定性意义。我们坚持把发展作为党执政兴国的第一要务，牢牢扭住经济建设这个中心，坚持聚精会神搞建设、一心一意谋发展，不断解放和发展社会生产力。着力把握发展规律、创新发展理念、转变发展方式、破解发展难题，不断提高发展质量和效益，推动经济社会又好又快发展，为率先基本实现社会主义现代化打下坚实基础。

坚持以人为本，激发和保护人民群众的积极性和创造

性。我们深刻认识到全心全意为人民服务是党的根本宗旨，党的一切奋斗和工作都是为了造福人民。我们始终把实现好、维护好、发展好最广大人民的根本利益作为党和国家一切工作的出发点和落脚点，尊重人民主体地位，发挥人民首创精神，保障人民各项权益，走共同富裕道路，促进人的全面发展，做到发展为了人民、发展依靠人民、发展成果由人民共享。

坚持全面协调可持续发展，积极构建社会主义和谐社会。我们深刻认识到社会和谐是中国特色社会主义的本质属性，科学发展与社会和谐是内在统一的，没有科学发展就没有社会和谐，没有社会和谐也难以实现科学发展。我们按照民主法治、公平正义、诚信友爱、充满活力、安定有序、人与自然和谐相处的总要求和共同建设、共同享有的原则，着力解决人民最关心、最直接、最现实的利益问题，努力形成全体人民各尽其能、各得其所而又和谐相处的局面，为发展提供良好社会环境。

坚持统筹兼顾，以世界眼光谋划广东的发展。我们深刻认识到统筹兼顾是在新的历史条件下保证中国特色社会主义事业顺利推进的根本方法。我们统筹城乡发展、区域发展、经济社会发展、人与自然和谐发展、国内发展和对外开放，统筹个人利益和集体利益、局部利益和整体利益、当前利益和长远利益，充分调动各方面积极性。着力把握国内国际两个大局，树立世界眼光，加强战略思维，善于从国际形势发展变化中把握发展机遇、应对风险挑战，营造良好国际环境。

坚持加强和改进党的自身建设，充分发挥党的领导核心作用。我们深刻认识到做好各项工作关键在党。我们坚

持党要管党、从严治党，以提高执政能力和保持先进性为重点，贯彻为民、务实、清廉的要求，抓理想塑灵魂，抓班子带队伍，抓基层打基础，抓作风反腐败，全面加强党的自身建设，充分发挥领导核心作用，不断提高各级党组织的凝聚力、创造力和战斗力，为促进改革发展稳定提供坚强政治保证。

这些经验，既是广东历届省委、省政府带领全省干部群众锐意进取、开拓创新取得的宝贵精神财富，又是广东继续开创改革开放新局面必须坚持的重要原则。

第三，研究广东改革开放，要继续解放思想、坚持改革开放，努力争当实践科学发展观的排头兵。

改革开放是广东的魂。广东靠改革开放起步，也靠改革开放起飞；广东靠改革开放赢得今天，也必须靠改革开放开创未来。经过30年的快速发展，广东已经站在新的历史起点之上，改革开放面临着新机遇、新挑战和新任务。我们要继承和发扬改革开放初期敢为人先的精神和气魄，继续解放思想，坚持改革开放，努力争当实践科学发展观的排头兵，把广东建设成为提升我国国际竞争力的主力省，探索科学发展模式的试验区，发展中国特色社会主义的先行地。

一是继续解放思想，坚定不移地走在实践科学发展的前列。解放思想永无止境。要按照科学发展观的要求，打破阻碍科学发展的思维定势，加快转变发展方式，着力提高自主创新能力，积极建设现代产业体系，切实增强可持续发展能力，使速度、结构、效益相协调，人口、资源、环境相协调，消费、投资、出口相协调，城乡、区域发展相协调，促进经济社会又好又快发展。

二是不断深化改革，坚定不移地走在构建有利于科学发展体制机制的前列。以行政管理体制改革、财政和投融资改革、要素市场体系建设等为重点，统筹经济和社会事业改革，加快建立完善的市场经济体制机制，形成市场配置资源、企业自主发展、政府科学调控的良好格局。建立健全科学发展的综合考核体制，把贯彻落实科学发展观的目标要求转化为可考核的客观指标。

三是继续扩大开放，坚定不移地走在提高区域国际竞争力的前列。要树立全局和世界眼光，抢抓经济全球化和区域经济一体化的发展新机遇，加快构建粤港澳紧密合作区，加强与美国、日本、欧盟等发达国家和地区以及与东盟等新兴经济体的合作，加快完善内外联动、互利双赢、安全高效的开放型经济体系，不断扩大开放领域，优化开放结构，提高开放水平，增创广东国际竞争新优势。

四是着力改善民生，坚定不移地走在构建社会主义和谐社会的前列。要坚持民生为重，稳步实施城乡居民收入倍增计划，加快完善覆盖城乡惠及全民的社会保障网，切实解决住房、医疗、教育和食品安全等突出民生问题，使全体人民学有所教、劳有所得、病有所医、老有所养、住有所居，努力实现好、维护好、发展好最广大人民群众的根本利益，推进和谐广东建设。

五是以改革创新精神全面推进党的建设新的伟大工程，坚定不移地走在加强和改进党的建设的前列。要把党的执政能力建设和先进性建设作为主线，坚持党要管党、从严治党，以坚定理想信念为重点加强思想建设，以造就高素质党员、干部队伍为重点加强组织建设，以保持党同人民群众的血肉联系为重点加强作风建设，以健全民主集中制为重点加强制度建设，以完善惩治和预防腐败体系为重点加强反腐倡廉建设，使党始终成为领导改革开放和社会主义现代化建设的坚强核心。

广东有辉煌的过去、美好的现在，一定会有灿烂的未来。这次出版的《广东改革开放30年研究丛书》，对广东改革开放30年巨大成就、实践经验和未来前进方向等问题进行了系统总结和深入研究，内容涵盖经济、政治、文化、法律、城市、农村、科技、教育、社会、党建等10个方面，为全面深入研究广东改革开放做了大量有益工作，迈出了重要一步。在隆重纪念改革开放30周年之际，希望全社会高度重视广东改革开放问题的研究，希望有更多的专家学者和实际工作者积极投身到广东改革开放问题研究中去，进一步把广东改革开放的伟大意义、巨大成就、成功经验和前进方向总结好、阐述好、宣传好，为推动广东现代化建设迈上新台阶，开辟广东更加美好的未来作出更大的贡献！

（作者系中共中央政治局委员、广东省委书记）

目　录

导 论
广东为中国政治转型探路

如果以1978年中共十一届三中全会的召开作为当代中国历史的转折点，那么，从1978年到2008年，中国改革开放的历史巨轮已经整整行驶了30个年头。30年来，广东在中国改革开放的历史航程中，始终处于先行一步的位置，尤其是广东经济增长的成就举世瞩目。然而，相对于经济增长，广东的政治成长是否也有着巨大的进步？比如，在政治改革的层面，它冲破了什么？在政治建设的层面，它确立了什么？在政治发展的层面，它的趋势是什么？也许，30年来广东政治的成长没有广东的经济增长那样耀眼，但是，如果穿过历史的表层，进入历史的深处，我们就会发现，它同样是一个引人入胜的故事。讲述这个故事便是本书的任务。

然而，尽管这是一个激动人心的故事，但讲好这个故事并不容易。一方面，这是一个政治的故事。叙述政治的故事本身也是政治，某种政治正确的原则对故事的讲述者始终构成某种政治的约束。另一方面，这是一个中国语境中广东历史的故事。讲述这个故事涉及两个层次：在历史故事的层次上，讲述者面临三个问题——如何讲（故事的讲法）、讲什么（故事的内容）、为何讲（故事的意义）；在广东故事的层次上，讲述者既要呈现广东故事的特殊性，又要把它置于中国故事的语境之中。因此，讲述30年广东政治成长的历史故事，我们不仅要在政治正确的前提下、在全面把握中国政治30年的基础上，客观叙述这一故事的基本历程和主要内容，还必须在中国政治转型的历史语境中展示其成就、概括其特色、揭示其意义，确立广东政治30年的历史定位，进而展望其发展的方向和趋势。据此，在故事正式讲述之前，作为故事的讲述者，我们通过回答以下问题，为读者提供一个把握、理解这一故事的基本线索和整体框架：

——30年来，广东政治建设的基本历程如何？具体说，如何划分广东政治建设30年的各个阶段？各个阶段的具体背景是什么以及有何特征？

——30年来，广东政治建设的主要内容是什么？从静态看，哪些内容可以纳入广东政治建设的基本框架？从动态看，广东政治建设30年的整体发展状况如何？

——如何对广东政治建设30年进行历史定位？具体说，广东政治建设30年所取得的成就是什么？广东政治建设30年的特色是什么？30年的广东政治建设为中国政治文明的发展、中国政治转型提供了哪些方面的经验？

——广东政治建设的方向是什么？它与中国政治的未来有何关系？

本导论分为五小节，依次讨论上述问题。

一、三个阶段的演进历程

我们首先回答第一个问题：30年来，广东政治建设的基本历程如何？回答这一问题意味着划分这一基本历程所经历的阶段，揭示、勾画各个阶段的背景和特征。大致而言，我们把广东政治建设30年的基本历程划分为以下三个阶段。

第一阶段（1978—1989年）：破除经济发展的政治束缚和重建政治秩序。

我们可以从全国和广东两个层面来把握这一阶段广东政治建设的基本背景。

就全国而言，一方面，“文化大革命”虽已经结束，但“两个凡是”设置的思想禁锢尚未解除，不少人当时的思想“还处在僵化和半僵化的状态”，改革开放面临着巨大的阻力，同时，由于“文化大革命”的破坏，国家的政治生活、法律制度极不健全，政治秩序有待重建，经济体制急需改革；另一方面，于1978年5月启动的“实践是检验真理唯一标准”的讨论吹响了思想解放的号角，特别是1978年12月中共十一届三中全会作出了把执政党和国家的工作重点转移到经济建设上的战略决策，中国开始了改革开放的历史航行。

从广东看，一方面，思想解放的任务繁重，改革开放的阻力重重；另一方面，广东从中央获得了实行灵活措施、特殊政策、在改革开放中先行一步的自主权和发展优势，广东抓住这一难得的历史机遇，实行对外更加开放、对内更加放宽、对下更加放权的宽松政策①，大胆探索经济体制改革的方向，力图“杀出一条血路来”，搞活经济、促进经济增长，推动广东的现代化。

在此背景下，这一阶段的广东政治建设有破有立，着眼于两点：

一是破除陈旧的集权主义和全能主义体制对经济发展的政策束缚、政治束缚。在农村全面推行家庭联产承包责任制，还给农民生产经营的自主权；在城市改革企业经营机制，扩大企业自主权，增强企业活力；在政府内部改革计划管理体制，向地方各级政府和部门下放经济管理权力，减少指令性计划，扩大指导性计划，增加市场调节比重……这些以“松绑还权”、“放权让利”为内容的改革实际上是以经济改革形式出现的政治改革，它极大地释放了广东经济增长的活力。

二是重建政权架构以确立新的政治秩序。1977年12月，因“文化大革命”中断多年的广东省第五届人民代表大会第一次会议

① 关于广东“三放”政策的具体内容，可以参看当代广东研究会编：《岭南纪事》，广东人民出版社2004年版，第639~640页。

和政协广东省第四届委员会全体会议分别召开；1979年12月后，广东省各级人民代表大会常务委员会相继设立，广东各级革命委员会改为人民政府。至此，广东省各级人民代表大会下“一府两院”的政权架构正式确立并开始运作，广东省的政权建设也进入了正常化的轨道，趋向法制化、制度化的政治秩序开始形成。

随着1989年春夏之交那场政治风波的平息，中国的改革开放也走到了历史的十字路口，广东政治建设的第一阶段也宣告结束。

第二阶段（1992—2002年）：以政治建设适应市场经济体制的建立。

20世纪80年代末90年代初，由于复杂多变的国内外局势，中国的改革开放事业走到了一个重要的转折关口。国际上，东欧剧变、苏联解体；在国内，经济改革的目标模式模糊不清，姓“资”姓“社”的争论连续不断，1989年春夏之交的政治风波使得形势更为严峻。在当时，中国的改革开放事业面临极为严峻的挑战：中国的改革开放向何处去？是继续深化改革、扩大开放，还是退回计划经济体制的老路上去？邓小平于1992年春天视察南方，在深圳、珠海等地发表了一系列重要谈话，为中国改革开放的历史航程指明了方向，特别是邓小平有关计划与市场的精辟论述为中国确立以社会主义市场经济体制为经济体制转型的目标奠定了思想基础。

在邓小平南方谈话精神的指引下，1992年中共十四大首次明确提出，中国经济体制改革的目标是建立社会主义市场经济体制。1993年中共十四届三中全会通过了《中共中央关于建立社会主义市场经济体制若干问题的决定》（以下简称《决定》），系统完整地提出了社会主义市场经济体制的基本框架。根据中共十四届三中全会《决定》设计的社会主义市场经济体制的蓝图，中共广东省委七届二次全会于1993年12月通过了《关于加快建立社会主义市场经济体制若干问题的实施意见》，明确提出：“力争用五年时间在我省建立起社会主义市场经济体制的基本框架，推进我省力争二十年基本实现现代化。”这样，进入20世纪90年代后，广东经济体制改革开始由点面结合、单项突进、破除旧体制的摸索阶段，进入

到以建立社会主义市场经济体制为目标、整体推进、综合配套、制度创新的新阶段。①

在此背景下，这一阶段的广东政治建设围绕建立社会主义市场经济体制而展开，适应从计划经济体制向市场经济体制的转型成为广东政治建设的内在要求和基本特质。1993 年 5 月，中共广东省委书记谢非在中共广东省第七次代表大会上的报告中清楚地点明了这一点："从现在起到 2000 年为第一阶段。这一阶段，要建立起社会主义市场经济体制的基本框架和与之相适应的运行机制……发展市场经济……必须有社会主义民主与法制的机制保证。"②

正是为了让政治建设适应市场经济体制的建立，广东省把建立社会主义市场经济、民主法治和廉政监督三个机制确定为"三个三"工程③之一。上述三大机制在性质上其实可以归结为两大机制——市场经济的经济运行机制和法治民主的政治运行机制。④ 前者涉及经济体制改革，后者属于政治建设、政治改革的范畴；建立社会主义市场经济体制不仅需要改革陈旧的计划经济体制，而且需要政治改革和政治建设与之相适应、相配套。市场经济体制的内在政治要求决定了这一阶段广东政治建设的主要内容。在这一阶段的政治建设中，除了强化廉政监督、推动基层群众自治等以外，以下两点值得特别强调：

一是构筑法制体系。市场经济是法治经济，市场经济的运行需

---

① 张思平：《体制转轨：广东 90 年代的改革》，广东人民出版社 2003 年版，第 7 页。

② 谢非：《广东改革开放探索》，中共中央党校出版社 1995 年版，第 10、18 页。

③ "三个三"工程，即建立社会主义市场经济、民主法治和廉政监督三个机制；加强农业、交通能源通讯和教育科技三个基础；实现产业结构、生态环境和人口素质三个优化。谢非：《广东改革开放探索》，中共中央党校出版社 1995 年版，第 37 页。

④ 谢非对此有非常明确的论述："建立三个机制涉及经济体制、政治体制的改革、完善……其中的廉政监督机制，本来也属于民主法治机制、属于民主监督的范畴，因为在市场经济的条件下，反腐倡廉的工作特别重要，事关党和国家兴衰成败与生死存亡，又特别艰巨，有大量工作要做，所以我们把它相对独立出来，加以强调，以便更有针对性地加强这方面的工作"（参见《广东改革开放探索》，中共中央党校出版社 1995 年版，第 37 页）。

要法律的引导、规范、保障和推动。致力于在全国率先建立市场经济体制的广东尤其需要“立法先行”。1993年4月，全国人大常委会委员长乔石视察广东，指示广东在制定地方性法规方面“可以先走一步，成为全国立法工作的实验田”。根据这一指示，广东省人大常委会和省人民政府提出了“开足马力，全速推进”地方立法的动员令。这样，不仅广东的立法工作进入了快速发展的时期，而且“立法先行”、构筑适应市场经济体制的法制体系成为这一阶段广东政治建设的一大亮点。

二是转变政府职能。进入20世纪90年代后，适应建立市场经济体制的需要，广东双面出击，进一步推动政府职能转变。一方面，广东以政企分开为主线，着手理顺政府与企业的关系，解决制约企业发展的行政障碍，把政府对企业直接的微观干预转变为对经济间接的宏观调控；另一方面，广东以两次机构改革为契机，按照精简、统一、效能的原则，改革政府机构、改革社会中介机构、改革行政审批制度，促进政府职能转变。

第三阶段（2003—2008年）：落实科学发展观中的政治推进。

2003年初，一种被称为“非典”的传染性疾病在广东暴发，并向全国蔓延。在广东遭受“非典”袭击期间，中共中央总书记、国家主席胡锦涛于2003年4月来到广东调研，他要求广东要加快发展、率先发展、协调发展，并提出发展要有新思路，必须实施科教兴国和可持续发展战略，经济发展和人口、资源、环境相协调，同时要促进中国特色社会主义经济、政治、文化的全面发展。时隔半年后，中共十六届三中全会于2003年10月14日通过了《中共中央关于完善社会主义市场经济体制若干问题的决定》，该决定明确提出“坚持以人为本，树立全面、协调、可持续的发展观”。

为响应中央树立科学发展观的号召，广东及时调整发展思路。2003年5月，中共广东省委、省政府在广州召开全省贯彻落实胡锦涛总书记视察广东讲话精神，中共广东省委书记张德江在讲话中要求广东按照新的发展观的要求，交出“三个文明”（物质文明、精神文明和政治文明）建设和执政党建设两份优异的答卷。2007

年12月，广东省委书记汪洋在中共广东省委十届二次全会第一次全体会议上发表讲话，号召广东“继续解放思想、坚持改革开放、努力争当实践科学发展观的排头兵”。基于落实科学发展观的新思路，广东把发展目标重新定位为成为“提升我国国际竞争力的主力省，探索科学发展模式的试验区，发展中国特色社会主义的先行地”。

在落实科学发展观的背景下，这一阶段的广东政治建设主要围绕实现全面、协调、可持续的科学发展而展开，其主要特点是致力于建立有利于科学发展的权力体制和运作机制。建立公共服务型政府、推进基本公共服务均等化、制定体现科学发展观的领导干部政绩考核评价指标体系、完善基层群众自治、扩大公民有序参与、试点推进党内民主等成为这一阶段广东政治建设的主要内容。

二、“九位一体”的建设框架

改革开放30年来，广东的政治建设不仅走过了渐进发展的历程，有其清晰的历史演进轨迹，而且蕴涵丰富多彩的内容，形成了一个由多种元素组成的整体框架。如果说把广东政治建设30年的基本历程划分为三个不同的阶段，是“线”的梳理，那么，分析30年来广东政治建设整体框架的构成元素，则是“体”的解析。在本书的论述架构中，正是下述九大元素构成了30年来广东政治建设的整体框架。

1. 执政党。

中国共产党是当代中国的执政党，在当代中国政治中处于核心领导地位。执政党的建设是当代中国政治建设中重要的组成部分。在广东政治建设30年的历史篇章中，执政党的建设无疑是其中最为重要的一章。[①] 在这一章中，特别值得书写的一页就是，30年来，在党中央的领导下，中共广东省委坚强、有效的集体领导不仅

① 由于本套丛书中已有专著论述广东30年的党建工作，本书对此不作全面叙述。

为广东改革开放的伟大事业奠定了坚实的政治基础，而且成为30年广东政治建设中的核心内容。据此，我们把广东执政党建设中集体领导链条的确立作为本书论述的主要内容，力图从这一侧面来把握30年来广东政治建设中执政党建设的历史图像，以突显30年来广东政治建设整体框架中执政党的元素。

2. 央地关系。

无论在古代，还是在现代，中央与地方的关系都是中国政治中至关重要的大问题。尤其在当代中国大转型的历史变革中，“中央与地方的关系问题，已经成为中国制度转型中的一个轴心问题”。[①]改革开放30年来，中央与地方的关系处于变革之中。在此变革中，广东与中央的关系具有非常特殊的意义：从全国看，中央与广东关系的调整是当代中国政治中中央—地方关系变化的一个典型范例；从广东层面看，广东与中央关系的变化直接左右和决定了广东改革开放的历史进程。在历史与逻辑相互交织的意义上，广东与中央关系的调整、变化不仅是广东改革开放的历史起点，而且是30年广东政治建设的逻辑起点。这种调整、变化具有双向调适的特征，经历了上个世纪80年代（中央向广东放权和广东获得相当的自主权）、90年代（中央选择性集权与广东的配合）和21世纪初（中央集权与广东的协作）三个发展阶段。在广东与中央关系的调适过程中，中央和广东的积极性都得到了发挥，这不仅维护了中央的权威，同时也增强了广东的活力。因此，把握广东政治建设30年的历史发展，不能不正视广东与中央关系的这一重要元素。

3. 人大制度。

根据中华人民共和国宪法，人民行使国家权力的机关是全国人民代表大会和地方各级人民代表大会。全国人民代表大会是最高国家权力机关，它的常设机关是全国人民代表大会常务委员会；地方各级人民代表大会是地方国家权力机关，县级以上的地方各级人民

---

① 吴国光、郑永年：《论中央—地方关系：中国制度转型中的一个轴心问题》，牛津大学出版社1995年版，第3页。

代表大会设立常务委员会。以人民代表大会及其常务委员会为主要内容的人民代表大会制度是我国的基本政治制度。人民代表大会制度的建设在当代中国的政治建设中占有极为重要的地位。改革开放30年来，广东在健全各级人大常委会的组织框架、内部机构和运作规则、发挥人大代表的积极作用、落实人大的基本职权（立法权、监督权、任免权和重大事项决定权）等诸多方面取得了长足的进步，不仅在中国人民代表大会制度发展史上留下浓重的一笔，而且以其广东特色成为地方人大建设中一道亮丽的风景线。广东的人大制度是广东政治建设整体框架中的第三大构成元素。

4. 人民政府。

根据中华人民共和国宪法，人民政府是国家权力机关的执行机关和国家的行政机关。在当代中国的政治建设中，人民政府的建设占有十分重要的地位。在广东政治建设30年的历史进程中，人民政府的建设主要从两大进路推进：一是组织体系的改革与建设。广东通过调整行政区划、重组行政架构、改革人事制度、制定内部运作规则、规范政府开支，逐步构建起一个在行政权力的地域分布、组织架构、队伍管理、运作规则、经费使用上日趋理性化的政府体系。二是政府角色的变化与转型。为了适应经济体制从计划经济向市场经济的转型和落实科学发展观，广东各级政府在多次机构改革中，转变政府职能，调整政府角色，逐步从一个高度集权的、全能型政府向依法运作、高效透明、廉洁公正的有限政府、责任政府和公共服务型政府转型。人民政府是广东政治建设整体框架中的第四大构成元素。

5. 人民政协。

在当代中国政治中，中国人民政治协商会议（以下简称政协）具有重要的地位。政协不仅是中国共产党领导的多党合作和政治协商的重要机构①，而且是实现社会主义协商民主的主要途径之一：

① 政协广东省委员会办公厅编：《广东政协五十年》，广东人民出版社2005年版，第245页。

“人民通过选举、投票行使权利和人民内部各方面在重大决策之前进行充分协商，尽可能就共同性问题取得一致意见，是我国社会主义民主的两种重要形式。”① 因此，政协工作是中国政治建设中不可或缺的重要组成部分。广东政协自1977年恢复运作以来，主要从以下四个方面着手进行建设和发展：（1）建立专门委员会并创制相应的运作规则，推进政协内部组织机构的建设，为政治协商搭建有效的操作平台；（2）调整与扩大政协的界别范围，最大限度地吸纳社会各界的利益诉求；（3）发挥政协委员的主体作用，使之成为联结政府与社会公众的纽带；（4）加强党派工作，促进政党合作。总之，机构完善、界别调整、委员履职和政党合作“四位一体”，构成了30年广东政协建设、发展的基本格局。人民政协是广东政治建设整体框架中的第五个构成元素。

6. 廉政机制。

反腐倡廉始终是当代中国政治建设中的重要内容。在改革开放30年的历史进程中，反腐倡廉是广东政治建设乐章中一个不可或缺的音符。一方面，从组织架构的搭建、组织运作规则的制定到纪检监察队伍的建立，广东构筑了强力高效的反腐主体；另一方面，通过内外并举的双重权力监控体制、拒腐防变的教育长效机制和多管齐下的惩治手段，广东创立了集教育、监督和惩治三位于一体的反腐倡廉的制度体系。治理腐败的廉政机制构成了30年广东政治建设整体框架中的第六大元素。

7. 群众自治。

中共十七大报告首次将“基层群众自治制度”纳入中国基本政治制度的范畴。基层群众自治是中国政治建设中的一个重要组成部分。改革开放以来，广东以三大进路推行基层群众自治：在乡村，村民通过民主选举、民主决策、民主管理和民主监督，实现村民自治；在城市，社区居民通过选举社区的“当家人”等途径实

---

① 参见《中共中央关于加强人民政协工作的意见》，2006年3月1日，http://www.gov.cn/jrzg/2006-03/01/content_215306.htm.

现社区居民自治；在企业，企业职工以多种方式参与企业管理，或直选工会领导人，或借助职工代表大会制度以维护其合法权益，或借鉴ISO9000标准推行厂务公开制度，或以员工持股方式实验经济民主。总之，乡村村民自治、城市居民自治和企业职工参与如同三驾马车并行，一起推动了广东基层群众自治制度的运转，使之成为30年广东政治建设整体框架中的第七大构成元素。

8. 公民参与。

公民有序参与是当代中国政治建设中重要组成部分。在地处改革开放前沿的广东，公民维权意识浓厚，参与意愿强烈。30年来，广东公民在执政党和政府的领导下，依法积极有序地参与政治生活。随着农民工、私营企业主、律师、知识分子等诸多群体、阶层卷入政治参与，参与主体从精英群体逐渐扩展到草根阶层，参与主体日益多元化；借助政务电话反映民生问题，通过公共电台、互联网等表达利益呼声，公民参与的渠道迅速扩展；公众论坛、听证会等为公民参与公共决策、地方立法提供了多元途径，而依法治省的程序规范、政务公开的制度保障、民意吸纳机制的健全则确保了公民参与的有序进行。总之，公民有序参与构成了30年广东政治建设整体框架中的第八大元素。

9. 媒体舆论空间。

在现代政治中，公共空间或公共领域（public sphere）是一个十分重要的现象。在理想的意义上，公共空间或公共领域是一个介于私人领域与公共权力领域之间的中间地带，是一个向所有公民开放、由对话组成、旨在形成公共舆论、体现公共理性精神、以大众传媒为主要运作工具的批判空间。[①] 在公共领域中，公众通过报纸、广播、电视、互联网、杂志等大众媒体对公共权力、公共政策、公共事件和公共人物进行披露、监督、评论乃至批评等，这一系列活动的总和及其所形成的公共舆论，构成了一个媒体舆论空间。媒体舆论空间的适度开放不仅是当代中国政治建设、发展的重

① 肖滨：《现代政治与传统资源》，中央编译出版社2004年版，第339页。

要内容，而且是中国政治文明成长的重要组成部分。改革开放30年来，广东开放的重要标志之一就是媒体舆论空间的适度开放。以《南方周末》、《南方都市报》等报刊为主导的南方报系，或为思想解放鸣锣开道，或为改革开放保驾护航，或以公共舆论监督权力腐败，或呼吁法治以捍卫民权，或广开议政言路以影响公共决策，或引导网络民意以维持社会和谐。如果说媒体舆论空间的扩展、开放、包容是广东政治建设、政治发展的一大亮点和一大特色，那么，扩展、开放的媒体舆论空间则是30年广东政治建设整体框架中的第九大元素。

总之，九大元素——倡导思想解放、领导改革开发的执政党、调适中的广东与中央的关系、运转起来的人大制度、转型中的人民政府、角色回归的人民政协、治理腐败的廉政机制、发展中的基层群众自治、有序的公民参与、扩展开放的媒体舆论空间——一起构成了广东政治建设的整体框架，是为“九位一体”的建设框架。正是这九大元素构成了全书11章的基本内容，支撑了全书的总体结构。

三、四大图景的发展画面

30年的广东政治建设不仅有阶段划分清晰的演进历程、九大基本元素构成的整体框架，而且有一个由四个不同的图景组合而成的发展画面。这四个不同的图景分别涉及30年来广东政治建设的四大着力点——经济增长、政治秩序、社会公平和法治民主。

图景之一：以经济增长为取向、从经济体制改革入手的政治发展。

随着1978年中共十一届三中全会提出执政党的工作重点从“以阶级斗争为纲”转向“以经济建设为中心”，中国开始进入大力发展经济的时代。然而，在改革开放的初期，来自于与权力高度集中的政治体制相互依存的计划经济体制构成了经济发展的巨大阻力。计划经济体制的特征是：宏观上，中央高度集权，无论经济决

策权，还是资源分配权（财力、物力、人力），都集中统一于中央，地方经济管理权限很小；微观上，国家对国营企业实行直接的管理，企业的人、财、物、产、供、销都集中在政府主管部门手中，企业的职责只是执行政府主管部门作出的生产与经营的决策，企业缺乏生产、经营的自主权；国民经济采取以指令性计划为主的管理手段，而且随着国营经济的不断扩展，指令性计划的覆盖面越来越大，市场机制的作用也日渐消退，最后政府的计划完全替代了市场。这种高度集中的计划经济体制在新中国成立后逐步建立起来，虽经多次调整，但一直到 1978 年并无根本性的变化。与这种高度集中的计划经济体制相互依存的是权力过分集中的政治体制。邓小平曾对此作过深刻的分析："权力过分集中的现象，就是在加强党的一元化领导的口号下，不适当地、不加分析地把一切权力集中于党委，党委的权力又往往集中于几个书记，特别是集中于第一书记，什么事都要第一书记挂帅、拍板。"① 这是从执政党层面来观察权力过分集中的现象。如果从国家层面，可以从纵横两个维度来把握这种权力过分集中的现象。从纵向上看，一方面，权力过分集中于中央，地方缺少自主权。另一方面，权力集中于省级权力领导机关，市、县以及基层缺乏自主权。从横向上看，经济、社会、文化的权力过分集中于党政机关，以致政企不分、政事不分和政社不分。正是权力高度集中的政治体制与指令性的计划经济体制相互依存窒息了中国经济增长的活力。

因此，中国推动经济增长不仅需要进行经济改革、实现经济体制转型，而且需要相应的政治改革和政治体制转型。构成广东政治建设 30 年发展画面的第一幅图景就是以推动经济增长为中心的包括政治改革与政治建设在内的政治发展，其具体内容可以概括为三大改革——放权改革、还权改革和限权改革。

放权改革涉及纵向层面的央地关系和省与市县的关系，具体内容包括以下两个方面。

① 《邓小平文选》第 2 卷，人民出版社 1994 年版，第 328 ~ 329 页。

中央向广东的放权改革。从上个世纪80年代开始，中央不断向广东放权，让广东在先行一步中获得了很大的自主权。在改革开放初期，中央允许广东实行特殊政策和灵活措施，如生产建设计划以省为主制定，扩大广东对外经济贸易的权限，财政体制实行“划分收支，定额上交，五年不变”的包干办法，试办深圳、珠海、汕头经济特区等；80年代末，中央批准广东成为综合改革实验区，在多个方面进行探索性改革；在即将进入90年代的时候，中央继续重申对广东的特殊政策和灵活措施不变，并不断扩大广东享受优惠政策的范围；即使在90年代，中央实行选择性集权之后，中央依然给予了广东较大的自主权。而且，始于上个世纪80年代的中央向广东的放权改革不仅包括行政性放权和经济性放权，而且还涉及一定程度的政治性放权（主要涉及地方立法权）。正是中央向广东的让利放权极大地扩大了广东的自主权，为广东创造经济奇迹提供了重要的前提条件。

广东省向市县的放权改革。几乎与中央向广东放权同步，广东省也积极推动向市县放权。比如，广东省实行财政体制改革，通过财政分级包干的体制，扩大了各级政府的财政自主权。1981年，广东实行“划分收支，分级包干”的财政体制；1985年，广东省实行“划分税种，核定收支，分级包干，一定五年”的财政管理体制，并针对不同地区的经济发展和财政收支情况，采取不同的包干办法，形成了省对市（地）、市（地）对县、县对镇（乡）的分层包干的财政格局。再如，广东省通过计划管理体制改革，给地方各级政府和部门下放经济管理权力。

总之，这种自上而下的纵向层面的放权改革增添了省、市、县的经济自主权，松动了高度集权的体制，从而为企业和劳动者发挥经济活动的主动性、积极性、创造性留出了自主空间，提供了经济增长的推动力。

如果说，放权改革涉及的是纵向层面的央地关系和省与市县的关系，改革主要针对集权主义，那么，还权改革则指向横向层面上国家权力体系与农民、企业等的关系，改革针对的是全能主义。

向农民还权。这主要指归还农民的经济自主权和农民对农村内部事务的自主管理权。上个世纪 80 年代，广东在农村推行经济体制改革。改革从恢复和发展多种形式的经济责任制开始，到实行统分结合的家庭联产承包责任制，直至废除人民公社体制。“人民公社的消失，使农民从金字塔网络的网眼中解脱出来，成为自由人。”[①] 由此，农民获得了经济自主权，成为独立的商品生产经营者。废除“人民公社”之后，广东在探索农村基层管理体制的道路上经历了曲折的历程，最终于 1998 年开始在广东农村推行村民自治制度。实施村民自治制度是政府再一次向农民还权。不仅把选举权、决策权和监督权还给农民，更重要的是把农民对农村内部事务的管理权还给农民。

向企业还权。在计划经济体制下，政府与企业紧紧地捆绑在一起，企业缺乏自主权，这使得经济发展没有活力。因此，搞活经济的关键在于权力部门向企业还权。用任仲夷的话说，给企业更多的自主权，是“还给”而不是“给予”。[②] 在这方面，广东省的各级权力部门起步较早，动作较快，采取了大刀阔斧的各种改革措施。早在 1979 年 1 月，中共广东省委召开四届二次常委扩大会议，省委第一书记任仲夷在大会总结发言中首先强调要尊重和保护企业的所有权和自主权。同年，广东省革委会先后批转省商业局、省经委、省供销社有关扩大企业自主权的报告，拉开了向企业放权的序幕。此后，广东省先后进行第一批、第二批扩权企业的试点工作。[③] 这样，在 20 世纪 80 年代初，广东产生了扩大企业自主权、搞活企业的“清远经验”，80 年代后期则出现了探索建立新型政企关系的“江门模式”。随着政府向企业逐步的还权、扩权，政府与企业开始逐步分离。

针对全能主义的改革不仅包括国家权力系统向农民、企业等归

---

① 杨继绳：《邓小平时代》，中央编译出版社 1998 年版，第 214 页。

② 王廉：《任仲夷评传》，广东人民出版社 1998 年版，第 40 页。

③ 广东省扩大企业自主权的基本内容，可以参见当代广东研究会编：《岭南纪事》，广东人民出版社 2004 年版，第 678 页。

还自主权的还权改革，还涉及限定国家权力运作范围的限权改革。如果说限权改革是政府的自我革命，那么，行政审批制度改革就是这场自我革命中的攻坚战，是政府限权改革的重要体现。广东不仅在全国很早就打响了这场攻坚战——早在1997年，深圳即开始对政府审批制度进行改革；而且，广东大有将这场攻坚战进行到底的气势。从1999年到2004年，广东先后进行了三轮行政审批制度改革。广东推行行政审批制度改革的重要成果不仅在于减少了行政审批的事项、改变了行政审批的方式，更重要的是，通过行政审批制度改革，政府开始根据《中华人民共和国行政许可法》的规定，确立其行政权力的范围、设定其权力运作的边界。换句话说，行政审批制度改革推动广东各级政府在依法自我限权的改革进程中向法治之下的有限政府转型。

上述三大改革的历史事实表明，广东的改革实际上是经济改革与政治改革交织于一体，“是寓政治改革于经济改革之中，融政体改革于经体改革之内”①。这种以经济改革形式出现的、以“三权改革”（放权改革、还权改革、限权改革）为主要内容的政治改革对于广东经济增长具有双重意义。它不仅促进了政治体制成功地由经济增长阻碍型演变成经济增长支持型②，更重要的是，它推动了广东的经济自由、从而激发了广东经济增长的活力。“政府把权力放回给企业，放回市场，也是放回社会和放给社会公民。改变了传统的社会资源行政权力垄断，整个社会经济活动行政化和政治化的经济体制，也就必然改变政府与企业、政府与市场、政府与社会及公民的政治关系，促进民间经济与社会的形成，产生利益多元化，得到经济活动上的自由。”③ 从这一角度来看，广东经济增长的奥秘部分地隐藏在广东以经济改革形式出现的政治改革之中。

图景之二：以政治经济秩序为取向、以政权建设为内容的政治

---

① 曾牧野：《转型广东经济改革与发展》，广东经济出版社1998年版，第441页。

② 张军：《中国增长的政治学》，2007年4月29日，http：//active. zgjrw. com/News/2007429/News/646765574401. html.

③ 曾牧野：《转型广东经济改革与发展》，广东经济出版社1998年版，第441页。

发展。

把握这一发展图景需要追溯到一个历史的起点——革命委员会政权。1966 年 5 月“文化大革命”开始后，广东省各级党政机关受到很大冲击，作为最高地方国家权力机关的广东省人民代表大会停止了活动，政协广东省委员会的工作也被迫停顿，各级人民委员会无法正常运作，陷于瘫痪半瘫痪状态。为了稳定广东的局势，1967 年 3 月 15 日，中共中央决定对广东实行军事管制，成立了军事管制委员会。从 1968 年 2 月开始，广东省和各地区、市、县先后成立了革命委员会。革命委员会代替原有的党政机构，行使党、政、财经、文教等一切权力。[①] 1968 年 12 月 16 日，省革委会通知，省革委会生产组设办公室、政工办公室、科研领导小组和计划、工交、财贸、农林水四个战线革委会。各战线属下的局、公司、站均成立革委会，于次年 1 月 1 日开始办公；原省人委主管生产的部、委、办、厅、局于次年 1 月 1 日撤销。[②] 1972 年 2 月 20 日，省委决定在省革委会政工组内成立群众工作办公室，承办工、农、青、妇等方面工作。1972 年 4 月 19 日，省革委会决定成立省计划革委会、省基本建设革委会、省工业战线革委会、省交通战线革委会、省农林水战线革委会、省财贸战线革委会以及省科技局、卫生局、民政局等 32 个委局和省农科院。[③]“文化大革命”期间的革命委员会政权具有组织形式革命化、政治经济结构一体化、政权角色斗争化的特征。因此，改革开放以来，广东政治建设的一个历史任务就是在形式和实质上告别革命委员会政权，重新开始广东省的政权建设，以确立新的权威架构，形成新的政治秩序。我们把广东政权建设的具体内容主要归纳为三个方面：组织建设、结构分化

① 1967 年 11 月，根据中共中央、国务院、中央军委、中央文革小组《关于广东问题的决定》，广东成立了省革命委员会筹备小组。经过三个多月的筹备，1968 年 2 月 21 日，广东省革命委员会成立，省革委会下设政工组、办事组、生产组、保卫组，负责日常工作。广东省革命委员会行使全省党、政、财经、文教等一切权力。

② 当代广东研究会编：《岭南纪事》，广东人民出版社 2004 年版，第 269 页。

③ 当代广东研究会编：《岭南纪事》，广东人民出版社 2004 年版，第 283 页。

和角色转变。

其一，组织建设。

政权的组织建设即各级政权机构的建立和完善，主要包括组织架构的搭建、运作规则的制定和专职队伍的形成。

组织架构的搭建主要指以广东各级人民代表大会及其常务委员会、“一府两院”、人民政协为主要内容的政权架构的形成和完善。随着1977年12月广东省第五届人民代表大会的召开，广东省人民代表大会恢复运作，步入正常化、法制化的轨道；1979年12月，广东省人大五届二次会议通过了设立广东省人大常务委员会的决议，拉开了广东省地方各级人大设立常委会的序幕，广东各地市、县市人大常委会随之逐步建立起来，到上个世纪80年代，广东已经基本完成了人大常委会在广东地域空间的横向布局和层级架构的纵向安排，奠定了广东人大常委会运作机构的基本框架；1983年广东省六届人大常委会一次会议决定成立省人大常委会法律委员会、财政经济委员会、农村委员会、教育科学文化卫生委员会和华侨委员会等5个工作委员会，由此，工作委员会作为省人大常委会的内部组织框架初步奠定。1979年12月举行的广东省第五届人大二次会议决定，广东省革命委员会改为广东省人民政府、海南行政区革命委员会改为海南行政区公署、各地区革命委员会改为各地区行政公署，广东省的人民政府组织体系由此开始形成，它与重新恢复的各级人民法院、各级人民检察院一起构成了人民代表大会下“一府两院”的政权架构。此外，随着政协广东省第四届委员会于1977年12月召开第一次会议，广东省的政协工作开始全面恢复，政协的组织建设也迅速推进。到2003年，全省各级政协组织的数量发展到143个，广东政协的组织系统基本成型；① 政协的内部机构也日益完善，以省政协为例，其内部工作机构由工作组发展到专门委员会，形成了目前由提案委员会、经济委员会、人口资源环境

① 政协广东省委员会办公厅编：《广东政协五十年》，广东人民出版社2005年版，第4页。

委员会等9个专门委员会组成的组织架构。

广东的政权建设不仅注重组织系统的建立和完善，而且强调组织系统内部运作规则的制定。例如，广东省人大常委会为了规范自身运作的程序，制定了两大类型的运作规则：一为一般性的规范，包括《广东省人民代表大会常务委员会议事规则》在内的议事及工作规则即属此范畴；一为具体职权行使规范，它主要包含《广东省人民代表大会常务委员会制定地方性法规规定》、《广东省人民代表大会常务委员会人事任免办法》和《广东省人民代表大会常务委员会监督条例》等规则。再如，广东省政协为落实全国政协通过的《中国人民政治协商会议章程》、《中国人民政治协商会议全国委员会提案工作条例》、《政协全国委员会关于进一步加强反映社情民意工作的若干意见（试行）》，以及中央颁布的《中共中央关于坚持和完善中国共产党领导的多党合作和政治协商制度的意见》，从1988年到2003年，先后制定了《政协广东省委员会秘书长副秘书长工作规则》、《政协广东省委员会常务委员会工作规则》、《政协广东省委员会专门委员会通则》、《广东省政协、各民主党派省委、省工商联秘书长座谈会简则》等内部规章制度。

就现代国家政权的组织建设而言，不仅需要搭建理性化的组织架构、制定公开透明的运作规则，而且还需要组织一支专业化的公务员队伍，因为"'现代国家庞大的官僚结构及其成千累万的官员共同构成了现代政府的核心。'作为政府权威性决定的一个执行工具，官僚机构必须由受过专业化训练的精英群体组成，招收的人员应具有一定的技术才能并经过必要的训练，能够完成所赋予的任务。"① 因此，推行公务员制度在广东政权组织建设中占有十分重要的地位。广东从上个世纪80年代末即开始探索推行公务员制度，制定了《广东省建立和推行国家公务员制度实施方案》；深圳市则作为全国建立和推行公务员制度的试点单位，于1993年正式建立

① 胡鞍钢、王韶光、周建明：《第二次转型：国家制度建设》，清华大学出版社2003年版，第326页。

公务员制度；广东省级机关和市、县和乡镇行政机关则分别于1995年和1996年开始推行公务员制度。经过十多年的探索和努力，广东省不仅完成了原有机关工作人员向国家公务员过渡的工作，而且制定出了涉及公务员录用、考核、培训、职务升降、奖励、纪律、辞职、辞退、退休、回避等各个单项法规的实施细则，建立起了较为完整的公务员管理体系，基本形成了以广东省行政学院为主体的公务员培训网络，使公务员培训工作走上正轨。

其二，结构分化。

从国家政权建设角度来把握广东乃至中国的政治建设，我们“需要对‘国家政权建设’进行超出机构建设的观察”[①]，不能只关注政权的组织建构，还必须注意其政治经济一体结构的分化。所谓结构分化意味着从原来高度重叠的政治经济一体化的结构，逐步分化为国家领域、私人领域、市场领域及公众领域之间既相互分开又有部分相互重叠的文明社会结构。[②] 在30年的广东政治建设中，这种结构分化不仅包括以上所述的政企分开，政事分开、政社分开等也是其中的重要组成部分。

在广东，事业单位的改革起步虽早，但进展缓慢。直到上个世纪90年代后期，随着公务员制度的建立和政府职能转变的深入，广东事业单位改革才逐步铺开。在先前改革试点的基础上，广东从2002年开始着手全面开展事业单位改革，改革的思路是改革事业单位管理体制，让事业单位与政府部门脱钩，取消行政隶属关系，建立法人治理结构；将原事业单位承担的行政职能划归政府部门，个别暂时难以划归的，通过政府委托，改组为法定执行机构；对从事社会辅助性、技术性、服务性工作的事业单位，则实行产权制度改革，改制为股份制的事业单位，并创造条件，使其逐步向企业转化。广东事业单位改革的最终目的是，改革后的事业单位不定行政

① 张静：《基层政权：乡村制度诸问题》，浙江人民出版社2000年版，第294页。

② 关于文明社会领域的划分，请参见托马斯·雅诺思基著，柯熊译：《公民与文明社会》，辽宁教育出版社2000年版，第15～23页。

级别，建立不同于政府部门的人员管理制度和工资福利制度。[①] 基于这一事业单位改革的思路，广东各地加快了事业单位的改革步伐。到 2007 年，深圳已在事业单位构建理事会、管理层和职工大会的“三权分立”治理结构，推行“服务外包”和“职员制”的探索。

与政事分开同步，政府与社会也逐步分离，先前政府与社会的一体结构逐渐被打破。政社分开主要表现为中介机构改革、行业协会的发展以及非政府组织的成长壮大。广东社会中介机构改革和行业协会的发展，主要得益于政府转变职能和行政审批制度改革。如《广东省 2005 年行政审批制度改革工作方案》、《广东省 2006 年行政审批制度改革工作方案》都把“积极培育、规范行业协会和中介机构”作为行政审批制度改革的重要措施加以推行。从上个世纪 90 年代后期起，广东一方面鼓励和支持中介机构的发展，另一方面则重点抓好中介机构的整顿和规范工作。经过整顿规范，广东社会中介机构发展极其迅猛，行业协会的发展也成效卓著。从数量上看，上世纪 80 年代初，广东省仅有省交通运输协会、省食品工业协会等几个行业协会，现在全省已有行业协会 792 个，其中省级 131 个，市级 408 个，县（区）级 253 个；自 2000 年以来，各地成立的协会就达 290 多个，占行业协会总数的1/3。[②] 从质量上看，广东先后颁布了《关于规范行业协会工作的意见》、《广东省行业协会条例》，为建立功能齐全、行为规范、运作有序、作用突出的行业服务组织提供了法律保障。至于非政府组织的发展，众所周知，由于广东经济比较发达，公民的权利意识和参与意识很强，因而广东是民间组织发展最活跃的地区之一。据官方统计，广东民间组织的数量居全国第二位，这些组织的成长和发展对于促进社会自主运作、实现公共治理起到了积极的促进作用。

---

① 《取消隶属　不定级别　广东事业单位改革全面铺开》，《羊城晚报》2002 年 10 月 9 日。

② 《广东培育发展行业协会做法》，2006 年 5 月 11 日，http：//www. zjol. com. cn/05mjzz/system/2006/05/11/006614466. shtml.

其三，角色转变。

30年来，广东的政权建设不仅包括上述组织建构、结构分化，而且还涉及自身角色的转变。概括地说，广东的政权角色在30年里发生了两次大的转型：第一次转型是从以阶级斗争为纲、致力于计划经济的革命斗争型政权向以经济发展为中心、着眼于市场经济的经济建设型政权的转型，第二次转型则是从经济建设型的政权/政府向公共服务型的政权/政府的转型。鉴于第二次转型虽然刚起步不久，但展现了广东政治建设和发展的新图景，我们稍后专门对此予以论述。在此我们着重分析第一次政权角色的转型。

第一次政权角色的转型涉及两个层面：

一是从以阶级斗争为纲的革命斗争型政权向以发展经济为中心的经济建设型政权转型。随着1978年中共十一届三中全会的召开，执政党和国家把工作的战略重点从阶级斗争为纲转向以发展经济为中心，这一层面的转变在广东很快得以完成。到1979年年底，广东各级政权组织已经不再热衷斗争、空谈政治、忙于革命，而是把搞活经济、发展生产、对外开放作为自己工作的重点，由此，广东的政权组织开始从阶级斗争的组织者转变为经济发展的推动者。

二是从致力于计划经济的政权向建立、适应市场经济体制的政权转型。这一层次的转变不仅经历的时间较长、过程较曲折、至今尚未完全结束，而且转变的内容也比较复杂，涉及政权系统从组织、安排计划经济向建立、适应市场经济的多重角色转型。限于篇幅，在此，我们主要强调两个方面。

一方面，政权组织从经济的计划者、控制者向市场经济规则的制定者转型。在改革开放以前，广东党政一体的“革命委员会”政权如同全国其他地方的“革命委员会”政权一样，在经济生活中扮演的角色是经济活动的计划者、控制者。然而，随着广东改革开放的深入、计划经济体制逐步向市场经济体制演变，广东的政权组织开始摆脱经济的计划者、控制者角色，逐步向市场经济的规则制定者转型。这种角色转型具有深刻的市场经济根源：市场经济既然是规则经济、法治经济，那就需要制定规则、制定法律，当然也

就需要有规则、法规的制定者。正是为了适应市场经济发展的这一需求，广东省人大和省人民政府以及深圳市人大和市人民政府等政权组织大力推进经济立法，积极扮演市场经济规则制定者的角色。例如，在上个世纪90年代，广东省人大及其常务委员会全力为发展广东的市场经济立法，不仅有关市场经济的立法占了90年代立法总数的一半以上，而且许多有关市场经济的法规，如《广东省公司条例》、《广东省公司破产条例》、《广东省经纪人管理条例》等的制定，及时适应了广东市场经济发展的需要。如果说离开了这些规范市场经济的法规条例，广东的市场经济就难以正常运行，那么，没有上述政权角色的转型，亦即没有广东的政权组织积极扮演市场经济规则制定者的角色，那么，一系列规范市场经济的法规条例也就无法及时出台。

另一方面，政权/政府组织从计划经济中的“运动员”、“操盘手”逐步向市场经济中的“裁判员”、调控者、监管者转型。从历史来看，广东推进这一角色转型的主要途径是以政府职能转变为关键的多次政府机构改革、国有资产管理体制改革、社会中介机构的改革、行政审批制度改革等。（鉴于前文对相关内容已有分析，此处不再赘述。）正是通过多元化的改革，广东各级政府初步解决了其角色越位、错位等问题，从而极大地推动了市场经济在广东的迅速发展。

总之，30年来，以政治经济秩序为取向、以政权建设为内容的政治发展构成了广东政治建设、发展的第二大图景。这一图景的基本内容是集组织建构、结构分化、角色转变于一体的政权建设。正是在此政权建设过程中，改革开放前以组织形式革命化（政治经济社会）、结构一体化、政权角色斗争化为特征的革命型政权已经转型，演化成一个组织系统具有理性化特征、与经济社会结构渐渐分化、承担多重角色（如社会经济规则的制定者、宏观经济的调控者、市场运行的监管者、税收资源的提取者、公共事务的管理者等）的政权组织。相对于改革开放前的“革命委员会”政权，这是具有现代化取向的政权组织，是一种新型公共权威；正是这一

在执政党领导下的新型公共权威为广东的经济增长、社会发展提供了政治秩序和社会稳定。

图景之三：以社会公平为取向、以社会建设为动力、以构建公共服务型政府为中心的政治发展。

进入20世纪90年代以后，随着城乡收入分配差距的拉大、区域发展的不平衡，以权利平等、规则公平、机会均等、社会保障为内容的社会正义凸现为中国政治发展的新取向。基于社会公平正义的新取向，广东政治建设和发展展现了一个新的图景：各级政权组织着手推进以基础教育、劳动就业、社会保障、环境保护、医疗卫生、收入调节为主要内容的社会建设，促使各级政府从单纯重视经济增长的经济建设型政府向以经济建设和社会建设并重、以公共服务为宗旨并承担服务责任的公共服务型政府转变。这种转变具体体现在以下几个方面。

一是完善政府的公共服务体系。近年来，广东各级政府加快推进以改善民生为重点的社会建设，从普及基础教育以促进教育公平、实施再就业工程以扶持社会就业、大力推动社保改革以构建社保体系到强化环境保护等，广东正在逐步完善政府的公共服务体系。以广东的社会保障工作为例，仅在2006年，广东的社保工作就创造了七个全国"第一"：企业养老保险参保人数全国第一；失业保险参保人数全国第一；医疗保险参保人数全国第一；工伤保险参保人数全国第一；社会保险基金结余全国第一；全省农民工参加医疗保险人数全国第一；全省农民工参加工伤保险人数全国第一；[①] 2007年9月，《中共广东省委、广东省人民政府关于解决社会保障若干问题的意见》正式下发，则标志着广东迈入全民全面保障的时代。[②]

二是健全公共财政制度。健全公共财政制度是政府利用再分配

---

① 《广东社保七个全国第一》，《广州日报》2007年10月15日。

② 《广东迈入全民全面保障时代》专题，http：//www. gd. gov. cn/govpub/rdzt/shbzxz/.

手段保障社会公平，促进社会和谐发展的内在要求，也是政府强化公共服务和社会管理职能的必然要求。近年来，广东通过深化财政管理体制改革、优化财政支出结构、完善政府采购制度、规范政府投资行为，不仅提高了全省各级政府提供公共产品和公共服务的能力，而且逐步实现了由“投资型财政”向“公共服务型财政”的转变。以财政支出结构的变化为例，随着公共财政体制的改革，广东省级财政支出不断向百姓最关心、最直接、最现实的利益方面转移，省级财政在公共管理和公共服务方面的支出量越来越大，在省级一般预算支出中的比重从2001年的52.26%提高到2005年的76.26%。

三是创新政府的公共服务流程。创新政府的公共服务流程是建构公共服务型政府的程序保障，涉及管理体制、管理方式乃至管理行为等政府自身建设的诸多方面。近年来，广东省以“公众需求”为核心，以“服务链条”为纽带，从四个方面创新政府的公共服务流程：（1）构建全省统一的电子政务平台，以现代信息技术优化各级政府和各个部门的运作方式和工作流程，提高政府公共服务的时效性和实效性；（2）实施信息公开制度，保障公民对公共事务管理的知情权、参与权和监督权，展示政府权力运作的公开性和透明性；（3）实施质量管理体系，将企业管理标准引入政府管理过程，促使政府运作程序化、规范化、标准化，以确保政府向公众提高优质的公共产品和公共服务；（4）健全行政问责制，确立权责明确、赏罚分明的行政责任体系，借助民众评价机制，引导公务员对公民负责。

图景之四：以法治民主为取向的政治发展。

30年来，广东以法治民主为取向的政治发展主要涉及三个层面：

一是立法。一方面，从立法程序看，立法程序逐渐公开化、民主化和科学化。在广东，从制定立法规划到起草、审议立法议案，省人大常委会都事先通过省人大网站、《南方日报》或者《羊城晚报》等新闻媒体向社会公开征求意见，这是立法的公开化；广东

人大在立法过程中采取立法听证会、立法论坛等形式来听取、吸收公民和大众的声音，推动广大普通民众参与到人大的立法活动中来，这是立法的民主化；在立法过程中，广东人大通过聘请立法顾问制度、立法指引制度、法规起草模式多元化（委托起草、联合起草、集中起草等）、草案三次审议程序等制度安排和程序规范，推动了人大立法的科学化。另一方面，就立法内容而言，首先是立法的数量在扩展。30年来，广东人大制定的地方性法规数量颇大，仅在1979—2004年期间，广东省人大及其常委会就制定和批准了425项地方性法规，其中先行性、试验性、自主性的法规占总数的52%；[①] 2005年，省人大常委会共制定和修订省的地方性法规12件；批准和批准修订较大市的地方性法规17件；[②] 2006年，省人大常委会审议了地方性法规草案14件，已通过8件，完成一审、二审6件；修改法规7件；批准广州、深圳、珠海、汕头四个较大的市和乳源瑶族自治县制定的地方性法规和单行条例18件。[③] 其次是立法的重点在转移、质量在提高。在上个世纪90年代，为了适应广东率先建立社会主义市场经济体制的需要，广东省人大常委会和省人民政府明确把市场经济立法摆在突出位置，着重加强调节市场主体、维护市场秩序、规范市场中介组织、加强宏观调控等方面的立法；进入20世纪90年代后期，特别是进入新的世纪之后，广东省人大常委会特别重视保护公民、法人的合法权益，重视社会建设方面的立法，努力从经济立法为主向社会立法为主转变，同时，更加关注提高立法的质量和效益。

二是执法。法治建设不仅要确保有法可依，而且还必须落实执法必严、违法必究。自20世纪90年代中后期，广东在初步解决

---

① 朱源星：《地方立法硕果累累》，《人民之声》2004年第9期。

② 广东年鉴编纂委员会编：《广东年鉴·2006》，广东年鉴社2006年版，第157页。

③ 黄丽满：《广东省人民代表大会常务委员会工作报告——2007年2月5日在广东省第十届人民代表大会第五次会议上》，广东省十届人大五次会议文件（6），2007年。

“无法可依”的问题之后，逐步把执法工作摆到与立法工作同等重要的地位，着手改革、完善行政执法体制，推进执法层面的法治建设。广东改革行政执法体制的具体内容包括整顿行政执法队伍、规范行政执法主体；落实行政处罚法，规范行政执法程序；加强行政执法监督，规范行政执法行为；推行行政执法责任制和行政执法过错责任追究制度等。通过行政执法体制的改革，依法行政在广东得以逐步推行。

三是司法。在中央的统一安排下，近年来，广东开始逐步推进司法体制改革，以维护法律尊严，确保司法公正。限于篇幅，我们在此难以详述广东司法体制改革的诸多具体内容，着重从政治发展层面强调以下两点：

司法公开。广东各级法院、检察院、公安和司法部门按照上级部署，结合各地区、各部门的实际，陆续出台各项规定，推行“审判公开”、“检务公开”、“警务公开”，通过司法公开活动把司法权运行的整个过程置于阳光之下，从而促进司法公正。举例来说，广东各级法院认真实行公开审判制度，不仅努力做到庭前公开、庭上公开、宣判公开，而且把审判公开原则贯彻到审判之后，推行法官“判后答疑”制度——当事人在裁判生效后的一定期限内，如对裁判提出疑问，将由原承办法官对裁判的合法性、合理性、公正性进行解释，并结合案件具体情况说明裁判的理由和依据，从而使当事人明白法理和情理，服判息诉。①

司法民主。广东全省法院普遍推行人民陪审员制度。根据2005年的一项统计，广东绝大多数基层人民法院任命或聘请了人民陪审员，人民陪审员在广东各级法院普及率达到90%，全省法院共有人民陪审员1400余人，占全国2万名人民陪审员的7%，人民陪审员参加陪审的案件数量不断上升，年均在1万件以上。② 另

① 张伟湘：《广东法院全面推行法官判后答疑制》，《羊城晚报》2006年7月26日。

② 《广东省高级人民法院负责人就全省基层人民法院公开选任人民陪审员工作答记者问》，2005年2月1日，http：//gdcourts. gov. cn/xwcz/fyxw/t20050201_ 8478. htm.

一方面，广东各级检察院在试点的基础上逐步实行人民监督员制度。2004年10月，广东省检察系统在省检察院及广州、深圳、珠海等地启动了人民监督员制度试点。截至2005年底，全省共选任人民监督员498人，其中包括县（市、区）以上人大代表187人、政协委员121人。经过近两年的试点，人民监督员制度于2006年7月1日起在广东检察机关全面推行。[①] 随着人民陪审员制度和人民监督员制度的运行，广东的司法民主得以逐步向前迈进。

30年来，广东不仅从立法、行政和司法等诸多层面推进法治，而且从多重进路大胆地实验民主。特别需要强调的是，在实验民主的过程中，广东不仅尝试选举民主，而且探索其他不同形式的民主，如预算民主、协商民主、参与民主、自治民主；不仅在执政党之外探索民主，而且努力推进党内民主——执政党内部的民主。鉴于上文对体现自治民主的基层群众自治和体现参与民主的公民有序参与已有简略的概括，这里我们主要叙述30年来广东对选举民主、预算民主、协商民主和党内民主的探索和实验。

选举民主。在广东，选举民主的实验发端甚早。早在20世纪80年代初，袁庚主政下的蛇口管委会就曾在领导班子换届中推行过差额直选。虽然，这一竞争性的选举活动最终夭折、没有结果，但随着1998年村民自治在广东农村的全面实行，选举民主之花终于被大规模地植入乡村，开放在乡土田野之上（本书的相关章节对此已有论述，在此不再赘述）。值得注意的是，选举民主在广东的发展一直有三个重要特征：

一是选举民主的实验平台不是单一而是多元的，农村的村民委员会、城市社区的居民委员会、企业或工厂的工会，甚至实行票决制的执政党的常委会，都或先或后、程度不同地成为选举民主的实验场地。

二是选举的参与者力图突破所谓“确认性选举”或“安排性

① 《监督司法公正：广东下月推行人民监督员制度》，《羊城晚报》2006年6月27日。

选举”，使之转变为真正竞争性的选举。演绎这一特征最为典型的事例是2003年的“深圳竞选”事件。在2003年上半年举行的深圳市各区人大代表的换届选举中，十余位独立参选人不仅自荐参选，与其他候选人一起展开人大代表的角逐，而且采用了一些超出常规的竞选策略——散发竞选传单、张贴竞选海报、发表竞选演讲等；在这些独立参选人中，最终有2人击败组织提名的候选人而顺利当选。期间，一系列争议性的事件，如“麻岭社区延期选举风波”、“状告区人大常委会案”、“选民联名要求罢免新当选的人大代表案”、“非登记选民当选人大代表”等纷纷出现，这些事件不仅构成了2003年“深圳竞选风云”的主要内容，[①] 而且在某种意义上是真正竞争性选举的一次预演。

三是选举民主的制度与选举民主的实践相互作用。一方面，广东依据国家的相关法律，制定地方性的、更具有操作性的法规来规范选举民主的实践。早在20世纪80年代初，广东省第五届人大常委会就审议通过了《广东省各级人民代表大会选举实施细则》，以此作为广东人大代表选举的制度规范；进入20世纪90年代后，广东省第七届人大常务委员会第二十七次会议通过了新的《广东省各级人民代表大会选举实施细则》，并随后进行多次修订。这是以制度来规范选举民主。另一方面，广东根据选举民主的实践，及时修改地方性的制度规则。例如，无论国家的《选举法》，还是地方的相关法规，都没有就候选人是否可以在人大代表的选举过程中散发竞选传单、张贴竞选海报、发表竞选演讲等竞选性的行为作出明确规定。然而，广东选举民主的实践却提出了这一问题：在2003年的深圳区级人大代表的选举中，自荐参选的候选人大胆地采取了张贴竞选海报等行为。作为对选举民主实践中出现的这一新问题的回应，广东省人大常委会于2003年5月修订了《广东省各级人民

① 王伊景：《麻岭选区人大代表选举事件评析》，《人大代表制度研究》2003年8月3日；参见黄卫平、邹树彬：《当代中国政治研究报告》，社会科学文献出版社2007年版，第440~445页。

代表大会选举实施细则》，首次肯定了候选人进行自我宣传的合法性。这是以修订规则来适应选举民主的实践。

预算民主。在现代政治中，预算民主集中体现为预算监督。预算监督是指人民的代议机关依法对政府的财政收支进行约束和控制。在中国，预算监督的主体是人民代表大会及其常务委员会。广东推进预算监督主要有三个特征：

一是预算监督法制化。在广东，深圳最早开始预算监督法制化的实践。从1991年深圳市人大常委会制定《深圳市人民代表大会审查和批准国民经济和社会发展计划及财政预算暂行规定》开始，到1997年深圳市人大常委会通过《深圳市人民代表大会审查和批准国民经济和社会发展计划及预算规定》和《深圳市人民代表大会常务委员会监督条例》，深圳基本形成了一套较为完整的预算监督法规制度。继深圳之后，广东省九届人大四次会议于2001年2月通过了《广东省预算审批监督条例》，该条例为广东各级人大及其常委会审查、监督政府预算提供了法规依据。正是这些相关法规的制定为广东推进预算监督奠定了坚实的法制基础。

二是预算公开化。预算监督的重要前提是细化政府预算，使之公开化。广东通过部门预算改革来实现这一目标。从1999年下半年起，广东省部门预算改革始于深圳市，继而向全省推广。从2001—2005年，向广东省人大提交部门预算的省级政府部门已从7个扩展到120个，预算科目从“类”细化到“项”，政府的预算文本从薄薄的几页扩展到厚达数百页。正是通过部门预算改革，政府预算在细化过程中逐渐公开、透明，这就为人大代表有效质询、监控政府预算提供了条件。

三是监控技术化。这是指信息技术被运用于预算监督。早在2004年，广东省人大财经委员会与省财政厅国库集中支付系统就已经实现网络链接，广东省所有省级一级预算单位与部门二级预算单位都纳入该系统中；通过这一网络系统，广东省人大可以清楚地查看、了解每天通过财政厅国库集中支付系统的财政支出情况。在此基础上，广东省着手在全省的地级市建立“实时在线财政预算

监督系统”。目前，这一监督系统已经基本上在广东省铺开。

协商民主。如果说选举民主富有竞争性的话，那么，协商民主的重要特征之一则是商议性、沟通性。从这一角度来看，我们可以把广东省政协首创的专题协商座谈会视为实验协商民主的一项重要举措。这种专题协商座谈会始于 1996 年，截止到 2006 年，广东省政协在 10 年里总共举行了 39 次专题协商会议。在 2000 年之前，广东省政协主要在内部召开专题协商会议。从 2000 年开始，为了使专题协商更加有成效、更具针对性和集中性，广东省政协首次邀请中共广东省委、省政府领导及相关部门负责人参与政协的专题协商座谈会，最后将座谈会提出的建议与意见以政协主席会议的建议案形式报送省委、省政府。就其实质而言，这种专题协商座谈会其实是协商民主的一种运作方式。协商的主体是多元的，不仅有广东省政协，还有中共广东省委、省政府的领导和相关部门的负责人，协商的主题是一些亟须决策的全省性的重大的社会公共问题，比如在广东建立覆盖全社会的社会保障体系问题、广东的自主创新问题等等，协商的方式是面对面地沟通、讨论、商议，协商的目的是为政府的公共决策提供建设性的意见。当然，广东实验协商民主并非只有专题协商座谈会这一种形式。实际上，包括听证会在内的各种协商民主的操作方式在广东公共权力的运作中并不鲜见。限于篇幅，此处不予详论。

党内民主。广东省从多个方面入手，积极稳妥地试点推进党内民主。①

——推行民主决策。中共广东省委要求在党内完善重大决策的规则和程序，建立健全公众参与、专家论证和决策机构决定的机制。基于相关的制度规定，中共广东省委在决策过程中坚决遵循“三不”原则——不调查研究不决策、不征求专家意见不决策、不集体讨论不决策。在中共广东省委的带头之下，近年来，调查研究、公示和

① 参见沙勇忠、刘亚军：《2007 中国政治年报》，兰州大学出版社 2007 年版，第 101～105 页。

听政等方式越来越多地出现在广东各级党委的决策过程中。

——以票决制决定干部人选。2002年4月广东省委八届九次会议通过了《新任地级市党政正职人选表决决定试行办法》，并在全国首次以省委全会审议、无记名投票表决的方式，通过3名地级市党政正职人选和推荐人选；2003年3月，广东省委九届三次会议将票决对象扩大到省政府组成人员和直属机构正职，对58人进行了票决；2005年8月，中共广东省常委会讨论通过了《省委常委会投票表决地级市党政正职和省直机关党政正职拟任（推荐）人选暂行办法》，根据该试行办法，在省全委会闭会期间，省委常委每人一票，以票决形式决定任用重要干部，将过去的口头通过、举手同意的方式改为无记名投票表决。

——推动党务公开，以落实党员的知情权、参与权和监督权。2005年5月以来，广东省委按照"先行试点、分类实施、循序渐进、务求实效"的总体思路，在全省选择了肇庆市委等10个单位试点，推行党务公开试验，在试点取得成功的基础上，广东省委决定从2006年第四季度起在全省各级党组织全面推行党务公开。广东省党务公开的特点是，无论公开的内容、公开的时限，还是公开的范围，都逐步扩展、延伸，例如公开的内容就从一般事项向党员群众最关注的事项延伸，公开的时限从事后向事前和事中延伸，公开范围则从党内向社会延伸。

——试行党代会常任制。广东是较早进行党代会常任制试点的省份之一。2000年曾在深圳保安松岗镇进行了为期一年的党代会常任制试点。中共十六大之后，中共广东省委决定从2003年起，在惠州市、深圳宝安区、阳东县开展市县（区）党的代表大会常任制的试点工作。三个试点单位从制度建设入手，制定了相关的配套制度（如深圳宝安区出台了《党代表大会会议制度》），重视发挥党代表的作用，在党代表会议闭会期间，组织党代表开展视察、调研、评议领导干部等活动，让党代表直接参与和监督党的日常运作。

叙述至此，我们发现，在由上述四大图景组成的广东政治建设30年的发展画面中，四大图景并非相互割裂，而是互相关联、互

相渗透，它们相互交织在一起，共同编织了广东政治建设30年的发展画面。不过，在此画面中，四大图景各自的状况并不均衡。相对而言，以经济增长、政治秩序为着力点的政治发展形成了色彩更为艳丽的图景。换言之，在此画面上，以社会公平和法治民主为着力点的政治发展还有更多挥洒的空间，假以时日，它们将为广东政治建设的发展画面增添新的异彩。

四、广东政治建设30年的历史定位

如果说勾画广东政治建设30年的基本历程、展现其整体框架和发展画面是对历史事实的描绘、叙述，那么，确立广东政治建设30年的历史定位就涉及对其成就的评价、特征的分析和意义的总结。换言之，确立广东政治建设30年的历史定位得从评价其成就、分析其特征和总结其经验入手。

评价广东政治建设30年的历史成就首先需要确立评价标准。邓小平的有关论述为我们确立评价标准提供了重要的指南。让我们重温这些论述：

“我们进行社会主义现代化建设，是要在经济上赶上发达的资本主义国家，在政治上创造比资本主义国家的民主更高更切实的民主，并且造就比这些国家更多更优秀的人才。……党和国家的各种制度究竟好不好，完善不完善，必须用是否有利于实现这三条来检验。”①

“我们评价一个国家的政治体制、政治结构和政策是否正确，关键看三条：第一是看国家的政局是否稳定；第二是看能否增进人民的团结，改善人民的生活；第三是看生产力能否得到持续发展。”②

综合邓小平的这些论述，结合学界的观点，同时采取学术的用

① 《邓小平文选》第2卷，人民出版社1994年版，第322～323页。
② 《邓小平文选》第3卷，人民出版社1993年版，第213页。

语，我们把评价标准确定为三个——有效性（主要指政治系统在推动经济增长、社会进步等方面所发挥的功能、效用，如生产力的发展、人民生活的改善等）、合理性（主要指政治系统自身理性化的程度，涉及政治系统内部的机构设置、规则制定、运作机制、权力边界等）和合法性（主要指民众对政权统治的自愿服从、认同和支持等）。基于这三个评价标准，我们有充分的理由说，30年来，广东政治建设取得了历史性的伟大成就。

从有效性看，在30年的广东政治建设中，一方面，政治权威的重构、法制框架的搭建，为广东的经济增长、社会进步提供了稳定的政治秩序和坚实的政治基础；另一方面，改革的举措（比如上述放权改革、还权改革和限权改革）、宽松的政策和制度的创新，极大地激发了广东经济增长的动力和社会进步的活力，广东政治建设极为富有成效地促进了广东经济的高速发展和社会的巨大进步。换言之，在中国30年改革开放的历史进程中，广东从一个贫穷落后的省份发展成为一个经济大省、创造出举世瞩目的经济成就，极大地得益于广东30年的政治建设、政治发展；可以说，没有广东30年的政治建设、政治发展，也就没有广东30年的经济发展和社会进步。

从合理性看，在30年的广东政治建设中，随着政权组织架构的搭建与运作机制的完善、政治经济社会一体结构的持续分化（如政企分开等）、政府机构的多次改革、政府角色的渐进转变，一个分工有序、有法可依、权力范围趋于有限、权力运转日渐有效、具有理性化特征的公共权力系统基本形成，这一权力系统不仅为广东的经济增长、社会进步提供了基本的政治前提，而且为广东政治向民主转型准备了一个重要的政治条件——一个有效的政权系统。因为“现代民主需要施行有效的命令、管制和提取资源。为了做到这一点，必须有一个有效运作的国家和国家官僚体系”①。

① ［美］胡安·J. 林茨、［美］阿尔弗莱德·斯泰潘，孙龙译：《民主转型与巩固的问题：南欧、南美和后共产主义欧洲》，浙江人民出版社2008年版，第10页。

如果缺乏这样的政权机构，即使民主的制度得以建立，它也不可能正常运转。

从合法性看，在30年的广东政治建设中，一方面，随着广东立法程序日渐公开化、民主化和科学化以及立法质量的不断提高、执法部门不断强化依法行政和司法体制的逐渐改革，广东政治运行中的法治特征开始凸现；另一方面，随着执政党倡导思想解放、力主改革开放、改善执政方式、提高执政能力以及推行党内民主、广东人大制度的逐渐健全和强势运作、广东政协日趋活跃、基层群众多元自治、公民有序参与政治、媒体舆论空间相对开放等，广东已经成为选举民主、预算民主、协商民主、参与民主、自治民主和党内民主的实验地，公共权力运作中的民主元素渐渐增加。正是随着法治与民主的逐步推进，公民的各种宪法性权利获得了更多的制度保障，由此，广东民众对执政党和政权系统的认同度与支持度进一步得到提高，这在很大程度增强了执政党和政权系统统治的政治合法性。

30年来，广东政治建设不仅取得了历史性的伟大成就，而且在中国政治发展、政治转型的探索上具有先行实验、示范的特征。具体说，这一特征可以演绎为以下几点。

先行性。30年来，相对于全国的其他省市，广东不仅在经济建设、经济改革上先行一步（如率先实现经济现代化、建立市场经济体制等），而且在政治建设、政治改革上也常常先行一步：从思想解放到法规出台，从体制改革到制度创新，广东通常都走在全国的前列。以立法为例，无论新法规的出台，还是立法形式的改进（如“立法听证会”、立法论坛等），广东省人大的作为在全国确实称得上先行一步。再以行政体制来说，无论实行公务员制度、政府采购制度，还是建立政府信息公开制度、行政问责制度，广东（尤其是深圳）始终都以先行者的姿态出现在全国。

实验性。在30年来的政治建设、政治发展中，无论在制度创新上，还是实践操作上，广东都进行了许多大胆的实验、探索，实际上已成为当代中国政治文明建设的“实验地”或“试验田”。这

里，我们不妨以深圳“行政三分制”改革的故事为例来说明这种实验性。所谓“行政三分制”是指政府决策、执行、监督相对分离、相互制约、相互协调的制度安排。2003年，深圳计划全面实行“行政三分制”的改革方案。然而，就在大家期待“行政三分制”浮出水面之时，“行政三分制”这5个字眼却悄然从政府的文件和会议中消失。时隔3年之后的2006年，在正式公布的《深圳市深化行政管理体制改革试点方案》中，已经见不到“行政三分制”的用语。因此，深圳推行“行政三分制”一直被认为是一次“流产”的改革。[①] 这里，我们关注的不是“行政三分制”改革是否“流产”或失败，而是以此为例说明，广东在推进政治建设、政治发展过程中，确实在大胆实验、探索，尽管某些实验、探索最初的设计方案可能就有漏洞，或者在推行中没有取得理想的成果，甚至实验还在计划、准备过程中就已“流产”或者夭折，但所有这些恰好印证了一点：广东在实验、在探索。

示范性。如果说，在经济建设、经济改革上，30年来广东的示范集中体现在如何实现经济迅速增长、如何从计划经济体制向市场经济体制转型，那么，在政治建设、政治发展上，广东则是通过其先行一步的实验探索，示范如何走向以法治民主为主要标志的政治文明。举例来说，建设公共服务型政府就是近期中国政治文明建设的大课题。面对这一新课题，广东虽然也在摸索之中，但是广东着力推行“四个转变”，在某种意义上，则是在为全国示范如何建设公共服务型政府：通过完善以基础教育、劳动就业、社会保障、环境保护等公共产品和公共服务为基本内容的公共服务体系，以实现从经济目标优先向社会目标优先的转变；通过将财力主要用于满足社会公共需要和社会保障，以实现从投资型财政体制向公共型财政体制的转变；通过创新公共服务流程，以实现从封闭型行政体制向公开透明型行政体制的转变；通过建立和完善严格的行政问责

① 秦鸿雁：《专家称深圳行政三分时机已经成熟》，《南方都市报》2008年3月11日。

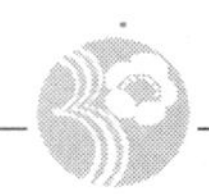

制，以实现从管制型政府向责任型政府的转变。

正是在此先行一步的实验、示范中，广东30年的政治建设、政治发展不仅展现了具有地方性色彩的广东特色，成就了由多种要素组成的“广东现象”（比如思想解放的精神氛围、强势作为的人大代表、积极有序参与的公民、活跃的民间公民组织、竞争的大众传媒、开放的舆论环境等），而且积累了引人注目的广东经验。当然，广东经验的具体内容是什么，学界目前尚未取得一致的看法，且系统的归纳、概括也很少。[①] 在我们看来，政治建设、政治发展上的广东经验涉及微观和宏观两大层面。在微观层面，广东经验涉及政治建设、政治发展的方方面面，比如“人大代表工作站”的运行机制、人大代表部门预算询问会、“教育、监督、惩治”三位一体的腐败惩防体系、村民自治中的选举观察员制度等等，这些经验可能是点滴的、琐碎的，但其内容丰富而具体，需要细致地清理和总结；从宏观上看，广东经验则关系到中国政治建设、政治发展中的关键问题，其具体内容除了党委统揽全局、发挥领导作用这一众所周知的重要经验以外，我们尝试把其他内容概括为六条。

1. 平衡国家性与地方性：在中央—地方关系上，广东一方面坚决维护国家统一、维护中央权威，同时努力向中央争取相对的地方自主权，以发挥中央和地方的两个积极性。

2. 寓政治改革于经济改革之中：在政治改革与经济改革的关

① 一种比较有代表性的观点是，把广东政治建设的经验概括为“1345”模式，即“一个中心”（经济建设为中心）、“三化”（指构成广东基本政治架构的党委、人大、“一府两院”、政协在履行职能和自身建设上，朝着制度化、规范化、程序化的方向发展）、“四民主”（指包括民主选举、民主决策、民主管理、民主监督在内的广东城乡基层民主建设模式）和“五个坚持、五个促进”（指广东推进依法治省的基本方略和经验，即坚持发挥党委的领导作用、人大的主导作用、“一府两院”的执法主体作用、政协的民主监督作用，促进“党委统揽全局、各方积极推进、狠抓贯彻落实”领导体制和工作机制的形成；坚持正确把握市场经济与法治建设的关系，促进社会主义市场经济的完善和发展；坚持充分发挥人民群众的积极性和创造性，促进社会主义民主政治稳步发展；坚持把优化发展环境作为依法治省的重要任务，促进社会主义现代化建设；坚持用创新的精神探索新方法、开辟新途径，促进依法治省工作的新局面）。佘慧萍：《中国社科院专家总结粤政治建设“1345”模式》，《南方日报》2006年10月28日。

系上，广东以经济发展为中心，在全力推进经济改革的过程中，不脱离经济改革孤立地进行政治改革，而是把政治改革与经济改革交织于一体，在经济改革中推进政治改革，通过经济改革中的政治改革为经济增长提供活力，以促进经济的快速增长。

3. 政府角色随着市场经济的发展和社会发展的要求及时转型：在政府角色与市场经济、社会发展的关系上，广东持续不断地进行政府机构改革、转变政府职能、调整政府角色，以适应市场经济的发展和社会进步的要求。

4. 把民主政治纳入法治的轨道：在民主政治和法治建设的关系上，广东以法律法规规范民主政治的发展，确保各种形式的民主实验在法治的轨道上进行，通过法治建设为民主发展提供制度保障和程序约束。

5. 在多元平台上实验混合民主：在民主发展的模式选择上，广东不以选举民主作为民主的唯一模式，而是实验集选举民主、预算民主、协商民主、参与民主等于一体的混合民主，同时不把民主实验的平台单一化，而是让民主的实验在人大和政协、行政和司法、乡村和社区、党内和党外等多种平台上广泛展开，其中尤其把乡村村民自治作为在乡村实现村民民主选举、民主决策、民主管理和民主监督的重要形式。

6. 构造宽松的政治文化环境：在政治文化的建构上，广东的党政政权系统推动思想不断解放，允许媒体相对自主，适度开放舆论空间。

需要强调的是，30年来广东政治建设、政治发展中所积累的广东经验虽然有微观和宏观之分，但却程度不同地具有全国性的普遍意义。其普遍性的意义指向以下三个层面。

其一，制度层面。在广东政治建设30年的进程中，面对实践中层出不穷的新问题，广东不满足于微观上的个案处理，而是着眼于宏观上的制度建设，以制度创新回应来自实践中的挑战。30年来，广东在政治建设中进行了一系列的制度创新：人大代表直通车制度、政府信息公开制度、行政问责制度、村民自治中的选举观察

员制度、立法听证制度等等。这些制度创新的意义并不局限于广东，而是具有辐射、影响全国的意义。举例来说，广东人大于1999年在立法过程中率先采用的立法听证会就为全国人大所肯定，被纳入了2000年3月15日第九届全国人民代表大会第三次会议通过的《中华人民共和国立法法》。《立法法》第34条明确规定："列入常务委员会会议议程的法律案，法律委员会、有关的专门委员会和常务委员会工作机构应当听取各方面的意见。听取意见可以采取座谈会、论证会、听证会等多种形式"。广东首创的立法听证会被纳入《中华人民共和国立法法》，这一事实清楚地表明，广东的某些制度创新确实富有全国性的意义。

其二，操作层面。30年来，广东在政治建设的实验、探索中所积累的经验不仅在制度建设上有创新之意义，而且在实践操作上有可供借鉴之功效。在30年的政治建设、发展过程中，广东摸索了多种多样的操作模式、运作机制，例如"人大代表工作站模式"、财政预算实时在线监督机制、社区治理中的"盐田模式"、舆论监督中的"南方报业"模式等。虽然，这些实践中的具体操作模式、运作机制并非每一项都可以在全国普遍推广，但其中不少操作模式、运作机制往往对全国其他地区具有可借鉴、可参考的意义。深圳创立的有关社区治理的"盐田模式"为此提供了一个很好的事例。"盐田模式"涉及社区治理体制的变革，其具体内容是：根据"议行分设"的理念，把原来长期由居委会承担基层的行政、自治和服务三种功能进行分化，把政府行政职能和公共服务功能从居委会中剥离出来，通过创建与居委会平行的政府组织——社区工作站来执行政府的行政事务，通过居委会的下属机构、非政府组织——社区服务站来承担社区的公共服务，同时把居民直接选举产生的社区居民委员会变成议事机构，履行社区自治功能。[①] 在一定程度上，"盐田模式"理顺了政府与社区、管理与自治的关

① 侯伊莎：《激活和谐社会的细胞——"盐田模式"制度研究》，中央编译出版社2007年版，第2～3页。

系，实现了政府与社区的交叉互动、资源共享，解决了其他社区治理模式如“上海模式”、“沈阳模式”、“武汉模式”等不能解决的问题。因此，“盐田模式”对全国其他地区具有一定的参照、借鉴的意义。近年来，全国各地已有数十批次的党政考察团去深圳盐田调研社区治理体制创新，他们回到工作地后已不同程度地借鉴和推广了“盐田模式”的理念和方式。①尽管“盐田模式”也只是一种过渡性的模式，不具有终极性的意义，而且它的经验也很不成熟，然而，它所蕴涵的一些基本原则确实“对于国家具有重要的结构性的全面的政治意义”。②这是其在实践操作上具有借鉴、参照价值的根源所在。

其三，理论层面。30年来，广东在政治建设的实验、探索中所积累的经验不仅具有制度建设和实践操作之意义，而且因其涉及当代中国政治转型中一系列重大的理论问题而富有理论的价值和意义。举例来说，在当代中国的政治转型中，国家制度建构与引入竞争性选举民主的先后次序如何选择?③这不仅是重大的实践问题，而且是重大的理论问题。在国内学术界，学者们对此问题似乎关注不多，尽管少数有识之士提出了“国家基本制度建设应优先于大规模的民主化”的重要命题，但学界一直并未就此形成共识。然而，广东以其30年政治建设的实践对此重大问题给予了经验性的明确回答：在引入竞争性的选举民主之前，执政者要优先进行国家制度建设，即首先强化政权机构建设（如搭建政权的组织架构、完善其运作规则、组织其专业化的公务员队伍、转变政府的角色）、建立法制框架、实行依法治理、惩治腐败、推行问责制等

① 侯伊莎：《激活和谐社会的细胞——“盐田模式”制度研究》，中央编译出版社2007年版，第247页。

② 侯伊莎：《激活和谐社会的细胞——“盐田模式”制度研究》，中央编译出版社2007年版，第246页。

③ 这里的国家制度建构“不是指在国人中形成统一的民族、国家认同，而是指建设制度和机构来有效地实现法治、制裁腐败的政府官员、提高大众对政治机构的信任、提高政府对普通民众的责任等”（Richard Rose，Doh Chull Shin：《反向的民主化：第三波民主的问题》，《开放时代》2007年第3期）。

等。换言之，广东的经验是国家制度建构优先于竞争性选举民主的引入。这一经验的理论价值在于，它与国际政治学界近年来的一项研究成果相呼应。国际政治学术界晚近的研究表明，在现代国家制度的建构和引入竞争性选举民主之间，不同的发展次序选择会有极不相同的后果：一种选择是先建构现代国家制度，后引入竞争性的选举民主，即先建立法治、公民社会和问责制等，在此基础上，再逐步推进和扩大选举的范围，由此，民主制度逐渐得以形成和巩固。以英国、瑞典为代表的第一波民主化的国家大都属于这一类型。第二种选择相对于第一种被称为“反向的民主化”，即在现代国家制度尚未完全确立之前，就引入竞争性的选举民主，其结果是形成一种“断背民主”，社会将为这种不完善的民主支付巨大的代价，比如政党的恶性竞争、严重的选举动荡等等。第三波民主化的国家不少属于这种情形。① 国际政治学术界的这一研究成果实际上是在告诫我们，在引入竞争性的选举民主之前，必须优先建构现代国家制度，否则，“断背民主”的代价是巨大的。其实，不仅国际政治学术界有此告诫，如上所言，国内也早有学者提出类似的忠告：“国家基本制度建设应优先于大规模的民主化，要先行一步，因为它是经济可持续发展和社会稳定的必要条件，也是建立法治和民主制度的必要条件；否则民主化就可能演化为泛民主化和无政府主义。”② 就此而言，来自广东的实践可以被视为是对这些研究成果的经验支持。再如，在当代中国趋向民主的政治转型中，民主政治发展的目标模式究竟如何选择？迄今为止，学术界对此问题同样没有形成共识，给出的答案可以说是五花八门，诸如选举民主、自由民主、协商民主、精英民主、多元民主等等；尽管有论者断言，中国民主政治发展的目标模式应当是建立集选举民主、自由民主和协商民主于一体的混合民主政体，然而，这种判断仍然只是个别学

① Richard Rose，Doh Chull Shin：《反向的民主化：第三波民主的问题》，《开放时代》2007 年第 3 期。

② 胡鞍钢、王韶光、周建明：《第二次转型：国家制度建设》，清华大学出版社 2003 年版，第 380 页。

者的理想诉求。[1] 如果说，面对这一重大的政治理论问题，学术界或处于争论之中或停留于应然层面的价值追求，没有给出一致的答案，那么，如上所言，广东却以其30年探索民主的实践经验，从实然层面回答了这一事关中国民主发展方向的重大问题：中国民主政治发展的目标模式不是单一的选举民主模式，而是集选举民主、预算民主、协商民主、自治民主、参与民主等为一体的混合民主模式。

总之，30年来的广东政治建设、政治发展集上述历史性的伟大成就、地方性的探索实验和全国性的普遍意义于一体。其“三位一体”的价值为确立广东政治建设、政治发展30年的历史定位奠定了基础。因此，基于其历史性的伟大成就、地方先行实验的基本特征和全国性的普遍意义，在当代中国政治转型的历史语境下，广东政治建设、政治发展30年的历史定位是为中国政治文明的发展、为当代中国的政治转型探路、实验、示范。这不仅是基于历史研究的结论，更是历史本身提供的结论。

五、广东政治建设与中国政治的未来

既然广东政治建设30年的历史定位是为中国社会主义政治文明的发展、为中国政治转型探路、实验、示范，那么，在经过30年的历史实践之后，这种探索、实验、示范的历史任务是否已经完成？如果答案是否定的，那么，随之而来的问题就是，在30年之后，广东政治建设下一步探索的方向和着力点是什么？这与中国政治发展的未来有何关系？就在我们关注、思考这些问题的时候，2008年上半年深圳推出了一个近期改革方案。这为我们讨论这一问题提供了很好的素材。我们不妨由此切入，来回答上述问题。

根据中共中央政治局委员、广东省委书记汪洋关于深圳要建设成为中国特色社会主义示范市、要在加强民主法制建设方面争取为

① 何增科等：《中国政治体制改革研究》，中央编译出版社2008年版，第40页。

全国树立样板的指示，深圳市体制改革办公室于2008年5月颁布了《深圳市近期改革纲要（征求意见稿）》[①]（以下简称《纲要》），并进行了为期4天的公众咨询；中共深圳市委全会于2008年6月一致通过了《深圳市委深圳市人民政府关于坚持改革开放推动科学发展努力建设中国特色社会主义示范市的若干意见》[②]（以下简称《意见》）。按照上述《纲要》和《意见》所设计的改革方案，深圳将用3年左右的时间，在社会主义民主法制建设、廉洁高效的服务型政府建设、健全完善的市场体系建设、社会主义先进文化建设、以人为本的和谐社会建设等方面，力争走在全国前列，努力探索和完善中国特色社会主义示范市的制度模式。因此，这两份文件不仅拉开了深圳新一轮改革的序幕，而且在一定意义上预示了广东乃至中国政治发展的基本趋势、总体走向。

目前，深圳的改革方案仍停留于文本状态或处于探讨之中，尚未进入实践操作的阶段。不过，这一改革方案触及了中国政治文明发展、建设的诸多关键点位——从党内改革到人大政协改革、从依法行政到司法公正、从公共服务到社会自治、从舆论监督到廉政建设，展示了深圳为中国社会主义政治文明示范的三大基本方向——法治、民主、自治。

示范的基本方向之一：法治——走向良法之治。

如上所述，法治是广东政治建设30年的核心取向之一，也是未来广东政治建设进一步发展的趋势和努力的方向。深圳近期的改革方案不仅把法治置于政治发展的重要方向，而且确立了法治建设的三大着力点。

一是强化立法——提高立法的质量和效能。如上所言，30年来，广东在立法的数量上已有长足的进步，已经基本形成了一个法

① 《深圳市近期改革纲要（征求意见稿）》，2008年5月27日，http://www.chinaorg.cn/zt/zt/2008-05/27/content_5202789.htm.

② 《深圳市委深圳市人民政府关于坚持改革开放推动科学发展努力建设中国特色社会主义示范市的若干意见》，2008年5月15日，http://www.sznews.com/news/content/2008-05/15/content_2076386.htm.

制的框架。然而，法治本质上乃是良法之治。因此，在基本法制框架形成之后，提高立法的质量已成为广东实现良法之治的首要任务。正是为了提高地方人大立法的效能和质量，深圳改革和强化地方人大制度的具体举措是：调整人大的内设机构，恢复法制工作委员会，加强人大的立法力量；试行立法专员制度，提升立法的专业性；试行人大部分常委专职制度，并配备专职常委工作机构，逐步提高人大常委会组成人员的专职化比例，完善人大常委会工作机制；合理划定人大和政府在法律法规起草中的权责范围，从体制上化解“部门立法”所带来的问题。显然，落实这些举措不仅有助于提高地方人大立法的效能，而且有助于提升其立法的质量，这对于实现良法之治无疑具有重大的推进作用。

二是依法行政——加快建设法治政府。其具体举措主要有四点。首先是依法严格，在机构职责与编制、公共财政管理、行政决策、行政审批、行政处罚等重点领域实施法治化，全面规范政府行为；其次是执法严格，从完善执法机制入手，维护法律权威，规范行政执法自由裁量权，探索刚性执法；再次是落实执法责任，在合理配置和划分执法职责的基础上，把执法的责任落实到位；最后是评估考核，抓紧出台《深圳市法治政府考核指标体系》，为建立法治政府提供评估考核的依据。

三是司法体制改革。如果说制定良好的法律是实现法治的基本前提，那么，独立公正的司法运作就是落实法治的重要保障。正是为了确保司法公正，深圳着手从诸多方面推进司法体制改革：（1）明确法官权责——借鉴国际上成功的经验，大胆探索建立健全法官独立审判制度，进一步明确审判责任主体，强化错案责任追究；（2）推动司法民主——完善人民陪审员制度和人民监督员制度；（3）加强队伍建设——稳步推进司法人员职业化改革；（4）强化内外监督——健全内部约束机制以防止司法机关的内部腐败，建立严格的外部监督制度以防止任何机构和人员非法干预司法机关独立行使职权。

示范的基本方向之二：民主——推进混合民主。

如上所言，30 年来，广东一直在实验包括选举民主在内的多种民主形式集于一体的混合民主。从深圳近期的改革方案来看，实验混合民主依然是广东民主政治发展的大方向，它有四大着力点。

一是选举民主。选举民主在党内和党外同步推进：在党内，以落实党员的选举权利为目标，以完善党内的选举制作为保障；在党外，切实保障公民的选举权，扩大公民的政治参与，完善民主选举规程。深圳力图从党内和党外两面出击，实现选举民主突破性的推进，这是深圳近期改革方案的一大亮点。其突破性的推进集中体现在以下几个方面。

——引入竞争机制。在党内选举中，允许参选人（包括自荐和党员联名推选人员）在一定范围内开展竞选活动；在党外，在区级人大换届或代表补选中，让部分区人大代表在选举中进行竞选。

——扩大直选范围。在党内，积极推进基层党组织领导班子公推直选试点，逐步扩大基层党组织领导班子直选范围；在党外，把直接竞选制运用于区级人大代表的选举之中，以增强人大代表的民意基础。

——完善差额选举。在党内，完善市、区两级党委差额选举制度，并适当扩大差额的数量，逐步实现各区党政一把手、市政府各部门一把手由市委常委扩大会议无记名投票推荐人选，差额确定候选人，对候选人进行考试、测评和考察，票数较高者和自荐、联名推荐的候选人进行公开演讲和答辩，最终由常委会进行差额票决；在党外，在区政府换届中试行区长差额选举，扩大副区长选举的差额数量，候选人在一定范围内进行公开演讲、答辩，由同级人大差额选举出区长、副区长，为以后条件成熟时进行市长差额选举积累经验。

——强化多数决策。各级党委的常委会和行政机关党组的重大决议，逐步实行无记名电子表决，以真正体现多数人的选择意志。

二是预算民主。如上所述，作为预算民主集中体现的预算监督始于深圳，迄今为止，在广东已有相当的发展。深圳近期的改革方

案则力图在既有的基础上，把预算监督进一步引向深入，其改革的具体举措大致包括如下几项：设置相关机构——在人大常委会内部设立预算委员会，统一审查和监督政府预算、决算和重大投资项目，以此为预算监督提供组织保障；强化监督职能——政府的所有收入与支出都要纳入人大的监督范围，重大的财政支出必须及时报请人大审查批准；推行责任追究——建立人大对政府计划和预算支出决策失误和造成浪费的责任追究制度，切实提高人大计划预算监督的有效性；实行专项审查——每年选取“一府两院”在财政预算、重大项目、重大决策及社会反映强烈的问题进行询问、质询、开展特定问题调查。

三是协商民主。政协是实行协商民主的重要平台。广东政协在实行协商民主方面一直颇有作为。在深圳近期的改革方案中，发挥人民政协的参政议政功能成为推进协商民主的重要途径。其改革的具体措施可以归纳为以下几个方面：提升地位——加强政协履行职能的制度化、规范化、程序化建设，使政治协商成为重大决策的必经程序，以此增加政治协商在重大公共决策中的权重和地位；调整界别——合理设置和调整政协界别，探索在政协内部根据不同界别和利益团体组成不同的功能组别，新增行业协会和社会组织界别，把新的社会阶层和各方面代表人士吸纳到政协组织中来，充分反映社会不同阶层的意见和要求，以此增强政协委员的代表性；扩大规模——探索实行按常住人口比例适度扩大政协委员规模，通过规模的适度扩大体现政协委员代表的广泛性；优化结构——优化政协委员、常委的人员结构，使其人员组成在年龄、性别、党派、界别等多种要素的结构组合中更加趋于合理，以提高政协委员、常委政治协商的效能，从而更好地发挥政协委员的作用；创新机制——创新政协委员的产生和退出机制，使政协委员在民主协商过程中始终保持活力。

四是党内民主。上述分析表明，广东推行党内民主的试点起步较早，已经取得了相当的经验。深圳近期的改革方案则将党内民主的实验进一步推向深入。除了上述将竞争机制引入党内的选举民主

之外，深圳推行党内民主的另外一大亮点则是着眼于规范执政党运作的制度设计、安排：针对党的代表大会，推行常任制和任期制，前者在区级党代表大会全面实施，后者则在各级党代表大会探索试行，以此保证党的代表大会在规则、程序之下运行；针对党员代表作用的发挥，实行代表提案、询问、质询、视察、调研和联系党员群众制度，以此让每一个党员代表切实履行自己的职责；针对党委常委会，完善党委常委会向全委会定期报告工作并接受监督的制度，将党委常委会的运作置于全委会的监督之下；针对党员行为，建立健全党内质询和罢免机制，开展党委委员、纪委委员过错罢免的试点，以此保障党员队伍的纯洁；针对干部选拔任用，把从提名到决定任用的各个关键环节纳入民主作业的程序轨道，建立和完善领导干部人选的推荐、自荐、招聘及公推公选制度，拓宽干部选拔的范围和渠道。

示范的基本方向之三：自治——扩展社会自治。

在传统全能主义体制下，国家权力无边界扩展的结果是社会彻底丧失自治的空间。随着基层群众自治的发展和各种草根性、民间性、公益性社会组织的兴起，广东社会自治的空间已初步打开。深圳近期的改革方案则是要让社会自治的空间进一步放大，其着力点是采取以下措施来加快社会组织建设的步伐。

制定法规——加快推进有关社会组织的法规建设，特别是公益性非盈利组织方面的法规，修订行业协会、商会的相关法规，在法规上明确社会组织在经济、政治、文化、社会建设中的功能定位，从而为社会组织发展创造良好的法律环境。

简化管理——探索改革社会组织登记管理制度，制定社会组织设立指引，对社会组织实行分类指导，重点扶持，简化审批手续。

财政扶持——进一步加大政府财政对社会组织发展扶持的力度，建立政府专项资金，用于扶持民间社会组织的发展。

发挥作用——发挥社会组织在社会自治管理中提供公共服务、维护合法权益、反映民众诉求、促进社会公益等方面的重要作用。例如，通过改善各级工会的运转方式和探索建立行业工会的途径、

方式，使工会组织在维护劳动者权益、维护社会稳定中发挥更大的作用。

有效监管——切实加强对社会组织的监管，依法查处非法社会组织和社会组织的违法违规行为。

至此，从2008年深圳出台的改革方案中，我们可以清楚地发现，走向良法之治、推进混合民主、扩展社会自治就是深圳为中国政治文明建设、中国政治转型探索、实验、示范的基本方向。换言之，深圳所示范的就是法治、民主、自治。这里，一个需要讨论的问题是，率先示范法治、民主、自治的城市为什么是广东的深圳而不是其他地方？答案来自深圳，也来自广东。

答案首先来自深圳本身。深圳扮演示范者有相当充分的理由。一方面，通过近30年的改革开放，深圳作为经济特区，已先于全国建立了相对成熟的市场经济体系，经济发展的水平一直位于全国的其他城市前列，整个深圳的社会环境相对比较开放，市民的公民权利意识相对更加强烈，加上拥有毗邻港澳的地理位置，所有这些都为深圳承担示范者的角色提供了独特的优势和条件。另一方面，在近30年的政治文明建设的实践探索中，无论推行法治、实验民主，还是尝试社区自治，深圳都进行了持久的探索，积累了丰富的经验。以实验选举民主为例，从20世纪80年代初深圳蛇口管委会试行差额直选、20世纪90年代末深圳大鹏镇进行“三轮两票制选举镇长”到2003年深圳区级人大代表的竞选，深圳推进选举民主的实验虽然时断时续、具有点滴试验的性质，但这种实验却具有先后呼应、一脉相承的逻辑连贯性和历史延续性，因而，在先前实验的基础上，把选举民主继续往前推进不过是一件顺理成章之事。这也表明，示范法治民主自治，深圳具有当仁不让的历史使命。

深圳之所以扮演法治民主自治的示范者，其答案当然也来自广东。这不仅因为深圳在行政区划上是广东的一部分，更根本的原因在于，正如本书所揭示的那样，30年来，广东一直是中国政治文明建设的实验地和“示范田”，深圳不过是这块实验地和“示范田”中优先种植“新品种”的一块小实验地、一个小示范区而已。

从这一角度看，广东为深圳的先行实验提供了深厚的土壤、宽松的环境和广阔的空间，而深圳的先行实验则提升了广东作为中国政治文明建设实验地、“示范田”的价值和地位。

正是由于深圳与广东的内在关联，深圳的示范在广东不是孤立的：它不仅是广东示范的一部分，而且它与广东其他城市的试点、示范形成了相互支撑、彼此互动的格局。因此，如果把深圳视为一个法治民主自治的示范点，那么，首先在广东范围内，深圳这一示范点就可以与其他的实验“点”——广州、珠海、佛山等连接成为一条线，这样，“点”与“点”的连接、“线”与“线”的交织，不仅会把广东的示范连成一片，而且会将其示范的影响放大，使之越过岭南，辐射全国，以致最终形成一个更为广阔的局面——那是共和国法治民主自治的局面。在此意义上，我们有理由说，广东的政治建设和发展预示了中国政治的未来。

第一章
省委集体领导链条的确立[①]

引　言

中共十一届三中全会之后，广东这个原本偏远落后的省份搭乘上改革开放的航船，迎来了经济的腾飞。经过30年的发展，广东的改革开放已经取得了举世瞩目的成就。这艘改革开放航船的驾驶，离不开几代省委领导人的领航和把舵，执政党的领导在广东政治建设和发展历程中起到了举足轻重的作用。

在30年改革进程中，广东省委的工作步骤紧贴中央步伐，对党中央决策的反应具有极强的灵敏度。改革开放以来，作为广东"先行一步"的领航人，以历届省委书记为首的省委领导班子做了大量工作，以改革不同时期为背景，广东省委的领导工作大体上可以划分为三个阶段。

1. 邓小平视察南方之前的改革开放初期（1978—1991年）。

刚经历"文化大革命"的广东一穷二白，经济发展十分落后。十一届三中全会后，省委坚决把工作重点转移到经济建设上来。按照中央的部署，由省委提出并经中央批准，从1979年开始在广东

① 在《广东改革开放30年研究丛书》中，已有专著详论广东的党建，故本书对此不作全面阐述，仅选取省委集体领导这一视角进行探讨。

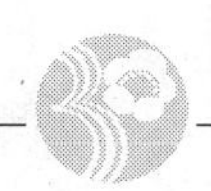

实行特殊政策和灵活措施，改革开放先走一步，同时试办深圳、珠海、汕头等经济特区，广东开始了改革开放的初步探索。作为改革的探路者，广东面临了政策、资金、观念等一系列问题的束缚。以省委为核心的领导集体，一方面开展调研，分析广东的具体形势，设计改革方案；另一方面积极与中央沟通，争取更宽松的政策和上级部门的支持。在这一时期，虽然经历一些不同声音的否定和质疑，但几届省委领导班子始终坚定改革开放的方向不动摇，终于使广东的经济总量跃居全国第一，基本摆脱了贫穷落后的旧局面。

2. 全面发展市场经济时期（1992—2002 年）。

1992 年初，邓小平视察南方谈话，重新肯定了广东的做法，平息了姓“资”姓“社”的纷争，为广东的发展再次注入了新的动力。同年 9 月召开的中共第十四次全国代表大会把我国经济体制改革的目标模式确定为建立社会主义市场经济体制。广东凭借先前积累的经验，进入了全面发展市场经济的新时期。

3. 科学发展观提出后（2003 年至今）。

2003 年初，“非典”在广东肆虐，胡锦涛在广东视察时阐发了全面发展和可持续发展的重要思想，为广东的再次发展提供了新的思想资源。至 2007 年，广东经济综合实力实现新跨越，生产总值年均增长达 14%，占全国比重由 2001 年的 1/9 上升至 1/8。来源于广东的财税总收入突破了 5000 亿元，约占全国的 1/7。① 与此同时，党的建设也在不断加强和完善。在中共广东省委领导下，广东开展了固本强基工程、“十百千万”干部下基层等活动，取得了突出成效。2007 年底，新一任省委书记汪洋主政广东，再次高举解放思想的大旗，奏响了广东思想解放的又一篇章。

在中国改革开放以来的 30 年历程中，党中央先后形成了以邓小平、江泽民为核心的两代领导集体和目前以胡锦涛为总书记的新的领导集体，三代集体领导已经构成了一个前后相继的集体领导

① 参见张德江在中共广东省第十次代表大会上的报告《坚持科学发展　促进社会和谐　为率先基本实现社会主义现代化而努力奋斗》。

链；在广东，我们同样可以发现一条在党中央领导下思想解放一脉相承、始终坚持改革开放的集体领导链条，以习仲勋、任仲夷、林若、谢非、李长春、张德江、汪洋为代表的7位省委书记是这一省委集体领导链条中的中心人物。本章将主要从广东省委集体领导链条形成的角度，以历届省委主要领导人物及主要事件为线索，以广东改革开放30年的三个历史阶段为背景，梳理由7位省委书记组成的集体领导链条，以此展现广东政治建设、政治发展中执政党的领导地位。

一、主导改革开放

“文化大革命”结束后，为了扭转国民经济濒临崩溃边缘的局面，推动中国经济的发展，中共中央、国务院开始考虑开放国门，冲破闭关自守的状态，吸取发达国家和地区的先进经验，逐步进入国际市场的问题。在广东省委的积极争取下，中央通过深入的调查研究，决定把改革开放的突破口选定在南方沿海，开始了改革开放的初步尝试。

在改革开放初期，广东经历了以习仲勋、任仲夷、林若为“班长”的几届省委领导班子的集体领导。他们勇于突破传统政治观念束缚，坚持解放思想，探索改革开放，为广东的发展奠定了良好的基础。

（一）思想解放第一波：走出“两个凡是”

“文化大革命”刚结束不久，时任中共中央主席的华国锋提出了“凡是毛主席作出的决策，我们都坚决维护，凡是毛主席的指示，我们都始终不渝地遵循”，即“两个凡是”的口号。1978年5月，一篇题为《实践是检验真理的唯一标准》（下文简称《实践》）的文章在《光明日报》刊登后，一石激起千层浪，逐步形成全国性的大讨论。广东的主流媒体如《广州日报》、《南方日报》等报纸第一时间转载了《实践》一文。当时刚刚复出在广东主政的省

委书记习仲勋，在这个大是大非的问题面前毫不犹豫地表明了自己坚持实践标准的态度。在解放思想与“两个凡是”的交锋中，习仲勋以敏锐的政治目光，清醒地认识到这场讨论的重要性和必要性。除了率先表明自己的观点，习仲勋还努力推动全省展开真理标准问题的讨论，使广东成为全国反对“两个凡是”、支持真理标准问题讨论的领头省份之一。

在同年6月召开的一次广东省委常委扩大会议上，习仲勋号召全省各级干部好好读读《实践》一文，他在会议总结讲话中强调："离开实践，理论一文不值。马列读得多，但不同实践结合，那有什么用处呢？"[①] 9月，广东省委常委在广州连续举行关于真理标准问题的学习讨论会。在学习会议上，习仲勋提出："实践是检验真理的唯一标准，这绝不是一个单纯的理论问题，而是一个有重大实践意义的问题。要准确地、完整地理解马列主义、毛泽东思想体系，而不是去抄现成的公式，抓住片言只语去到处套用。"这次会议的主要内容被当时的《人民日报》加以详细报道。[②] 此后，习仲勋又将真理标准问题的讨论范围逐步扩大、深入，由理论界的探讨扩展到地、市、县各级领导机关当中，习仲勋要求"组织大家讨论，不仅省委讨论、省委常委讨论，而且下面的干部、群众也参加讨论"[③]。

在中央，习仲勋的声音同样坚定不移，掷地有声。1978年11月，在十一届三中全会召开前的中央工作会议上，与会代表讨论到真理标准的问题。不同声音的尖锐对抗使现场气氛十分紧张。会上，习仲勋再次发言坚决拥护实践是检验真理的唯一标准，他指出："关于真理标准的问题，是个思想路线的问题，对实际工作关

① 《习仲勋主政广东》编委会编：《习仲勋主政广东》，中共党史出版社2007年版，第28页。

② 《实事求是　解放思想　加快前进步伐》，《人民日报》1978年9月20日。

③ 《习仲勋主政广东》编委会编：《习仲勋主政广东》，中共党史出版社2007年版，第37页。

系很大，是非搞不清楚，就不能坚持实事求是。”①

由于习仲勋对“两个凡是”坚定不移地反对，和对实践标准旗帜鲜明地拥护，广东在解放思想的第一波浪潮中走在了全国前列。正是在习仲勋的带领之下，广东全省上下广泛开展真理标准问题的讨论推动广东冲破“两个凡是”设置的思想禁区，带来了思想解放的新局面，为全省工作重点的转移进行了充分的思想准备。

另一个旗帜鲜明地反对“两个凡是”的地方高层领导是时任辽宁省委书记的任仲夷。早在1977年7月，也就是在真理标准问题公开讨论的一年前，任仲夷在辽宁省委召开的宣传工作会议上讲话，响应邓小平针对“两个凡是”提出的“我们必须世世代代地用准确的完整的毛泽东思想指导我们全党、全军和全国人民”的观点，并对这一观点进行了深入透彻的阐述。② 1978年5月《实践》一文发表后的第3天，任仲夷着手撰写了一篇深刻论述实践是检验真理的唯一标准、批判“两个凡是”的文章，命名为《理论上根本的拨乱反正》，刊登在辽宁省委的理论刊物《理论与实践》上。此后不久，他又撰写题为《解放思想是伟大的历史潮流》的文章，刊登于《红旗》杂志上，再次针锋相对地批判“两个凡是”的观点。这两篇文章成为反对“两个凡是”方针的重要战斗檄文。③ 正是由于任仲夷在批判“两个凡是”问题上态度鲜明，坚持真理，敢谏敢言，后来被邓小平同志“点将”前往广东主政。

习仲勋与任仲夷这两位批判“两个凡是”的勇猛战将，也是日后广东政治经济建设的卓越开拓者。正是有了这种坚持原则、敢讲真话、不怕打击、实事求是的作风，才使他们在此后广东改革开放的大潮中能顶住压力，突破陈规，稳住航向，坚定不移地将改革开放事业进行到底。

---

① 沈宝祥：《胡耀邦发动和推进真理标准问题讨论纪实（下）》，《同舟共进》2008年第5期。

② 张敬东：《任仲夷调任广东之前和之后》，《秋光》2004年第7期。

③ 参见向明：《改革开放中的任仲夷》，广东教育出版社2004年版，第15~18页。

（二）争取“特殊政策、灵活措施”

改革开放能从广东起步，关键得益于广东能在全国抢先办起经济特区，并向中央争取到与其他地区不同的特殊政策和灵活措施。而对于刚刚走出“文化大革命”阴影的中国而言，创办经济特区是中国实行改革的一项重要实验，也是实行对外开放政策的重要组成部分和突破口。对于中国试办经济特区，后来新华社在对外报道中，把它称为“国际共产主义运动史上的伟大创举”①。

1978年11月，中共十一届三中全会之前，中央在北京召开历时36天的中央工作会议。会议期间，时任广东省委第二书记的习仲勋在发言中提出，希望中央能给广东更大的支持，多给地方处理问题的机动余地，允许广东吸收港澳和华侨资金以及开展“三来一补”贸易等，得到与会者的赞同和支持。

十一届三中全会之后，1979年1月，时任广东省委书记的吴南生在广东汕头调研时，听到了新加坡、香港和台湾地区的出口加工区、自由港等概念，产生了在汕头办出口加工区的思路。与此同时，广东宝安县也提出把深圳办成出口基地的建议。这些设想的碰撞，在当时广东省委内部第一次酝酿出了“特区”的雏形。

当年4月，广东第一次向中央提出了自己的设想。在中共中央主要讨论经济调整问题的工作会议上，习仲勋提出：“有一个问题提出来，三中全会公报指出：‘现在我国经济管理体制的一个严重缺点是权力过于集中，应该有领导地大胆下放，让地方和工农业企业在国家统一计划的指导下有更多的经营管理自主权’；还明确指出，要充分发挥中央部门、地方、企业和劳动者个人四个方面的主动性、积极性、创造性。这是很正确的，很受拥护的。这次先念同志的讲话，没有这样明确指出权力过于集中的问题，没有讲这个‘严重缺点’，而是一般地讲要发挥中央和地方两个积极性。并且

---

① 《习仲勋主政广东》编委会编：《习仲勋主政广东》，中共党史出版社2007年版，第235页。

强调要集中统一。注意发挥中央和地方积极性，这个原则是正确的，但当前的主要倾向是什么，应明确。从实际工作来看，我认为仍然是权力过于集中，这个问题并没有解决。经济管理体制问题，就是集权与分权的问题，要处理好这个关系。现在地方感到办事难，没有权，很难办。”接着他提出：“广东邻近港澳，华侨众多，应充分利用这个有利条件，积极开展对外经济技术交流。这方面，希望中央给点权，让广东先走一步，放手干。看来，在计划、财政、外贸、外汇、物资、对外经济技术交流等方面，都有正确处理中央和地方的关系问题。‘麻雀虽小，五脏俱全’，作为一个省，等于人家一个或几个国。但现在省的地方机动权力太小，国家和中央统得过死，不利于国民经济的发展。我们的要求是在全国的集中统一领导下，放手一点，搞活一点。这样做，对地方有利，对国家也有利，是一致的。”习仲勋还说：“如果广东是一个独立的国家（当然这些话是借用的话），可能几年就上去了，但是现在的体制下，就不容易上去了。”习仲勋这次发言，因为中共中央主席华国锋、中共中央副主席李先念和中央政治局委员胡耀邦在场参加讨论，因此，广东省委提出让广东先走一步的要求，直接反映到中央最高领导层中去，并得到了中央领导同志的重视。当时习仲勋提出，作为华侨、港澳同胞和外商的投资场所，按照国际市场的需要组织生产，初步定名为“贸易合作区”。邓小平非常赞同这一富有新意的设想，但建议这个区域的名字就叫“特区”，并说“过去陕甘宁就叫特区”。他当即鼓励习仲勋：“中央没有钱，可以给些政策，你们自己去搞，杀出一条血路来”。①

1980年8月，第五届全国人大常委会第十五次会议决定，批准国务院提出的在广东省深圳、珠海、汕头和福建省的厦门设置经济特区，并通过了《广东省经济特区条例》。至此，中国的经济特区正式诞生，并有了法律保障。深圳、珠海、汕头由最初设想的建

① 《习仲勋主政广东》编委会编：《习仲勋主政广东》，中共党史出版社2007年版，第240~244页。

设外贸出口基地到正式成立经济特区，从酝酿到诞生，前后经过了两年时间。

1980年9月，习仲勋代表广东省委向中央汇报特区建设的工作情况，并力图为特区争取更为宽松的特殊政策，得到了中央领导的认可。随后，中央印发了《中央书记处会议纪要》，《纪要》指出，“在广东、福建两省实行特殊政策和灵活措施，中央是下了决心的，目的是要充分发挥广东、福建两省的优势，使广东、福建先行一步富裕起来，成为全国‘四化’建设的先驱和排头兵，为全国社会主义经济建设和体制改革探索道路，积累经验，培养干部”。《纪要》还指出，“中央授权给广东省，对中央各部门的指令和要求采取灵活办法。适合的就执行，不适合的可以不执行或变通办理”。[①] 中央这个《纪要》，更进一步明确了中央对广东实行特殊政策和灵活措施的重大意义，同时，给广东以更大的独立自主权，让广东更加大胆地去干去闯。这是习仲勋离开广东调回中央工作之前，为广东争取到的一把“尚方宝剑”。

可以看到，广东经济特区的成功创办，离不开习仲勋等老一辈省委领导人的积极开拓。正是他们凭借着改革者的勇气和胆识，从中央努力争取“特殊政策、灵活措施”，让广东改革发展“先行一步”，此前每一步的工作铺垫都为广东的进一步发展打下了坚实的基础。

（三）顶住压力，实行改革开放

任仲夷从习仲勋手中接过广东改革的接力棒，开始了将改革开放设想付诸实施的大胆尝试。任仲夷在广东主政的5年，正是改革初期各方面压力最大的时候，他排除阻力，力挺改革，在群众中赢得很高威望，被称为广东改革开放事业的奠基人之一。

广东贯彻执行党中央赋予的“特殊政策、灵活措施”的主要经验就是任仲夷提出的“三放”方针。所谓“三放”，即对外更加

---

① 参见《习仲勋主政广东》编委会编：《习仲勋主政广东》，中共党史出版社2007年版，第268～269页。

开放，对内更加放宽，对下更加放权。1981年6月在中央召开的广东、福建两省经济特区工作会议上，任仲夷提出："特殊政策、灵活措施，归根到底，不外是对外开放，对内放宽，对下放权。而且要比不实行特殊政策的地方，加一个'更'字。"① 任仲夷的这一观点为中央所认同，该次会议纪要的文件将其概括为："对外更加开放，对内政策更加放宽，扩大两省的权力。"任仲夷的"三放"方针对特区的创办和发展有直接、积极的影响，例如在"放权"的问题上，任仲夷指出主要是放"三种权"，即人权、财权和审批权。他说："放权是为了搞活，搞活又必须加强管理，加强宏观指导，加强思想政治工作，做到越管越活，越活越管，管而不死，活而不乱。"② 他还多次强调，"特区发展靠的'不是收而是放'"，对国家对人民有利的事，要"敢于变通"，"善于变通"等等。此后，任仲夷的"三放"原则成为了创办经济特区的成功经验之一。

改革开放的道路从来不是一帆风顺的。据任仲夷自己回忆，在他的改革生涯中经历最严峻的考验之一是在1982年初。这一次，用任仲夷的话来说："差点过不了关。"当年1月，中共中央发出《紧急通知》，要求在全国开展严厉打击走私贩私、贪污受贿等犯罪行为。起因来自于中纪委的一份报告反映广东省的一些干部甚至担负一定领导职务的干部，有极其严重的走私贩私的犯罪行为。1982年2月，中央召开广东、福建两省座谈会。任仲夷和刘田夫代表广东向中央书记处作汇报。任仲夷本着实事求是的态度，详细汇报了广东出现走私贩私、投机倒把、贪污受贿的情况，以及省委对上述情况所采取的措施，也谈了实行特殊政策、灵活措施以来所取得的成就和下一步的打算。同时，希望中央不要收回给予广东的特殊政策。胡耀邦等中央领导明确表示，中央给广东的政策不会变，但是要总结经验，继续前进。两省座谈会结束后，任仲夷回广州没几天，再次被请到北京。胡耀邦提出要任仲夷向中央写一份检

① 向明：《改革开放中的任仲夷》，广东教育出版社2004年版，第493页。
② 向明：《改革开放中的任仲夷》，广东教育出版社2004年版，第500页。

讨。这是任仲夷自参加革命以来，向中央写的唯一一次自我检查。可见，在当时情形之下，改革开放每走一步都可谓步履艰辛，阻力重重，时刻考验着改革者的决心和勇气。

“打走私”风波过去后，任仲夷并没有裹足不前。此后不久他就提出了著名的“排污不排外”理论，主张不能缩小对外开放的规模。他指出，我们不排外，排外是不对的，但是我们要排污。实行开放政策，也带来一些新问题。“近水楼台先得月”，但也会先污染。盲目排外是错误的、愚蠢的；自觉排污是必要的、明智的。在这样的压力之下，任仲夷仍然继续改革，坚持开放，可见其作为改革者的远见卓识。

就在深圳改革开放一段时间之后，中央及部分地区的一些领导对特区的发展状况提出了否定和质疑。改革开放初期很多人到深圳和广东其他地区去考察，有人在看到深圳的发展状况后说“特区除国旗是红色的以外，已经没有社会主义的味道了，深圳的天变了颜色”；有人说，“特区是搞香港化，搞资本主义”；还有人说，“特区不就是过去的租界吗？”在一次会议印发的几份文件中，出现了一份非常耐人寻味的由中央书记处研究室编写的名为《旧中国租界的由来》的文章，有人想借此隐喻“特区”变成了“租界”。1980 年 12 月，中央工作会议在北京召开，任仲夷针对一些人提出的特区“香港化”、“特区就是租界”之说，在中南组的讨论会上，以满腔热情肯定特区这一新事物。任仲夷说：“我们之所以办特区，完全是为了我们自己的利益，而不是为了外国的利益。进行一些自愿互利的经济合作，是以不损害我国的主权为前提条件的。为了我国的利益，才给来与我们进行合作的那些人一定的利益。主权完全在我们手里，那里的政府、警察、军队都是我们的，执行我国的法律。这有什么危险呢？没什么危险！办特区，确实能给我们带来好处。”①

① 《重温改革先驱历史　再举思想解放旗帜——任仲夷口述广东改革开放历程》，《南方都市报》2008 年 1 月 25 日。

在这种情况下，身为广东省委一把手的任仲夷的确面临着不小的压力。面对否定和质疑的声音，任仲夷顶住压力，坚持改革，以改革开放的实际行动及成果消除了人们的顾虑和担心。在当时的政治背景下，能顶住上层的压力和舆论的压力来坚持改革开放，这一点即使在今天看来也是相当不易的。

二、推动经济体制转型

1992年是中国改革开放史上具有里程碑意义的一年，邓小平于该年初视察广东并发表了南方谈话，厘清了国人在改革开放和经济发展方面的思想迷雾。邓小平指出："计划多一点还是市场多一点，不是社会主义与资本主义的本质区别。计划经济不等于社会主义，资本主义也有计划；市场经济不等于资本主义，社会主义也有市场。计划和市场都是经济手段。"① 邓小平南方谈话的发表，使国人从姓"资"姓"社"的思想束缚中解放出来，坚定了国人发展社会主义市场经济的信心。1992年10月，江泽民在中共十四大报告中指出，"经济体制改革的目标，是在坚持公有制和按劳分配为主体、其他经济成分和分配方式为补充的基础上，建立和完善社会主义市场经济体制"，完整地表述了建立社会主义市场经济体制的改革构想。

改革开放之初，广东经济的高速发展是通过思想的解放和对计划经济的逐步突破而得以实现，这种史无先例的实践，实际上也是改革开放政策确立以及中国社会主义市场经济理论形成、发展的过程。在广东探索社会主义市场经济发展规律的这一时期，以谢非、李长春为代表的广东省委在风云变幻的上世纪90年代，主掌了广东改革的航向，保持了广东迅猛的发展势头。

---

① 《邓小平文选》第3卷，人民出版社1993年版，第373页。

（一）思想解放第二波：摆脱姓“资”姓“社”争论

1989年国内发生政治风波，此后国际政治气候也发生剧变，东欧社会主义国家先后倒台。受国内国际政治局势的影响，国内政治气氛十分紧张，各种传言、议论四起，主张改革开放要收、阶级斗争要抓的言论再次抬头。1990年2月，一篇题为《关于反对资产阶级自由化》的文章在《人民日报》发表，该文提出一个带根本性的质问：“是推行资本主义化的改革，还是推行社会主义改革?”随后，各大报刊又相继发表了数十篇理论文章，将反对和平演变和资产阶级自由化的矛头指向经济领域，把私营经济等非公有制经济看作阶级斗争的假想敌。不过，支持改革的声音也存在。1991年2月，《解放日报》就发表了署名“皇埔平”的轰动全国的评论文章《做改革开放的“带头羊”》。评论以犀利的语言冲破压抑，以极大的激情去歌唱改革、鼓动改革，并明确提出“何以解忧，唯有改革”的口号。此后，又引发了各种持否定态度者的反对和批判，把这场姓“资”姓“社”之争推向了高潮。

思想上的混乱必然带来生产上的停滞和经济上的下滑，在当时，我国国民经济发展速度一直在5%上下徘徊，其中1990年的经济增长率只有3.56%，全国经济出现较大的滑坡势头。[①] 而对于改革开放初建成效的广东，姓“资”姓“社”的争论无疑带来了更严重的打击。这一时期，广东经济发展过程中出现了前所未有的困难，一些外商在各种压力下撤走资金，停建已经签约的投资项目，私营经济企业的数量也直线下降。广东面临着是继续深化改革、扩大开放，还是停步不前，甚至偃旗息鼓、回归旧体制的历史抉择。

在这种情形下，1992年1月，已88岁高龄的邓小平一路南下，到武昌、深圳、珠海等地视察，并发表了开启第二次思想大讨论的

① 张旭东：《改革开放以来关于私营经济发展的五次大争论》，《党史纵横》2008年第5期。

视察南方谈话。邓小平提出："改革开放迈不开步子，不敢闯，说来说去就是怕资本主义的东西多了，走了资本主义道路。要害是姓'资'还是姓'社'的问题。判断的标准，应该主要看是否有利于发展社会主义社会的生产力，是否有利于增强社会主义国家的综合国力，是否有利于提高人民的生活水平。"①"三个有利于"标准的提出震动全国，它冲破禁锢人们多年的理论禁区，解决了困惑中国多年的改革难题，平息了姓"资"姓"社"的争论，为思想再次大解放指明了道路。针对广东改革发展的局势，邓小平提出了新的任务，"广东二十年赶上亚洲'四小龙'，不仅经济要上去，社会秩序、社会风气也要搞好，两个文明建设都要超过他们"②。视察南方谈话后，打消了改革开放过程中出现的种种疑虑，为广东抓住机遇、深化改革、加快发展壮了胆、鼓了气，同时也为广东下一阶段改革开放事业的发展指明了前进方向。

邓小平在广东视察期间，由时任广东省委书记的谢非全程陪同，这也使谢非对于小平的谈话有了更直观、更深刻的认识。也正因此，广东在这场纷繁复杂的政治争论中，保持了准确清晰的认识和坚持改革开放的坚决态度。面对改革进程中的各种阻碍和挑战，谢非指出："关键是要转变思想观念，要从习惯于计划经济体制转向适应市场经济体制。要发扬艰苦创业、敢于拼搏的精神，发扬敢闯敢试敢为人先的精神。"在谢非看来，没有新一轮的思想解放，没有新的观念作先导，就不会有生产力的大发展，就不会有广东新一轮的现代化建设的高潮。

在如何推动广东思想解放的具体方式上，谢非强调要做到"三个敢于"。第一，要敢于从实际出发，以促进生产力发展为标准，摆脱不符合形势发展要求的旧的观念和理论的束缚，敢想敢闯，探索适合当地实际的发展路子。第二，要敢于借鉴和吸收人类社会创造的一切文明成果为我所用，不去人为地给它贴上"姓"

① 《邓小平文选》第3卷，人民出版社1993年版，第372页。
② 《邓小平文选》第3卷，人民出版社1993年版，第378页。

什么的标记。第三，要敢于从经济发展差距看到思想认识的差距，经济特区和珠江三角洲不自满，东西两翼地区不甘居于中游，山区不自卑。[①] 从谢非提出的解放思想的三个方面来看，第一个“敢于”，要求广东从实际出发，不受旧观念束缚，结合本地实际寻求发展，这是广东思想解放的突破口和首要任务。第二个“敢于”，主张不争论姓“资”姓“社”，认为对于人类共享的文明成果要大胆借鉴和使用，这是对邓小平谈话的具体注解。第三个“敢于”，则强调珠三角和东西两翼及山区要平衡发展，包含了区域协调的科学发展理念。谢非的“三个敢于”策略为广东解放思想的具体落实开拓了新视野。

（二）布局“三个三工程”

谨记邓小平视察南方时提出的要求与希望，广东开始了新一轮落实思想解放的改革探索。此时，以谢非为代表的新一届广东省委领导班子，继续坚持解放思想的指导方针，带领着广东经济的又一轮大发展。

改革的工作头绪繁多，任务艰巨复杂，谢非突出重点，明确目标，紧紧把握最基本、最基础的几项全局性工作，提出了广东实现现代化需要重点实施的“三个三工程”。工程内容即建立社会主义市场经济、民主法制和廉政监督三个机制；加强农业、交通能源信息和教育科技三个基础；实现产业结构、生态环境和人口素质三个优化。“三个三工程”的提出，第一次完整、系统地从现代化发展基础、运行机制、体制结构等方面对广东20年基本实现现代化做出了战略部署，标志着广东现代化发展的战略构想初步形成，为广东在推进现代化进程中有针对性地开展工作、解决问题提供了明确的方向和目标。

针对“三个三工程”之一的市场经济、民主法制和廉政监督

---

① 陈建华：《谢非与广东改革开放思想研究》，广东人民出版社2004年版，第10页。

三个机制，谢非提出：“建立这三个机制涉及经济体制、政治体制的改革、完善，涉及生产力和生产关系的多个领域，目的是建立和健全有利于社会全面进步的制度，充分激发人们投身于社会主义现代化建设事业的积极性和创造性，促进生产力的发展。”① 他同时指出：“强化三个基础，其主要意义就是不断积累经济发展后劲，使全省经济在稳定提高的基础上，加快速度，协调发展，始终保持一种良好的发展势头。”② 此外，现代化建设不仅要有发展速度，还要保证发展质量，而产业结构、生态环境和人口素质对现代化发展的质量有着至关重要的影响，因此，谢非敏锐地指出“实施三个优化，是广东现代化建设进程中必须高度重视并下大力气解决的问题”③。

“三个三工程”实施之后，整个广东又开始呈现出高速增长、浪潮迭起的生动局面。经过一段时间的发展，广东经济结构更趋于合理，发展更快速健康，“三个三工程”的成效已初步展现。如在产业布局上，广东 1992 年三次产业总产值依次为 465.83 亿元、1100.32 亿元、881.39 亿元，1997 年则分别达到 986.82 亿元、3647.82 亿元、2680.87 亿元。④ 这表明广东农业的基础地位得到巩固，第二产业稳步前进，第三产业得到优先发展。而就在谢非主政的“八五”、“九五”期间，广东创造了连续 6 年 GDP 年均增长 16.7% 的经济奇迹，全省综合实力和经济竞争力大幅提升，国内生产总值、工商税收、地方财政收入、实际利用外资、外贸出口、固定资产投资总额、社会商品零售总额等多项主要经济指标连续 9 年居全国首位，广东已名副其实地成为全国经济发展最活跃的地区之一。

“三个三工程”是广东 20 年基本实现现代化的核心战略，构

---

① 谢非：《广东改革开放探索》，中共中央党校出版社 1995 年版，第 37 页。

② 谢非：《广东改革开放探索》，中共中央党校出版社 1995 年版，第 37 页。

③ 谢非：《广东改革开放探索》，中共中央党校出版社 1995 年版，第 38 页。

④ 尹原：《用文字记载实践　用实践谱写历史——读谢非同志的〈广东改革开放探索〉》，《人民日报》1999 年 4 月 22 日。

成了广东未来发展的战略框架和主要内容，同时也是以谢非为代表的广东省委领导集体，为落实邓小平视察南方谈话精神交出的一份答卷。

（三）构建市场经济体制

党的十四大召开之后，建立和完善社会主义市场经济体制成为各项工作的重中之重。构建市场经济体制本也是“三个三工程”的任务之一，但此时在全局工作的部署中显得尤为重要。1993 年 5 月，谢非在中共广东省第七次代表大会报告中指出：“建立社会主义市场经济体制，是解放和发展生产力的根本措施。我们必须紧紧围绕这个目标，推进各项改革，以改革促发展。”①

对于建立市场经济体制的问题，中央曾有过反复。上世纪 80 年代末，由于前文所述政治风波和国际局势的影响，全国改革开放的步调放缓了。随着各项治理整顿工作的开展，国内的资金紧缺，市场疲软，工业增长速度回落，效益下降，广东面临的形势更为严峻。对此，广东省委、省政府并没有动摇发展市场经济的决心，提出“对改革和发展中出现的一些问题，还要通过改革和发展去解决”。时任省委书记的谢非在接受新华社记者采访时谈到了对“经济发展速度问题的思考”，提出要进一步扩大开放，以开放促发展。② 这一时期，尽管市场经济的发展处于整顿、治理的阶段，但广东改革的步伐并没有停滞不前，各项改革措施仍在继续深化。谢非在中共广东省第七次代表大会报告中从不同方面阐述了建立社会主义市场经济体制应当如何展开的问题，他明确指出了完善广东市场经济的五个方面：一是要继续发展和完善市场体系，建立健全系统的市场规则，发展和完善商品市场，培育和规范要素市场；二是要抓好国有企业改革，建立符合市场经济要求的现代企业制度；三是要建立健全宏观经济调控体系；四是要加快建立劳动就业、收入

① 谢非：《广东改革开放探索》，中共中央党校出版社 1995 年版，第 11 页。
② 谢非：《广东改革开放探索》，中共中央党校出版社 1995 年版，第 34 页。

分配和社会保障制度；五是要进一步转变政府职能，加强服务功能，推进机构改革、精兵简政。①

上世纪90年代初，涉及企业产权问题的改革还属于“新生事物”，是敏感的“禁区”，因此在经济体制改革中摸索的顺德提出的先行一步的产权改革引起了不小的社会震动。谢非向江泽民总书记详细汇报了顺德改革的情况，他说，广东特区方面的改革没有问题，但除了特区外，其他地方如何改？如何探索？这是我们思考的问题。顺德的经济发展水平和机构改革，已经走在珠江三角洲及广东全省的前面，进一步深化改革，已遇到政企不分、企业产权不明晰及公有资产的实现形式等方面存在的非改不可的矛盾。谢非提出，“要多做少说，有的先做不说”，“要尽量减少社会震动，减少阻力”，要一切从实际出发，“以促进生产力发展为标准”，“摆脱不符合形势发展要求的旧观念、旧理论的束缚，敢想敢闯”，探索适合本地区实际的发展道路。谢非要求省各部门让顺德放开手脚去闯；各新闻媒体暂不公开报道，待有经验总结后再向全省推广。②

谢非务实、创新的施政理念和工作作风为广东摸索市场经济体制转型的规律奠定了通畅的道路。面对新生事物不是极力打压，而是从解放思想出发，给其创造必要的发展空间。事实证明，顺德的产权改革为中国的经济改革摸索出了一条可行之路，为政府职能的转变提供了良好的实践经验。正是在顺德产权改革成功经验的基础之上，广东逐步全面铺开了产权改革，推动了国有企业改革的深化，也为全国经济体制的转型提供了良好范例。此后，广东还在放开物价、提高国际竞争力、劳动就业、收入分配、社会保障、农村股份合作制等建立市场经济体制的具体方面都有了成功的尝试，并继续走在全国前列。

---

① 陈建华：《谢非与广东改革开放思想研究》，广东人民出版社2004年版，第12页。

② 参见陈建华：《谢非与广东改革开放思想研究》，广东人民出版社2004年版，第37～40页。

三、落实科学发展观

2003年，胡锦涛在广东首度提出了全面发展和可持续发展的战略思想，这是其“科学发展观”理论创新的重要内容。他在视察广东时提出：“经济发展和人口、资源、环境相协调，同时要促进中国特色社会主义经济、政治、文化的全面发展。”① 此外，胡锦涛还对广东的发展提出要求，鼓励广东加快发展、率先发展、协调发展，更好地发挥排头兵作用。2007年召开的十七大上，胡锦涛详细阐述了“科学发展观”的理论思想，他指出：“科学发展观，第一要义是发展，核心是以人为本，基本要求是全面协调可持续，根本方法是统筹兼顾。”他进一步说明：“必须坚持全面协调可持续发展。要按照中国特色社会主义事业总体布局，全面推进经济建设、政治建设、文化建设、社会建设，促进现代化建设各个环节、各个方面相协调，促进生产关系与生产力、上层建筑与经济基础相协调。”由此，广东进入了落实科学发展观的新阶段。

（一）思想解放第三波：倡导“科学发展”

胡锦涛科学发展观这一治国理政的重大战略思想的提出，引发了有关思想解放的第三波大讨论。而与前两次解放思想的内容有所不同，有论者指出，中国前两次思想解放在于把人变成“经济人”，第三次思想大解放的目标则是要把原来的经济人转化为和谐人，可以这么说，真正的解放思想，要推动落实科学发展观，推动以政治体制改革为重点的经济体制改革、政治体制改革、文化体制改革、社会体制改革，所有这一切都是为了实现以人为本的目标，使每个人都成为全面发展的和谐人。②

---

① 中共广东省委党史研究室编：《中国共产党广东历史大事记（1949.10—2004.9）》，广东人民出版社2005年版，第836页。

② 参见周瑞金：《周瑞金谈第三次思想大解放：从经济人走向和谐人》，《南方日报》2008年3月17日。

在广东省委十届二次全会上，新任省委书记汪洋提出要再次高举“解放思想”大旗，在广东再掀思想解放的大潮：“广东能产生经济特区，就是解放思想的产物。新的历史时期，广东还能不能‘特’，关键看自己。如果现在的广东不能‘特’、缺少‘特’，那是自己的思想束缚了自己。我们要努力查找深入贯彻落实科学发展观中有待进一步解放思想的空间，积极探索推进科学发展的新途径、新举措，以改革开放初期‘杀出一条血路’的气魄，闯出一条全面落实科学发展观的新路子。”他充满忧患意识地强调：“面对土地制约、技术瓶颈、结构难题，再不解放思想，锐意进取，用改革创新来解决这些问题，广东排头兵的位置将难以自保，全面实现小康的目标将难以实现，小平同志托付的任务将难以完成。”总之，广东要争当实践科学发展观的排头兵，必须以解放思想为“纲”，推动各项工作开展。

广东在改革开放后这一阶段的发展，经历了张德江、汪洋两位省委书记的领导。在科学发展观的落实上，广东主要在协调发展和民主法治等方面进行了有益的探索。

（二）走向协调发展

第三次思想大解放的核心思想是在以往以经济建设为中心的发展路径上注入了强调“以人为本”、“全面协调”和“可持续”的科学发展观。其中“全面协调”发展的内涵包括，在经济发展、社会发展和人的发展上，在经济、政治和文化的发展上，以及在物质文明、政治文明和精神文明的发展上，各个方面以及各个组成部分在发展中都是相互协调的，不仅是同向发展的，而且发展速度或数量比例关系也是相互适应的。科学发展观提出后，广东省委按照科学发展的要求进行了新的部署，其中城乡协调发展、区域协调发展、产业协调发展、经济与社会协调发展等问题成为省委、省政府的工作重点。

改革开放30多年来，广东的经济社会发展取得了巨大成就，但与此同时也积累了不少社会矛盾和冲突。这些问题突出表现为城乡之间、

地区之间、经济发展与社会发展之间不平衡、不协调的矛盾还在扩大，以及人口、经济增长与资源、环境的矛盾也在进一步加剧。因此，协调发展策略的提出对广东的现状而言可谓对症下药，但这服药能否发挥作用还有赖于省委及全省人民为此付出巨大的努力。

在城乡、区域协调发展方面，由于受地理、环境等因素的影响，广东省内地区之间和城乡之间的发展不平衡状况十分突出，山区及东西两翼与珠三角的差距，城市与乡村的差距，已成为制约广东经济协调发展的“两块短板”，因此，广东人对城乡、区域协调发展的紧迫性和现实性有深刻的认识。事实上，早在上世纪 90 年代初，谢非就曾提出了“中部地区领先，东西两翼齐飞，广大山区崛起”的区域协调发展战略构想。[①] “十五”以来，省委、省政府高度重视城乡、区域协调发展问题。[②] 2002 年 5 月召开的广东省第九次党代会上首次提出把区域协调发展确定为广东经济发展的四大战略之一。2007 年 12 月召开的省第十次党代会上，张德江又重点指出：“区域协调发展是全面建设小康社会的关键所在。综合考虑各地资源禀赋、区位条件和经济社会发展水平等因素，进一步完善区域发展思路。”他进一步具体规划：“沿海地区要以交通基础设施为纽带，以重大产业项目为支撑，以区域中心城市为节点，加快建设沿海经济带和沿海城市带。中心城市要逐步形成以服务业为主的产业结构，强化集聚和辐射功能，广州要建成带动全省、辐射华南、影响东南亚的现代化大都市，深圳要建成具有中国特色、中

① 陈建华：《谢非与广东改革开放思想研究》，广东人民出版社 2004 年版，第 175 页。

② 根据吴迎新的研究，“区域协调”主要是协调区域内的城市内部、城市间、城乡间、农村间的关系；协调区域间、国内外的相互关系；协调不同群体或阶层间的关系等。而“城乡协调”主要包括三方面内容：一是城市内部协调发展。不断推进城镇化进程，促进大、中、小城市和小城镇协调发展，以特大城市为依托，形成城市群，培育新的经济发展极。二是农村内部协调发展。解决“三农”问题是重中之重，促进农民增收是核心，关键是走中国特色农业现代化道路，繁荣农村经济。三是城乡间协调发展。城市是主导，工贸是龙头，建立以工促农、以城带乡的长效机制，形成城乡经济社会发展一体化新格局（吴迎新：《广东区域城乡协调发展的战略举措》，《羊城晚报》2008 年 6 月 15 日）。

国风格、中国气派的国际化城市。”近年来，省委、省政府出台一系列重大政策措施，包括搭建“山洽会”平台，制定《东西两翼经济发展专项规划》，谋划“整合珠三角”，修改《珠江三角洲城市群规划》等等，这些协调发展的战略思路，实现了珠三角向周边地区的产业转移，推动了周边省区和珠江流域各省区的经济合作，并使东西两翼及粤北山区也开始踏上经济起飞之路。

在产业协调发展方面，张德江在广东第十次党代会上指出：“要坚持推进产业高级化和适度重型化，加快形成以高新技术产业为先导、先进制造业和现代服务业为主体、现代农业为基础、三次产业协调发展的新格局。”此外，在产业布局方面，广东近年来加强了作为第三产业的文化市场和文化产业的培育和发展。2003年，广东文化大省建设全面启动，制定和落实了一系列改革措施，通过了《关于加快建设文化大省的决定》，出台了《广东省建设文化大省规划纲要》和《关于深化文化体制改革建设文化大省的若干配套经济政策》等文件，有力地推进了广东文化产业的加快发展和三次产业的协调发展。到2005年，广东省文化产业增加值已居于全国首位，文化产业已逐步成为国民经济新的增长点和重要产业之一。

（三）探索民主法治

广东在第三次思想大解放中，还重点关注民主法治社会的探索和构建。对于构建民主法治社会所涉及的“新现象”和“深水区”问题，广东也大胆地加以应对和尝试。

2008年春节期间，省委书记汪洋和省长黄华华通过省内主要新闻网站发布了《致广东网民朋友的一封信》，向网民拜年。信中表示，“许多网民朋友有知识、有思想、有热情、有锐气，不但在各自工作岗位上奉献智慧与汗水，还通过互联网为广东又好又快的发展积极出谋划策，成为推动广东现代化建设的不可或缺的重要力量。……我们愿意成为大家的网友，求计问策，接受监督。对于共同关心的话题，我们愿意和大家一起‘灌水’；对于我们工作和决策中的不完善之处，我们也欢迎大家‘拍砖’。”这是广东省委首

次通过互联网向网民发出欢迎“拍砖”、“灌水”邀请。今年4月，26名奥一网、南方网网友受邀与汪洋和黄华华见面，有机会当面对广东科学发展建言献策，这也是广东政坛历史上首次由省委书记和省长召集网友议政。

汪洋高度重视互联网上民意的表达，早在重庆担任市委书记期间就曾两度召见网友。在本次“拍砖会”上，汪洋表示，互联网已日渐成为各级党委、政府联系广大群众的重要平台，听取社情民意的重要渠道。党的十七大明确提出要积极发展社会主义民主政治，充分利用好网络民主平台，这对有效保障和实现人民的知情权、参与权、表达权、监督权，对推进中国特色社会主义民主政治建设具有重要意义。广东省委和省政府要把网络社会的呼声作为民意诉求的重要信号，及时吸纳到决策中。新任省委书记的这一举措极大地鼓励了广大网民参政议政的热情和兴趣，也为“网络民主”这一新事物的发展开启了良好的牵引和规范作用。

此外，在民主法治道路的探索中，深圳的步伐走在了前面。借深圳经济特区成立28周年之际，汪洋到深圳调研，他强调深圳特区作为我国改革开放的排头兵，作为全国的一面旗帜，不仅要在经济建设、文化建设、社会建设方面走在全国全省的前列，而且要在社会主义民主法治建设方面走在前列。要在社会主义民主法治的具体实现形式和运行机制上率先探索，取得突破，积累经验。汪洋讲话不久，深圳出台了两个重要文件：《中共深圳市委深圳市人民政府关于进一步解放思想学习追赶世界先进城市的决定》和《中共深圳市委深圳市人民政府关于坚持改革开放推动科学发展努力建设中国特色社会主义示范市的若干意见》，力图把解放思想和改革创新的讲话精神变成党、政各部门的具体行动蓝图。①

① 2008年6月，深圳市委四届十次全会上审议做出通过《中共深圳市委深圳市人民政府关于坚持改革开放推动科学发展努力建设中国特色社会主义示范市的若干意见》的决议，旗帜鲜明地回答了深圳今后一个时期改革开放和科学发展的重大问题，明确了深圳努力建设中国特色社会主义示范市的发展目标和城市定位，对深圳市的改革开放和现代化建设将产生积极而深远的影响。

2008年5月深圳市体制改革办公室又颁布了《深圳市近期改革纲要（意见征求稿）》，这是深圳经济特区交出的一套让人耳目一新的政治体制综合改革方案。《纲要》描绘了深圳市拟在政治、行政、经济、文化、社会等多领域的改革设想，其中包括发展党内民主、部分区级人大代表直选、调整和新设政协界别、探索法官独立审判制度、党政领导干部要申报财产、区和部门一把手推荐自荐和公推公选、票决前要公开答辩、转换政府职能、深化公用事业监管体制改革、深化教育体制改革、深化医疗卫生体制改革、继续深化文化体制改革等19项主要改革任务。19项改革任务当中令人耳目一新的内容大多集中在政治体制改革领域，而其中的“在区政府换届中试行区长差额选举，由同级人大差额选举出区长、副区长，为以后条件成熟时进行市长差额选举积累经验”的新提法更是让人眼前一亮，极为引人瞩目。但这份《纲要》的合理性和可行性目前还在进一步论证中，改革的步伐能迈多大，该如何走，前景令人期待。

深圳改革从经济领域向政治领域的突进，是经济社会持续发展遇到政治体制障碍的必经过程，其改革的走向与成败对全国改革的前途和命运也有重大的前瞻性意义。

小　结

按照一般的说法，共产党的领导主要通过政治领导、思想领导和组织领导来实现，亦即通过制定大政方针、提出立法建议、推荐或任命重要干部、思想宣传、发挥党组织和党员的作用等手段来实施执政党对国家和社会的领导。通过本章分析可见，广东省委级领导班子在实现党的领导过程中积极发挥了领航和把舵的作用，在广东政治建设的30年中扮演了重要角色。从政治领导来看，广东省委坚决贯彻执行党中央的政治原则和指导方针，同时结合广东实际，制定地方发展的大政方针路线；从思想领导来看，广东省委始终坚持解放思想，把握思想解放的大方向和主动权；从组织领导来

看，广东省委坚持共产党管干部的原则，同时积极深化干部制度改革，大胆创新领导干部的选拔方式。

审视广东30年来执政党的领导，我们可以看到，一个环环相扣、层层推进的集体领导链在广东已经形成：从“领导者”的视角看，无论是改革开放初期以习仲勋、任仲夷、林若为代表组成的第一环领导链，发展市场经济时期以谢非、李长春为代表组成的第二环领导链，还是落实科学发展观阶段以张德江、汪洋为代表组成的第三环领导链，每一环领导集体都紧紧抓住“思想解放”、“改革开放”和“敢为人先”的广东主旋律，模范贯彻和执行中央的政治理念和方针政策，成功地执掌广东改革开放的航船，成为一波又一波推动广东政治经济发展的有力推手和主导力量。而且，这不仅是一个由“领导者”构成的集体领导链条，同样也是一条在政治上制定大政方针、把握立场方向的政治领导链，也是坚持解放思想、树立敢为人先理念的思想领导链和坚持党管干部、创新干部选拔机制的组织领导链，三股链条共同合力，坚实地组成了执政党在广东的集体领导链条。这一集体领导链条的形成既是30年广东政治建设、政治发展的核心内容，同时也是其基础和保障。正是在这条环环相扣、一脉相承、有力有效的领导集体的带领之下，广东的政治建设、经济发展、社会进步才能取得令世人瞩目的辉煌成就！

第二章
广东与中央关系的调适

引　言

新中国成立后，执政党的几代领导集体都强调合理划分中央与地方的权限，发挥好中央与地方两个积极性，他们的思考和探索指导着新中国成立后近60年的中央与地方关系的发展，为很好地处理中央与地方关系问题积累了丰富的经验。新中国成立后近60年来中央与地方的权限划分过程可以分为两个阶段。其中1949年至1978年是第一个阶段，这个阶段的中央与地方关系，历经数度波折，但始终未能达到毛泽东所希冀的中央集权与地方分权的和谐共生境界。这一时期的中央与地方关系实质上属于“下位包含模式”[①]，中央与地方的权力关系处在一个“收与放”的历史循环之中，权限划分大起大落，具有非法治化和非制度化的特点，并且权限划分上的变化主要涉及经济管理权及与之相关的行政管理权方面，却很少涉及政府、经济组织（特别是国有企业）、群众团体等等之间的职权划分问题。

---

① 薄贵利把中央与地方关系模式分为六种：分割模式、分离模式、上位包含模式、下位包含模式、下位包含与分割并存模式以及分权协作模式。所谓下位包含模式，也就是人们所常谈到的中央高度集权模式，管理国家和社会的权力高度集中于中央，地方没有或只有一点点微不足道的自主权（《中央与地方关系研究》，吉林大学出版社1991年版）。

1978年至今是第二个阶段，这个阶段的中央与地方关系，在改革开放的宏观背景下呈现出与前一阶段不一样的特点。从1978年开始，中国走上改革开放的强国之路，步入了一个大转型的时代。改革开放首先在广东、福建两省进行，中央批准设立了深圳、珠海、汕头、厦门4个经济特区，其中3个在广东，广东成为实行改革开放伟大战略的排头兵。基于广东的特殊历史地位，本书将以广东与中央关系为例，借以展现改革开放30年来中央与地方关系的巨幅画面。改革开放之初，中央对广东实行放权让利政策，即所谓的“第三次放权”①，这是为解决好中央与地方关系这一轴心问题而做出的有益尝试，它为广东地方经济的发展留出了空间，促使广东与中央关系产生了新的变化。因而，广东与中央关系的调适成为广东拉开改革开放序幕的历史起点。

改革开放30年来，广东与中央关系的调适大致可以分为三个时期：

一是20世纪80年代的中央与广东关系，其基本特征是放权与自主。在这一时期，中央与广东形成了良好的互动关系。“中央给点权”，允许广东实行特殊政策和灵活措施。此次放权具有两个显著特征：首先，兼具行政性放权与经济性放权，并下放了部分政治性权力，更重要的是，此次行政性放权非常彻底，力度空前；其次，具有逐步推进的层次性特点。中央放权带来了广东自主权的扩大，在整个80年代，广东利用这些自主权创造了经济奇迹。尽管80年代末期遭遇了针对全国经济过热的治理整顿和1989年春夏之交的政治风波，但是这种良性互动关系并没有褪色。

---

① 1949年至1978年，中央对地方权力“两放两收”。第一次放权开始的时间是1957年，以毛泽东、邓小平就中央与地方关系的讲话为契机，根据《关于改进工业管理体制的规定》、《关于改进商业管理体制的规定》以及《关于改进财政体制的规定》的文件精神，在中央向省、市、自治区下放权力的同时，各级地方政府也层层下放权力。第二次放权开始的时间是1969年，在当时，因受到“文化大革命”极左思潮的影响，在“打倒条条专政”的口号下，中央开始了第二次权力下放，到1974年底，地方政府已经拥有了相当大的经济管理权限。但是，这两次放权终因中央的收权而告失败。相对于新中国成立后的这两次放权，笔者将改革开放之初中央对广东的放权让利称为“第三次放权”。

二是20世纪90年代的中央与广东关系，其基本特征是集权与配合。进入90年代，面对中央财政告急以及因经济过热急需增强中央宏观调控能力的要求，中央开始了选择性集权。1994年中央政府果断实行了分税制改革，改变了以往“一省一率”的非规范化、非制度化的财政政策。财政体制是政治利益的转换器，通过分税制这一制度创新，从客观效果来看，中央在广东实行了“财政收权”，即财政集权。在实施分税制的过程中，广东做到了“讲好北京话，兼顾广东话”①，配合中央推行的财政体制改革，最终实现了互利互惠。

三是新世纪之初的中央与广东关系，其基本特征是集权与协作。在这一时期，中央与广东关系主要表现在两个方面：其一，进入新世纪，为增强中央宏观调控能力，继“财政收权”之后，中央政府通过对部分政府部门实行垂直管理等方式继续收权，而广东则是积极回应中央垂直管理改革。中央通过继续落实选择性集权政策，进一步提升了中央权威。其二，在推进公共财政改革、建设公共服务型政府的背景下，无论是中央政府，还是广东政府，都积极调整和规范政府行为，相互协作，在积极调整政府支出结构的同时，还共同努力探索健全财力与事权相匹配的财政体制，加快形成统一、规范、透明的财政转移支付制度。

一、20世纪80年代：放权与自主

1979年之后，随着经济体制改革的深入，简政放权、增强企业和地方的活力，构成了这一时期的主线。② 为了改革中央高度集

---

① 这是一个比喻，最早来自1995年10月，在学习贯彻党的十四届五中全会精神时，时任江西省委书记的吴官正提出要“说好带江西口音的北京话”。“北京话”就是指全局意识，坚决维护中央权威，“带有江西口音”，就是老老实实、不折不扣地结合江西实际，按照党中央的决策和指示，创造性地开展工作。根据这一比喻，本书的“讲好北京话，兼顾广东话”，意指在维护中央权威、遵照中央政策精神的前提下，结合广东实际，努力促进分税制的顺利实施。

② 熊文钊：《大国地方——中国中央与地方关系宪政研究》，北京大学出版社2005年版，第76页。

权的计划经济体制，推进社会主义现代化建设，中央对我国中央与地方关系进行了较大的调整，力图探寻出一条能够超越权力“收与放”循环怪圈的道路。1978 年，中央在广东实行改革开放战略，希望广东能够先行一步，杀出一条血路来。该战略能够顺利实施，主要得益于中央的放权让利政策，即中央给予广东的特殊政策和灵活措施，从而通过调整广东与中央的关系来为广东改革开放提供稳固的政治保障，为经济改革和维护经济繁荣扫清障碍。

（一）“放权共识”的形成

1976 年 10 月“四人帮”被粉碎之后，走出“文化大革命”成为历史的大趋势。问题是，如何走出“文化大革命”？如何发展经济？如何搞好社会主义现代化建设？这是当时摆在政府各级官员面前的突出问题。

在广东，以习仲勋为首的广东省委提出了“广东发展策”，希望中央给点权，第三次放权问题由此提出。1977 年 11 月，重新恢复中央领导职务不久的邓小平与叶剑英委员长来到广州，中共广东省委领导人向他们做了工作汇报，其中谈到了广东经济面临的种种困难。邓小平听完汇报后一针见血地指出政策问题是最主要的，这个“诊断”引起了中共广东省委从上到下的反思。[①] 1978 至 1979 年，广东省委在考察、研究的基础上，提出广东根本的出路在于中央给广东放权，让广东充分发挥自己的优势，抓住当前有利的国际形势，在“四化”建设中先走一步，并设想在深圳、珠海、汕头设立对外加工贸易区。1979 年 4 月 5 日，中央工作会议在北京召开。习仲勋就“广东发展策”向中央做了汇报，他在发言时提出，原本的经济体制权力过于集中，地方权力过小，需要解决放权问题，“广东邻近港澳，华侨众多，应充分利用这个有利条件，积极开展对外经济技术交流。这方面，希望中央给点权，让广东先走一步，放手干。看来，在计划、财政、外贸、外汇、物资、对外经济

---

① 罗木生：《中国经济特区发展史稿》，广东人民出版社 1999 年版，第 3 页。

技术交流等方面，都有正确处理中央和地方的关系问题。‘麻雀虽小，五脏俱全’，作为一个省，等于人家一个和几个国。但现在省的地方机动权力太小，国家和中央统得过死，不利于国民经济的发展。我们的要求是在全国的集中领导下，放手一点，搞活一点。这样做，对地方有利，对国家也有利，是一致的。”他还指出，如果广东是一个“独立的国家”（当然是借用的话），可能几年就搞上去了，但是在现在的体制下，就不容易上去。他代表省委正式向中央提出广东要求实行特殊政策、灵活措施以及创办贸易合作区的建议。①

在中国的政治体制下，尽管广东省委提出了“广东发展策”，但是他们还需要得到中央的首肯，特别是中央领导的支持，“广东发展策”才有可能由蓝图变为现实。庆幸的是，中央给予了广东大力支持，特别是党和国家领导人邓小平、胡耀邦、谷牧等的肯定，使广东改革开放事业面对前路万里荆棘，终于迈出了第一步。邓小平曾就对外开放和特区建设做出指示，即“我们建立经济特区，实行开放政策，有个指导思想要明确，就是不是收，而是放”。② 1979 年4 月中央工作会议之后，5 月 14 至20 日，谷牧就带领中央工作组抵达广东，进行视察和帮助广东省委起草文件。在同广东省委、省革委负责人两次谈话中，谷牧对起草广东实行特殊政策、灵活措施的文件提出了指导性的意见，他要求思想要解放一点，要杀出一条血路，创造经验；要有信心地利用港澳的条件，加快广东的建设步伐；要到港澳市场、国际市场上去闯，港澳市场需要什么，广东就要很快改变，很快适应，计划体制主要确定哪些指标必须保证，其他根据市场经济的规律由广东自己安排。③ 由此，通过中央与广东的共同努力，两者不但形成了“放权共识”，而且迅速出台了特殊政策。这些努力推动着广东改革开放的伟大事业滚

① 卢荻、杨建、陈宪宇：《广东改革开放发展史（1978. 12—2000）》，中共党史出版社 2001 年版，第 31 页。

② 《邓小平文选》第 3 卷，人民出版社 1993 年版，第 51 页。

③ 中共广东省委党史研究室编：《中国共产党广东历史大事记（1949. 10—2004. 9）》，广东人民出版社 2005 年版，第 288 页。

滚向前，中央与广东的良性互动关系也在实践中逐步形成。

当然，广东获得中央的支持并不是偶然的。几乎与广东官员提出放权要求的同时，中央已经有了权力下放的打算。因为此次中央向广东放权，是在对改革失败的政治风险进行权衡之后，为缓解中央财政压力以及促进祖国统一大业而进行的。然而，除去这些技术性与策略性的考虑之外，我们要看到，中央对广东还有着更高的期待。在80年代初，中央对广东放权让利，要求广东杀出一条血路来，是站在改革开放大局的高度，把为中国改革探路的使命赋予了广东，寄希望广东实现试验性与示范性的统一。

（二）“中央给点权”

为了支持广东改革开放事业，中央对广东实行了让利放权政策，具体体现为中央允许广东实行特殊政策和灵活措施。伴随着“中央给点权”，广东从中央获得的自主权也越来越大。在80年代，中央对广东的放权具有两个显著特色：

一是此次放权兼具行政性放权与经济性放权，更为重要的是，此次行政性放权非常彻底，力度空前。改革开放以前的放权多是单一的、不彻底的行政性放权，中央虽然把工业企业划归地方管理，但计划权、财政权、审批权等多数权力仍然保留在中央，因而地方政府独立性和自主性不强，企业始终处在政府的羁绊之中。然而，在改革开放之初，中央对广东的权力下放则是从多方面展开的，包括财权下放、事权下放、物权下放、审批权下放等等，广东省政府获得了空前的行政管理权、财政权、计划权以及审批权等。与此同时，中央开始逐步推动经济性放权，[①] 随着市场经济要素的逐渐引入，经济性放权给企业带来了生产经营自主权。这样一来，地方政府和企业的积极性都被充分调动起来，社会主义市场经济逐渐在广东萌芽、成长。伴随着行政性放权与经济性放权的过程，中央还下

① 中央政府推动的经济性放权，与广东政府还权于企业的过程基本一致，在本书第五章有详细论述，本章对此论述从略。

放了部分政治性权力，如广东省人大及其常委会具有了制定所属经济特区的各项单行经济法规的权力，有利于更好地保障广东改革开放和经济特区建设的成果。

二是此次放权具有逐步推进的层次性特点。在改革开放初期，中央对广东3个经济特区（深圳、珠海、汕头）和广东其他地区给予了不同的特殊政策，与后者相比，经济特区是“特中之特”，享受更多的特殊政策和灵活措施。随着改革开放的深入发展，中央一方面继续重申对广东的特殊政策和灵活措施不变，另一方面则通过多种形式不断扩大广东享受优惠政策的地域范围。

根据这两个放权线索，我们可以简略地勾勒出中央对广东实施放权让利政策、广东逐步获得自主权的图景。1979年7月15日，中央决定对广东的对外经济活动实行特殊政策和灵活措施，以充分发挥广东的优越条件，扩大对外贸易。在接下来的3年中，中央先后召开多次座谈会，颁布许多重要的纪要文件，初步明确了放权让利的具体措施。

80年代，“中央给点权”，主要体现在《关于大力发展对外贸易增加外汇收入若干问题的规定》、《广东、福建两省会议纪要》、《海南岛问题座谈会纪要》①、《中央书记处会议纪要》、《广东、福建实行特殊政策、灵活措施座谈会纪要》、《广东、福建两省和经济特区工作会议纪要》共6个重要文件中。归纳广东当时实施的特殊政策和灵活措施，其内容主要包括9个方面：（1）计划体制以地方为主。根据国家的方针政策，实行“条块结合，以块为主”，生产建设、财政、内外贸、科教文卫等计划，以省为主制定。（2）扩大地方对外贸易权限。在中央统一对外贸易方针政策和规划下，广东有权安排和经营自己的对外贸易。广东举办的加工业、补偿贸易和合资经营项目，凡不涉及国家综合平衡的，由省自行安排，报国务院有关部门备案；利用外资，除了一些特大的项目外，由省审批。（3）财政体制，实行“划分收支，定额上交，五年不变”的

① 当时的海南还属于广东省管辖。

包干办法：按照划分收支的范围，以1979年财政收支结算为基数，确定上缴任务，从1980年开始，每年上交国家10亿元，其余由省支配；外汇收入，以1978年为基数，超基数部分，国家和省实行三七分成。（4）金融体制，在国家统一政策、规定和计划安排下，给广东以适当的机动权；实行“存贷挂钩，差额包干，划分比例，由省安排使用”的办法，外汇贷款给广东省规定一个额度，由省审批择优贷款。（5）试办深圳、珠海、汕头3个经济特区。（6）物资体制，根据生产、建设等各项计划，实行以省为主的管理体制。（7）商业方面实行以省为主的管理体制，在广州市的5个中央一级站和省有关商业机构合并，下放省管。（8）物价方面，在执行国家物价总方针的前提下，适当扩大地方定价的范围；地方产品的价格，广东有权调整。（9）劳动工资方面，允许广东有灵活性。根据省内情况，自行安排劳动力，不受国家劳动指标限制，在国家统一标准和调整幅度范围内，省可以具体调整；奖金提成比例，可以略高于全国平均水平。①

80年代，中央给予4个经济特区的政策在全国是最特殊的。1980年12月12日，任仲夷在向谷牧、江泽民等汇报工作时说：“广东实行特殊政策、灵活措施，比其他地方要特殊一些，而特区就要更‘特’一些，可以说‘特中之特’。深圳、珠海要搞特区，没有比特殊政策、灵活措施更特殊一些的政策，是搞不起来的。这个指导思想很重要，我们要自觉地认识，自觉地贯彻落实。”② 根据第五届全国人大常委会第十五次会议批准的《广东省经济特区条例》，统一管理广东各特区的特区管理委员会共获得了七项职权，包括制定特区发展计划并组织实施；审核、批准客商在特区的投资项目；办理特区工商登记和土地核配；协调设在特区内的银行、保险、税务、海关、边检、邮电等机构的工作关系；为特区企

① 参见广东省地方史志编纂委员会编：《广东省志：政治纪要》，广东人民出版社2004年版，第248～249页。

② 向明：《改革开放中的任仲夷》，广东教育出版社2000年版，第408页。

业所需的职工提供来源，并保护职工的正当权益；举办特区教育、文化、卫生和各项公益事业；维护特区治安，依法保护特区内人身和财产不受侵犯。[①] 经济特区不是政治特区，它在经济上享有比广东其他地区更高的对外开放程度、更大的自主权以及更多的政策优惠，这些优惠政策包括财政、外贸与外汇、金融、项目审批、物资进口、基本建设计划管理及税收等诸多方面。[②]

随着广东改革开放的逐步深入，80年代中央对广东的放权从来没有停止，而且还不断扩大广东享受优惠政策的地域范围。1983年，国务院批准广东省政府兴办广州经济技术开发区。1984年5月15日，国务院决定开放广州等14个沿海港口城市和海南岛，实行经济特区的某些特殊政策，扩大它们的权力。1984年11月，国务院又批准广东兴办湛江经济技术开发区。1985年，国务院决定把珠江三角洲开辟为沿海经济开放区。1987年10月16日，中央领导对广东省报送的《关于充分利用当前机遇加速经济发展的请示》报告作出批示，支持广东抓住时机组织经济起飞，并把珠江三角洲开放地区的范围从原来的“小三角”扩大到“大三角”。1988年，国务院批准广东省成为综合改革试验区，这是中央对广东实行特殊政策和灵活措施的继续和发展。在即将进入90年代的时候，中央继续重申了对广东的特殊政策和灵活措施不变。1992年，国务院批准将韶关、河源、梅州3市列入沿海经济开放区，同时将大亚湾、南沙两地开辟为经济技术开发区。

80年代，在改革开放的过程中，中央向广东放权经历了从下放行政权、经济权向下放部分政治性权力转变的过程，这主要体现在立法权方面。改革开放之前，我国的立法权完全集中在全国人大。1979年7月，全国人大二次会议通过重新修改《中华人民共和国地方各级人民代表大会和地方各级人民政府组织法》（下称

---

① 参见1980年8月26日第五届全国人民代表大会常务委员会第十五次会议批准施行的《中华人民共和国广东省经济特区条例》。

② 罗木生在《中国经济特区发展史稿》（广东人民出版社1999年版，第36～38页）一书中，详细归纳了国家对经济特区的支持政策。

《地方组织法》)，对我国过去的一级立法体制进行了改革，赋予了省、自治区、直辖市国家权力机关制定地方性法规的权力。1982年宪法对立法权限的划分作了进一步改革。后来，全国人大及其常委会又通过修订《地方组织法》，扩大了省、自治区的人民政府所在地和国务院批准的较大的市的立法权限。第五届全国人民代表大会常务委员会第二十一次会议审议了国务院关于建议授权广东省、福建省人民代表大会及其常务委员会制定所属经济特区的各项单行经济法规的议案，会议认为，为了使广东省、福建省所属经济特区的建设顺利进行，使特区的经济管理充分适应工作需要，更加有效地发挥经济特区的作用，决定授权广东省、福建省人民代表大会及其常务委员会，根据有关的法律、法令、政策规定的原则，按照各该省经济特区的具体情况和实际需要，制定经济特区的各项单行经济法规，并报全国人民代表大会常务委员会和国务院备案。[①] 这样，广东的立法权限进一步扩大，有利于及时制定一些深化改革、扩大开放的地方性法规。

80 年代，广东改革开放的伟大事业并不是一帆风顺的，仍然出现了少许波折。从 80 年代中期开始，广东面临着同全国一样的情形，即突出的经济过热问题，为此中央提出了“治理经济环境、整顿经济秩序、全面深化改革”的方针。到 1989 年春夏，又遇到了政治风波。但是，这些波折并没有削弱中央推行改革开放战略的决心，中央仍然一如既往地支持广东搞改革开放。

（三）让利放权对广东经济的影响

在改革开放初期，中央对广东实行让利放权的政策，极大地扩大了广东的自主权。这些自主权也被广东用足、用好、用活。凭借着中央给予的特殊政策和灵活措施，广东抓住大好的历史机遇，改革经济体制，推动经济增长，创造了经济奇迹。

---

① 李营主编:《深圳经济特区的创建与企业的经营管理》，机械工业出版社 1986 年版，第 254 页。

一方面，广东利用中央给予的自主权，尝试经济体制改革，为全国的经济体制改革提供了切实可行的新鲜经验。从 1978 年开始，广东就开始引入市场经济因素，实行以计划经济为主、市场经济为辅的方针，这在全国具有开创性的意义。吴南生在回忆经济特区的贡献时指出，经济特区的最大贡献就在于逐步确立了市场经济的地位。

另一方面，广东利用中央给予的自主权，大力发展广东经济。通过近 10 年的发展，广东经济成就突显，已经改变了长期落后于全国平均增长水平的局面。到 80 年代末，广东的社会总产值、工农业总产值、外贸出口总值、社会商品零售总额、财政收入等一系列反映经济实力的主要综合指标，都已经跃居全国前列。我们可以通过图 2 - 1 的数据来印证广东经济发展的巨大成就。

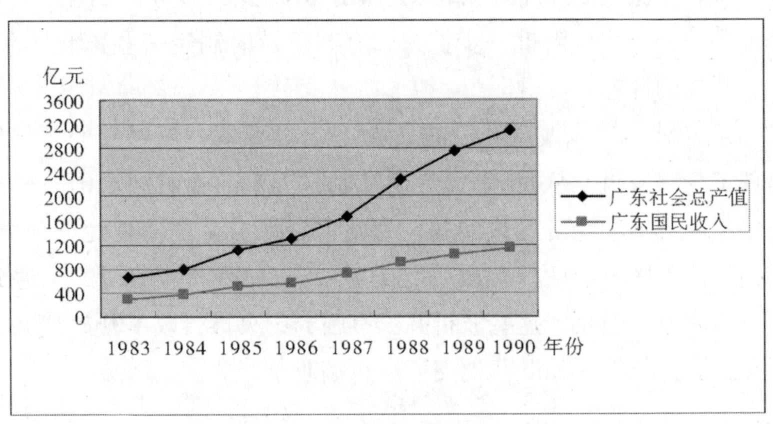

图 2 - 1　广东 80 年代经济发展成绩①

① 资料数据来源于《广东统计年鉴（1984—1991）》，其中 1988 年以后的数据不再包括海南省。

二、20 世纪 90 年代：集权与配合

“经过整个 80 年代的分权改革，以及邓小平视察南方以后的更加激进的分权运动，到 90 年代中期，中央政府的权力和权威都被弱化。”① 因而，进入 90 年代，巩固中央政府权力，提升中央政府权威，增强中央政府宏观调控能力，是摆在中央政府面前的突出任务。面对这种十分紧迫的情况，中央政府的行动策略是进行大规模但又有选择性的集权，这种策略推动了 90 年代的中央与地方关系变革。“选择性集权意味着中央政府并不是要把方方面面的权力都集中在自己的手中，而只是有选择地把那些对国家整体至关重要的权力集中起来，而把更多的权力留给地方政府。”② 这一时期的选择性集权主要表现为实施分税制和改革中央银行制度。实施分税制对中央与地方关系的影响十分深远，因而本书集中讨论分税制改革对广东与中央关系产生的影响。

80 年代，中央给予广东的让利放权政策，其中最为重要的就是对广东实行财政大包干政策。正如上文所述，该政策为广东的经济起飞提供了比较充足的财力，在其他优惠政策的支持下，广东能够把留存的财政资源自主地投入到经济建设上，同时通过减税、免税等多种措施来吸引投资、促进经济发展。经过近 10 年的努力，广东经济逐步创造了奇迹。但是，这种财政政策作为一项制度规则，无论在理论还是现实层面，都存在导向“诸侯经济”的可能性，这就为 90 年代中央在财政政策方面的制度创新——实施分税制——埋下了伏笔。财政体制实际上是政治利益的“转换器”，实施分税制必将触动广东与中央的利益分配格局。

---

① 郑永年：《要求中央与地方关系的变革》，2006 年 8 月 22 日，http：//fund. jrj. com. cn/news/2006 -08 -22/000001597122. html.

② 郑永年：《要求中央与地方关系的变革》，2006 年 8 月 22 日，http：//fund. jrj. com. cn/news/2006 -08 -22/000001597122. html.

(一) 1990年代广东与中央关系调整的背景

相较于80年代的让利放权政策，进入90年代，广东与中央关系的调整主要体现在实施分税制。分税制经过若干省、市、自治区的试点之后，于1994年1月1日正式实施。中央下决心改变以往多变的、不稳定的“一省一率”的国家财政体制，实施分税制，有其深刻的历史背景，它们构成了广东与中央关系调整的动因。

一方面，从1980年开始，我国实行“划分收支，分级包干”为主要内容的财政体制，中央和地方分灶吃饭，这种财政体制具有调动地方政府发展本地经济、增加财政收入的制度诱因。因而，在地方获得各种审批权、计划权等权力的支持下，地方政府为培植财源，争相发展各种“短、平、快”的加工工业，出现了大量的重复建设，形成了地方保护主义大战，由此带来的直接后果就是中央宏观调控能力急剧下降，出现经济投资过热和通货膨胀。正如辛向阳所说，“这些‘大战’还反映出一个问题：中央与地方关系的局部失衡，中央在许多地方和环节上不能有效地调控各地方政府的行为，各地方便有机会、有空间、有余地各自为政”。[①]

另一方面，进入90年代，中国国家能力——特别是财政汲取能力——明显下降。财政汲取能力是国家动员汲取全社会资源的能力，是国家能力的核心，是国家实现其他能力——宏观经济调控能力、合法化能力、强制能力——的基础。[②] 从80年代中期开始，中央财政占国民生产总值（GNP）的比重、中央财政收入占国民收入的比重、中央财政收入占整个财政收入的比重以及中央财政支出占全部财政支出的比重，均在不断下降，并且低于国际公认的一般水平。当时的中央财政被称为“悬崖边上的财政”，财政部长是“囊中羞涩的财政部长”。整个80年代，由于财政体制缺乏弹性，

---

① 辛向阳：《百年博弈——中国中央与地方关系100年》，山东人民出版社2000年版，第271页。

② 王绍光、胡鞍钢：《中国国家能力报告》，辽宁人民出版社1993年版，第9页。

中国经济的高速增长并没有带动和促进国家财力的同步增长。到90年代，国家财政特别是中央财政的紧张状况越来越明显。以1993年上半年的一些指标为例：整个财政收入一季度比1992年同期下降2.2%，按可比口径也仅仅持平；工商税收1400亿元，比1992年同期增12%，去掉出口退税10%，仅比上年同期增长1.4%。而1993年一季度的国民生产总值同比增长15.1%，上半年达到14%，比1992年GDP增长12.8%高出不少，财政收入与经济增长比例严重失衡。[①] 因此，学者王绍光、胡鞍钢在《中国国家能力报告》中，称财政包干制导致了"诸侯经济"、"强地方，弱中央"；王绍光在《分权的底线》一书中进一步指出，80年代的财政分权已经超出了分权的底线，致使中央政府无力承担起提供全国性共享物品和服务的重任，无力在全国范围内进行收入再分配，难于运用财政政策稳定宏观经济。[②] 在提高国家能力这种历史大背景下，实行分税制政策就呼之欲出了。[③]

（二）广东配合中央顺利推进分税制

为落实中共十四届三中全会通过的《中共中央关于建立社会主义市场经济体制若干问题的决定》，保证在1994年1月1日顺利实施分税制，从1993年9月9日到11月21日两个多月的时间，朱镕基副总理带领60多人的大队人马南"征"北"战"17省，到

① 赵艺宁：《分税制决策背景回放》，《瞭望》2003年第37期。

② 参见王绍光：《分权的底线》，中国计划出版社1997年版，第49～62页。

③ 诚然，这种看法仍然存在着争论，如胡书东博士在对新中国50年来中央与地方关系的定性分析时指出，"改革开放以来政府预算内外收入占国内生产总值比重衡量的政府财力变化并不一定是坏事，它在一定程度上标志着中国市场化改革已经取得进展，政府职能开始收缩，自然不再需要维持计划经济时期那么高的政府财力水平，政府财力水平的下降是正常现象"。对于王绍光等人通过统计和国际比较的方法得出的结论，胡书东认为，"这种简单的国际比较并没有坚实的理论基础，因此，仅仅根据国际比较得出的结论虽然有可能是正确的，但难以服人。……同期财政领域一些重要问题产生的主要根源并不是政府财力总规模和中央政府财力相对水平降低，而是经济转轨过程中特有的现象"（胡书东：《经济发展中的中央与地方关系——中国财政制度变迁研究》，人民出版社2001年版，第141～143页）。

地方征求意见，展开调研。

中央与广东的研讨取得了巨大的成功，这主要是由于两个方面的原因：一方面，广东“说好了带广东口音的北京话”。广东不仅坚决维护中央的权威，站在全国一盘棋的角度，配合中央的分税制改革安排，而且还基于广东的实际情况，向中央提出了几条意见；另一方面，为了不影响广东的改革开放，让广东在20年内追赶上亚洲“四小龙”，中央也做了一定的让步，因地制宜地处理了广东提出的意见，适当照顾了广东的利益，达成了互利互惠的双赢局面。

期间，广东对分税制方案提出如下几条意见：一是以1993年为分税制基期年，因为小平南方谈话是1992年上半年的事了，下半年经济发展起来，反映到财政收入上是1993年的事情。假如以1992年为基数，那么小平南方谈话成果就都没有包含在内；二是广东另立增值税分成比例；三是按广东的中央收入增长率来确定返还数增长率；四是希望中央对重点建设一视同仁；五是希望减免税能够再延长两年。①

针对广东提出的意见，朱镕基副总理在一次内部会议上说，只要广东同意搞分税制，分开征税，这一条定下了，有些地方做些妥协有好处，大家思想愉快，不然改革搞不好。1993年9月14日下午，在内部会议上他明确表示，对于广东提出的四条，可以同意两条，否定两条。② 即同意广东以1993年为分税制基期年，同意中央对重点建设一视同仁，并可以对广东适当照顾，否定了在广东另立增值税比例及返还数增长率的意见。其实，当时朱镕基还同意了广东减免税再延长两年的意见。经过相互妥协之后，中央因地制宜地处理了广东的情况，分税制在广东顺利实施。这样一来，通过分税制，中央财政从广东拿回来的钱，相当于它在原体制下上交的两倍，而让广东高兴的是以1993年作基数。③

① 赵艺宁：《分税制决策背景回放》，《瞭望》2003年第37期。
② 赵艺宁：《分税制决策背景回放》，《瞭望》2003年第37期。
③ 赵艺宁：《分税制决策背景回放》，《瞭望》2003年第37期。

至此，对于中央和广东来说，分税制改革无疑成了一次双赢、互惠的改革，这为分税制在广东的顺利推进奠定了良好的基础。在分税制正式实施后，广东的许多做法在全国也起到了积极的带头作用，如分设中央和地方两套税务机构等。

（三）分税制对广东与中央关系的影响

中央在90年代初期规划实行分税制的决策，这不仅是从全国经济过热、宏观调控困难的现状出发，从中央财政的困境出发，而且考虑了各个地方的实际情况。广东的经济发展现状及财政收入情况为论证分税制决策的正确性提供了有力的证据。实施分税制对80年代以来的广东与中央关系产生了重大影响。

首先，从财政收入的角度来看，分税制对中央与广东的财政收入关系产生了巨大影响。在实行分税制以前，广东财政收入增长速度与中央财政收入增长速度严重不相称。从1990年至1993年，广东的财政预算收入分别为131.02亿元、177.35亿元、222.64亿元、346.56亿元，而同期的中央财政预算收入分别为992.4亿元、938.3亿元、979.5亿元、957.5亿元。如图2－2所示，这一时期的中央财政收入增长率远远低于广东财政收入增长率。在90年代初期，广东是全国经济最有活力、发展最快的几个省之一，如果继续推行以往的大包干财政政策，两个比率之间的差距就会越来越大，那么90年代出现的“中央政府垮台”难题就不难理解了。1994年实行分税制后，广东财政收入增长率与中央财政收入增长率之间的关系与以前相比发生了明显变化。同样如图2－2所示，分税制实施后，中央财政收入增长率明显高于广东财政收入增长率。因此，从客观效果上讲，分税制对于中央而言，是一次制度化的财政收权过程，达到了财政集权的目的；而对于广东而言，分税制的成功实施，充分突显了广东站在全国一盘棋的角度，大力支持和配合中央政府的改革措施。

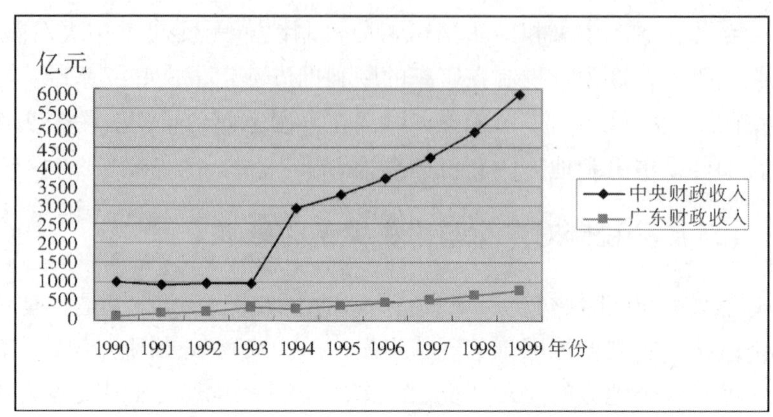

图 2－2　90 年代中央与广东财政收入①

其次，分税制成为调节广东与中央财政关系的重要制度，极大地提升了中央的宏观调控能力。在 80 年代末，广东在受益于财政大包干政策的同时，也面临着突出的经济过热问题。这主要表现在：一是固定资产投资规模过大，社会需求过旺，超出省力承受的程度；二是工业发展速度过高；三是工农业生产出现失衡，工业过热，而农业则过冷，矛盾十分突出；四是明显的通货膨胀，相当一部分城市居民的实际生活水平下降；五是经济秩序尤其是流通领域出现混乱。② 作为改革开放的前沿重地，广东经济过热的信号犹如一盏警灯，时刻警示着中央需要加强治理整顿，增强宏观调控能力。分税制成功实施之后，中央财政收入的两个比重逐步回升，国家能力逐步增强，中央宏观调控能力得到极大提高。除此之外，广东配合中央顺利推进分税制，既显示了广东支持中央的宏观调控政策，又预示着中央与广东的财政权力关系不再由缺乏稳定性和延续性的财政包干政策来调整，而是步入由分税制调整的规范化、科学化、市场化与制度化的新时期。

---

① 资料数据来源于《广东统计年鉴（1991—2000）》及《中国统计年鉴（1991—2000）》。

② 卢荻、杨建、陈宪宇：《广东改革开放发展史（1978.12—2000）》，中共党史出版社 2001 年版，第 223～224 页。

最后，分税制彰显了一个不容回避的趋势，即广东在改革开放初期获得的政策性优势有所减弱。在80年代，中央对广东实行以“划分收支、分级包干”为主要内容的财政政策，在本质上体现了中央对广东的照顾政策，然而分税制却成为这一优惠政策的终结者。进入90年代后期，如果从更广阔的视角来看，随着改革开放进程的逐步深入，中央政府已经把对外开放优惠政策的重心从广东逐步移到了上海。[①] 面对这种转变，进入新世纪，如何发挥好中央与地方两个积极性，调整好广东与中央的关系，是中央和广东应共同探索的重大问题。

三、新世纪之初：集权与协作

分税制实施后，中央政府财政收入在较短时期内取得了预期的效果，提高了中央政府的财政汲取能力。但是，分税制财政政策带来的负面影响和新情况也很快显露出来，它们促使广东与中央关系作进一步的调整：一方面，在中央实施积极财政政策的同时，地方政府为了扩大地方税财源，时常放宽中央宏观调控政策的底线，致使部分地方、部分行业开始出现经济过热的迹象。因而中央急需采取果断措施来巩固自身权力，进一步加强对地方的宏观监管。另一方面，分税制改革只解决了政府财政收入分配问题，税收“收”上来之后，还有一个如何“用”的问题。因而，进入新世纪，政府需要重点考虑和解决的是支出分配问题。为解决这一问题，从1998年起，中央政府提出要推动公共财政改革，特别是2003年“非典”危机发生之后，通过公共财政改革来推进公共服务型政府

① 在对珠三角与长三角经济发展进行比较研究之后，朱文晖指出：“广东扮演中国改革开放实验区的地位在20世纪90年代中期发生了转变。……而此期间，广东经济发展中又出现了走私盛行、偷漏骗税、黄赌毒泛滥等政府监管不利的一些负面问题，使之在许多方面成为中央检查和处分的对象，广东逐渐丧失了原来在政策方面的先行地位。因此，广东省政府此后的主要政策是进行区域内部协调，将重心转移到广东经济内部发展上来。”（朱文晖：《走向竞合——珠三角与长三角经济发展比较》，清华大学出版社2003年版，第157～158页）

建设，成为新一届政府的历史性政治选择。

在新世纪，随着西部大开发、振兴东北老工业基地、中部崛起等战略的实施，在全国一盘棋、建设共同富裕的小康社会的大背景之下，广东的特殊性优势不再明显。与80年代不同，这一时期的广东与中央关系呈现出中央与地方关系的新特征：集权与协作。它展现的是这样一幅图景：一方面，继90年代财政集权之后，为了强化宏观调控，中央进一步推行选择性集权政策，通过对工商、统计、国土等部门的垂直管理来加强中央集权程度；另一方面，为构建公共服务型政府，推进公共财政改革，着眼于提高公共服务水平，中央和地方政府紧密协作，积极施政。

（一）新世纪之初广东与中央关系调整的背景

2000年至今，广东与中央的互动关系以强化宏观调控、推进公共财政改革为背景。这一时期的广东与中央关系沐浴在公共财政的阳光之下。

首先，中央加强宏观调控，构成了中央进一步选择性集权的宏观背景。90年代的中国经济发展处在经济周期的下降阶段。1992年之后，中国经济增长速度放缓，一路下滑，直到1999年降到最低点。对于中国经济来说，1998年发生的亚洲金融危机和长江洪灾无疑是雪上加霜。因而，为了走出下降阶段，中央实施了以“积极财政政策和稳健货币政策”为主要内容的宏观调控政策，使中国经济进入了发展快车道，2000—2007年中国经济已连续8年在8%至11%左右的适度增长区间内平稳较快运行。尽管如此，在这8年间，中央的财政及货币政策还是悄悄地发生了变化。从2003年开始，中国进入了“宏观调控五年”。2004年12月中央经济工作会议明确提出，财政政策由积极转为稳健。2007年稳健的货币政策开始表现出“稳中适度从紧”的趋向，2007年12月举行的中央经济工作会议，明确提出2008年实行从紧的货币政策。这些变化在本质上反映出中央加强宏观调控的力度越来越大。为了完成宏观调控任务和目标，中央对地方部分政府部门实施了垂直管

理，直接导致了中央和地方权力格局的变化，影响了广东与中央关系。

其次，推进公共财政改革、建设公共服务型政府，构成了广东与中央相互协作的宏观背景。迄今为止，中国进行公共财政改革已经进入了第10个年头。1998年，中央提出要建立公共财政框架，明确了面向市场经济体制转轨中财政体制改革的目标。然而，在当时，这仅仅是一个战略发展方向，具体如何改革的措施并没有明确。中共十五届五中全会通过的《中共中央关于制定国民经济和社会发展的第十个五年计划的建议》和第九届全国人民代表大会第四次会议通过的《关于国民经济和社会发展第十个五年计划纲要》，对建立公共财政框架提出了明确要求。2003年，中共十六届三中全会通过了《中共中央关于完善社会主义市场经济体制若干问题的决定》，明确提出健全公共财政体制的各项措施。2007年，十七大提出了要完善公共财政框架体系的任务，要求进一步建立财政收入稳定增长机制，建立更加科学化、精细化的支出管理体制，增强财政宏观调控能力。回顾中国公共财政体制建设的发展历程，我们发现存在着一个明确的转向，即顺应政府从"经济建设型政府"向"公共服务型政府"的转变，政府财政资金的投放重心渐渐从经济建设项目向公共物品领域转移。2003年召开的中央经济工作会议以及同年发生的"非典"危机为这一转向提供了历史契机，正如李鸿谷所言，"以财政角度观察，一般研究者都将建设与市场相适应的社会主义'公共财政'的时间认定为1998年，而实际5年之后'公共财政'方才回归其本意"。[①] 10年来，中国公共财政改革已经初现曙光，中国公共财政框架体系已经初具雏形。无论是理论界还是实务界，也不管中央政府还是地方政府，它们都在积极推动公共财政的改革和完善。推进公共财政改革具有十分重大的意义，它不仅是一项重要的经济体制改革，而且还是一项重要的政治体制改革，是构建社会主义和谐社会的重要保障。就对广东与

① 李鸿谷：《政府改革的政治观察》，《三联生活周刊》2008年第8期。

中央关系的影响而言，公共财政改革塑造和约束着政府行为，推动了广东与中央之间的相互协作。

（二）广东积极回应中央垂直管理改革

为提高中央政府宏观调控能力，促使政令畅通，打破地方保护主义，规范地方政府行为，中央对地方许多政府部门通过不同模式实行了垂直管理，[①] 继通过分税制达到“财政收权”之后进一步集中权力。

改革开放30年来，地方获得了很大的经济自主权，经济实力不断增强，为此“块块”力量坐大，滋生出新地方保护主义。新地方保护主义的表现形式，是以放宽中央政策底线谋求地方利益，因而贯彻执行中央的方针政策不力，甚至上有政策、下有对策，有令不行、有禁不止等现象屡见不鲜。[②] 政府多个部门希望摆脱地方保护主义的干扰，通过垂直管理的方式来理顺部门管理与块块管理的关系。长久以来，这种条块矛盾，实质上反映出中央与地方关系的矛盾。因此，有人认为，“观察近10年来政府垂直管理加强的趋势，从短期看，这是中央解决部门管理与地方管理尖锐矛盾、确保政令畅通的制度调整。从长期看，这是改革开放以来，在中央20年不断下放权力于地方后，为达到国家法规统一性目标，平衡央地职权的一种战略手段”。[③] 而90年代实行的分税制政策带来的部分负面影响，也迫切要求中央加强宏观调控，约束地方政府的行为。分税制是以增值税为主体，营业税等被划归为地方税种，因而，一些学者认为，实施分税制的结果是，在提高了中央政府财政收入的

① 根据熊文钊、曹旭东的研究，近年来中国垂直管理模式呈现出多样化特点，包括中央垂直管理、省垂直管理和特殊垂直管理。中央垂直管理如针对海关、证监会、烟草局、保监会等部门的管理；省垂直管理如针对工商、地税、土地管理、质量技术监督、食品药品监督等部门的管理；特殊垂直管理则指针对环保执法监督机构、统计局驻各省调查队等部门的管理。无论哪种模式的垂直管理，其根本目标都是为了增强宏观调控能力，打破地方保护主义。

② 陈泽伟：《冷观政府垂直管理》，《瞭望》2006年第46期。

③ 陈泽伟：《冷观政府垂直管理》，《瞭望》2006年第46期。

同时，也诱导了地方政府的行为扭曲。以房地产业为例，由于建筑业是交纳营业税的第一大户，[①] 因而地方政府在发展建筑业、开发房地产业上面花费了大量精力，热情空前高涨，这为中央政府调控房地产业带来了极大的困难。

中央对地方部分政府部门实行垂直管理经历了一个不断推进的过程。继海关、国税等政府部门实行中央垂直管理以来，1998 年以后，中央对包括广东在内的众多地方行政部门先后实行垂直管理，打破了以前的双重领导体制。1998 年，中央决定对省以下工商行政管理机关实行垂直管理。1999 年，中央决定在全国省以下质量技术监督系统实行垂直管理。2000 年，中央对省以下药品监督管理系统实行垂直管理。……2004 年 3 月，国务院对各级调查队实行垂直管理。同年，国家对省以下国土管理部门实行垂直管理。2006 年，国家环保总局组建了 11 个地方派出执法监督机构，并对它们实行垂直管理。回顾近 10 年来中央对广东的工商、国土、环保等部门实行垂直管理的过程，尽管理论界对于中央垂直管理模式存在着诸多争论和担忧，但是，如果我们把它放入广东和中央 30 年关系进程中去考察，从公共财政改革的视角去理解，也许会更有深意。

首先，对广东部分政府部门实行垂直管理，可以看成是继 90 年代中央财政收权后的进一步选择性集权，以便持续巩固和提升中央权威。与此同时，中央还通过立法规制等方式上收了部分地方立法权，如 2000 年出台的《立法法》，限制了部分地方立法权，地方立法权越来越小。

其次，在中央推行垂直管理改革的过程中，广东积极回应中央的改革精神，并主动采取措施支持和配合中央改革，维护中央权威。以中央对药品监督管理系统实行垂直管理改革为例，在《国

---

① 周飞舟在《分税制十年：制度及影响》（《中国社会科学》2006 年第 6 期）中分析分税制及其影响时，专门通过数据论述了地方政府财政收入在不同税种上的变化，并指出了这种变化带来的可能后果。

务院批转国家药品监督管理局药品监督管理体制改革方案的通知》公布后不久，广东省政府就结合广东省实际情况，制定了贯彻执行四条意见。[①] 进入“十五”计划之时，为进一步做好药品监督管理工作，广东省又制定了《广东省药品监督管理“十五”计划》，到2002年上半年，广东省省以下药品监督垂直管理体制基本建立起来。2004年8月2日，广东省财政厅又会同中国人民银行广州分行、中国农业银行广东省分行联合制定下发了《广东省省以下垂直管理部门罚款收缴暂行办法》，进一步规范了省以下垂直管理部门（包括药品监督局）罚款收缴工作。

最后，实行公共财政改革的一个重要条件是政府要退出那些不该管、管不了以及管不好的领域，通过增强宏观调控的方式来监管社会经济发展。中央对部分涉及全国性和跨省事务的部门实行垂直管理，打破地方保护主义，增强国家宏观调控能力，为推进公共财政改革提供了重要保障。

（三）广东与中央协作推进公共财政改革

构建公共财政框架体系，建设公共服务型政府，是近10年来中央政府努力的主要目标之一。它对世纪之初的中央与地方关系产生了非常大的影响，具体到广东与中央的关系问题上，这一目标推动了广东与中央的协作：一方面，围绕着公共服务供给，广东与中央政府步调一致，共同协作，不断调整政府支出结构，力图为公民和社会提供高效和优质的公共服务产品；另一方面，广东和中央政府都在共同努力探索事权与财权相统一的转移支付制度。相较于上世纪90年代广东配合中央推进分税制改革的关系，在广东与中央协作推进公共财政改革方面，广东无疑具有了更大的主动性。诚然，公共财政框架体系仅仅初具雏形，建设公共服务型政府还有很长一段路要走，本书对这种“协作关系”的分析只能视为一种趋

---

① 参见广东省人民政府：《广东省人民政府转发〈国务院批转国家药品监督管理局药品监督管理体制改革方案的通知〉》，2000年8月29日。

势分析，而有待进一步的观察。

其一，公共财政改革约束和规范着中央政府行为与广东省政府行为。为构建以公共财政为基础的公共服务型政府，广东与中央步调一致，强力作为，相互协作。从中央来看，构建公共财政框架体系一直是中央的施政目标。1998 年是公共财政发展的里程碑，从这一年开始，建立公共财政框架不仅是一个目标和方向，而且是一项现实和紧迫的工作，中央采取了多种措施不断推进和加快公共财政改革。2006 年，财政部长金人庆在全国财政工作会议上的讲话指出，2006 年我国财政工作取得的成绩之一就是公共财政体制不断健全，政府收支分类改革、金财工程建设、行政事业单位国有资产管理改革以及其他预算管理制度改革都取得了新突破，金人庆部长还提出了 2007 年财政工作的总体要求。① 2007 年，胡锦涛在党的十七大报告中强调，要围绕推进基本公共服务均等化和主体功能区建设，完善公共财政体系。

从广东来看，为推进公共财政体制改革，构建公共服务型政府，广东与中央保持步调一致，积极施政。1995 年，广东在省内实行分税制之后，省政府的财力不断集中、增强，为构建公共财政体制框架打下了良好的基础。从 1998 年至 2002 年，按照中央提出的建立公共财政体制框架的改革目标，广东大力推进财政体制改革，调整增强公共性支出，财政职能逐步向公共财政转变。从 2002 年至 2007 年，广东继续加大公共财政支出力度，提高公共性支出的比重，实行激励型财政支付政策，加大财政转移支付力度，重点保障“十项民心工程”、农村税费改革、“科教兴粤”、农村九年制免费义务教育、农村公益性医疗卫生事业、建设文化大省、绿色广东等重要事业发展的资金需要，把公共管理和公共服务支出的比例提高到 63.1%，并通过推进预算管理体制改革，实施国库集中收付改革，深化“收支两条线”管理改革等措施不断完善公共

① 参见《金人庆部长在全国财政工作会议上的讲话》，2006 年 12 月 19 日，http：//www. moc. gov. cn/2006/06caiwus/xueshujl/200612/t20061225_ 145200. html.

财政体制，使广东的财政改革和公共财政体制建设走在全国前列。①

其二，公共财政改革要求进一步划分清楚中央和广东的事权与财权，做到事权与财权相统一。为此，广东和中央政府都在共同努力探索事权与财权相匹配的财政体制以及转移支付制度。1993年，中央出台了《国务院关于实行分税制财政管理体制的决定》，决定明确规定了中央与地方事权和支出的划分：中央财政主要承担国家安全、外交和中央国家机关运转所需经费，调整国民经济结构、协调地区发展、实施宏观调控所必需的支出以及由中央直接管理的事业发展支出；地方财政主要承担本地区政权机关运转所需支出以及本地区经济、事业发展所需支出。② 2003年10月14日，十六届三中全会通过的中央文件《中共中央关于完善社会主义市场经济体制若干问题的决定》，第一次明确区分了三个层次的事务：全国性和跨省事务、地方性事务以及共同管理的事务，为中央与地方权限划分奠定了一个良好的基础。③ 2007年10月15日，胡锦涛在十七大报告中指出，要健全中央和地方财力与事权相匹配的体制，加快形成统一规范透明的财政转移支付制度，提高一般性转移支付规模和比例，加大公共服务领域投入。④

小　结

新中国成立之后中央与地方关系的主要关注点是中央与地方的权限变化问题。1949年至1978年间，中央与地方权力关系形成了“两放两收”的历史怪圈。从1978年开始，中国实行改革开放政

① 参见钟阳胜：《要进一步深化地方公共财政体制改革》，《羊城晚报》2007年8月27日。

② 参见《国务院关于实行分税制财政管理体制的决定》（1993年12月15日发布）。

③ 陈泽伟：《冷观政府垂直管理》，《瞭望》2006年第46期。

④ 胡锦涛：《高举中国特色社会主义伟大旗帜　为夺取全面建设小康社会新胜利而奋斗》，人民出版社2007年版，第26页。

策，其历史起点就是中央和地方的权限关系再次开始调整，其中，处在改革开放前沿的广东省最具典型性。广东改革开放30年的历史进程，展现了一幅广东与中央关系持续调适的历史画面，图2－3形象地描述了中央与广东关系的变迁。

从历史的维度来审视广东与中央关系30年的变化，广东作为一个特殊的个案，与其他省份相比，它和中央之间的互动关系极具特色，其特色之处在于：在80年代，通过中央的高度放权，广东获得了空前的自主权，这个阶段所形成的广东与中央的良好互动关系是其他省市所罕见的。这一特色是与广东在改革开放中的特殊性地位紧密相连的。

改革开放30年来，通过广东与中央关系的互动调适，取得了可喜的成绩，这些成绩是改革开放伟大决策的丰硕成果，为广东的科学发展提供了条件。一方面，中央与广东关系的变迁带来了中国社会权力结构——特别是纵向权力结构——的转型。从图2－3可以看出，对于改革开放前高度中央集权的下位包含模式而言，改革开放所带来的主要结果无疑就是中央和地方权力结构的松动。另一方面，广东与中央关系已经摆脱了改革开放前权力收与放的历史循环。从图2－3可以发现，改革开放之后，地方一直都拥有很大的自主权，即使经历了90年代以来的选择性集权之后，广东的权力依然很大。广东与中央关系经过近30年来的调适，已经走到了制度化的前期。

作为一个特殊的案例，改革开放30年来，广东与中央关系的调适过程为我们提供了非常丰富的宝贵经验，这些经验为在新的条件下处理中央与地方关系问题提供了借鉴：其一，在处理我国中央与地方关系问题上，中央始终处于主导地位，讲好“北京话”是一个重要前提，保持中央的权威是必需的；其二，在市场经济条件下，赋予地方适度的自主权是一个十分重要的原则，在讲好“北京话”的同时，需要兼顾“地方话”，唯有如此才能促进地方层面的制度创新；其三，只有适应政府职能转变的要求，改变只在纵向层面进行权限调整的旧式思维，从纵横两个面向共同努力，才能解

决好我国中央与地方关系问题。

展望未来，要使广东与中央互动关系更加和谐，还有很长一段路要走。中央与广东都需要认真总结改革开放30年来的经验，按照制度化、法制化、集权与分权均衡化的取向，推动中央与地方互动关系在内容和机制上更上一层楼，促进改革开放的伟大事业顺利前行。

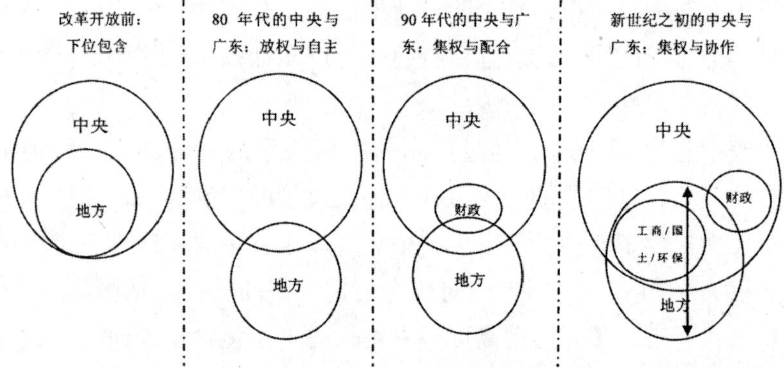

图2－3　广东与中央30年关系变迁图

第三章
让广东人大硬起来

引　言

宪法规定，中华人民共和国的一切权力属于人民，人民行使国家权力的机关是全国人民代表大会和地方各级人民代表大会。[①] 人民代表大会通过各种角色的扮演来保障人民意志的实现：其一，人民代表大会是一个立法机关，它能够依据法定程序制定符合人民利益的法律法规；其二，人民代表大会是一个监督机关，它能有效地防范行政部门等国家机构违背人民利益的行为；其三，人民代表大会是一个选举机关，它的有效运转能够为民众选择合格的国家公职人员和罢免不称职的官员；其四，人民代表大会是一个民意机关，它将人民关心的“热点问题”转换为一个个重大事项的决定，从而促使相关部门加以解决。可见，“以人民代表大会为主要内容的人民代表大会制度，是我国民主政治的核心内容。使人民代表大会依法履行职权，发挥作用，是当前发展我国民主的根本途径。”[②] 在历经早期的沉寂甚至停顿的岁月之后，人民代表大会制度自1978 年开始获得了稳定的发展，人民代表大会的各项职权逐渐得

① 《中华人民共和国宪法》，法律出版社 2007 年版，第 6 页。

② 蔡定剑：《中国人民代表大会制度·序》（第四版），法律出版社 2005 年版，第 1 页。

到落实与推进。

与中国的其他地方人大一样，广东人大在“文化大革命”中也遭遇十余年的混乱与停顿，直到1977年才重新恢复，并获得了很大的发展，[①] 然而30年的创新与发展使得广东人大足以在中国人民代表大会制度发展史上画上浓重的一笔。正如一首流传甚广的诗文所记载的那样，“南中国，一座丰碑，巍然矗立。它矗立在老百姓心里——50年，7702件议案、4258件批评、建议和意见……改变百姓生活的点点滴滴；它矗立在中国民主政治的实验田里——25年，431项立法，190项重大事项决议……推动民主法制的滚滚巨轮；广东人大代表探索的步伐，踏出一条异常清晰的轨迹。”[②] 代表、议案、立法、重大事项决议……它们构成了广东人大30年发展画卷中一幅幅生动的画面，在不经意间，人们发现，广东人大腰杆直起来了，人大图章硬起来了，人大已非昔日的“橡皮图章”和“表决机器”。

改革开放以来，广东人大主要依循三条路径来开展其富于特色的工作：首先，重视人大平台的搭建，集中体现在人大常委会的建设及相关规则的制定；其次，发挥人大代表的作用，通过一系列的工作来增强代表的代表性与履职能力；最后，围绕人大四项基本职权（立法权、监督权、任免权与重大事项决定权）而进行的创新性实践活动，这是广东人大工作的重中之重。广东人大的各历史阶段兼有这三个层面的工作内容，不过又各有其侧重点，据此本书将广东人大改革开放后的历史划分为三个阶段，分别为恢复阶段、推

① 中国人大尤其是地方人大都经历了这一类似的历程，在经历最初两三年的常规运作后，1957—1976年期间人大工作鉴于一些众所周知的历史因素而陷入了混乱与停顿的状态，这中间虽存在1962—1966年的短暂复苏时期，但总体可视为人大无所作为的20年；从1976年开始，各地人大逐步恢复工作并借助着改革开放的东风走上了一个新的台阶，其中广东人大因其独特的政治、经济、地理等因素而成为地方人大中的佼佼者〔全国人大常委会办公厅研究室编：《地方人大20年》（上册），中国民主法制出版社2000年版，第63～64页〕。

② 曾璇等：《监督利刃垒骄刃“广东现象”人大监督震撼人心》，《羊城晚报》2004年9月14日。

进阶段与蓬勃发展阶段。

（一）人大工作的恢复阶段（20 世纪 80 年代）

1977 年 12 月省五届人大一次会议在广州召开，广东人大开始恢复工作。围绕广东各级人大常委会的设立、建设构成了广东人大恢复阶段工作的主线。1979 年 12 月省五届人大二次会议通过了设立省人大常委会的决议，在接下来的 10 年里人大常委会这一机构基本上在全省铺开，构成一个完善的人大常委会组织系统；当然人大常委会的建设工作也扩展到后续的历史中，包括 90 年代的常委会议事规则等法律法规的制定、个别地级市（如揭阳、云浮）与部分区县级人大常委会（如深圳市的龙岗区与盐田区）的设立，[①] 步入新世纪以来某些特殊机构的设立（如广东省预算监督室、广州市预算监督处）等。不过，本书将该阶段的起止时间定格为 1979—1990 年，因为唯有这一阶段常委会的建设是作为人大工作的重心而展开的。

没有合适的舞台，演员与剧本都会失去展现的平台，广东人大会议的恢复召开以及人大常委会的成立对人大工作的意义不亚于此。可见，广东人大这一阶段的工作具有基础性、根本性的特征，它为后续工作的开展及特色的形成打下了坚实的根基。广东人大常委会的建设工作主要从两个方面加以展开：其一为人大常委会在空间上的布局，经过 10 年多的努力，常委会这一机构基本上在广东全省铺开；其二为人大常委会内在的建设过程，具体包括内部辅助机构的设置、内在运作规则的制定与完善等方面。通过这一阶段的努力，广东人大不仅恢复了人民代表大会这一原有平台的运作，还搭建起人大常委会这一新的平台，为今日广东人大的成就奠定了基础。

---

① 比如说揭阳市的首届人大常委会的设立时间为 1992 年 10 月 9 日，其他 90 年代设立常委会的地级、县区级人大的具体情况可参见本章第一节内容。

（二）人大工作的推进阶段（20世纪90年代）

这一阶段的历史跨度为1990—2000年，在这10年里，广东人大的各项工作继续推进，其中增强代表的代表性与履职能力是该阶段广东人大的工作重心。在这个10年里，就人大自身建设而言，广东人大通过了两部有关人大代表的重要法规：其一为1992年7月18日广东省七届人大常委会二十七次会议通过并经1995年省八届人大常委会十七次会议修订的《广东省各级人民代表大会选举实施细则》，其二为1994年2月26日广东省八届人大二次会议通过并公布实施的《广东省实施〈中华人民共和国全国人民代表大会和地方各级人民代表大会代表法〉办法》，这两部法规既是对广东人大此前十几年在代表工作方面进行实践摸索的总结，也成为人大步入新世纪后推进代表工作的重要依归。

人大代表代表人民，广东人大的代表工作正是围绕着这个宗旨而展开的，它包含两个层面的内容：其一通过优化代表结构与推进代表选举来扩大人大代表的民意基础，从而回归人大代表的本色；其二通过拓宽代表与选民的沟通渠道和扩大代表对常委会工作的参与等来增强代表的履职能力，从而确保民众关心的问题能够得到及时的处理与解决。通过这个环节的努力，广东人大代表实现了向民意代表、强力代表转型。

（三）人大工作的蓬勃发展阶段（2000年至今）

立法权、监督权、任免权与重大事项决定权是宪法赋予人民代表大会的四项基本职权，这些职权不同时期不同程度的运用确保广东人大能够在广东社会主义改革与建设的历史时期扮演着关键的角色，可以说它们是与广东人大的历史相始终的。不过，体现广东特色并具有重大改革意义的职权行使事件集中地发生于2000年以来的数年时间里，故而本书把2000年作为广东人大建设第三阶段的开始时间，其核心内容为人大职权的强力行使，广东人大由此展现

其富有特色的威力，世人称之为人大工作中的“广东现象”[①]。

为了呈现“广东现象”的丰富内涵，本书主要从四个方面来对这个环节的广东人大工作进行阐述。其一为立法领域的成就。主要描述广东人大在立法权方面的实践活动，突显广东人大立法领域先行者的地位。其二为选举任免层面的创新与重大事项决定权的突破。任免权的创新主要针对于人大在任免其他国家机关组成人员时获得了更大的独立性，即更大的决定权。重大事项决定权的突破集中反映在其可操作性方面，广东人大在这一点上贡献颇巨。其三为监督权的强化。广东人大行使监督权的形式变得日益多样化，质询、评议、个案监督等监督形式被广泛采用，可以说监督权是“广东现象”中令人印象最深刻的一种权力。其四为广东人大公共预算的开展。如果说监督权是广东人大的一把利刃，那么预算监督就是这把利刃的刀尖部分，它是广东人大最显赫的一项职权。

一、人大组织平台的搭建

立法机构是国家政权架构的重要组成部分，它的功能需要得到持续有效的发挥，而我国人民代表大会由于两个众所周知的因素不能经常作业：一是宪法规定人民代表大会一年一般只开一次会且每

---

① “广东现象”一词最初由在江苏省人大工作的陆介标同志提出，他在2000年9月《人民代表报》发表的一篇文章中指出，“今年以来，人大工作中出现了一种令社会、令国人非常关注的‘广东现象’”（陆介标：《人大工作中的“广东现象”》，《人民代表报》2000年第9期），从此“广东现象”引起全国各界人士的极大关注。当然，有关“广东现象”的起止时间存在着不同的看法，比如说具有代表“常青树”之称的广东省人大代表林才贤就认为“广东现象”最早发端于广东省第八届人民代表大会期间（1993—1997年），其标志应为1994年7月6日21名广东省人大代表对广东省国土厅的质询事件（王小飞：《2004：“广东现象”劲风再起》，《南方周末》2004年2月19日）。仔细比较这些歧见我们发现，他们对于“广东现象”涉及的内容持有同样的看法，都认为以监督权的强化为主要特色的广东人大职权的行使构成了“广东现象”的基本内涵。本书鉴于2000年对于广东人大的职权实践的重要意义，故此，在阶段划分上采用了陆介标同志的观点。

次会期不超过一个月，二是我国人大代表的人数过多[①]且多为兼职代表。这样，在人民代表大会闭会期间，人大如何履行其职责就是一个问题。人大常委会的出现解决了这一问题。人大常委会是人民代表大会的常设机关，是人民代表大会闭会期间的国家权力机关；它在人民代表大会中选举产生，便于召集会议、讨论决定问题、能经常性地行使权力。可见，人大常委会的成立是人大制度发展史上的盛事，对于我国地方人大而言更是如此。1979 年下半年开始的县级以上地方各级人大设立常委会的改革可以说是“我国政治体制改革的一次重大突破，我国人民代表大会制度的一个重大发展，我国地方政权建设的一项特别创举”。[②]

广东省人大常委会的建设主要依循两个进路：从空间布局看，常委会的建设进程集中体现在广东全省各市、县（区）人大相继成立常委会机构，从而在广东形成一套完备的常委会组织系统；从历史进程看，常委会的建设主要包含两个方面的内容——常委会内部机构的建设和运作规则的制定，这一点发生在全省各级人大常委会的内部。

（一）人大常委会在全省的铺开

在经历 1954—1978 年期间“四次孕育，三次流产”的艰难历程[③]后，1979 年 12 月 17—26 日召开的广东省五届人大二次会议上

---

① 我国全国人大代表的名额自 1986 年修改选举法后确定在 3000 名以内；省级人大的代表名额则在 350 ~ 1000 名的范围内。以广东省为例，其人大代表的名额一般维持在 800 名左右；县区级人大的代表总名额幅度为 120 ~ 450 名〔蔡定剑：《中国人民代表大会制度》（第四版），法律出版社 2003 年版，第 147 ~ 150 页〕。如此众多的代表是不便于经常性地开会，这一情形在代表为兼职的情况下变得更为迫切。

② 全国人大常委会办公厅研究室编：《地方人大 20 年》（上册），中国民主法制出版社 2000 年版，第 64 页。

③ 地方人大设立常委会所历经的“四次孕育，三次流产”的具体时间为：第一次“孕育”和“流产”发生在 1954 年制定宪法前后；第二次“孕育”和“流产”发生在 1957 年；第三次“孕育”和“流产”发生在 1965 年；第四次“孕育”发生在 1978 年十一届三中全会之后并最终使县级以上地方各级人大设立常委会成为事实〔全国人大常委会办公厅研究室编：《地方人大 20 年》（上册），中国民主法制出版社 2000 年版，第 64 ~ 66 页〕。

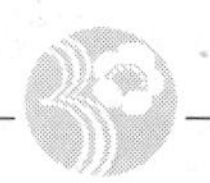

通过了设立省人大常务委员会的决议，由此拉开了在广东省地方各级人大设立常委会的序幕。[①]

除了省级人大外，广东省可以设立常委会的人大还有两级：一个为地级以上市人大，另一个为区县级人大。区县级人大包括三种类型：县级市人大、县人大和区人大。广东省共有21个地级以上市，其人大常委会的设立时间涵盖了20世纪的后30年（见表3-1），其中最早的是江门市，它的人大于1979年11月24日设立了常务委员会，比省人大常委会的出现时间还要早，同时它也是唯一在70年代设立常委会的地级市；最晚的是云浮市，它迟至1994年底才拥有自己的人大常委会，与它同在90年代设立常委会的地

表3-1　广东省地级以上市人大常委会的设立时间[②]

名　称	人大常委会设立时间	名　称	人大常委会设立时间
广州市	1981年9月23日	深圳市	1990年12月27日
珠海市	1980年12月	汕头市	1981年9月
韶关市	1981年7月26日	河源市	1989年4月23日
梅州市	1988年5月	惠州市	1981年6月
汕尾市	1989年1月	东莞市	1980年7月1日
中山市	1980年9月29日	江门市	1979年11月24日
佛山市	1980年8月	阳江市	1988年4月25日
湛江市	1981年1月	茂名市	1981年4月4日
肇庆市	1980年8月10日	清远市	1988年12月
潮州市	1980年6月30日	揭阳市	1992年10月9日
云浮市	1994年11月	-	-

① 查看广东省地方各级人大常委会的设立时间，我们发现有四个市县（区）级人大常委会出现在省人大常委会之前，它们分别是江门市（1979年11月24日）、广州番禺区（1979年11月15日）、韶关始兴县（1979年下半年）和肇庆高要市（1979年11月）。不过鉴于其在人大架构中所处的层级较低，很难具备推动性，所以本书把省人大常委会的成立作为全省常委会系统确立的序幕，这也是广东人大常委会的发展历史所证明的。

② 王堂明、包珊玮：《全省各市、县（区）人大一届一次会议及首届人大常委会设立一览表》，《人民之声》2004年第9期。

级以上市还包括深圳市（1990年底）和揭阳市（1992年10月）；其余的17个地级以上市人大常委会都出现在1980—1989年这10年间，其中1980年与1981年最多，包括广州、珠海、汕头等在内的12个地级以上市都于此时设立了人大常委会，其余的5个常委会出现在1988年与1989年这两年。

在推动地级以上市人大常委会建设的同时，广东省区县级人大常委会也在紧锣密鼓地酝酿中。比起上级人大常委会，区县级人大常委会的设立时间延续到了21世纪，在100多个区县级人大常委会中，其中有3个地区的常委会出现在1979年（见上页注①），8个区人大常委会出现在21世纪，包括汕头市金平区等4个区、珠海市金湾区与斗门区、佛山禅城区和茂名市茂港区；出现在90年代的区县级人大常委会主要集中在深圳，其6个区的人大常委会都是在这10年间设立的（见表3－2），此外还包括2个区和2个县；其余的区县级人大常委会都出现在80年代，它们占据了这一层级人大常委会的绝大部分。仔细查看区县级人大常委会的设立时间，我们会发现某些地级市的人大常委会出现于其全部或绝大部分的下级人大常委会之后，如广州市（见表3－2）、河源市和汕尾市（见表3－3）等，这是一个非常有趣的现象，它是因行政区划调整（如汕尾市）等因素导致的。

表3－2　广州市与深圳市所辖市（区）级人大常委会的设立时间①

广州市所辖（市、区）	人大常委会设立时间	深圳市所辖各区	人大常委会设立时间
海珠区	1980年7月	深圳市	1990年12月27日
天河区	1985年10月30日	南山区	1990年12月23日
东山区	1980年12月	盐田区	1998年6月20日
荔湾区	1981年3月	福田区	1990年10月5日
白云区	1980年6月	龙岗区	1993年8月20日

① 王堂明、包珊玮：《全省各市、县（区）人大一届一次会议及首届人大常委会设立一览表》，《人民之声》2004年第9期。

续上表

广州市所辖（市、区）	人大常委会设立时间	深圳市所辖各区	人大常委会设立时间
黄埔区	1980 年 7 月	罗湖区	1990 年 9 月 20 日
芳村区	1985 年 7 月 17 日	宝安区	1993 年 8 月 11 日
越秀区	1980 年 7 月 22 日	–	–
花都区	1981 年 3 月	–	–
番禺区	1979 年 11 月 15 日	–	–
从化市	1980 年 9 月	–	–
增城市	1980 年 6 月	–	–

表 3－3　河源市与汕尾市所辖市县(区)级人大常委会的设立时间①

河源市所辖（县、区）	人大常委会设立时间	汕尾市所辖市（县、区）	人大常委会设立时间
河源市	1989 年 4 月 23 日	汕尾市	1989 年 1 月
东源县	1988 年 11 月 8 日	市城区	1988 年 11 月 17 日
连平县	1981 年 6 月	陆丰市	1980 年 10 月
和平县	1980 年 8 月 20 日	陆河市	1988 年 11 月
龙川县	1980 年 12 月 30 日	海丰县	1984 年 6 月
紫金县	1981 年 1 月	–	–
源城区	1988 年 11 月	–	–

由此可见，在上个世纪八九十年代（主要是 80 年代），广东已经基本完成了人大常委会的空间布局，既有横向的地域分布，又有纵向的层级安排，广东人大机构的基础框架已经奠定。

（二）人大常委会内部机构的建设

人大常委会的成立解决了人民代表大会不能经常工作的问题，但在人大完成大部分职能向它转移后，常委会也会遭遇到人大当初所面对的困难——履职的有效性。化解这个困境有两个途径：一是

① 王堂明、包珊玮：《全省各市、县（区）人大一届一次会议及首届人大常委会设立一览表》，《人民之声》2004 年第 9 期。

在人大下面增设专门委员会①，二是在常委会下面设置工作委员会，一般情况下，专门委员会与工作委员会具有一定的重合性，这在省级以下人大中更加常见。专门委员会/工作委员会的出现为常委会履行职权提供了有力的帮助，他们或提供专业初审意见、或进行事后的跟踪监督……这些都促使各级人大常委会变得越来越强有力。

1979年12月广东省人大常委会创立伊始，条件极为恶劣，从机构设置看，常委会只有办公厅一个机构，下设秘书处、行政处、组织联络处、信访处和法制办公室（不久后才增设的）；从人员编制看，最初给常委会的编制才60个，且到位的人数极少，到1980年3月常委会真正到位的干部仅19人。在李坚真主任的努力下，省人大常委会后来又设立了法制委员会，1981年初法制办公室改为隶属于它，常委会机关的定编数也增至120人，不过省人大常委会建立初期所面对的困境仍可见一斑。② 这种困顿的局面在两年后召开的省六届人大常委会一次会议上得到缓解，法律委员会、财经委员会、农村委员会、教科文卫委员会和华侨委员会5个工作委员会正式成立，省人大常委会的内部机构框架初步奠定。随后出于社会变迁的需要，工作委员会进行了部分的调整与增设，其中农村工作委员会改为农村农业工作委员会、华侨工作委员会改为华侨民族宗教工作委员会，同时增加了内务司法工作委员会与城乡建设环境保护工作委员会。1998年省九届人大一次会议的召开对人大及常委会的内部机构设置进行了大幅度的调整，原先设立的7个工作委员会被撤销，取而代之的是7个同名专门委员会，人大的内部机构

---

① 正如彭真同志所指出的那样，“过去我们没有专门委员会时，什么问题都要提到主席团上来，不开代表大会时，则是什么问题都提到常委会来，人大常委会因为人多就不好讨论各种问题，尤其是不能分门别类地讨论，所以，工作就不好进行。人民代表大会开会也是分组讨论，而且分组也不是按工作性质分组。所以，我们才考虑到要设专门委员会”〔蔡定剑：《中国人民代表大会制度》（第四版），法律出版社2003年版，第244页〕。

② 李亮明：《大功臣·大模范——李坚真、罗天同志任职省人大常委会工作片断》，《人民之声》2004年第9期；李田、张鸿林：《新时期广东人大工作的开创者——回忆李坚真》，《人民之声》2007年第5期。

改革力度明显加大，此外在常委会机构下面设置两个工作委员会，分别为选举联络人事任免工作委员会和外事工作委员会。省九届人大及其常委会的内部机构框架一直维持到2008年省十一届人大一次会议的召开，在这次会上，人大常委会下面又增设了一个法制工作委员会，其他保持不变。至此，广东省人大常委会的内部机构已经基本成形（见图3-1）。①

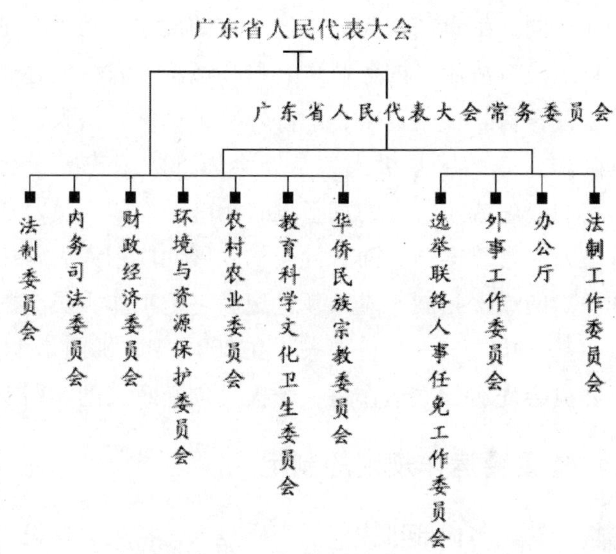

图3-1 广东省十一届人大及其常委会工作机构和办事机构②

广东省地级市人大常委会的内部机构设置进程与省人大常委会相似，都走过了由工作委员会向专门委员会转变的路子，也存在仅设工作委员会的情况，它们都建立起较为完整的内部机构框架，其中以广州、深圳、珠海和汕头这4个拥有立法权的市人大常委会最为突出。广州市现有机构除了办公厅、研究室外，还有法制、内务

① 参见郑毅生等：《广东人大大事记（1954—2004）》，《人民之声》2004年第9期。

② 广东省十一届人大及其常委会工作机构和办事机构，http：//www.rd.gd.cn/mode3-map.htm.

司法、财政经济（2002年7月在其下增设预算监督处具体负责预算草案初审等职权）、城建环境与资源保护、农村农业、教育科学文化卫生6个专门委员会（同时是常委会的工作委员会）和华侨外事民族、选举联络人事任免两个工作委员会；深圳市的委员会机构中少了农村农业委员会，但多了计划预算委员会[①]，其他的转为同名工作委员会，以突显其与常委会之间的直接隶属关系；珠海市与广州市比起来少了一个华侨外事民族工作委员会；汕头市的设置思路与深圳相同，都重在常委会工作机构的设立，除了一个法制委员会外，它还设有法制、内务司法、财政经济、农村城建、环境与资源保护、教育科学文化卫生、华侨外事、选举联络人事任免8个工作委员会。[②]广东的区县级人大常委会内部的工作委员会一般在2~5个，它们或虚或实，有的甚至没有相应的专职人员，相应的影响力比省市人大常委会弱。随着社会的发展，广东人大常委会的机构设置进一步向纵深拓展，进入新世纪后它把工作委员会的触角延伸至城市的基层单位——街道中去，在2006年，佛山市11个街道人大工作委员会先后建立运作是一个极具创新意义的实践。[③]

（三）常委会运作规则的制定

运作规则制定与内部机构扩展一样是人大常委会建设工作的基本内容，它为常委会划定了活动的范围与程序，是社会主义法制建设的必然要求。广东人大常委会制定的运作规则主要包含两个方面的内容：一为一般性规范，包括《广东省人民代表大会常务委员会议事规则》在内的议事及工作规则即属此范畴；一为具体职权行使规范，它主要包含《广东省人民代表大会常务委员会制定地

---

① 深圳于1995年5月设立计划预算审查工作委员会，在2000年该机构正式改为计划预算委员会。

② 参见广州、深圳、珠海与汕头4个城市各自的人大网站。

③ 街道人大工作委员会是区人大常委会派驻街道的工作机构，履行辖区内的人大代表视察、评议等活动，听取财政收支情况等工作报告……可以说，它是一个街道内的“常委会”（任研：《佛山市人大街道工作委员会设置完成》，《人民之声》2006年第12期）。

方性法规规定》、《广东省各级人民代表大会常务委员会人事任免办法》和《广东省各级人民代表大会常务委员会监督条例》等规则。①

《广东省人民代表大会常务委员会议事规则》的出现是较为晚近的事情，1998 年 9 月 18 日省九届人大常委会五次会议才宣告这部重要规则的诞生（本议事规则此后还历经了 2000 年与 2003 年的两次修改），不过它所涉及的内容很大一部分在此前的 10 余年时间里以具体条例、规定等方式加以界定，可以说该议事规则的出台是对这些具体条例的综合。早在常委会初设不久的 1983 年，《广东省人民代表大会议案试行办法》就在时任主任的罗天同志的努力下获得通过，开启了广东人大的“议案之路”，该办法的一些原则内容后被常委会议事规则收入《议案的提出与审议》一章；而 1996 年省八届人大常委会二十三次会议通过的《广东省各级人民代表大会常务委员会评议工作规定》则是议事规则第五章“评议”内容的重要参考对象；还有紧接着的执法检查工作、个案监督等方面的具体规定都是常委会议事规则的具体化。总之，常委会议事规则与期间通过的《广东省人民代表大会议事规则》、《广东省人民代表大会常务委员会主任会议议事规则》和《广东省乡镇人民代表大会主席和主席团工作条例》等组成了广东省人大及其常委会的一般性规范。②

在规范行使立法权方面，1985 年 10 月省六届人大常委会十六次

---

① 随着 2007 年 1 月 1 日起《中华人民共和国各级人民代表大会常务委员会监督法》正式施行，广东省人大常委会的一些运作规则作了配套性的调整，包括《广东省各级人民代表大会常务委员会监督条例》在内的 4 项规则被废止；《广东省人民代表大会常务委员会议事规则》、《广东省各级人民代表大会常务委员会人事任免办法》等 4 项规则修改了其中与监督法相冲突的部分（郭德龙：《黄丽满畅谈贯彻实施〈监督法〉》，《人民之声》2006 年第 12 期）。由于我们所要探讨的历史局限于 1978—2008 年，故而对《监督法》出台之前的广东省人大及其常委会的相关运作规则的描述仍是必要的，这一点也体现在下文探讨监督权等问题的章节部分。

② 参见郑毅生等：《广东人大大事记（1954—2004）》，《人民之声》2004 年第 9 期。

会议通过《广东省人民代表大会常务委员会关于制定地方性法规程序的暂时规定》可以说是初步的尝试，经过十几年的试行，《广东省人民代表大会常务委员会制定地方性法规规定》正式出台，它与2001年颁布的《广东省地方立法条例》构成广东人大及其常委会行使立法权的主要准则；在规范监督权方面，以《广东省各级人民代表大会常务委员会监督条例》为中心的一系列具体规定是人大及其常委会行使监督权的准则与保障，它们包括《广东省各级人民代表大会常务委员会评议工作规定》、《广东省各级人民代表大会常务委员会实施个案监督工作规定》、《广东省各级人民代表大会常务委员会执法检查工作规定》等；规范人事任免权方面则集中表现为《广东省各级人民代表大会常务委员会人事任免办法》的产生与实施，正如同《广东省各级人民代表大会常务委员会讨论决定重大事项规定》是人大常委会在行使重大事项决定权方面的基本规则一样。①

市级人大常委会主要是通过结合自身区域特点来贯彻实施省级人大及其常委会制定的运作规则，比如说中山市人大常委会出台《实施〈广东省各级人民代表大会常务委员会监督条例〉办法》、梅州市人大常委会通过《实施〈广东省各级人民代表大会常务委员会讨论决定重大事项规定〉办法》等等。通过这一系列的努力，广东省各级人大及其常委会已初步构建比较完备的运作规则体系，当然，它还处在不断的变动与推进中，2007年1月1日施行的《中华人民共和国各级人民代表大会常务委员会监督法》给广东人大及其常委会的相关规则带来的冲击就是一个明显的证明。

二、人大代表：结构优化与功能强化

“人大是肌体，代表是细胞，只有细胞活跃，肌体才健康。”②

① 参见郑毅生等：《广东人大大事记（1954—2004）》，《人民之声》2004年第9期。

② 曾璇、杨媛：《广东土壤催生“广东现象” 人大监督一次次创新》，《羊城晚报》2004年9月18日。

作为人民代表大会的主体，人大代表活跃与否直接影响到人大功能的发挥，广东人大及其常委会的强力与人大代表在政治舞台上的活跃是相互推动的，强有力的人大及常委会保障了代表的活跃性，而活跃的代表也不断推动人大及常委会走向强硬。经过最初的常委会机构建设阶段，如何确保人大代表这一“组织细胞”能够保持活力成了广东人大及其常委会下一个阶段的任务，广东人大近20多年来（尤其是上世纪90年代）在这方面做了许多工作。首先，通过吸收新的社会阶层加入及促进人大代表内部各阶层比例的合理化，广东人大优化了代表结构，使人大代表具有更广泛的代表性；其次，广东人大积极推动代表选举的民主化，使代表与选民之间的关系变得越来越直接、密切；再次，广东人大努力探索代表活动的新形式，进一步加强代表与民众之间的互动；最后，广东人大不断强化人大代表参政议政的权利，制定了一系列相关的代表工作制度。可以说，前两个方面扩大了广东人大代表的民意基础，后两个方面则赋予他们“为民办事”的能力和手段，广东人大代表异常活跃就源于这两点。

（一）代表结构的优化

在1977—2008年间，广东省人大历经七届（省五届人大至省十一届人大），期间，人大代表的结构朝着不断优化的方向迈进，这是广东省人民代表大会制度的一大发展。广东人大代表结构的优化有着诸多的内容：从年龄角度看，代表年轻化是一个明显的趋势，尤其是后两届省人大；从文化程度方面看，拥有大学本科及以上学历的代表逐年增多，尤其是教授、律师、工程师等高级知识分子阶层加入人大代表队伍中且比重不断增大；从性别角度看，女性代表在代表总数中的比例也有着稳步的提高；从代表的社会构成看，官员代表的比例有所下降，人大队伍中增加了一些新的社会阶层人士，比如说农民工代表的出现；从人大代表的党派构成看，民主党派和无党派人士的比例有所提高……可见，人大代表结构的优化本身是一个缓慢、复杂的过程。

以广东省十届与十一届人大代表的基本情况比较为例，我们可以直观地看到人大代表结构的优化过程。两届人大代表的总数都为803名，不过由于预留机动名额[①]的数量不同，为此省十届人大实际选出的代表数为785名，十一届人大为790名。与十届人大相比，省十一届人大代表的结构呈现出四个特点：首先，十一届人大代表更为年富力强，在十一届人大所选出的790名代表中，其中36~55岁年龄段的占了总数的78.35%，代表数量为619名，比十届人大同年龄段的576名多了43人，尤其值得一提的是8名“80后”代表出现在十一届人大中；其次，十一届人大代表的文化程度有了明显的提高，其中大学本科及本科以上学历的代表有471名，占所有代表的59.62%，比十届人大增加70名，上升8.21个百分点；再次，十一届人大选出218名妇女代表，比上届多了17名，上升了2.05个百分点，代表的性别构成更趋合理（见表3-4）；除了性别结构比例外，代表结构比例优化还反映在十一届人大中共代表比例轻微下调（但仍占多数），而民主党派及无党派人士更多地出任代表；最后，与全国人大及其他省级人大一样，十一届广东省人大的官员代表人数进一步减少，来自于社会其他领域的人数增多，尤其是农民工代表首次出现在省级人大中。通过这四个方面的结构调整，十一届人大代表群体的“年轻化、知识化、专业化”特征更为明显，同时散发着浓浓的政治关怀的气息。[②]

---

① 考虑到人大任期内可能出现的人事变动及工作需要等原因而需要增补一些人大代表，为此我国各级人大在代表选举时通常都会预留一些名额作为人大代表的机动名额。

② 当然，除了已经描述的几点外，广东省人大代表的结构优化还包含着许多内容，如少数民族代表人数的变化等（《省十届人大代表结构分析》，《人民之声》2004年第2期；徐林：《新一届人大代表构成更加合理》，《南方日报》2008年1月12日；史晨生：《结构优化：官员年轻化　政治关怀化》，《中国产经新闻报》2008年2月28日）。

表 3-4　广东省十届与十一届人大代表基本情况比较[①]

参数 / 届别	代表总数	本科及以上学历的代表数	36~55 岁的代表数	妇女代表数
十届	785	401	576	201
十一届	790	471	619	218

农民工作为人大代表进行参政议政活动最先是由广东开启的。早在 2000 年，深圳市就试点选举外来务工人员当人大代表，并最终产生 4 名外来务工人员人大代表；2004 年，这一试点工作推广到镇一级人大代表选举，28 名外来务工人员后来顺利当选；2006 年的深圳市区一级人大代表换届选举中这一数字变为 12 名。[②] 深圳市的这一突破性实践对后来农民工代表进一步推广到全国及省级人大中起了很好的示范效应。2007 年 3 月 16 日，十届全国人大五次会议通过的关于第十一届全国人大代表名额和选举问题的决定，明确规定"在农民工比较集中的省、直辖市，应有农民工代表"，[③] 并于 2008 年召开的全国人大会上产生了来自广东、上海与重庆三地的 3 名农民工代表。在省级层面，有着深圳市的试点实践经验及中央的相关规定，广东省人大再次走在了前头，在省十一届人大代表选举中产生了 6 名农民工代表，其中广州（2 名）、深圳（2 名）、佛山与东莞各 1 名，他们来自于四川、湖南等省的农村地域，非城镇户口，其中有 3 名属于"80 后"，占"80 后"代表总数的近一半（见表 3-5）。农民工代表的出现有助于人大这一权力机关更有效地了解与吸纳来自于数量众多的生活在各大城市中的农民工的声音，是广东人大对中国人大制度的一大贡献。

① 参见《省十届人大代表结构分析》，《人民之声》2004 年第 2 期；又参见徐林：《新一届人大代表构成更加合理》，《南方日报》2008 年 1 月 12 日。

② 朱小穷：《农民工当选人大代表过十关》，《信息时报》2008 年 1 月 28 日。

③ 史晨生：《结构优化：官员年轻化　政治关怀化》，《中国产经新闻报》2008 年 2 月 28 日。

表3－5　　6名农民工省人大代表基本情况①

姓　名	性　别	籍　贯	工作单位及职位
马晓凤	女	黑龙江尚志	广州珠江钢琴集团有限公司质量部数据统计员
贺翕云	女	湖南双峰	广州市敬靖保洁有限公司清洁工
魏小明	女	四川宜宾	深圳凯欣达多媒体有限公司行政助理
方卫珍	女	湖北武汉	广东福迪汽车有限公司工会妇女委员、宣传文体委员（佛山）
郑小琼	女	四川南充	铭好贸易有限公司（上海）东莞驻点业务员
张志亚	男	江苏睢宁	深圳市家德物业管理有限公司经理

除了农民工代表的出现，包括律师、私营企业主等在内的社会各界人士在省各级人大队伍中的比重日益加大，也是广东人大代表结构优化的一个突出的特征。截至2005年，广东各级人大代表中有律师代表55人，其中5人为省人大代表；② 到了2006年，单就广州市人大而言就有律师代表51人，③ 这一数据在近两年仍有显著的提高，可见，律师已经成为广东各级人大代表队伍中一支不可忽视的力量。私营企业主群体随着改革开放的深入而不断成长，在为国家社会贡献可观的经济效益的同时，也寻求进入政治舞台发出自己的声音，作为改革开放政策先行者的广东自然首当其冲。为此，广东人大适时地扩大私营企业主在人大代表中的比重，以2002年为例，当年的省级人大代表中有372名私营企业主代表。④ 在当届人大代表总数占据了很大比例，这在全国尚无先例。除了律师、私营企业主外，高校教授等高级知识分子在广东省各级人大代

---

① 文远竹等：《6农民工首次当选省人大代表》，《广州日报》2008年1月12日。

② 贺信：《广东律师踊跃参政，1.1万人中有148人当上代表委员》，《南方日报》2005年12月26日。

③ 杜萌：《广州律师：服务民生建言献策》，《法制日报》2007年4月6日。

④ 王远启：《私营企业主政治参与的解读》，《广东省社会主义学院学报》2007年第3期。

表中都占有一定的比例且处于不断上升中，这一切都促使广东各级人大代表结构的进一步合理化。

（二）代表选举的民主化

选举是民主政治典型的特征，充分的竞争和开放式的参与是现代选举政治的应有之意，正如我国著名宪法学家吴家麟先生所指出的那样，“没有差额的选举，不是真正的选举；没有竞选的差额，不是真正的差额选举。”[①]长期以来，我国的人大代表选举是建立在不鼓励竞争、强调协商和酝酿基础之上的，即所谓“确认型选举”或“安排型选举”。在这种模式下，候选人往往单纯由党委提名推荐，通过缜密的组织运作确保当选，竞选不被鼓励。选民对候选人的选择余地不大，他们的投票行为实际上是对这些必须当选的候选人的一种确认，以使其获得合法性。[②] 1979 年 7 月 1 日第二部选举法的通过并历经 1982 年、1986 年、1995 年的几次修正，选举的民主性得到逐步的改善，广东人大代表的选举正是在这一制度背景下展开的，并通过创新性的实践尝试为我国人大代表的选举引入了一些重要的制度机制，如竞选机制等。

1980 年 8 月 16 日，省五届人大常委会五次会议通过《广东省各级人民代表大会选举实施细则》，该细则通过多次的修正极大地推动了广东人大代表选举的民主化。首先，选举法与广东的选举实施细则保障了人大代表选举是差额的选举。1979 年选举法规定，全国人大和地方各级人大代表，全部实行差额选举，由选民直接选举的代表候选人名额，应多于应选代表名额的1/2至 1 倍；1986 年 12 月对选举法进行第二次修正时，缩小了差额选举的比例，规定由选民直接选举的代表候选人名额应多于应选代表名额的1/3至 1 倍，间接选举代表候选人的名额应多于应选代表名额的1/5至1/2。

① 蔡定剑：《中国人民代表大会制度》（第四版），法律出版社 2003 年版，第 176 页。

② 关于我国对竞选态度比较冷淡甚至有意回避的原因可参见蔡定剑先生的《中国人民代表大会制度》（第四版），法律出版社 2003 年版，第 177～178 页。

《广东省各级人民代表大会选举实施细则》秉承了这一原则，并在实践中作了更加具体的规定，“许多县、乡都规定有1名代表名额的选区必须推荐3名以上候选人，有2名代表名额的选区必须推荐5名以上候选人，有3名代表名额的选区必须推荐7名以上候选人。”① 其次，选举法与选举实施细则还改进了代表候选人的提名方式，1986年修改的选举法将“任何选民或者代表，有三人以上附议，也可以推荐代表候选人”的条文调整为“选民或者代表，十人以上联名，也可以推荐代表候选人”，这样既避免了候选人提名过多过滥，又有利于保障代表候选人的民意基础。再次，选举法与选举实施细则扩大了人大代表直接选举的范围。自1979年的选举法规定县乡两级人大代表由选民直接选举后，截至2008年，广东省先后进行了近十次的县乡两级人大的换届选举（见表3－6），

表3－6　1979年选举法实施后广东省历届历次县、乡两级人大选举基本情况②

乡级人民代表大会			县级人民代表大会		
次数	时间	范围与选举方式	次数	时间	范围与选举方式
九	1979年至1981年	人民公社、镇，按照第二部选举法的要求，代表由选民直接选出；此次选举，为第二部选举法颁布后第一次全国范围的选举	九	1979年至1981年	不设区的市、市辖区、县、自治县，按照第二部选举法的要求，代表由选民直接选出；此次选举，为第二部选举法颁布后第一次全国范围的选举

① 杨成勇：《选举制度：探索与创新》，《人民之声》2004年第9期。

② 参见戴联伟：《广东省历届历次县、乡两级人大选举基本情况》，《人民之声》2004年第9期；又参见选联办：《我省市县镇三级人大换届选举工作启动》，《人民之声》2006年第8期。有些县、乡因建制变化等因素缺少几次换届选举，因此各地县、乡人大的届数有较大区别；此外2004年3月14日通过的宪法修正案将乡镇人大代表的任期由三年改为五年，为此，2006—2007年，十七届乡级人大换届选举与十六届县级人大换届选举同步进行。

续上表

乡级人民代表大会			县级人民代表大会		
十	1983 年至 1984 年	乡、民族乡、镇代表由选民直接选举产生	十	1983 年至 1984 年	不设区的市、市辖区、县、自治县，代表由选民直接选举产生
十一	1986 年至 1987 年	同上	十一	1986 年至 1987 年	同上
十二	1989 年至 1990 年	同上	十二	1989 年至 1990 年	同上
十三	1992 年至 1993 年	同上	十三	1992 年至 1993 年	同上
十四	1995 年至 1996 年	乡、民族乡、镇代表由选民直接选举产生（第二部选举法颁布后第六次乡镇人大选举，县、乡两级人大选举分开后的第一次乡镇人大选举）	十四	1997 年至 1998 年	同上（第二部选举法颁布后第六次县级人大选举，县、乡两级人大选举分开后的第一次县级人大选举）
十五	1998 年至 1999 年	同上（县、乡两级人大选举分开后第二次乡镇人大选举）	十五	2002 年至 2003 年	同上（第二部选举法颁布后第七次县级人大选举，县、乡两级人大选举分开后的第二次县级人大选举）
次数	时间	范围与选举方式	次数	时间	范围与选举方式
十六	2001 年至 2002 年	同上（县、乡两级人大选举分开后第三次乡镇人大选举）			
十七	2006 年至 2007 年	乡、民族乡、镇代表由选民直接选举产生（乡镇人大的任期由 3 年改为 5 年后，县乡人大选举同步进行的第一次选举）	十六	2006 年至 2007 年	不设区的市、市辖区、县、自治县，代表由选民直接选举产生（乡镇人大的任期由 3 年改为 5 年后，县乡人大选举同步进行的第一次选举）

直接选举范围的扩大进一步拉近了人大代表与选民之间的距离，表明中国民主政治建设又迈上了一个新的台阶。最后，选举法与选举实施细则还扩大了选民的范围及投票表决的方式，1979 年无记名投票方式的采用是保障人大选举真实性的另一个重要机制。

差额选举等要素的存在只是广东人大对选举法所确立原则的具体化实践过程，它们极大地推动了广东人大代表选举的真实性与民

主化，不过，“没有竞选的差额，不是真正的差额选举”。广东省于2003年上半年举行的一次地方人大代表选举为此前的差额选举引入了竞选的要素，为竞选性的人大代表选举提供了宝贵的实践经验。在2003年上半年举行的深圳市各区人大代表换届选举中，10余位独立参选人自荐参选，通过散发竞选传单、张贴竞选海报、发表竞选演讲等形式参与了人大代表的角逐，最终有2人击败组织提名的候选人而顺利当选。[①] 其间，出现了“麻岭社区延期选举风波”、“状告区人大常委会案”、“选民联名要求罢免新当选的人大代表案”、“非登记选民当选人大代表”等一系列争议性事件，这些事件构成了“深圳竞选风云”的主要内容。[②]

为了更好地审视“深圳竞选”事件对旧有人大代表选举政治的创新性弥补，我们的阐述将从介绍该事件的主角们——独立候选人的基本资料开始（见表3－7）。我们发现，这些独立候选人大多接受过高等教育，候选人王亮甚至具备博士学位，这在某种意义上验证了受教育程度与权利意识之间存在着正相关关系的假定，这些候选人以理性的态度寻求体制内的利益维护，给广东人大代表选举注入了新鲜的血液。

表3－7　　深圳部分竞选者基本资料[③]

姓　名	徐　波	吴海宁	谢潇英	陈彩琼	邹家健	肖幼美	叶原白	王　亮
性　别	男	男	女	女	男	女	男	男
年　龄	39	38	50	33	47	48	39	44
教育程度	本科	本科	大专	中专	本科	本科	本科	博士

① 陈文、黄卫平：《公民参政需求增长与制度回应的博弈——以2003年深圳和北京人大代表“竞选”现象为例诠释2004年我国修订〈选举法〉的政治意义》，《人大研究》2005年第3期。

② 王伊景：《麻岭选区人大代表选举事件评析》，《人大代表制度研究》2003年8月3日；又参见黄卫平、邹树彬：《当代中国政治研究报告Ⅳ》，社会科学文献出版社2007年版，第336～337页。

③ 黄卫平、邹树彬：《当代中国政治研究报告Ⅳ》，社会科学文献出版社2007年版，第338页表1。

当然，仅凭性别、学历与年龄的资料很难揭示出“自荐选举”的深刻意蕴，为此我们还需要引入一些其他的变量。当这些独立候选人的政治面貌进入我们的视野时，我们也就明白了为何本次竞选会吸引众多人士的关注，因为除王亮外，其他7位候选人都是非“中共党员”（见表3-8）。现实的政治逻辑及法律虽然允许甚至在某种程度上有意安排部分非中共人士出任人大代表，但“深圳竞选”的意义并不在于人大代表由民主党派或无党派来担任这一事实，而在于非中共人士是自发参与竞选的，他们并未获得体制的认可（至少没有得到鼓励）。这些独立参选者带着他们特定的追求，他们或出于维护自己及他人权益（如身为凯丽花园业主委员会主任的吴海宁的参选动机就是出于保障自身及所在社区的利益）；或出于维护选举权、推动法治化进程的目的（如博士王亮）；或出于实践民主理想的动机等。[①] 这些带着源于利益而产生的动机来参加竞选的非中共党员人士的出现，意味着过往“确认式”或“安排式”的选举常规正经受着挑战，这也是深圳竞选的创新意义之一。

表3-8　　　　深圳竞选者政治背景[②]

姓　名	政治背景	参选身份
肖幼美	民盟	独立候选人
吴海宁	民盟	独立候选人
谢潇英	无党派	自荐竞选人
陈彩琼	无党派	自荐竞选人
邹家健	无党派	自荐竞选人
徐　波	九三学社	自荐竞选人
叶原白	无党派	自荐竞选人
王　亮	中共党员	自荐竞选人

① 王伊景：《麻岭选区人大代表选举事件评析》，《人大代表制度研究》2003年8月3日；又参见黄卫平、邹树彬：《当代中国政治研究报告Ⅳ》，社会科学文献出版社2007年版，第339～341页。

② 黄卫平、邹树彬：《当代中国政治研究报告Ⅳ》，社会科学文献出版社2007年版，第340页表3。

深圳竞选值得关注的现象并不仅限于各独立候选人的简历，他们在竞选过程中所选择的竞选策略（见表3－9），特别是宣传技巧，也大大超出了原有选举的框架。张贴个人事迹海报等宣传形式的采用，大大拉近了人大代表候选人与选民之间的距离，选民能够通过这些各具特色的宣传方式对每一个候选人作出相应的评价，从而使自己所投出去的选票更具分量，更能够代表自己的利益。

表3－9　　竞选者的竞选策略[①]

姓　名	竞选方式和策略
肖幼美	张贴6张个人事迹海报
吴海宁	张贴8张个人海报，与名人合影，往业主信箱投放1900多封公开信，成立助选团
谢潇英	张贴海报，派发传单；争取失业选民提名
陈彩琼	选区工作人员张贴情况简介
邹家健	张贴30余张海报
徐　波	张贴50余张彩色海报
叶原白	散发宣传单和小卡片，选举日当天在现场摆放展牌，成立助选团
王　亮	张贴、散发个人小故事的海报，成立助选团

深圳竞选现象的出现并非偶然，它与改革开放带来的利益多元化及民主法制建设的长足进步等因素有着密切的联系。[②]“深圳竞选”虽然只是在深圳区级人大代表选举中产生的现象，但在此选举过程中所出现的一些新的因素却是松动当代中国选举惯性的一种力量，值得我们予以高度重视。

（三）代表活动方式的创新

人大代表代表人民，通过代表结构的优化和代表选举的民主

① 黄卫平、邹树彬：《当代中国政治研究报告Ⅳ》，社会科学文献出版社2007年版，第344～345页表5。

② 邹树彬、唐娟、黄卫平：《2003年人大代表竞选的群体效应：北京与深圳比较》，《人大研究》2004年第4期。

化，广东省各级人大代表具备了深厚的民意基础，不过，各级人大代表能否有效履行职责仍视其能否密切联系人民群众、充分反映选民的意见、要求和呼声而定。广东人大为落实代表的工作，发展出一系列成效卓著的代表活动方式，这些方式推动了代表与民众之间的互动，使得反映民众心声的问题、事件能够及时地纳入人大代表的议案、建议中，从而得到解决。过往的数十年，广东人大代表的活动方式历经了代表小组活动、代表活动日、“代表热线”活动和代表工作站的演变过程，它们并非相互取代，而是相互促进，其中代表工作站为广东所独创。

1. 代表小组活动。

1994 年 2 月出台的《广东省实施〈中华人民共和国全国人民代表大会和地方各级人民代表大会代表法〉办法》规定，代表可以按照便于组织和开展活动的原则组成代表小组，并于本级人大闭会期间开展代表活动，内容包括进行调查研究；开展视察活动；联系人民群众，听取他们的意见和要求并及时向有关部门反映等。[①] 代表小组活动成了较为常规的活动方式，各级人大在具体的实践过程中提供了诸多创新形式。以代表视察活动为例，茂名市人大的“小、专、深、实”的经验值得推广。“小”，就是参加每个单项视察的代表队伍要小；“专”，就是要有专题，视察活动要有针对性；“深”，就是要深入群众，了解群众的意见和要求；“实”，就是要讲实效，争取每次视察能解决一两个问题；[②] 组织专题调查更具针对性，比如说 1997 年 4 月下旬，为配合’97 中国旅游年活动，进一步发展广东省的旅游业，30 名广东省全国人大代表和省人大代表分为 4 个小组并分别由省人大常委会副主任谢颂凯、程青、佀志广和常委、副秘书长刘文乔带队，对广州、深圳、珠海、汕头等 10 个城市进行为期一周的旅游专题视察，这类视察活动在广东历

---

① 全国人大常委会办公厅研究室编：《地方人大 20 年》（上册），中国民主法制出版社 2000 年版，第 652 页。

② 曾雪敏：《代表工作充满生机》，《人民之声》2004 年第 9 期。

史上尚属首创，对广东旅游业的发展有着积极的作用。[①] 此外，广州、深圳两市近年来就一些专业性的问题开展专题调查研究和视察活动并专门成立了代表专业小组；[②] 中山市人大常委会也积极探索代表专业小组的设置，已经先后组织了环保专业代表小组和教育专业代表小组，利用代表的专业优势对水资源保护等问题进行调查并提出建议对策，促进了市常委与专工委的工作。[③] 一言以蔽之，代表小组活动成为人大闭会期间代表了解社情民意的一个重要渠道。

2. 代表活动日。

代表小组活动具备便于组织及开展活动的优势，但也存在着代表参与面及联系群众面过窄的问题。为解决这些问题，广东省人大常委会主任会议研究决定建立“省人大代表活动日”制度，这是对代表在闭会期间履行职责形式的一次新尝试。2000 年 5 月 31 日，省人大常委会首次在全省范围内组织近 700 名省人大代表参加“代表活动日”活动，同年 11 月又组织了另一次“省人大代表活动日”活动，在这两次活动中代表在全省各地，围绕人民群众关心的问题开展视察、调研，主要针对依法行政、检察工作、社会保障、村民自治、减轻农民负担、城市环境建设、代表建议的办理等方面工作情况进行专题视察，取得了良好的成效。[④] 2001 年，广东省继续组织代表开展“省人大代表活动日”活动，围绕广东省社会管理和经济发展的热点、难点问题，多角度、多方面深入基层，了解社情民意，与该年开通的“代表热线”遥相呼应，共同提升代表履职能力；[⑤] 2002 年，“省人大代表活动日”继续进行，参加

---

① 广东年鉴编纂委员会编：《广东年鉴·1998》，广东年鉴社 1998 年版，第 357 页。

② 曾雪敏：《代表工作充满生机》，《人民之声》2004 年第 9 期。

③ 筱臻：《代表工作迈上新台阶——各市人大常委会重视代表作用发挥综述》，《人民之声》2007 年第 2 期。

④ 郑毅生等：《广东人大大事记（1954—2004）》，《人民之声》2004 年第 9 期；广东年鉴编纂委员会编：《广东年鉴·2001》，广东年鉴社 2001 年版，第 136 页。

⑤ 广东年鉴编纂委员会编：《广东年鉴·2000》，广东年鉴社 2000 年版，第 132 页。

这次活动的省人大代表多达566名，占代表总数的73%；工作居住在各市的部分全国人大代表也参加了这次活动，盛况空前。代表们围绕广东省改革、发展、稳定的重要问题和人民群众普遍关心的热点问题，采取多种有效形式，广泛了解社情民意，认真倾听和反映人民群众的意见和建议。[①] 近几年，“省人大代表活动日”基本上每年都组织一次，同时“代表活动日”活动并不止步于省级人大，一些市、县人大常委会也组织本级人大代表开展代表活动日活动。比如说，每年10月的第三个星期二是东莞的“市人大代表活动日”，在这一天，代表们通过座谈、视察检查、督办代表建议议案等方式开展活动。[②] 可见，“代表活动日”活动已成为广东人大代表工作的一个重要方式。

3. “代表热线”活动。

2001年6月11日，由广东省人大常委会选举联络任免工作委员会、常委会研究室与羊城晚报社合办的“代表热线”在羊城晚报社首次开通，活动主要围绕社会治安、遏制假冒伪劣商品流入市场等热点问题，通过接听电话的方式听取群众的意见。[③] 这是省人大常委会寻求与媒体合作推动代表工作的一次尝试，在社会上引起重大反响。2002年，“代表热线”继续开通，围绕高考招生等热点问题组织了两次热线活动；[④] 2003年至今，参与“代表热线”活动的人大代表人次逐年递增，“代表热线”已成为联结代表与民众心声的新的通道。其实，在省人大常委会与羊城晚报社合作之前，广州市人大常委会就已经在探索利用现代媒体来推动代表工作的实践，《羊城论坛》就是这一探索的产物。1992年5月，广州市人大

---

① 广东年鉴编纂委员会编：《广东年鉴·2003》，广东年鉴社2003年版，第150页。

② 筱臻：《代表工作迈上新台阶——各市人大常委会重视代表作用发挥综述》，《人民之声》2007年第2期。

③ 郑毅生等：《广东人大大事记（1954—2004）》，《人民之声》2004年第9期；广东年鉴编纂委员会编：《广东年鉴·2002》，广东年鉴社2002年版，第132页。

④ 广东年鉴编纂委员会编：《广东年鉴·2003》，广东年鉴社2003年版，第150页。

常委会和广州市电视台联合主办的大型政论性电视公开论坛——《羊城论坛》正式播出，截至2006年1月，《羊城论坛》已录制、播出了91期，它为人大代表、政府官员、专家学者、普通市民等主体之间平等有序地讨论社会热点问题架构了一个良好平台，市人大代表多了一个了解社情民意的好渠道，《羊城论坛》的成功实践为包括省人大常委会在内的各级人大常委会提供了联系群众的一种好形式。[①] 除了“代表热线”与《羊城论坛》外，广东各级人大常委会还采取诸多与媒体合作推动代表与民众之间互动的实践形式。如惠州市人大常委会办公室与惠州日报社于2006年5月联合开办的“民生在线”栏目[②]等。媒体在推动人大工作上具有重要的作用这一点已经成为人大领导与代表的共识，在2007年6月15—16日举行的全省人大新闻宣传工作座谈会上，时任常委会主任的黄丽满就一针见血地指出，要做好人大工作，离不开新闻媒体的力量。[③]

4. 代表工作站。

“代表是人民意志的传声筒，人民利益的代言人。”[④] 由于我国人大代表是兼职代表[⑤]，他们多有自己的本职工作，因此很难花费充足的时间及精力与选民接触，创新代表的活动方式，其主要目的就在于缓解代表的这一困境。代表小组活动、代表活动日与“代表热线”活动虽能有效地促进代表与选民之间的互动，不过这些活动仍然需要人大代表亲自参与，为此难免会受到时段、次数的限制。深圳南山区“月亮湾代表工作站”（见案例3－1）的出现则是

---

① 陈建智：《羊城论坛，一个构筑和谐的平台》，《人民之声》2006年第5期。

② 李亚平：《“民生在线”，监督合力的成功实践》，《人民之声》2007年第2期。

③ 董婉茹：《黄丽满强调：人大监督要与舆论监督形成合力》，《人民之声》2007年第7期。

④ 蔡定剑：《中国人民代表大会制度》（第四版），法律出版社2003年版，第200页。

⑤ 最近省人大代表朱列玉提议在广东率先设置专职人大代表，并为他们配备2～3名助手及享受公务员待遇，这一建议获得了新任常委会主任欧广源同志的支持，欧主任表示可以在教育、农民工等界别进行试点（朱小勇：《广东拟试点设立专职人大代表将享公务员待遇》，《信息时报》2008年4月11日）。

一大突破，它通过代表工作站与选区选民之间的常规互动极大缓解了人大代表直接接触民众的时间压力，使得代表既能有效地获悉社情民意，又不需耗费大量时间精力事必躬亲，对此敖建南（代表工作站发起人之一）最为清楚，“我们不是人大代表，只是人大代表的‘耳目’和‘助手’，扮演‘眼’和‘腿’的角色。人大代表工作站不是指人大代表要来这里工作，是我们这些人大代表的义务联络员在这里值班，负责为人大代表搜集社情民意，调查问题原委，利用政府和民间的各种有利因素和有效资源而解决问题。”“通过联络员及时了解社情民意，掌握社区居民关注的热点、难点、焦点问题，使代表知道百姓想什么，盼什么，为代表在闭会期间履行职责提供依据。”①

案例 3-1　深圳“月亮湾代表工作站”②

2000 年，深圳南山垃圾焚烧发电厂选址于月亮湾，引发干群关系紧张。发电厂事件使政府及社区公众都意识到两者间必须建立起有效的沟通渠道，南山区月亮湾代表工作站也就应时而生。2002 年底，在南山街道办事处支持下，以敖建南为首的 5 名业主委员会主任或副主任成为月亮湾片区的区、市两级人大代表的义务联络员，他们以“月亮湾片区人大代表工作站”的名义开展工作，具体负责社情民意的收集及协助人大代表调查问题并提交书面报告，人大代表工作站运作机制至此基本形成。2004 年 1 月 9 日，敖建南给时任深圳市长的李鸿忠发了一封长达 20 页的电报，成为同年 3 月 16 日深圳市政府发起全市性的“梳理行动”的始作俑者，该事件也令代表工作站真正走入公众视线。2005 年 4 月，工作站正式挂牌，截止到今天，敖建南已经组建了有 13 名成员的人大代表联络队伍，并与南山街道选出来的 15 名人大代表建立了长期、稳

① 黄卫平、邹树彬：《当代中国政治研究报告 V》，社会科学文献出版社 2007 年版，第 163 页。

② 参见黄卫平、邹树彬：《当代中国政治研究报告 V》，社会科学文献出版社 2007 年版，第 145 ~ 149 页、156 ~ 158 页。

定的联系，代表工作站的作用在不断地加强。经过几年的运作实践，月亮湾人大代表工作站逐步完善了自身的工作范围及运作规则，有学者把它们总结为“一二三四五”的工作制度，即“一个中心”——社情民意交流中心；“两个原则”——全天候、全开放原则；“三个不过”——处理或转报突发事件、一般事件和重大事件不过夜、不过周、不过月；“四类办理程序”——承办、转办、协办、督办；“五种联络方式”——电话（传真）、信箱、电子邮件、宣传栏、面对面。秉持这种精神与原则，代表工作站坚持做到把握“代表服务性机构”的角色不越位，努力为代表工作提供力所能及的帮助，与此同时积极上达社区的社情民意，搭建好代表与社区居民之间的桥梁。

（四）代表参政渠道的拓宽

创新代表活动方式的主要目的在于架设群众—代表之间的桥梁，代表依此而了解民众关注的社会热点问题。了解问题并不意味着问题就能够自动解决，为此，拓宽代表的参政渠道成了推进代表工作的应有步骤。广东人大主要从两个层面来达到这个目的：其一，扩大代表对常委会工作的参与；其二，开通人大代表与党政机关之间的“直通快车”。

目前，广东省各级人大为扩大代表对常委会工作的参与、拓宽代表参政的渠道出台了一系列制度。1998 年 7 月，省人大常委会主任会议通过了《省人大常委会领导同志接待和约见人大代表工作暂行办法》；同年 12 月 25 日，省人大常委会主任朱森林、副主任张凯在省人大常委会主任会议室约见 10 位工作在农村基层的全国人大代表和省人大代表，从而拉开了常委会领导约见人大代表活动的序幕。[①] 近 10 年来，人大常委会领导约见代表已经成为省人

① 郑毅生等：《广东人大大事记（1954—2004）》，《人民之声》2004 年第 9 期；广东年鉴编纂委员会：《广东年鉴 · 2002》，广东年鉴社 2002 年，第 132 页；广东年鉴编纂委员会编：《广东年鉴 · 1999》，广东年鉴社 1999 年版，第 165 页。

大常委会的一项常规工作，并向下级人大常委会推广。人大常委会联系代表制度也是比较常见的制度，2006 年河源市人大常委会制定的《河源市常委会组成人员联系代表制度》中明确规定，“常委会组成人员每年要联系本级人大代表 5 名，且每年至少进行 1～2 次的联系代表活动。”这个规定可以保证 40% 的市人大代表能够在闭会期间与常委会组成人员保持联系沟通，极大地提高了人大代表的履职能力，同时也有利于推进人大常委会的工作。[①]此外，深圳市人大常委会也制定了诸如《代表列席常委会会议办法》等代表工作制度，对代表列席常委会会议的组织和程序、名额、权利及义务等进行了规范，极大地丰富了广东省人大代表工作制度。[②]通过这一系列行之有效的工作制度，广东各级人大在代表与常委会之间架设起一座桥梁，从而沟通群众—代表—常委会三者的通道。

问题的解决需要执行部门的配合，沟通代表—常委会之间的通道，最终也需要借助人大常委会这一权威机构通过法定职权与程序敦促相关部门解决问题。广东人大代表通过不断争取所换得的“直通车制度”（见案例 3－2）则缩短了问题反映与问题解决之间的时间间隔，凭此渠道，广东人大代表可以将反映社情民意的重大问题直接向省的最高当局反映，从而使建议获得办理的速度及所涉问题得以解决的几率都得到大幅度提高。这是广东人大对中国人大代表工作制度的一大贡献，是中国人大制度发展史上的一件大事。

案例 3－2　直通车制度的由来[③]

牛墟是一个行政村，位于广东省揭阳市。1994 年，该村的干部利用出让宅基地之机，以权谋私。揭阳市的全国人大代表陈妙珍得知情况后，提出紧急建议，要求有关部门查处。提交建议没几

---

① 筱臻：《代表工作迈上新台阶——各市人大常委会重视代表作用发挥综述》，《人民之声》2007 年第 2 期。

② 筱臻：《代表工作迈上新台阶——各市人大常委会重视代表作用发挥综述》，《人民之声》2007 年第 2 期。

③ 《直通车制度的由来》，《南方周末》2004 年 2 月 19 日。

天，村里就有人把一口空棺材抬到了陈妙珍家门口，扬言要把她装在里面，这就是“牛墟事件”。随后，陈妙珍先后数十次向有关部门反映情况，但都没有结果。直到她在全国人大会议上提出来后，拖了两年的问题才得到处理。以权谋私并对全国人大代表进行打击报复的人被绳之以法。然而，事情并没有就此结束。在1998年3月的全国人大会议上，陈妙珍代表在发言时介绍了“牛墟事件”，希望有关部门给人大代表反映社情民意提供一个便捷的通道。时任中共中央政治局委员、广东省委书记的李长春同志听完之后当场决定，给人大代表和政协委员开通“代表委员直通车”。1998年4月起，根据李长春同志的要求，广东建立了人大代表和政协委员向广东省高层领导直接进言的“代表委员直通车”制度。

三、地方立法的先行者

立法权是人大的基本职权之一，相较于全国人大及其常委会制定法律而言，地方人大的立法活动则重在保障法律的实施，“地方各级人大常委会……为保证宪法、法律实施，可制定实施宪法、法律的法规、条例、细则或作出决议、决定”①。1979年7月，党中央、国务院批准广东在对外经济活动中实行“特殊政策与灵活措施”，从此拉开了广东在改革开放中先行一步的序幕。作为改革开放的先行者，广东在发展过程中不断遇到国家法律仍未作出规范的新情况、新问题，在这种情况下，广东地方人大势必需要在立法方面先行一步，对此党中央、国务院在批转广东省委的一份报告中指出：“尽快制定一些必要的经济法令、条例和规章制度。除应由中央统一制定颁布的以外，属于地方职权范围内的，广东要抓紧制定并颁布实行。”② 此后的30年，广东人大立法活动一直以中国地方

① 蔡定剑：《中国人民代表大会制度》（第四版），法律出版社2003年版，第241页。

② 朱源星：《地方立法硕果累累》，《人民之声》2004年第9期。

立法的优质“试验田”形象而傲立。

（一）广东人大立法的基本情况

经过近30年的立法活动，广东人大制定的地方性法规数量颇巨，且大多为先行性、试验性的法规。在1979—2004年期间，广东省人大及其常委会共制定和批准了425项地方性法规，其中先行性、试验性、自主性的法规占总数的52%；[①] 2005年，先行性立法活动继续推进，全年省人大常委会共制定和修订省的地方性法规12件，批准和批准修订较大市的地方性法规17件；[②] 2006年，省人大常委会全年审议了地方性法规草案14件，已通过8件，完成一审、二审6件，修改法规7件，批准广州、深圳、珠海、汕头四个较大的市和乳源瑶族自治县制定的地方性法规和单行条例18件；[③] 2007年至今，省人大及其常委会的立法活动继续卓有成效地开展。仔细审视广东省人大及常委会立法活动的历程，大致可以划分出三个清晰的阶段。[④]

第一阶段为创立阶段，时间跨度为1979年12月到1984年10月《中共中央关于经济体制改革的决定》的发表，这一阶段立法主要在于规范中央赋予的在经济体制改革和对外开放中的特殊政策和灵活措施，其中与经济特区相关的立法无论在数量还是在质量上都至为突出，例如这一阶段产生的《广东省经济特区条例》、《广东省经济特区企业登记管理暂行规定》、《深圳经济特区土地管理条例》等等，都是在当时国家没有明确法律规定，也没有先例可循的情况下大胆探索而制定的。这在全国来说都是带试验性和首创的。

---

① 朱源星：《地方立法硕果累累》，《人民之声》2004年第9期。

② 广东年鉴编纂委员会编：《广东年鉴·2006》，广东年鉴社2006年版，第157页。

③ 黄丽满：《广东省人民代表大会常务委员会工作报告——2007年2月5日在广东省第十届人民代表大会第五次会议上》，省十届人大五次会议文件（6），2007年。

④ 朱源星：《地方立法硕果累累》，《人民之声》2004年第9期。

第二阶段为初步发展阶段，出现在1985年到1992年之间，在这八年的时间里，广东人大及其常委会制定和批准了60多项地方性法规，数量巨大，推动广东人大的立法工作出现了第一次高潮。

第三阶段起步于1993年，广东在这个阶段加快了立法的步伐，平均每年立法30项左右；广东人大及其常委会在继续重视经济领域立法的同时也抓紧了对社会、文化等方面的立法工作。到了20世纪90年代后期，特别是进入新的世纪之后，广东省人大常委会对地方立法注入了更深层的理性思考，更加重视立法质量和立法效益，重视保护公民、法人的合法权益，重视做到“立、改、废”并重，不断完善立法工作机制。

（二）立法内容“先行一步”

广东人大之所以能够以优质“立法试验田”的形象傲立于地方人大之中，其中一个重要的因素是它所制定的地方性法规多数具备创新性、先行性的特点，这些地方性法规的出现给全国人大及其他地方人大提供了有益的借鉴，成为相关立法领域的参照。

1980年2月2日广东省第五届人民代表大会常务委员会第二次会议通过《广东省计划生育条例》，该条例在全国率先明确规定夫妻双方均有实行计划生育的义务，推动了其他省、市、区计划生育条例的制定，成为2001年出台的《中华人民共和国人口与计划生育法》的最重要依据。1981年11月17日广东省第五届人民代表大会常务委员会第十三次会议通过《深圳经济特区土地管理暂行规定》，在该条例中，省人大果敢地将土地使用权和所有权分开，确定特区土地有偿使用和转让制度，并可采取协议、招标、公开拍卖等方式有偿出让国有土地使用权，这是一项破天荒的创举，它直接推动了“土地的使用权可以依照法律的规定转让”的条款列入1988年通过的《中华人民共和国宪法修正案》当中。1986年7月30日广东省第六届人民代表大会常务委员会第二十一次会议通过《广东省技术市场管理规定》，首开我国技术市场立法先河。1993年5月14日广东省第八届人民代表大会常务委员会第二次会

议通过《广东省公司条例》，在全国率先以地方性法规的形式倡导产权明晰、管理科学的现代企业制度，并直接推动了《中华人民共和国公司法》的制定。1996 年 4 月 25 日广东省第八届人民代表大会常务委员会第二十四次会议通过《广东省专利保护条例》，该条例在立法内容和立法技巧上都有较大的突破，增强了专利保护的执法力度。2000 年 7 月 28 日广东省第九届人民代表大会常务委员会第十九次会议通过《广东省各级人大常委会讨论决定重大事项规定》，它初步对讨论决定本行政区域内的重大事项的程序、规划和时限进行了具体界定，这在全国尚属首创，是一部具有里程碑意义的法规，它标志着国家权力机关的决定权由虚置到落实。① 2005 年 7 月 29 日广东省十届人大常委会通过《广东省政务公开条例》，该条例于同年 10 月 1 日正式施行，成为继《广东省村务公开条例》与《广东省厂务公开条例》出台之后的又一个重要法规，该条例清晰地界定了政务公开的范围并详细列举了 23 项原则上要公开的内容，这种对政务公开进行立法的活动在全国尚属首次。②

（三）立法程序“先行一步”

广东人大能够在立法内容频频创新，先行性法规屡屡出台的一个重要因素是其在立法程序方面的创新，公开化、民主化的立法程序促使广东的地方性法规总能够“先行一步”。立法程序的创新在广东并非偶然的现象，它存在于立法活动的各个环节和具体制度中。

立法程序的民主性体现在立法者在立法活动的各个环节都积极寻求吸纳公民、大众的声音。

——在立法规划制定上，广东省人大常委会公布立法规划草案，听取广大人民群众的意见和建议。2003 年底，广东省人大常委会开始向省人大代表、社会各行业协会等主体书面征集立法项目

---

① 朱源星：《地方立法硕果累累》，《人民之声》2004 年第 9 期。

② 崔朝阳：《广东“十五”地方立法经典瞬间》，《人民之声》2006 年第 7 期。

和法规草案稿，除此之外，省人大常委会还运用《南方日报》这一媒介就立法项目和法规草案稿公开向社会征集意见，极大地提升了立法过程的民主性。

——在立法起草和审议阶段，广东省人大常委会允许公民、利害关系人和团体等以适当方式发表意见，表达自己对法规草案的看法。为了吸引社会公众积极有效地参与到这个立法环节中，广东省人大常委会通过省人大网站、《南方日报》等新闻媒体向社会公开所有法规草案、对涉及全省改革发展重大问题和人民群众切身利益的法规草案还在报纸上全文刊登，极大地便利了社会公众的讨论与意见的征集。

——采取立法听证会、立法论坛等形式增强立法的公开性、民主性。广东人大的公开立法、民主立法并未止步于立法的具体环节，它还努力创新立法形式，以增进人大与公众之间的互动，立法听证会、立法论坛就是这一追求的产物，其中立法听证会的影响尤为深远。1999年9月9日就《广东省建设工程招标投标管理条例（修订草案）》所进行的听证开创了中国立法听证的先例，引起了社会各界的广泛关注，吸引了来自28家媒体的数十名记者前来观察报道，场面异常轰动，更为值得一提的是，这种立法听证的新形式随即被全国人大肯定并被载入《中华人民共和国立法法》；2003年广东省人大常委会就《广东省爱国卫生工作条例（草案）》中"该不该立法不吃野味"、"该不该限制宠物活动场所"等问题所进行的听证会场面更为宏大，参与人数高达280人之多，并由中央电视台进行直播，从而将昔日"神秘"的立法殿堂化为生动的普法"课堂"。

总之，无论是向社会公开征集立法项目和法规草案稿，还是举行立法听证会、举办立法论坛，所有这一切都推动了广大普通民众参与到人大的立法活动中来，增强了立法的民主性，这也是广东立法程序创新的重要内容之一。①

① 朱源星：《地方立法硕果累累》，《人民之声》2004年第9期。

广东人大立法程序的创新不仅表现在立法的民主性上面，还体现在立法活动的科学性上面。为了确保科学化的立法，广东人大在全国首开委托专家学者起草法规草案的先例。1993 年底，省八届人大常委会第五次会议通过了一部由专家起草的法规草案——《广东省经纪人管理条例》，反响甚巨，吸引了《南方日报》、《羊城晚报》等多家媒体的关注与报道。委托专家起草法规草案，既发挥了专家学者的专业优势，又不影响立法权由人大行使（草案通过与否决的权力掌握在人大手中），可以说是一举两得之事。为了进一步发挥专业人士在人大立法活动中的作用，2000 年 9 月，省人大常委会引入立法顾问制度，该年 8 位专业人士以顾问的方式参与到人大的立法活动中，这一数字在 2004 年增至 20 名，他们为人大的立法活动提供了丰富的智力支持，进一步推动了人大立法的科学化。①

四、重大事项决定权的落实

根据中华人民共和国宪法第 104 条规定，县级以上的地方各级人民代表大会常务委员会讨论、决定本行政区域内各方面工作的重大事项。然而，目前我国地方各级人大关于重大事项决定权的表述多是原则性的规定。“人们对什么是‘重大事项’，应提交人民代表大会来决定，有很不一致的认识，加上决定权与党委的决策权和政府的管理决定权界限并不很明确，使得这项权力行使起来很不容易。”②广东省人大常委会自设立以来就充分认识到行使重大事项决定权的重要意义，积极探索行使重大事项决定权的重要途径和方式。归纳起来主要有两点：其一，省人大及其常委会积极确定审议和督办议案实施，实践证明，这“实际上是行使重大事项决定权

① 朱源星：《地方立法硕果累累》，《人民之声》2004 年第 9 期。

② 蔡定剑：《中国人民代表大会制度》（第四版），法律出版社 2003 年版，第 314 页。

的重要途径和有效方式”[①]；其二，省人大及其常委会不断探索重大事项决定权的具体化与可操作化，推动重大事项决定权的立法活动。

（一）广东人大议案审议与督办情况

广东人大议案的历史始于1984年召开的省六届人大二次会议，会上通过的《广东省人民代表大会议案试行办法》把提案改为议案和建议、批评、意见两类分别进行处理。[②] 时任省人大常委会主任的罗天大力推动了这一条例的通过，在其任期内（1983—1990年），他非常重视议案的督办，先后主持办理了关于解决全省农村96万人饮水困难、治理全省11条江河和5大堤围等40多个议案，称得上是督办议案的“大模范”。[③]《关于解决全省农村96万人饮水困难的议案》是罗天督办的第一个议案，也是《广东省人大议案试行办法》通过后的第一个议案，它对后来议案的审议与督办意义十分重大。该议案的提出源于长期以来粤北石灰岩山区、雷州半岛等地人畜饮水困难的事实，1984年省六届人大二次会议上，罗天带头提出这个议案并获得通过，该议案成为省人大成立以来的“第一号议案”；紧接着，在罗天的带领下，省人大常委会又先后出台了《关于解决我省农村96万人食水困难的方案及实施意见》与《广东省农村缺水地区食用水工程建设管理暂行规定》，加强对议案的督办力度，5年后粤北缺水地区的人畜饮水困难问题基本得到解决。[④]

“第一号议案”拉开了省人大常委会审议督办议案的序幕。在

---

① 马楚昂、钟卡：《办好议案为人民——省人大常委会25年来审议督办议案情况综述》，《人民之声》2004年第9期。

② 郑毅生等：《广东人大大事记（1954—2004）》，《人民之声》2004年第9期。

③ 李亮明：《大功臣·大模范——李坚真、罗天同志任职省人大常委会工作片断》，《人民之声》2004年第9期。

④ 李亮明：《大功臣·大模范——李坚真、罗天同志任职省人大常委会工作片断》，《人民之声》2004年第9期；黄祖铮、林进雄：《甘泉滋润万民心——解决全省农村96万人饮水难议案纪实》，《人民之声》2004年第9期。

省六届人大二次会议至省十届人大二次会议的20年间，总共有71件议案交由省人大常委会审议，其中交给省政府办理的议案有64件，这些议案内容涉及经济、社会的热点、难点问题，议案的办理实施取得了丰硕的成果（见表3-10）。[①] 省十届人大三次会议继续加强对议案的审议与督办，省人大常委会审议批准了省十届人大二次会议交付审议的两项立法议案的办理情况报告；对农村合作医疗等7个议案的实施情况进行了检查督办；检查了解决小型水库安全隐患议案资金使用绩效。[②] 省十届三次、四次及五次会议上常委会审议与督办议案的数量更多，力度更大。

表3-10　广东省历届历次会议交由省人大常委会审议的议案[③]

会　别	议案审议的基本情况
六届二次会议	审议包括《关于解决全省农村96万人饮水困难的议案》在内的5个议案
六届三次会议	审议包括《关于整治韩江、北江上游水土流失》在内的5个议案
六届五次会议	审议包括《彻底解决省属六大水库移民安置遗留问题》在内的7个议案
六届六次会议	审议《关于尽快修改〈广东省各级人民代表大会选举实施细则〉》等2个议案
七届一次会议	审议包括《在全省开展执法大检查，增强法制观念，提高执法队伍素质》在内的7个议案
七届二次会议	审议包括《关于制定广东省保护老年人正当权益的法规》在内的4个议案
七届三次会议	审议包括《全面清理整顿“三乱”问题》在内的3个议案
七届四次会议	审议包括《关于摆脱乡镇卫生院困境问题》在内的3个议案
七届五次会议	审议包括《加强珠江口滩涂围垦开发利用的领导和管理》在内的3个议案

① 马楚昂、钟卡：《办好议案为人民——省人大常委会25年来审议督办议案情况综述》，《人民之声》2004年第9期。

② 卢钟鹤：《广东省人民代表大会常务委员会工作报告——2005年1月23日在广东省第十届人民代表大会第三次会议上》，省十届人大三次会议文件，2005年。

③ 庐凌：《广东省历届历次会议交由省人大常委会审议的议案一览》，《人民之声》2004年第9期。

续上表

会　别	议案审议的基本情况
八届一次会议	审议议案《关于加强渔港建设》
八届二次会议	审议包括《加强土地管理，做好保护耕地工作》在内的5个议案
八届三次会议	审议包括《强化人才宏观管理，加大人才资源开发力度》在内的3个议案
八届四次会议	审议包括《大力整治污染，加强环境保护》在内的6个议案
八届五次会议	审议包括《大力扶持山区文化建设，抓紧改变群众文化生活贫乏落后状况》在内的3个议案
九届一次会议	审议议案《关于加快营造生物防火林带工程建设》
九届二次会议	审议《关于加快我省自然保护区建设步伐》等2个议案
九届三次会议	审议《关于加强广东气象事业建设，进一步提高防灾减灾能力》等2个议案
九届四次会议	审议《关于建立和完善农村合作医疗保障制度》等2个议案
九届五次会议	审议议案《扶持农业机械化发展》
十届一次会议	审议《关于扶持沿海渔民转产转业，保持渔区稳定》等2个议案
十届二次会议	审议《关于“广东省企业和企业经营者权益保护条例”立法》等2个议案

（二）重大事项决定权的具体化

广东省人大在这方面的探索始于深圳市人大常委会。为了应对经济发展带来的政治变迁需求，深圳市人大常委会早在上世纪90年代就尝试明确人大常委会重大事项决定权的具体内容，使人大的这项重要职权得以落到实处。在1994年12月26日召开的深圳市第一届人大常委会第二十七次会议上，深圳市人大首次将诸如政府财经和政府机构设置等核心和关键的问题纳入人大重大事项决定权的范围，审议通过了《深圳市人大常委会讨论决定重大事项规定》①，该规定把深圳市人大常委会重大事项决定权的范围明确规定如下：

① 该规定于2000年12月22日获得修订，具体条文见《深圳市人大常委会讨论决定重大事项规定（2000年）》。

——在本行政区域内，保证宪法、法律、行政法规和上级人民代表大会及常委会决议的遵守和执行。对本行政区域内重大违法违宪事件做出决定。

——本行政区域内立法规划和年度立法计划。

——市国民经济和社会发展的中、长期规划的修订方案；讨论、决定市国民经济和社会发展年度计划的主要指标的调整方案；以及本级财政年度决算和本级财政年度预算变更幅度超过5%以上的方案。

——根据市政府提请，讨论并批准本级财政超收部分的使用安排。市政府关于土地开发基金年度的收支及使用情况的报告。

——城市总体规划编制方案、编修方案；城市小区规划的法定图则方案。

——市人民政府改革、变更其组成部门的方案；市政府派出的行政机关及有关区一级行政区域的设立、撤销、合并或者更名的方案。

——公职人员给国家、集体和人民生命财产造成严重损失或者政治上造成恶劣影响的重大事故的处理情况和建议。

——下一级人民代表大会及其常务委员会做出的不适当的决议；本级人民政府的不适当的决定和命令；监督市中级人民法院、市人民检察院纠正其不符合法律、法规规定和法定程序的重大案件。

——对检察长不同意检察委员会多数人的意见而报请市人大常委会讨论决定的重大问题。

——市人大常委会组织的特定问题调查委员会的调查情况和处理意见；市人大常委会受理的公民控告、申诉的重大案件的调查情况和处理意见，并可视讨论的情况做出决定。

深圳的实践创新直接推动了广东省人大常委会出台相关地方性法规来界定重大事项的范围。在2000年7月28日的省九届人大常委会十九次会议上，《广东省各级人民代表大会常务委员会讨论决定重大事项决定》获得通过并于同年10月1日起正式施行。“这是全国首部各级人大常委会讨论决定重大事项的地方性法规，堪称一部具有里程碑意义的法规，它标志着国家权力机关的决定权由虚置到落实。”[①] 该项法规界定了包括部分变更政府财政预算在内的11类应当提请省人大常委会审议并作出决议、决定的重大事项，同时把17项有关政府决策处理事项以及与人民群众利益关系密切的事项，列入了向省人大常委会报告的范围，具体包括教育基金使用管理情况，养老、失业保险金、住房公积金、扶贫基金的收支管理情况，有财政性资金投资的、对社会和民生有较大影响的建设项目立项，水电、煤气、医疗、公共交通等公用事业服务价格的调整，以及给社会造成严重损失的重大事件及其处理情况等。[②] 广东省人大常委会出台这个法规推动了地方重大决策的法制化，对于没有立法权的市县级人大意义更为深远。

五、监督权的深化

一位国外政治学家在谈到立法机关监督作用时指出，“现代立法机关一个更重要的潜在角色是对行政机构保持一种严厉的批评。甚至即使它们不创制任何法律，立法机关也可以通过监督政府，审查其是否保护国家利益，是否廉洁，是否有效率等，对政府的工作产生强有力的影响。”[③]这个观察放在广东人大身上非常合适，广东人大行使监督权的实践给世人留下了深刻的印象，构成“广东现象”的典型特征与主要内容。广东人大之所以能够在这一点上领先其他地方人大，在于其落实监督权实践的多层次性：首先，监督权的法制化，广东人大已经制定出一套完善的人大监督法规系统；

---

① 朱源星：《地方立法硕果累累》，《人民之声》2004年第9期。

② 灵迪：《抓大事　议大事　定大事——省人大常委会依法行使重大事项讨论决定权综述》，《人民之声》2004年第9期；理辑：《〈广东省各级人民代表大会常务委员会讨论决定重大事项规定〉内容摘登》，《人民之声》2004年第9期。

③ ［美］迈克尔·罗斯金等：《政治科学》（第6版），华夏出版社2006年版，第290页。

其次，多元化的监督形式构成了人大监督的一把把利刃；最后，监督向社会公开使得广东人大在行使监督权时并非孤立无援，广大人民群众是他们坚强的后盾。

（一）人大监督的法制化

早在1989年3月，广东省七届人大二次会议就审议通过了《广东省各级人民代表大会常务委员会法律监督工作条例（试行）》，这是省人大对开展法律监督进行法制化的第一次努力，在条例中，省人大界定了人大常委会法律监督的范围和形式，尤其对发出法律监督书的依据和程序作了具体明确的规定。到了1993年8月，《关于做好组织人民代表评议“一府两院”工作的意见》经中共广东省委同意转发，该意见的出台进一步完善了法律监督体系：它不仅在原有的监督形式基础上增加了评议，还对人大代表评议工作的开展、程序等方面作了明确的规定。经过几年的实践，广东人大具备了制定监督法规的经验，并为更为详尽的法律监督规则的出台打下了基础，1994年2月省八届人大二次会议审议通过的《广东省各级人民代表大会常务委员会监督条例》充分证明了这一点。该监督条例在原先监督工作条例（试行）的基础上进一步扩充，这使人大常委会行使法律监督的范围更大更具体，同时该监督条例正式把评议纳入法律监督的基本形式中，从而成为广东各级人大常委会行使监督权的主要依据，对无立法权的市县人大常委会尤为重要。至此，省人大常委会的步伐并未停止，两个月后省八届人大常委会八次会议通过的《广东省人民代表大会常务委员会关于进一步强化法律监督职能健全监督机制的决议》就是一个明证。在接下来的岁月里，广东省人大及其常委会继续完善法律监督制度的努力集中体现在针对监督条例中的某部分内容制定具体的规定。例如，1996年先后通过的《广东省各级人民代表大会常务委员会评议工作规定》与《广东省各级人民代表大会常务委员会执法检查工作规定》主要是对评议、执法检查这两个监督类型进行具体规定；1997年则主要出台了一部规范个案监督的法规——《广东省各级人民代表大会常务委员会实施个案监督工作规定》。通过十几年的努力摸索，广东人大及其常委会已经初步确立起人大监督的法律体系（见表3－11）。[①]

表3－11　　广东人大及其常委会行使监督权的规定

规定名称	通过时间
《广东省各级人民代表大会常务委员会法律监督工作条例（试行）》	1989年3月
《关于做好组织人民代表评议“一府两院”工作的意见》	1993年8月
《广东省各级人民代表大会常务委员会监督条例》	1994年2月
《广东省人民代表大会常务委员会关于进一步强化法律监督职能健全监督机制的决议》	1994年4月
《广东省各级人民代表大会常务委员会评议工作规定》	1996年7月
《广东省各级人民代表大会常务委员会执法检查工作规定》	1996年12月
《广东省各级人民代表大会常务委员会实施个案监督工作规定》	1997年1月

随着2007年1月1日《中华人民共和国各级人民代表大会常务委员会监督法》的施行，广东人大及其常委会对现有的监督法规做了相应的调整，《广东省各级人民代表大会常务委员会监督条例》等法规已经相继废止。不过由于我们探讨的广东人大的历史主要集中在1979—2008年，故而监督法的施行所带来的新变化并非讨论的重点。

（二）人大监督的多元化

监督权是广东人大令人印象最为深刻的一项职权，这个印象的产生主要是基于广东人大多元、有效的监督形式，如评议、质询、个案监督等，因它们而引发的一个个故事构成了广东人大监督史中的许多精彩瞬间。

1. 评议。

① 相关的法规条文主要可以参见《地方人大20年》（下册）（全国人大常委会办公厅研究室编，中国民主法制出版社2000年版，第1235～1243页），其余可在网络中查询。

1993 年《关于做好组织人民代表评议“一府两院”工作的意见》的出台开启了人大代表的评议工作。评议工作最初选择在乡镇和一部分市县进行试点，1993 年，共有 1500 多个乡镇，25 个县和 2 个市先后开展评议工作，同时受评议单位数量更是惊人，包括乡镇公所 1 万多个，县（区）执法机关 46 个；到了 1994 年 4 月 17 日，省人大常委会部署全省各级人大常委会开展检查乡镇人大评议乡、镇“七所八站”工作，同年评议县级公安司法机关工作也全面铺开；进入 1995 年，人大评议工作进一步升级，受评议单位扩大到地级市的公安司法机关和行政执法机关。在省人大常委会的推动下，各级人大的评议工作走上了经常化、法制化的轨道。①

1995 年以来，尤其是《广东省各级人民代表大会常务委员会评议工作规定》颁布后，评议工作走上了快车道。述职评议成为人大评议工作的一个重要内容，各市县人大常委会陆续开展了对常委会任命国家工作人员的述职评议。在 1995—1999 年的 5 年间，评议工作成绩惊人，全省“共评议了各级公安司法机关和行政执法机关 15000 多个（次），进行述职评议的国家工作人员约 2230 多人（次），参加评议工作的各级人大代表 50 多万人（次）”。② 2000 年，人大评议工作继续升级，这一年省人大常委会对省经贸委主任、省民政厅厅长、建设厅厅长和省高级人民法院 2 名副院长进行了述职评议，接受评议的述职人员级别越来越高；③ 2001 年，述职对象扩大为省财政厅厅长、审计厅厅长、水利厅厅长和计生委主任，并委托主任会议对省人民检察院 2 名副检察长进行了述职评议；④ 2002 年，常委会会议或常委会主任会议先后听取和审议了省劳动和社会保障厅、交通厅、外经贸厅、信息产业厅、教育厅、文化厅、人事厅、科技厅等 8 位厅长和省高级人民法院 2 位副院长的

① 张兴劲：《监督：廿载“磨剑”铸辉煌》，《人民之声》2004 年第 9 期。
② 张兴劲：《监督：廿载“磨剑”铸辉煌》，《人民之声》2004 年第 9 期。
③ 广东年鉴编纂委员会编：《广东年鉴 · 2001》，广东年鉴社 2001 年版，第 136 页。
④ 广东年鉴编纂委员会编：《广东年鉴 · 2002》，广东年鉴社 2002 年版，第 132 页。

述职报告；[①] 2003年开始，省人大常委会逐步开展专项工作的述职评议和专项工作评议，突出评议重点。通过评议工作，广东各级人大监督"一府两院"变得更加有力，有效地纠正了违法案件，同时对违法、违纪人员进行查处。

2. 质询。

广东人大代表质询的历史源于上世纪80年代末，随着时间的推移，其质询的力度与强度越来越大。1994年11月10日，鉴于广东省国土厅无视人大常委会通过的《广东省城镇房地产权登记条例》而向下属国土局发出两份与该条例相悖的电报这一违法事实，21名省人大代表联名对其提出质询案，最终在质询会上国土厅厅长承认国土厅所为损害了人大立法的权威性，并于质询会结束后下发了《关于撤销我厅两份电报的通知》。[②] 这一次质询会开始把广东人大代表捍卫质询权的活动带入人们的视野中，但它就好比是暴风雨来临之前的一道闪电，仅仅是个开始，2000年1月25日上午9时在广东大厦国际会议厅举行的佛山代表质询省环保局案才真正让世人领略到广东人大代表质询的威力（见案例3-3），"惹不起的人大代表"从此成了官员与民众的口头禅。

案例3-3　粤人大代表质询省环保局事件始末[③]

2000年1月22日，在广东省九届人大三次会议上，广东省佛山市代表团25名人大代表针对广东省环保局提出《对四会市在北江边建电镀城事件处理不当的质询案》，经大会批准，本质询案于1月25日在广东大厦国际会议厅举行。质询会吸引了各方的关注，期间以佛山团代表钟信才为主的众代表与环保局副局长王子葵之间展开了激烈的辩论，整个过程历时近两个小时。辩论结束后，质询会进入投票环节，所进行的两轮投票结果满意对不满意的比值分别

① 广东年鉴编纂委员会编：《广东年鉴·2003》，广东年鉴社2003年版，第149页。

② 王小飞：《2004："广东现象"劲风再起》，《南方周末》2004年2月19日。

③ 任天阳、王均：《粤人大代表质询省环保局事件始末》，《南方周末》2000年2月25日。

为1：28与5：23，这意味着省环保局的质询答复未获通过。1月26日上午在广东大厦国际会议厅佛山代表继续向环保局进行质询，副局长王子葵再次成为受质询的对象。这轮质询会因最终导致代表联名建议罢免王子葵同志的结果而把整个事件推向了高潮。鉴于环保局副局长王子葵的答复仍不能令人满意，并且态度欠妥，1月26日下午，钟信才等21名代表联名向大会提交了《关于建议省政府撤换王子葵省环保局副局长职务的建议》，《建议》称："质询会上，省环保局副局长王子葵在回答代表提出的问题时，态度极不诚恳，千方百计回避代表提出的问题，并怀疑代表提出问题的真实性。其次，作为环保单位领导，他法律知识淡薄，他竟然不知《建设项目环境保护管理条例》第25条规定是什么。再次，他的环保意识不强，对这样严重污染的企业安排在饮用水源附近的行为反应麻木不仁。……我们认为这样的人是不宜在这样关键的部门领导岗位上，建议省政府撤换其省环保局副局长职务。"之后，来自珠海、深圳、汕头等地的11名非佛山团代表与4名佛山团代表又联名于28日向大会提交了一份题为《关于强烈要求省政府出面处理四会市在南江工业园建电镀城问题的建议》，以示对相关答复的不满。这些有力的举措推动了四会市在南江工业园建电镀城问题的后续解决。

3. 个案监督。

个案监督是评议、质询之外人大监督的又一有效形式，其目标直指行政机关与司法机关，尤其在促进司法公正方面发挥着重大作用。广东省人大常委会的个案监督工作始于1993年，并于1996年成为全省县级以上各级人大常委会的一项重要工作。[①] 为了进一步规范指导各级人大常委会的个案监督工作，《广东省各级人民代表大会常务委员会实施个案监督工作规定》在1997年1月18日召开的广东省八届人大常委会二十六次会议上通过，这一举措极大地提高了广东个案监督工作的绩效，截至1997年底，"各级人大常委会

① 张兴劲：《监督：廿载"磨剑"铸辉煌》，《人民之声》2004年第9期。

通过监督，共纠正公安司法机关违法案件1332宗，其中属错处错判或判处不当的案件965宗，严重超过法定时限、久拖不决的疑难案件162宗。通过个案监督查处了违法、徇私枉法人员578人”[①]。为了进一步增强个案监督的震慑力，广东各级人大常委会还积极寻求个案监督与其他监督形式的结合，如评议与个案监督的结合，汕头市中级人民法院院长陈成书因述职评议调查而引发个案监督并进而招致罢免一事即属此例。[②]

除了评议、质询与个案监督外，广东各级人大常委会还频繁地使用发出法律监督书、提出询问等“刚性监督”方式对“一府两院”进行监督，2003年后，广东省人大常委会开始大力推进省、市、县三级人大上下联动的监督方式，从而形成一个立体的监督体系。[③]

（三）人大监督的公开化

2007年开始施行的监督法规定，各级人大常委会行使监督职权的情况，向社会公开；监督法还进一步对贯彻监督公开原则做了具体规定，内容主要涉及人大常委会听取和审议政府工作报告等活动。[④] 监督法第一次对监督公开原则作出正式规定，不过这并非意味着监督公开的实践活动始于此，全国人大常委会及地方各级人大常委会在贯彻这一原则方面早就进行了一些颇有意义的实践活动，例如全国人大常委会早在1988年就建立了新闻发布制度，并出台了相关文件进行规范和推广，广东省人大常委会的新闻发布制度也正是在这一阶段确立。[⑤]除此之外，广东各级人大常委会还发展出多种增强监督公开实效、确保监督公开原则落到实处的方式，既有

① 张兴劲：《监督：廿载“磨剑”铸辉煌》，《人民之声》2004年第9期。

② 左志红、任宣：《汕头人大“连老虎屁股也敢摸”》，《新快报》2004年9月15日。

③ 张兴劲：《监督：廿载“磨剑”铸辉煌》，《人民之声》2004年第9期。

④ 参见《中华人民共和国各级人民代表大会常务委员会监督法》。

⑤ 洪普清：《关于监督公开的实践性探讨》，《人民之声》2007年第11期。

借助网络媒体的“电子人大的建设”等手段，又有利用听证程序来吸纳社会公众参与的监督听证，广东人大常委会再一次走在了地方人大的前列。

1. 利用网络：电子人大的建设。

广东省各级人大常委会为了吸纳公众参与到人大监督的过程中，就必须确保社会公众能够获悉相关的信息及获得较为自主的发言空间，互联网成了他们的首选，因为互联网具有传播快捷、成本低廉且易于互动的特点。2001 年 2 月 10 日，省人大常委会创办的“广东省人大信息窗”网站正式开通，普通公众只要登录这个网站就可以轻松获悉省人大工作的相关情况，并可通过网站内设的互动空间畅所欲言，省人大常委会也不时地借助这个交流平台向社会公众征求意见。例如，2003 年 10 月 15 日，省人大常委会在“广东人大之窗”网站发布消息，就常委会主任会议决定 2003 年对省农业厅谢悦新、省安全生产监督管理局分别进行专项述职评议和工作评议，首次通过媒体公开向社会各界征求对评议对象的意见，极大地增强了评议工作的实效。① 除了在省一级，电子人大的建设在下级人大常委会中也得到稳步推进，尤其是 4 个拥有立法权的市级人大，广州、深圳、珠海和汕头市的市人大常委会都不断加强和完善自身人大网站的建设。这 4 个市人大常委会除了把人大网站建设成一个人大信息公布平台外，他们还特别重视网站互动平台的建设，以便于加强与公众的多向沟通互动，比如说 4 个人大网站都开辟有《议案建议》互动栏目，公众可以就此自由地发表自己的看法，此外还有对代表工作的满意度投票评价系统等。可以说，通过电子人大的建设，人大的工作变得不再神秘，人大与公众之间的距离拉近了。

2. 人大监督与媒体监督的合力：《民生在线》。

人大与媒体（报刊、电视、电台）的合作在广东屡见不鲜，1995 年由广州市人大常委会和广州市电视台联合主办的《羊城论

① 郑毅生等：《广东人大大事记（1954—2004）》，《人民之声》2004 年第 9 期。

坛》、省人大常委会与羊城晚报社于2001年合办的“代表热线”以及2006年惠州市人大常委会与《惠州日报》开辟的《民生在线》栏目都是其中的佼佼者。相比起前两者重在加强人大代表与社会公众的互动以确保代表获悉社情民意不同，惠州市的《民生在线》栏目则意在通过本栏目联结人大监督、媒体监督与公众监督三者，以人大监督的公开来确保监督的实效。

在惠州市人大常委会和《惠州日报》的共同努力下，《民生在线》栏目于2006年5月9日正式与读者见面，每周一期，截至2006年12月底，《民生在线》栏目已刊登了31期。惠州市人大常委会借助《民生在线》栏目督促很多关乎民生的热点、难点问题得到完满解决，从老百姓小区居住安全和健康的《小区业主该选谁来当家》、《六成二次供水蓄水池无定期清洗》，到涉及环保的《江河何日水清清》、《废旧电池：何时有个家》等经过媒体的曝光而引起了相关部门的重视并进而得到解决。伴随着一个个关注民生的热点难点问题得到解决，《民生在线》已成为当地市民竞相争看的一个栏目，广大读者给予它极高的评价，“‘民生在线’栏目的开办，是人大监督和舆论监督有机结合的一次成功实践！”①

3. 监督听证。

将听证程序引入人大监督中是广东人大的又一创举。2003年12月10日，广州市人大常委会发起全国首次监督听证会，听证的内容是《广州市城市市容和环境卫生管理规定》②的实施情况，听证的目的在于了解该规定的落实情况并收集法规是否需要作出重新修改的信息。在听证会上，13位普通市民与3位行政职能部门负责人就广州市容环境卫生工作的各个问题在多家媒体和众多旁听人员面前展开了激烈的辩论。在本次听证会上，市民一方的陈述人指出很多因政府职能部门执法力度不够而导致的问题，如城市“牛

---

① 李亚平：《“民生在线”，监督合力的成功实践》，《人民之声》2007年第2期。

② 《广州市城市市容和环境卫生管理规定》于1995年9月1日通过并于1996年7月1日起施行，到了1997年底广州市人大常委会对规定作出修改并重新公布施行。

皮癣”问题、公共卫生设施的设置和分布不合理（如垃圾压缩站、如厕难等）等问题，直指执法部门的痛处，言词甚为严厉；而政府职能部门一方的陈述人则表示会认真研究市民们提出的意见，着力整改部门的工作，同时表示会对相关的规定作出修改以更好地解决问题。通过理性有序的听证过程，执法部门明晰了问题的所在，市民所关注的热点、难点问题也有望获得及时解决。①

广州市人大通过监督听证会的方式为普通市民与政府执法部门提供了一个平等的、面对面的交流平台，有效地把广大的普通市民吸纳到人大监督工作中来，依靠公众的力量提高人大监督的实效，这给各级人大监督工作带来了有益的经验启示；此外，监督听证会的召开并不仅仅是个形式，广州市人大常委会努力使之产生效力，正如其负责人在会后的记者招待会上所表示的那样，人大常委会在会后将针对听证会中发现的问题作出决议，向政府发出监督意见书并提出整改要求和期限，确保公众监督转化为具有法律约束力的权力机关的监督。可以说，监督听证会是人大监督与公众监督合力的一次成功实践。②

六、公共预算的开展

预算监督是人大监督最为重要的一个环节，也是人大监督“一府两院”最为有力的手段之一，预算监督的落实推动了公共预算的理性化与民主化。在广东，预算监督的最初实践发轫于上世纪90年代的深圳市，紧接着于本世纪开始向全省展开，是所谓人大工作中的“广东现象”最重要的组成部分。

（一）预算监督的法制化

深圳最先进行了预算监督法制化的实践，其在这方面的努力始

① 闵敏：《广州人大：迈出监督听证第一步》，《人民之声》2004年第9期。

② 闵敏：《广州人大：迈出监督听证第一步》，《人民之声》2004年第9期。

于1991年《深圳市人民代表大会审查和批准国民经济和社会发展计划及财政预算暂行规定》的制定。1997年4月26日，《深圳市人民代表大会审查和批准国民经济和社会发展计划及预算规定》获深圳市二届人大三次会议通过，它与同年制定的《深圳市人民代表大会常务委员会监督条例》构成了较完整的预算监督法律规范。此后，深圳市人大常委会又相继制定了包括《深圳市经济特区政府采购条例》在内的15个涉及经济、预算监督管理方面的地方法规，这些法律规范性文件为深圳市人大及其常委会有效行使预算监督权提供了依据并注入了动力。深圳市的预算监督立法实践为广东省人大制定预算监督地方法规提供了宝贵的经验。经过4年的酝酿，《广东省预算审批监督条例》于2001年2月19日获省九届人大四次会议审议通过，为广东省各级人大及其常委会审查监督政府预算提供了法律依据，本条例内涵丰富，对预算的审批、执行、调整等环节涉及的内容、程序等问题都作了明确的规定，既提高了政府预算的透明度，又加强了人大对预算执行的监督（见表3－12）。

表3－12　广东省及深圳市关于规范人大预算监督的法规①

法规名称	制定主体	通过时间
《深圳市人民代表大会审查和批准国民经济和社会发展计划及财政预算暂行规定》	深圳市人大常委会	1991年
《深圳市人民代表大会审查和批准国民经济和社会发展计划及预算规定》	深圳市人大	1997年4月26日
《深圳市人民代表大会常务委员会监督条例》	深圳市人大常委会	1997年
《深圳经济特区政府采购条例》	深圳市人大常委会	1998年10月27日
《深圳市政府投资管理条例》	深圳市人大常委会	2000年3月3日
《深圳经济特区审计监督条例》	深圳市人大常委会	2001年2月23日
《深圳经济特区政府投资项目审计监督条例》	深圳市人大常委会	2004年6月25日
《广东省预算审批监督条例》	广东省人大	2001年2月19日

① 参见黄卫平、邹树彬：《当代中国政治研究报告V》，社会科学文献出版社2007年版，第218～221页。

（二）部门预算的推动

“徒法不足以自行”，广东人大及其常委会需要激活法律文本来实现预算监督的功效，而这一“激活文本”的实践主要体现于1999年下半年始于深圳市并继而推广到全省的部门预算改革。“你不能拿一个不知道里面内容的文件给领导审批，预算草案也一样，你不能拿一个不知道里头具体内容的预算草案，给人大去审批，所以细化预算是必需的。”预算监督室主任黄平指出，“细化它就是公开，公开的过程其实就是表达了政府自觉地接受人大监督，人大审查监督的这个过程。”[①] 试行部门预算改革就是出于公开政府预算的目的，打造“透明钱柜”，从而增强人大的监督能力。

深圳市的部门预算改革试点工作始于1999年下半年，到了2001年，试点工作初见成效，全市共34个部门143个预算单位推行了部门预算改革，约占总数的1/3；2002年，全市市级行政事业单位全面参与部门预算改革；2005年12月，部门预算改革推广到所有市属预算单位，这些改革实践为广东省人大提供了充足的经验。在2001年实行部门预算前，广东省政府每年向省人代会提交的预算草案通常只有几页纸，支出方面仅列到30个左右的“类”级科目，导致“外行人看不懂，内行人看不清”的结果。在2001年广东省九届人大四次会议上，广东省政府首次向省人大提交了包括省委办公厅、省政府办公厅等部门在内的共7个部门的预算，从而拉开了省级单位部门预算改革的序幕，并在数年内扩展到全部省级部门。2002年1月底至2月初召开的省九届人大五次会议上，一份长达144页、包含27个部门预算的《2002年度广东省省级部门预算试点单位预算表》被提交到与会代表的手中，该预算表较之2001年更详尽，甚至连政府部门购买一台电脑的型号、价格等

① 殷莉：《“议案追踪”：追踪阳光财政》，2004年3月9日，http://news.sina.com.cn/c/2004-03-09/22283007285.shtml.

都一一列出。[①]

2003年，部门预算全面展开，广东省大部分市县都开始试行和推广部门预算。这一年，全省共有102个省级部门向人大提交了预算报告，并且所有的报告都详细到每一个具体的项目，在开支流向中列到了“项”；同时此次预算编制内容还采用了简单明了的表格形式，是什么项目，要用多少钱，均一一列出，后面还附上一个简单的说明。所以，广东省政府提交的预算草案变成一份足有3厘米厚、重1千克以上、605页的《广东省2003年省级部门预算单位预算表》，其预算总金额更是高达220亿元人民币。到了2004年，被提交给人大审议的省级部门增加到115个，在预算报告中，每个部门的预算草案中都增加了一份文字说明，内容包括部门的机构设置、部门职能、人员构成、收入预算说明、支出预算说明等，一些资金消耗比较多、关系重大的重要项目也都附上了简要说明，政府预算的公开性与透明性进一步加强，从而大大便利了人大代表的审议工作。[②] 比如说，在2004年2月的省人大会议期间，省人大代表杨建优在部门单位预算表中发现，有5个省级部门的预算表中列有为机关幼儿园拨款的预算款项，拨款额总计3600万元。随即，代表们联名向广东省财政厅提出询问。[③]

从2005年开始，广东省120个省直部门全部提交了部门预算表，预算审查材料更加翔实，并且比2004年多了两个预算细目——资产基本情况表和人员基本情况表。此外，省人大常委会为便利与会代表有效审议预算草案采取了一系列措施，具体包括：其一，本届人代会首次提前发放《省级部门预算单位预算表》，省代表们在报到时即可领取到预算表，为代表审议预算草案提供了充足

① 参见黄卫平、邹树彬：《当代中国政治研究报告Ⅴ》，社会科学文献出版社2007年版，第222～224页。

② 王攀：《广东人大审议预算的力度明显加大》，2003年1月14日，http://news.xinhuanet.com/ztbd/2003-01/15/content_690207.htm；赵立韦、邵建斌：《从“广东现象”看如何加强预算监督》，《人大研究》2004年第6期。

③ 黄卫平、邹树彬：《当代中国政治研究报告Ⅴ》，社会科学文献出版社2007年版，第226页注①。

的时间；其二，设立部门预算电脑查询系统，与会代表通过该系统可以轻松获得自己想要查询的政府部门的预算资料，而不必翻看一堆厚厚的资料；其三，召开预算审查草案座谈会，座谈会的成员由各代表团选出的熟悉财政的代表构成，他们可以给预算监督委员会提供诸多有益的审查意见。[①]

总之，经过几年的努力，广东省人大加大了对省政府预算的监督力度，政府预算逐渐变得透明起来。对此，广东省近三届人大代表王泽华感触颇深，“这两年来政府预算的透明度大大提高了。”[②]预算透明度的提高，有助于代表发现预算中存在的问题，从而有针对性地提出质疑，并进而促成了广东省人大代表围绕省级部门预算召开询问会（见案例3－4），2004年2月12日省人大代表就部门预算表里的相关问题询问省财政厅的会议即属于此，它通过省人大代表与省财厅厅长之间的互动，增进了二者的相互理解，提高了广东省人大代表行使预算监督权的实效性。

案例3－4　广东省人大代表的部门预算询问会[③]

2004年2月12日，广东省人大代表就省级部门预算举行了两场询问会。首场询问会于当日上午在省人大会汕尾团驻地的广州大厦举行，省人大代表、华南师范大学法律系教授袁古洁就厚厚的部门预算表里一些有疑问的情况询问广东省财政厅；下午的询问会在广州市人大601会议室举行，与会代表包括4名省人大财经委的成员及部分熟悉财政的企业界代表，他们针对政府“钱袋子”的各项支出纷纷提出了不同意见。在询问会上，代表们向财政厅副厅长郑振涛提出他们的疑问，比如说代表们认为550万元公报发送经费

① 黄卫平、邹树彬：《当代中国政治研究报告Ⅴ》，社会科学文献出版社2007年版，第226～227页。

② 王攀：《广东人大审议预算的力度明显加大》，2003年1月14日，http://news.xinhuanet.com/ztbd/2003－01/15/content_690207.htm.

③ 李艳、綦伟、赖颢宁等：《人大代表紧盯政府“钱袋”》，《南方都市报》2004年2月13日。

太浪费了，郑副厅长给出的理由是目前不是所有人都会上网查资料且公报发放面很广，省、市、县、镇都有，所以预算才需500多万元；当代表们提出为什么省高院办公楼和宿舍的维修费竟达730万元之多时，郑副厅长指出维修费730万元是基建大楼收尾款项；当代表们质疑机关幼儿园获得2000多万元拨款时，郑副厅长表示随着机构改革这部分支出将逐步削减……通过询问会，广东省代表们弄清了预算案中的种种疑问，财政厅等省级政府职能部门也能够从中获得省人大代表对其工作的理解与支持。

（三）财政预算的实时在线监督

在提升广东省人大预算监督能力的诸多因素中，信息化技术应该算是其中最突出的一个。早在2004年2月的广东省“两会”期间，运用信息化技术进行的预算监督创新就已经开始了。在本次会议中，省财政厅在会场设立了一个部门预算的电脑查询系统，与会代表通过该系统可以轻松获得自己想要查询的政府部门的预算资料，极大便利了代表们的工作。同年8月27日，省人大财经委员会与省财政厅国库集中支付系统实现联网，并逐步将省级全部一级预算单位和部分二级预算单位纳入该系统中。[①]此后，广东省人大可以通过电脑清楚地查看了解每天通过财政厅国库集中支付系统的财政支出情况，“在电脑上，可以清楚地看到政府每一个部门每一笔支出的详细情况和细节，比如说哪个单位买了几辆车，每一辆车的牌子、型号、价格、在哪里购买等都一清二楚，而且从这个单位向财政厅提出购买计划开始，到财政厅的每一步审批，初审、复审、领导批示，到采购、支付，整个过程都可以即时看到，完全透明”[②]。

2005年10月19日，省人大财经委、省财政厅、省信息产业

---

① 参见黄卫平、邹树彬：《当代中国政治研究报告V》，社会科学文献出版社2007年版，第227～229页。

② 熊剑锋等：《广东预算监督新突破 实时监控政府花每一笔钱》，《新快报》2004年9月16日。

厅、省监察厅联合在东莞召开“广东省推进建立实时在线财政预算监督系统”现场会。该会意在继续推广与发展2004年广东省人大与财政部门之间建立起来的财政预算执行监督网络信息系统，力争到2007年全省21个地级市基本建立“实时在线财政预算监督系统”。此举受到了广东省委、省政府的高度重视，时任广东省委书记的张德江专门做出批示：“要改革对财政预算执行情况的监督。财政部门要与人大财经委员会联网，每一笔财政支出都要让人大知道，加强财政支出的审批监督、使用监督和事后监督。”① 根据会议提出的实施规划，监督系统的建立工作主要分三步走：珠三角地区作为第一批实施单位，其7个地级市于2006年上半年初步建立起监督系统；2006年下半年至2007年进而推广到其他11个地级市；少数几个有困难的地级市在2008年组织实施。截止到今天，东莞、深圳、佛山、江门、珠海、广州等城市已经相继建立起“实时在线财政预算监督系统”。②

（四）财政支出的绩效监督

早在2000年，深圳市人大常委会就通过了《深圳市政府投资项目的管理条例》，对政府项目的立项、计划、建设的管理和监督以及法律责任做出了明确具体的规定。这些规定很好地把财政监督与计划监督、财政资金管理和国库集中支付结合起来，在实际执行中，它们对于政府投资项目的严格立项、严肃计划、规范管理、节约资金发挥了重要作用。正是基于深圳市在政府投资项目管理方面所作的先期探索，2002年广东省以其为试点城市开始在全省率先推行“绩效审计”改革，不仅审计政府支出的方向和方法，而且审计政府支出的效果。2003年2月，作为国内首份提交人大审议的政府绩效审计工作报告——《深圳市2002年度绩效审计工作报

① 徐林、任宣：《21个市后年造好21个“透明钱柜”》，2005年10月21日。

② 黄卫平、邹树彬：《当代中国政治研究报告Ⅴ》，社会科学文献出版社2007年版，第229页。

告》揭露了海上田园风光旅游区等4个项目造成的资金窟窿高达二三十亿元，从而引发一股声讨“败家子”浪潮；2004年的绩效审计覆盖面更大，报告曝光了包括专项资金使用等8个项目的资金问题；《深圳市2005年度绩效审计工作报告》进一步扩大绩效审计范围，多达10个项目被揭露出存在资金使用绩效低下等问题。可见，深圳市人大常委会对财政支出绩效的审计力度逐年加大。[①]

从2004年开始，广东省人大基于深圳市“绩效审计”的试点经验而开始着手省级系统的财政绩效审计工作，主要选择一些具有代表性的政府投资项目的资金使用情况进行审查，如省人大常委会开始对解决小型水库安全隐患议案资金使用绩效进行监督检查，同时督促省财政部门逐步将财政资金使用绩效要求引入部门预算草案编制工作中。[②] 当然，即使有深圳市人大常委会的先期探索，关于绩效评价的标准在中国仍然缺乏一个完整的体系，广东省人大常委会将继续本着推进预算监督的目的摸索实践。“绩效监督是一个很重要的环节，但是目前我们国家对绩效评价都没有一个完整的体系，所有的工作都在摸着石头过河。我们将选择项目，了解其经费投入、项目进展、成效，配合数据分析。总之，迈开脚步就是进步，我们只能一步步探索，希望借此把监督工作深化、做实。”[③]

小　结

广东人大恢复工作至今已有30多年的历史，其成就有目共睹，它积极推动广东省民主法制建设，为依法治省原则的落实提供了强有力的法制保障。首先，广东人大以常委会建设为突破口构建了完善的组织平台，它一方面注重空间布局促成人大常委会组织在全省

① 黄卫平、邹树彬：《当代中国政治研究报告V》，社会科学文献出版社2007年版，第230～231页。

② 田霜月：《省人大拟监督政府投资》，《南方都市报》2004年8月5日。

③ 《广东：预算监督要规范政府行为方向》，2004年2月15日，http：//www.people. com. cn/GB/shizheng/14562/2339588. html.

的铺开，另一方面积极推动常委会内部机构与规则的建设。其次，广东人大确保了人大代表的活力，它通过优化代表结构与引入竞选机制扩大了代表的民意基础，同时多种多样的代表活动方式与参政渠道便利了代表获悉民意及上达民意。最后，广东人大职能的落实极大地推动了广东社会主义民主政治建设：在地方立法方面，广东人大不仅在立法数量上位居前茅，而且立法内容与立法程序也颇多创新，成为当之无愧的优质“立法试验田”；在重大事项决定权方面，广东人大通过立法活动及议案的审议监督确保重大事项决定权落到实处；在监督权行使方面，广东人大在加强人大监督法制化的同时重视监督形式的多样化，评议、质询、个案监督等监督形式的探索与实践极大地增强了人大对“一府两院”的监督力度，此外，公共预算的开展更是把广东人大监督推向前所未有的高度。组织建设、代表工作与职权行使是人大工作不变的主题，广东人大在此提供了丰富的实践经验，其中不乏代表其特色的创新之处。

1. 代表工作站模式的创新。由于我国人大代表为兼职代表，他们难以有足够的时间、精力与公众保持经常性接触，为此广东人大探索出一系列便利代表与选民联系的工作方式，包括代表活动日、代表热线等，其中2002年底深圳南山区成立的“月亮湾代表工作站”最具特色。代表工作站的成立为化解代表工作困境给出了一个很好的答案：经常性工作的代表工作站为兼职的人大代表收集社情民意，不仅大大缓解了兼职人大代表的时间压力，而且非常有利于人大代表基于代表工作站提供的信息而为公众的利益做出理性、及时的呼吁。鉴于我国人大代表兼职的现象在短时期内难以改变，广东人大代表工作站的模式不仅实践意义重大，而且具有重大的推广价值。

2. 代表选举方式的创新。人大代表代表人民，如何选出真正体现民意的人大代表一直是个难题，2003年上半年上演的“深圳竞选风云”为此难题的解决提供了一种方案。在这次深圳市各区人大代表换届选举过程中，涌现出10余位“独立参选者”，他们来自社会的各个阶层并运用多种宣传方式为自己拉选票，整个选举

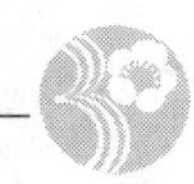

过程充满了“竞选”的色彩，一扫往日“确认型选举”的沉闷气氛。虽然，“深圳竞选”仍属低度竞选，但它对社会主义民主政治建设的意义不容忽视。

3. 代表强力履职。其中，代表质询与预算监督是人大工作中的“广东现象”的重要内涵。在代表质询方面，2002 年 1 月于广东大厦国际会议厅上演的佛山市代表团对省环保局的质询会最具典型意义，这场最终引发罢免动议的质询会突显广东人大代表的强力，其经验值得借鉴；在预算监督方面，广东人大通过制度层面、技术层面（如推动部门预算、建立实时在线预算监督系统等）及组织层面的改革，推动了财政预算的公开化与民主化，在此基础上，广东人大代表开展了强有力的预算监督活动。

第四章
重构政府体系

引 言

政治文明建设的一个题中应有之义，是建设办事高效、运转协调、行为规范、公正透明的政府管理体系。从行政管理的层面看，广东改革开放30年政治文明建设的历程，是一部不断迈向一个更加现代化、理性化的行政体系的历史。它起步于广东省各级革命委员会的撤销和各级人民政府的重建。

“革命委员会”，简称“革委会”，是“文化大革命”中产生的我国省及其以下各级政权和各基层单位领导机构的基本组织形式。从1968年2月21日广东省成立革命委员会，到1979年12月26日广东省第五届人民代表大会第二次会议决定撤销广东省革命委员会改名为广东省人民政府，广东省革命委员会作为特定历史条件下的产物，行使广东省党、政、财、文等一切权力长达11年之久。

现代社会的发展是建立在理性化的基础之上的，而革命委员会的特征典型地表现为理性的缺失，特别是理性的法律的缺失及由此导致的理性的行政体系的缺失。革委会是“文化大革命”中极度膨胀起来的阶级斗争扩大化的产物。1967年《红旗》杂志第5期发表社论《论革命的三结合》，传达了毛泽东的最新指示，“在需要夺权的那些地方和单位，必须实行革命的‘三结合’的方针，建立一个革命的、有代表性的、有无产阶级权威的临时权力机构。

这个权力机构的名称，叫革命委员会好。”根据毛泽东的指示精神，“革命委员会”开始是作为无产阶级专政的临时权力机构建立起来的，但在全面夺权浪潮的推动下，逐步扩展成为既是省以下各级政权的组织形式，也是各企事业和农村基层单位领导机构的组织形式。

就其产生而言，革命委员会实行“三结合”的组织结构，其成员一般不通过选举产生，而是经过所谓“反复的争论、酝酿、协商、审查”推选出来的，由革命群众代表、人民解放军代表和革命干部代表组成，各农村人民公社以下由民兵代表代替解放军代表。在工厂企业中，是由革命干部代表、民兵代表和工人代表组成；在各大中专学校，是由革命学生代表、革命教职员工代表、革命领导干部代表组成。人们甚至认为，革命委员会成员“不是选举产生的，而是直接依靠广大革命群众的行动产生的”①，因而比以前单纯用选举产生的机构更适合于无产阶级的民主，更适合于民主集中制。革委会的产生表明，它是一种既缺失理性，又排斥民主的政权组织。

随着改革开放和现代化建设的进行，革命委员会已经不能适应国家和社会发展的需要了。1977年10月15日，中共中央发出《关于召开第五届全国人民代表大会的通知》，要求各省、市、自治区在本年10月份至12月份分别召开人民代表大会，由“革命委员会”向大会报告工作，选举新的“革命委员会”。之后，广东省召开了省人大，选举产生了新的省革命委员会，这改变了以前完全依靠“革命群众行动”产生“革命委员会”的非程序性、非民主性的错误做法。1979年7月1日，五届全国人大二次会议通过《关于修正“中华人民共和国宪法”若干决定的决议》，决定取消地方各级“革命委员会”名称，改为地方各级人民政府，这标志着政府权力或权威的合法性基础从革命阶级的意志向现代国家的整体理性和公民认同的方向发展。根据全国人大会议精神及相关规定，1979年12月26日，广东省第五届人大二次会议在广州召开，

① 《红旗》杂志1968年第4期社论，转引自《人民日报》1968年10月16日。

会议决定：广东省革命委员会改为广东省人民政府、海南行政区革命委员会改为海南行政区公署、各地区革命委员会改为各地区行政公署；设立广东省人大常委会；选举产生广东省第五届人民代表大会常务委员会组成人员，选举习仲勋为省长，杨尚昆、刘田夫等12人为副省长，并产生了省高级人民法院院长、人民检察院检察长。

自此，“革命委员会”退出了广东的历史舞台，广东开始着手重构理性化的政府体系。这一重构的特征主要体现为：政府权力或权威的结构方式与运行模式朝着理性化、规范化的方向不断发展。具体来说，既包括从横向上不断推进政区体制改革，也包括从纵向上不断调整政府部门组织架构；既包括不断地推进高素质的专业化行政管理队伍的建设，也包括不断地推进规范化、科学化的行政运行机制的建设，从而为更加现代化、理性化的行政体系提供良好的组织保障、人才保障与制度保障。

一、调整行政区划

行政区划涉及国家权力的空间或者地域的分割和配置，它既是国家政权建设的前提条件，也是国家政治体制的重要组成部分。一般来说，行政区划调整变更的内容可以分为以下六类情况：建制变更；行政区域界线变更；行政机关驻地迁移；隶属关系变更；行政等级变更；更名和命名。行政区划的合理与否，直接对一个地区的经济、社会发展产生巨大的影响。改革开放之前，由于当时的政治形势多变及法规的缺乏和废弛，广东省行政区划变动频繁，且带有较大的随意性；直至改革开放初期，全省的行政区划工作开始重新进入规范化轨道，其标志就是原来“文化大革命”时期被各级“革命委员会”所代替的省、地和县、市、区各级人民政府（专员公署）相继恢复，行政区划的调整变更也逐渐有了法律、法规等的依据。

行政区划必须首先服从于政府的中心工作，紧密而直接地为政府的中心工作服务，因而，适应同期的经济与社会发展，成为广东

省行政区划调整与变革的内在逻辑。要言之，广东省调整行政区划的动因主要是出于经济考虑和适应政府主导城市化的需要。事实上，30 年来广东行政区划的调整，对全省经济、社会和政治文明的发展和进步，对城市化进程的推进，都起到了明显的促进作用。

改革开放初期，广东省直辖广州、海口、汕头、湛江、茂名、佛山、江门、深圳、珠海、韶关等 10 市，分设韶关、惠阳、梅县、汕头、佛山、湛江、肇庆等 7 地区和海南行政区（1988 年，中央政府将海南行政区从广东省划出，另设海南省）及海南黎族苗族自治州，共辖 14 市、92 县、3 自治县。[①] 自 1979 年以来，广东省的行政区划经历了多次调整与变革，就其内容而言，变革主要涉及成立经济特区、撤县设市、市管县、撤乡并镇和区域整合等。

（一）设立经济特区

广东行政区划调整的最初动因就是为了适应经济发展特别是招商引资的需要。由于港澳地区是外资的主要来源地，环珠江口沿岸的市、县、镇（村），即最靠近港澳、水陆交通便捷的市（县）是外商投资首选地，所以，早期行政区划调整亦依循外商投资的空间轨迹展开，[②] 即从濒临外资主要来源地（香港和澳门）的区域开始，然后沿交通网络依次向珠江三角洲腹地逐步推进。

任何社会改革都需要突破口，行政区划调整同样需要排头兵。深圳等经济特区就是广东行政区划改革的先锋。为了充分发挥毗邻香港和澳门的区位优势，1979 年 3 月，广东省撤宝安县成立深圳市，并将珠海县改为珠海市。1980 年 4 月，广东省第五届人民代表大会常务委员会第三次会议通过《广东省经济特区条例》。同年 8 月，分别设立了深圳、珠海和汕头三个经济特区。这三个经济特区被赋予作为改革开放的试验田和窗口作用，因而在政策、体制和

① 广东年鉴编纂委员会编：《广东年鉴・2006》，广东年鉴社 2006 年版，第 133 页。

② 参见魏立华、阎小培：《珠江三角洲城市规划和行政区划的耦合演进机制研究》，《规划师》2004 年第 11 期。

发展过程中都全方位得到了中央和广东省的高度重视和社会的全力支持，从而获得了较快发展。

经济特区既是我国改革开放的“窗口”，也是广东行政区划调整的“试验场”。经济特区的设立，不仅有力地调动了地方的积极性，调整了中央与地方的经济管理权限与利益分配关系，也在一定程度上改变了区域间的经济发展格局，使得行政区划以及行政区划变更有了相应的空间物质条件和现实可能性。以深圳经济特区为例（见表4－1），近30年来，深圳建设者们以“杀出一条血路”的气魄和“敢为先下先”的精神，创造了巨大的物质财富，谱写了广东乃至全中国改革开放历史上的亮丽华章。1979年之前，原宝安县仅是一个工业基础薄弱的农业县。今天的深圳，这个因改革开放而生、因改革开放而发展的经济特区，这座不断产生奇迹、不断创造辉煌的年轻城市，在继续发挥经济特区的试验、探索功能的同时，正在日益显现区域经济中心城市的功能。

表4－1 深圳市主要经济指标在全国大中城市中的排位(2006年)①

指标名称	绝对量	排　名
本市生产总值	5813.56亿元	4
人均GDP	69450元/人	1
工业总产值	12278.48亿元	3
地方财政一般预算收入	500.88亿元	3
社会消费品零售总额	1671.29亿元	4
进出口总额	2373.86亿美元	1
出口总额	1360.96亿美元	1
进口总额	1012.9亿美元	3
实际外商直接投资额	32.69亿美元	6
全社会固定资产投资额	127.67亿元	16
国内金融机构人民币存款余额	9540.04亿元	3
国内金融机构人民币贷款余额	6755.32亿元	3

① 周轶昆：《深圳经济特区发展历程的回顾与分析》，《改革与开放》2008年第4期。

（二）撤地（县）设市与市管县

从1983年到90年代中后期，广东省着力推进城市化进程，部分地市、县的行政管理体制有了新的变动，在行政区划调整上体现出“撤县设市”、“整县改市”、“撤地设市”和“市管县”的特征。

一个地区的行政级别与财税、投资、土地及项目审批等权力紧密相关，因而，行政区划与管理权限成为该区域经济发展的先行性因素。[①] 考虑到香港产业升级、劳动密集型产业或工序扩散、迁入珠江三角洲的趋势，中山县和东莞县分别于1984年、1985年改为县级市。随着外商投资的“边界导向效应”、“集聚效应”和投资区位的“路径依赖性”，东莞和中山日益成为投资热点。为了适应这一形势，1988年，东莞和中山升级为地级市，在财政、税收、投资引资政策、土地审批等自主权范围得到扩大。

1983年，撤韶关、佛山、汕头、湛江地区，在汕头、佛山、江门、湛江、茂名5个市实行以市管县的“小城区、大郊县”的模式。与此同时，撤潮安县，并入潮州县级市，委托汕头市代管；撤梅县和梅州市，合并成立梅县县级市。[②] 1988年，海南从广东分出单独立省。随后，广东在全省范围内取消地区设置，设18个地级市（后增加到21个地级市），全面实行地级市管县体制，并一直沿用至今。

（三）撤市设区的区域整合

无论是设立经济特区，还是撤县（地）设市，或者是实行市管县体系，其行政区划调整的实质都在于“对地方放权的行政性分权”，即中央政府分阶段、逐层次向地方政府放权，以扩大地方

---

① 参见魏立华、阎小培：《珠江三角洲城市规划和行政区划的耦合演进机制研究》，《规划师》2004年第11期。

② 广东省地方史志编纂委员会编：《广东省志·政治纪要》，广东人民出版社2004年版，第269～270页。

政府在财税、引资、土地及项目审批等方面的自主权，充分调动各级政府发展经济的积极性，[①] 不过前者是“特权赋予”方式，后者则是“切块设市”方式，但都是一种“项目引导型”的行政区划调整方式。

90年代中后期，广东省的城市化进程进一步加快，与此同时，行政区划中存在的问题也进一步突显出来，主要呈现出明显的“行政区经济”特征，这一特征典型地表现在珠三角经济区生态格局里。比如，各地在产业发展序列、跨界基础设施、土地所有权归属等方面存在激烈竞争，甚至产生冲突；区域性的公共基础设施、资源开发、环境治理等难以得到单个城市（镇）的配合，如因各级城市（镇）在主导产业序列、污染控制标准、产业进入的环保“门槛”等方面相互冲突，使珠江流域污染控制规划流于形式，水污染及水质性缺水严重。[②] 在实践过程中，“市管县”体制也极大地束缚了县（市）经济社会的发展。最主要的体现是，阻碍了城乡资源的合理流动和优化配置，“市”还往往通过截留指标、资金、争项目、财政提取和各种行政审批侵占县（市）的利益。

为应对或缓解以上严峻问题，广东省进一步加大了行政区划调整的力度，通过行政升级、界限扩充、归并整合、权力回收等措施，打破各区域间行政区划限制，加速区域内城市间的分工与合作，推动区域城市群的形成，实现从行政区经济向经济区经济的重大转变，最终促进全省经济与社会健康发展。90年代中后期以来，特别是进入新世纪后，广东省进入区域整合发展阶段，与江浙地区采取的“强县扩权”方式不同，广东省更多地采取撤市（县）并区的行政区划改革模式。仅2000—2003年，广东就撤销了10个县级市，其中广州的区划调整是谋求发展新格局的大手笔。2000年广州市行政区划调整，行政范围由花都市、番禺市“撤市设区”

---

① 参见魏立华、阎小培：《珠江三角洲城市规划和行政区划的耦合演进机制研究》，《规划师》2004年第11期。

② 参见魏立华、阎小培：《珠江三角洲城市规划和行政区划的耦合演进机制研究》，《规划师》2004年第11期。

而扩充，这使广州的市区面积大为扩大，从原来的1443.6平方公里扩大到3718.5平方公里。[①] 2002年，经国务院同意，原佛山市代管的县级市南海市、顺德市、三水市和高明市撤市设区，成为大佛山的南海区、顺德区、三水区和高明区。同时，原惠州市代管的县级市惠阳市也撤市设区，江门市合并了新会市，珠海市合并了斗门县。2005年，经国务院批准，广州市行政区划进一步得到调整，撤销广州市东山区（合并到越秀区）、芳村区（合并到荔湾区），另设立广州市南沙区、萝岗区。

表4－2　改革开放以来广东省行政区划沿革一览表[②]

年　份	行政区划一览	备　注
1978	7地区、8省辖市、1行政区（海南）、1自治州，94县、3市、3自治县、6市辖区	
1979	7地区、10省辖市、1行政区、1自治州，92县、4市、3自治县、6市辖区	撤宝安县成立深圳市、珠海县改为省直管珠海市
1983	3地区、9省辖市、1行政区、1自治州，91县、6市、3自治县、6市辖区、5办事处	
1987	3地区、11省辖市、1行政区，82县、7市、10自治县、27市辖区、5办事处	
1988	18省辖市，73县、1市、3自治县、38市辖区、4办事处	海南单独设省，本年度开始广东取消地区设置
1991	20省辖市，75县、3自治县、40市辖区	升格潮州和揭阳
1994	21省辖市，45县、30市、3自治县、42市辖区	升格云浮市
2005	21省辖市，23市、41县、3自治县、54市辖区，5乡、7民族乡、1188镇、415街道	侧重撤乡并镇和区域整合工作
2007	21省辖市、23市、41县、3自治县、54市辖区，4乡、7民族乡、1137镇、432街道	

① 王开泳、陈田：《对我国大城市行政区划调整的思考：以广州市近年来行政区划调整为例》，《城市问题》2006年第7期。

② 资料来源于“行政区划网”，http://www.xzqh.org/quhua/44gd/index.htm#yg.

（四）撤乡并镇

改革开放以来，广东省县以下的基层建置主要为乡镇。1983年，广东省发出《关于政社分开，建立乡政权的通知》，对乡的规模、机构设置、人员编制等作了明确规定。1986年，广东省决定逐步撤销作为县派出机构的区，将原有规模小的乡适当合并，并将具备建镇条件的乡改为镇，实行由县直接领导乡镇的体制。至1998年，全省共设1551个镇，35个乡（含6个民族乡），全省辖境基本上被建制镇所覆盖，镇已成为广东政区体系最基层的行政单位。

进入新世纪后，随着税费改革的推进和减轻农民负担的呼声日益高涨，撤乡并镇的改革进一步展开。撤并乡镇改革的动力主要来自两个方面：一是城市化进程的加快，二是应对取消农业税所产生的财政压力。2001年，民政部会同中央机构编制委员会办公室、国务院经济体制改革办公室、建设部、财政部、农业部、国土资源部，下发了《关于乡镇行政区划调整工作的指导意见》。2004年2月，中共中央、国务院下发的《关于促进农民增加收入若干政策意见》指出，要"进一步精简乡镇机构和财政供养人员，积极稳妥地调整乡镇建制，有条件的可实行并村，提倡干部交叉任职"。[①] 民政部为此下发了《关于贯彻中发〔2004〕1号文件精神继续做好乡镇行政区划调整工作的通知》，要求地方从实际出发进一步调整乡镇村的规模，有条件、有必要的还可以继续调整。2001—2005年，广东省的乡镇从1588个减少到1156个，撤并432个，撤并率达到27%；乡镇行政机关综合性办公室减少4153个，精简80%；精简乡镇人员近万人，行政支出减少了3亿多元人民币。[②] 撤并乡镇，降低了行政管理成本，减轻了农民负担，减少了基础设施重复

---

① 《中共中央国务院关于促进农民增加收入若干政策意见》，2004年2月8日，http：//www.people.com.cn/GB/jingji/1037/2325995.html.

② 张紧跟：《区域公共管理视野下的行政区划改革：以珠三角为例》，《中山大学学报》2007年第5期。

建设，增强了中心镇和重点镇的集聚辐射功能，促进了资源科学配置。扩大区域中心镇规模，有利于城市发展规划与合理布局，促进经济社会协调发展。①

二、重组行政架构

政府机构改革既是政治体制改革的重要内容，也是行政体制改革的重要组成部分，并和经济体制改革紧密相连。改革开放以来，广东省行政架构重组主要围绕如何建设行为规范、运转协调、公正透明、廉洁高效的行政管理体制而展开，其方向是要建立一个与政治体制和经济体制相适应的、具有地方特色的、符合现代化管理要求的地方政府机构体系。但是，机构改革不可能孤立进行，其目标的实现有赖于经济体制和政治体制等各方面的配套改革。因而，广东省的行政机构调整并不单纯是精简机构和裁撤冗员的改革，其实质是整个行政管理体制的改革。

从历时性的角度看，我们可以大致将改革开放30年来广东省几次大的机构改革分为如下几个阶段：20世纪80年代为第一阶段，这个阶段单纯地以机构改革为主，着力解决机构臃肿、实现干部年轻化的问题；20世纪90年代为第二阶段，着眼于经济体制的转型，实现政府职能转变，以解决行政体制不适应市场经济体制的问题；2000年进入第三阶段，继续推动政府职能转变；2003年开始的新一轮改革则旨在建设公共服务型政府，化解民生问题。从改革路径演变的角度来看，这几个阶段的机构改革经历了由浅层次到深层次、由偏重于政府本身需求到偏重于社会需求、由单纯的机构改革向服务于社会的公共行政发展的转变，呈现出以精简机构为切入点到以转变政府职能为切入点再到以回应公共服务型政府要求为切入点的渐进变革的态势。

---

① 参见张紧跟：《区域公共管理视野下的行政区划改革：以珠三角为例》，《中山大学学报》2007年第5期。

（一）以精简机构为切入点

80 年代广东省主要开展了两次大的机构改革，一次是在 1982 年到 1985 年间开展的省地市党政机构改革工作；另一次是在 1986 年到 1989 年间推进的机构精简试点工作。这两次机构改革的一个共同之处在于着力推进机构精简和干部年轻化。

1982 年国务院机构改革之后，各地机构改革工作于同年底陆续展开。各省级政府在重点调整领导班子的同时，对政府机构作了较大程度的改革。广东省也同样经历了一次重大调整。按照中央关于地方党政机构改革的要求，广东省着力调整的内容主要是：按照规定的领导职数精简和重新调整配备各级领导班子，促使干部队伍年轻化；撤并机构，减少中间层次；裁减人员，突出解决干部副职过多和干部老化的问题。通过这次改革，广东省取得了喜人的进步，主要表现在领导干部职务终身制开始解体，干部队伍年轻化建设步伐大大加快。比如，广东省直部委办厅领导班子成员平均年龄由 61.4 岁降为 52.7 岁，地市党政领导班子成员平均年龄由 57.8 岁降为 49.4 岁。①

但是，由于此次改革是在完善计划经济体制的大原则下进行的，因而，“精简机构”事实上只停留在政府部门的规模和管理空间的非实质性调整。加之随着经济体制改革的深入，也确实需要设立一些新的管理机构，因此，1985 年后广东省的行政机构开始重新膨胀，至 1986 年底，省一级行政机构已达 101 个，机关工作人员则增加到 12787 人。②

行政机构与人员的重新膨胀使得广东省各级政府面临着巨大的压力，因而不得不谋求变局。广东省决定一方面在试点中推进机构精简，另一方面试图通过简政放权来走出困境。1986 年 7 月，广

---

① 广东省地方史志编纂委员会编：《广东省志·政治纪要》，广东人民出版社 2004 年版，第 273 页。

② 陈鸿宇等：《广东行政机构改革的回顾与前瞻》，《广东经济》1998 年第 12 期。

东省成立省精简机构领导小组以指导各级各部门机构改革工作。同年8月，省政府批准湛江、韶关进行政府机构改革试点，并要求，“试点必须从本市实际出发，以增强企业活力为中心，坚持政企职责分开、转变政府机构职能、加强宏观调节和行业管理、减少行政管理层次和紧缩人员编制的原则，做好制订机构改革的总体方案和分步实施方案”。[①] 与此同时，广东省开始尝试在转变政府职能、缩小行政机构直接管理企业权力上下功夫：一部分原来直接管理企业的“政府部门”不再列入政府序列，依托原下属企业转为行业性的“总公司”、“集团公司”。总体来看，这次改革是在中央推动政治体制改革、深化经济体制改革的大背景下出现的，其历史性的贡献是初步尝试了中央提出的“转变政府职能是机构改革的关键”这一命题。

和前一次改革一样，这次改革仍然是在没有解决好政企关系的大环境下开展的，行政机构仍然固守通过“计划主导”、“政府主导”来弥补“市场缺陷”的思路，干部素质结构没有明显改变，机构和人员编制的自我约束机制也没有充分形成，因此，1990年后，广东的省一级行政机构又增加至106个，行政机关人员急剧膨胀至13662人。[②] 要言之，此次机构改革，不是建立在职能的精简基础之上的，“而是就机构论机构，就精简人员而精简人员。因而机构不断精简，不断反弹；人员不断精简，不断肿胀”[③]，仍然没有走出“精简—膨胀—再精简—再膨胀”的怪圈。

（二）以不断转变政府职能为切入点

1992年党的十四大提出用3年时间完成各级行政管理体制和机构改革的任务。为贯彻落实这一任务，同年，广东省决定以顺德市作为综合改革试点城市，争取在全国和广东省“先行一步”，实

---

① 转引自广东省地方史志编纂委员会编：《广东省志·政治纪要》，广东人民出版社2004年版，第273页。

② 陈鸿宇等：《广东行政机构改革的回顾与前瞻》，《广东经济》1998年第12期。

③ 左然：《八十年代以来的三次机构改革》，《瞭望新闻周刊》1998年第12期。

行政府机构的改革，为全省机构改革探路。顺德市根据“精简、统一、效能”的原则，从建立适应社会主义市场经济新体制的目标出发，大刀阔斧地改革政府机构。仅一年时间，政府机构改革基本完成。通过改革，市属党政部门从56个减少到32个，各部门的内设机构减少了125个，并撤销临时机构100多个。政府机构人员从1200多人，减少至900人。与此同时，全市12个镇（区）机构也相应地进行了改革。[①] 顺德市政府机构改革的成功，对广东省的机构改革起到了积极的推动作用。1995年，广东省级改革方案基本实施完毕。

总起来看，此轮改革主要是按照建立市场经济体制的要求和社会发展的需要，重点是转变政府职能、实现政企分开，理顺上下级关系，因而它在一定时期既符合中央对地方政府机构改革的要求，又切合了广东省的实际情况，取得了较好的成效，主要表现在部门的职能得到较为合理的界定，政府职能有了较大的转变。然而，“这次调整改革毕竟是在计划经济体制向市场经济体制转轨的过程中进行的，带有明显的过渡性质，因此，随着市场经济的进一步发展，政府职能定位、转变的滞后，政府机构设置的不合理现象，很快便暴露出来了。至1997年底，省一级党政工作部门仍有94个，机关工作人员12430人”。[②]

通过前几轮的改革尝试，广东省认识到，机构改革要取得实效，必须在转变政府职能方面迈出实质性的步伐。2000年2月，鉴于当时机构设置与社会主义市场经济发展的矛盾日益突出的现实，中共广东省委、广东省人民政府联合下发《广东省政府机构改革方案》，开始了新一轮的政府机构改革。此次机构改革，旨在解决政府职能中与市场经济体制不相适应的部分，尽快结束专业经济部门直接管理企业的体制，从而成为新中国成立以来广东省规模

① 潘文：《部分省市地方政府机构改革扫描》，《行政人事管理》1999年第7期。
② 陈鸿宇等：《广东行政机构改革的回顾与前瞻》，《广东经济》1998年第12期。

和力度最大的一次机构改革。①

与前一轮改革相比，这轮改革更加突出了必须在转变政府职能的基础上开展机构重组。广东省将省政府确定为转变职能的主体，明确省政府的职能主要是履行区域经济调节和社会管理的职能。在转变职能方面，广东省着力做好四项工作：一是把政府与企业的行政隶属关系转变为资产纽带关系，政府按投入企业的资本享有所有者权益，将企业生产经营权和投资决策权还给企业，实现政企分开；二是逐步改变政府在资源配置中的主导作用，充分发挥市场的基础性作用；三是大力推进政事、政社分开，将一些辅助性、技术性和服务性职能从政府职能中分离出去，转给事业单位和社会中介组织；四是合理划分省、市、县（市）政府的事权，明确各自的权力与责任，做到权责一致。②

在转变政府职能的基础上，广东省对政府机构进行了大幅调整，规定省政府部门原则上对应国务院机构进行调整和设置，重点是加强综合经济和执法监管部门，精简撤并专业经济部门，适当调整社会管理部门和政务部门。比如在综合经济部门的改革上，广东省侧重强化省政府发展计划、经济贸易和财政部门区域经济调节职能，减少具体审批事务；在专业经济管理部门的改革方面，强调其主要职能是根据国家有关行业发展的方针、政策和法规、条例，制定行业规划和行业政策，进行行业管理，引导本行业产品结构调整，维护行业平等竞争秩序，取消对一般产品市场准入的审批权；在执法监管部门的改革方面，突出综合行政执法与市场监管的职能，强调规范市场秩序，消除部门、地区、行业之间的分割和封锁，克服地方保护主义，创造公平、公正、公开的竞争环境；而在社会管理部门和政务部门改革方面，主要是强化社会管理部门和政务部门的规划、协调、监督和服务职能，着重宏观管理和指导。

---

① 郑君：《广东政府机构春节后机关人员精简49.3%》，《南方日报》2000年1月18日。

② 参见《中共广东省委、广东省人民政府关于印发〈广东省人民政府机构改革方案〉的通知》，http://www.gzpi.gov.cn/zcfg/t20050622_9800.htm.

表 4－3　　2000 年改革后广东省人民政府机构设置表[1]

	组成部门（25 个）	直属机构（17 个）
广东省人民政府机构设置	办公厅、发展计划委员会、公安厅、经济贸易委员会、教育厅、审计厅、科学技术厅、国家安全厅、民政厅、民族宗教事务委员会、监察厅、司法厅、财政厅、人事厅、卫生厅、劳动和社会保险厅、国土资源厅、计划生育委员会、建设厅、农业厅、交通厅、信息产业厅、水利厅、对外贸易经济合作厅、文化厅	地方税务局、环境保护局、广播电影电视局、体育局、统计局、物价局、林业局、新闻出版局、海洋与渔业局、工商行政管理局、旅游局、质量技术监督局、药品监督管理局、知识产权局、法制办公室、外事办公室、侨务办公室

这次机构改革取得了明显成效。省政府工作机构精简了22.8%，行政编制由原有的 5931 名减为 3000 名，减少 2931 名，精简了49.4%；厅级领导职数精简15%，处级领导职数精简25%。各地级以上市政府工作部门精简了 22%，县级党政工作部门精简了 19%，乡镇、街道办事机构精简了 30%；全省市县乡镇行政编制精简了 19.44%，共分流人员 7 万多人。[2] 通过这一轮的机构改革，进一步转变了政府职能，减少了行政审批事项，改善了政府管理方式和手段，合理设置了机构，理顺了部门之间的职责关系，大幅精简了人员编制，优化了干部队伍结构，改进了机关作风，有力地推动了全省经济社会的发展。

（三）以适应公共服务型政府的新要求为切入点

为更好地适应社会主义市场经济发展要求，进一步转变政府职能，建设有限型、责任型、服务型政府，广东省于 2003 年启动了新一轮改革。是年 12 月，广东省召开省政府机构改革动员大会，动员、部署省政府机构改革工作。根据《广东省人民政府机构改革方案》，调整后的省政府工作部门为 42 个，其中省政府办公厅和

① 参见《中共广东省委、广东省人民政府关于印发〈广东省人民政府机构改革方案〉的通知，http：//www. gzpi. gov. cn/zcfg/t20050622_ 9800. htm.

② 李太燕：《省府两年精简 2931 人》，《信息时报》2002 年 10 月 9 日。

组成部门23个，直属特设机构1个，直属机构18个。此次政府机构改革涉及职能整合、划转的部门20个左右，重新进行“三定”（定职能、定机构、定编制）的部门有12个。[①] 就内容而言，此次机构改革的重点对象是省发展改革委员会（简称省发改委）、经贸委、外经贸厅。新组建的省发改委由省发展计划委员会改组而来，在一些职能上作了调整，如将省经贸委承担的制定产业规划和产业政策等职能划入省发改委，发改委要负责综合研究拟定经济和社会发展政策、指导经济体制改革工作。因此，发改委将减少行政审批和微观管理事务，认真抓好全省国民经济和社会发展战略、中长期规划的研究制定，加强宏观协调，积极推进投融资体制改革，更好地发挥市场机制对经济的调节作用。

此次改革是在过去改革取得显著成效的基础上的“大稳定、小调整”。因而，改革目标着眼于逐步形成行为规范、运转协调、公正透明、廉洁高效的行政管理体制，改革的重点则是深化国有资产管理体制改革，完善宏观调控体系，健全金融监管体制，继续推进流通体制改革，加强食品安全和安全生产监管体制建设。与过去的历次改革相比，这次的改革体现了与政府职能转变相一致的特点，主要表现在：“将与计划经济相适应的政府管理体制调整为与市场经济相适应的管理体制；改变了政府管理中政治控制的整体架构，即成为主导经济发展的政府机构，按经济时代的要求，强势、合理地调整引导宏观经济结构的能力，将政治事务仅作为私营经济发展的外部条件；微观管理与宏观管理同时着手，即把握整个经济的宏观布局，又进行专业管理，两者相结合”。[②]

民生是市场经济中的一个核心问题，政府在满足民生需求中发挥宏观调控职能是机构改革的重要方向之一，广东对此作出了积极回应，表现出对民生机构的特别关注，如设立食品药品监督管理

---

① 何雪锋：《广东省人民政府进行重大机构改革》，《信息时报》2003年11月26日。

② 任剑涛：《广东机构改革的一般和特殊》，《新快报》2003年11月27日。

局，并将其作为政府的直属机构，以及撤销食盐专卖局等等，这些都显示了政府对直接影响民生、又具垄断性的经济机构的关注。[①]因而，此轮改革的重大历史进步在于抓住了当时社会经济发展阶段的突出问题，很好地实现了机构改革向民生问题倾斜的目标。

作为中国经济较发达的省份之一，广东一直是中国改革开放的先行者、排头兵。自改革开放以来，广东一直比较愿意执行改革先行任务，因而，除省政府机构改革继续深入推行外，广东省各地方政府还尝试了“大部制”、“三分制”等改革（见案例4－1）。

案例4－1　深圳探索“大部制”[②]

2008年全国“两会”期间，全国人大代表、深圳市市长许宗衡说，“大部制改革，深圳早就进行过类似尝试”。他说，深圳建市29年来，共进行过4次行政审批制度改革、7次行政管理体制改革。在行政管理体制方面，尝试将职能相近的机构整合到一起，先后推出了一系列“大管理”模式，这颇类似于此次国务院机构改革方案中的“大部制”。

比如，成立交通局，将海陆空交通管理整合在一处的“大交通”模式；成立贸工局，整合内外贸易及工业的“大工业”模式；成立文化局，统筹文化艺术、新闻出版、广播电视、版权工作的“大文化”模式；组建规划国土局，将规划、土地和房地产市场管理职能融为一体的“大城建”模式；成立城管局，熔城管、市政、园林、绿化爱国卫生及综合执法于一炉的“大城管”模式等等。

以城管系统为例。深圳自1979年建市至1986年前，未设置专职的城市管理机构，仅仅沿用了“建管合一”的传统体制。1986年9月的机构改革中，深圳市成立了城市管理领导小组，随后，又在该领导小组下增设了市政府城市管理办公室作为常设行政机构，同时，将市政公用事业公司和市园林公司等从市政府基建办划归城

① 任剑涛：《广东机构改革的一般和特殊》，《新快报》2003年11月27日。
② 资料来源于《财经》总第207期，2008年3月17日。

管办。

从1986年的机构设置可以看出，当时深圳的“大城管”模式，已非仅仅是维护市容市貌及城市秩序执法，而囊括了市政公用事业、园林绿化、环卫等诸多与市容市貌相关的管理职能。

此后几年，更多与市容市貌相关的管理职能被整合到城管办，下辖绿化处、环卫处、市政处等。2004年5月，在深圳市第7次行政管理体制改革中，城管办改名为城管局，并加挂城市管理行政执法局的牌子。如今的深圳城管局，其设置整合了外省市五个部门的职能：城管综合执法局、环卫局、园林局、市政局、爱国卫生办。

同样典型体现“大部制”雏形的，还有深圳市文化局。1989年，根据深圳市行政管理体制改革的精神，市政府将市委宣传部门下的新闻出版处、广播电视处划拨至市文化局，“大文化”管理架构初成。1992年，文化局加挂新闻出版局及广播电影电视局的牌子；1996年，随着版权工作的重要性提高，市文化局在编制不变的情况下又加挂了版权局的牌子，完成了文化局、新闻出版局、广播电视局及版权局四合一的“大文化”格局。

三、改革干部人事制度

改革开放前，广东省和我国其他地区一样，实行的是苏联式的统一的人事制度，这种制度是与高度集中的计划经济体制和政治体制相适应的，即对全国的人才资源实行计划配置，通过单一层级化结构按级别对干部进行管理。为了更好地打造一个理性化、科学化的现代政府体系，并为现代政府提供强有力的人力资源支持，改变长期以来人事制度存在的管理权限过于集中和领导干部职务“终身制”等弊端，从1983年开始，广东着手对干部人事制度进行全面改革。在20多年的时间里，广东省以改革的精神加速领导班子和干部队伍的建设，大胆尝试干部人事制度改革，建立和健全国家公务员制度，着力探讨干部选举、招考、任免、考核、弹劾、轮换

等制度，创造了一个公开、平等、竞争、择优的用人环境，建立起一套能上能下、能进能出的充满活力的公务员管理机制。

（一）公务员制度的建立与完善

广东省公务员制度确立的过程大致与全国公务员制度的孕育、建立与发展过程同步。早在 1988 年，广东省就成立了推行国家公务员制度领导小组。此后，为落实中央和国务院的有关规定，广东省制定了《广东省建立和推行国家公务员制度实施方案》，提出用 2 年或更多一点的时间，在全省范围内基本上建立起公务员制度，其中深圳市作为全国建立和推行公务员制度的试点单位，于 1993 年正式建立起公务员制度。1994 年 5 月，广东省召开省级机构改革和推行国家公务员制度动员大会，开始了国家公务员制度的实践。[①] 经过全省上下近 5 年的努力，广东在全省范围内基本建立了公务员制度，全省各级政府机关初步形成了公开、平等、竞争、择优的用人环境。

1997 年后，按照党的十五大“深化人事制度改革，引入竞争激励机制，完善公务员制度，建设一支高素质的专业化国家行政管理干部队伍”的要求，广东省在总结前几年公务员制度推行的经验基础上，根据经济体制改革新突破、政治体制改革继续深入和精神文明建设要切实加强的要求，按照“抓住时机，积极推进；先易后难，分步实施”的办法，精心组织，合理安排，使新老制度顺利衔接，新机制正常运行。这一时期，广东省公务员制度改革的成效主要体现在这样几个方面：一是制定出了公务员录用、考核、培训、职务升降、奖励、纪律、辞职、辞退、退休、回避等各个单项法规的实施细则，建立起了较为完整的公务员管理体系。二是各级政府和部门完成了原有机关工作人员向国家公务员过渡的工作。三是基本建立了以省行政学院为主体的公务员培训网络，使公务员

---

① 广东省地方史志编纂委员会编：《广东省志 · 政治纪要》，广东人民出版社 2004 年版，第 280 页。

培训工作走上正轨。①

（二）引入竞争机制，不断深化干部人事制度改革

广东省遵循“公开、平等、竞争、择优”的原则，对干部人事制度改革进行了多方面的改革尝试，突出地表现在打破单一的委任制模式，引入竞争机制，实行选任、考任、聘任等多种任用形式。早在1984年10月，广东省就决定采用公开招考、择优聘用的办法，吸收一批具有高中毕业以上文化程度、年纪较轻的优秀农村基层干部或知识青年为乡镇干部，以充实乡镇机关的干部队伍。同年11月，广东省要求各级企事业单位、县以下人民政府机关和驻粤中央直属企业事业单位吸收新干部，要依照公开招聘、竞争择优的原则，一律试行选聘合同制，并由省人事局统一部署考试、统一命题、统一规定录取标准。1988年，广东又提出党政机关、事业单位等今年从社会上录用（聘用）干部，一律实行公开考试、平等竞争、择优录用的办法。1997年，广东在全国公开选拔7名副厅级领导干部，在全省引起了巨大的反响。到1999年，全省公开选拔的市厅级领导干部53人、县处级领导干部62人、科级领导干部97人。②

进入新世纪，随着改革开放的深入推进，民众的政治诉求不断增强，广东公选干部的范围和力度不断加大，影响力也日益增强。特别是2008年7月31日，广东省公布了省市联合公开选拔100名年轻干部的公告。这次公开选拔百名年轻干部，规模之大，职位之显要，让人对广东省委在干部人事制度改革上的决心和魄力印象深刻。此次公选，不仅是干部人事制度改革中革除积弊、自我完善的一种体现，也是促进广东民主政治环境形成，增强公民政治归属感的一大举措。有媒体这样评论说：“与以往在内部消化人事制度改

① 广东省人民政府：《广东省建立和推行国家公务员制度实施方案》。

② 广东省地方史志编纂委员会编：《广东省志·政治纪要》，广东人民出版社2004年版，第279～280页。

革弊病不同的是，这次公选百名年轻干部，是摆在阳光下、摆在全国民众面前进行的，它给予公民参与、监督人事选拔的权力这样的公选，已经超出普通意义上的干部选拔层面，从而带有一种现代政治文明的气息，在这种民主氛围中公民将真正体验到一种政治生活的归属感。……从此次公选百名年轻干部开始，广东人事制度改革涉入了深水区，我们有理由期待，公选百名干部不仅仅只是为广东争当科学发展排头兵招贤纳才的一时之举，更是厘清人事制度改革思路、促成民主政治氛围形成的一个新的开始。"①

案例 4－2　广东公选副厅"百里挑一"②

14 个副厅职位，846 人参与竞争，其中有的职位报考人数逾百，可谓"百里挑一"。这是今天广东省公开选拔工作情况介绍暨考试动员大会发布的信息。

据了解，这次报名参加副厅职位竞争的 846 人，经资格审查有 793 人符合条件，其中研究生以上学历的 373 人，大学以上学历的 420 人，平均年龄 37.3 岁，年龄最小的 27 岁。14 个职位中，广东省委办公厅副主任和广东省经贸委副主任职位成为热门，报名人数分别为 113 个和 133 个。公开选拔的笔试定于 12 月 24 日进行，考公共科目和专业科目。

据介绍，这 793 名公选报考人员是广东省干部队伍的一大笔财富。通过竞争选出 14 名副厅级领导干部，将是这次公开选拔的最直接成果。广东省委和省委组织部还有更深一层的考虑，一方面经过探索和实践，逐步建立有利于优秀人才特别是优秀年轻干部脱颖而出的用人机制；另一方面是"一考多用"，即通过这次报考，发现、储备和使用一大批人才。

① 《公选百名干部：广东人事改革涉入深水区》，2008 年 8 月 5 日，http：//www.yjzzw. gov. cn/htmlnew. asp？ n＝5710.

② 资料来源于《人民日报·华南新闻》2000 年 12 月 11 日。

（三）改革干部管理体制，增强制度活力

一是适当下放干部管理权限。1984 年以来，广东省按照“管少、管好、管活”的原则，先后两次下放干部管理权限，实行原则上下管一级，除县委书记外，县处级干部分别下放给市、厅管理。权限下放后，省委管理的干部人数比原来减少了 70%。1994 年，取消了省政府各系统协管干部的职能，厅局级干部直接由省委组织部考察和管理，减少了中间环节，提高了工作效率。①

二是积极尝试干部交流。1983 年，广东省开始结合机构改革和领导班子换届开展干部交流工作。从 1983 年至 1990 年，全省市、县两级领导干部共交流 3300 人，其中市级领导干部 120 多人。从 1990 年至 1999 年，县以上干部交流 1298 人，其中市厅级干部 210 人。从 1991 年起，广东省要求按照省确定的对口挂钩扶持的市和县，分别抽调相应的干部，进行对口交流任职。双向交流的干部在挂钩扶持的市和县工作两年，到期轮换。全省实行双向交流的干部到 1995 年共约 400 人，即经济发达地区和山区、新建市各调干部 200 人。1988 年，广东省决定从科研机构、高等院校中选派一批懂技术、会管理、有一定政策水平和组织能力的科技人员到山区县兼任科技副县长，1990 年，广东省又决定抽调一批中青年干部到重点老区乡镇挂职，这些中青年干部先后到 44 个山区县，100 多个老区乡镇任科技副县（区）长和科技副乡长。②

三是完善干部考核评价工作。干部考核评价办法就像一根“指挥棒”，有什么样的干部考核评价办法，就催生什么样的干部队伍。早在 1983 年，广东省开始部署在全省建立国家行政机关工作人员岗位责任制工作，其具体做法是科学制定岗位目标责任，设置科学的考核指标，设立不同等级的考核结果，并将考核结果与干

---

① 广东省地方史志编纂委员会编：《广东省志·政治纪要》，广东人民出版社 2004 年版，第 280 页。

② 广东省地方史志编纂委员会编：《广东省志·政治纪要》，广东人民出版社 2004 年版，第 282 页。

部使用相结合。到1998年，这种制度在全省范围内已形成一种经常性的制度。[①] 2008年6月，广东省发布新的落实科学发展观的评价指标体系和干部政绩考核办法，并决定向全社会公开征求意见。在这一新的考评方法中，首次区分出了经济发展、社会发展、人民生活和生态环境4个指标组。在4个指标组中，最引人注目的是新增设的“人民生活”指标体系。这个指标体系包括老百姓关心的城镇失业率、城乡居民人均收入发展速度与人均GDP发展速度之比、基本社会保险覆盖率、城乡居民收入比等。而在社会发展和生态环境指标体系中，也分别引入社会安全指数、每万人口医师数、每万人公交车辆拥有量、城市人均公园绿地面积、耕地保有量等人性指标。[②] 就其意义而言，这一新的干部考评办法为广东争当科学发展排头兵进一步提供了坚强的组织保证。

小　结

通过近30年的不间断努力，广东省各级政府逐渐向一个行为规范、运转协调、公正透明、廉洁高效的政府不断迈进，为全省经济社会的可持续发展营造了良好的政务环境。

总体来看，广东省重构理性化的政府体系的特色体现在如下几个方面：一是始终适应同期的经济与社会发展而不断推进政区体制改革，如行政区划调整主要出于经济考虑和适应政府主导型城市化的需要，紧密而直接地为政府的中心工作服务，因而，适应同期的经济与社会发展，成为广东省行政区划调整与变革的内在动因。二是始终立足于广东地方的发展实情。广东之所以成为改革开放的先行者与排头兵，与广东独特的区位优势、文化生态是密不可分的。如广东行政区划调整的最初动因，就是为了借助广东临近港澳地区

① 广东省地方史志编纂委员会编：《广东省志·政治纪要》，广东人民出版社2004年版，第281页。

② 邓圩：《广东干部政绩考核要用新“指挥棒”》，2008年6月3日，http://politics.people.com.cn/GB/14562/7332084.html.

的独特地理环境。而广东改革开放的启动，则是广东人敢于突破“文化大革命”思想禁区的“敢为人先”的文化习性与气质的必然结果。三是始终以制度建设为重点。如行政架构的重组主要围绕如何建设行为规范、运转协调、公正透明、廉洁高效的行政管理体制而展开，其方向是要建立一个和政治体制和经济体制相适应的、具有地方特色的、符合现代化管理要求的地方政府机构体系。

30 年来，广东努力重构政府体系的成就是有目共睹的：首先，区划调整对全省经济、社会和政治文明的发展和进步，对城市化进程的推进，都起到了明显的促进作用；其次，广东省为了建立一个和政治体制和经济体制相适应的、具有地方特色的、符合现代化管理要求的地方政府机构体系而不断调整政府部门组织架构；再次，为了给现代政府提供强有力的人力资源支持，改变长期以来人事制度存在的管理权限过于集中和领导干部职务“终身制”等弊端，从 1983 年开始，广东省开始不断地推进高素质的专业化行政管理队伍的建设；最后，广东省不断推进规范化、科学化的行政运行机制的建设，从而为更加现代化、理性化的行政体系提供了良好的制度保障。

第五章
走向有限政府

引　言

改革开放初期，政府体系经历了一个理性化的重构过程，即从革命委员会转变为人民政府。革命委员会是一个全能政府，在阶级斗争扩大化的背景下，它将1949年新中国成立后形成的政府高度集权的全能主义特征推向极致。在广东，从1968年2月21日成立开始，广东省革委会行使全省党、政、财、文等一切权力长达11年之久。在政府体系理性化的同时，从全能政府走向有限政府，也是改革开放30年以来广东政府范式转变的集中体现。

全能政府是指在全能主义价值原则的指导下对政府权力进行的配置，力图构造出一种大一统的国家—社会关系。对于全能政府的特征，学者朱最新作了如下的归纳：全能政府的权限特征是权力至广，主体特征是主体至泛，价值特征是国家至尊，行为特征是政策至上。[①] 全能政府的弊端在于“耕了别人的田，荒了自己的地”，管了许多不该管、管不好、管不了的事情。与之相对，有限政府则是指这样一种政府范式，即政府的权力是有边界的，政府受到法律特别是宪法的制约和限制。有限政府不仅要求政府权力做到不能越位、缺位，更要求做到权力到位。

---

① 朱最新：《论全能政府的法律特征》，《求实》2005年第8期。

新中国成立之初，新生的人民政权建立了一个中央高度集权的全能政府，形成了高度统一的国家—社会关系，这是由当时的历史处境决定的。在当时，这种全能主义式的行政管理体制客观上发挥了积极的作用，取得了巨大的历史成就：一方面，有利于克服新中国成立之初危急的国际局势，另一方面，有利于集中一切人、财、物资源办大事，尽快恢复国民经济。然而，不幸的是，全能政府由于不受任何限制，经常会出现失控的情形，给社会带来巨大的破坏和倒退。

改革开放和建立社会主义市场经济体制为中国从全能政府走向有限政府提供了历史契机。1978 年，中共十一届三中全会召开，中共中央纠正了“以阶级斗争为纲”的错误方针，把党和国家的工作重心转移到经济建设上来，确立了“以经济建设为中心，坚持四项基本原则，坚持改革开放”的社会主义初级阶段基本路线。中央还给予广东特殊政策和灵活措施，允许广东建立经济特区。1992 年，邓小平发表了视察南方谈话，中国开始从计划经济转向市场经济。同年，中共十四大确立了建立社会主义市场经济体制的目标，到 2000 年，我国社会主义市场经济体制初步建立。

历史已经雄辩地证明，市场经济呼唤权力受到限制的有限政府，有限政府是市场经济发展合乎逻辑的结果。有限政府是有效政府、公共服务型政府等的前提和条件。聚焦于广东改革开放 30 年的历程，立足于政府权力如何划定边界、如何受制于律法等问题，本书分析广东政府从全能政府走向有限政府的历史线索主要包括四个方面的内容：

第一，省政府与市县分权。正如邓小平所言，权力下放不只是针对中央与地方关系而言，地方各级也有一个权力下放的问题。在广东改革开放的历史进程中，几乎与中央对广东放权同步，广东省政府也开始了放权于市县的进程。广东放权于市县，有利于调动各地方发展经济的积极性，促进生产力的发展，也有利于各级政府“瘦身”，增强宏观调控的能力。广东放权于市县的工作主要通过三种方式来完成：首先，下放财政权。通过众多因地制宜的财政政策

极大地促进了地方经济发展。其次，下放审批事权。通过削减或下放政府行政审批权力，增强了各级政府的宏观管理能力，也提高了市场的资源配置效率。最后，综合性放权试点，上级政府通过把某个地方确认为试点改革单位的方式，来扩大该地方政府的行政权力。

第二，政府还权于企业。为使国有企业成为市场经济的主体，政府积极推动国有企业改革，放开搞活整个国有经济。对于广东国有企业改革而言，改革的过程就是政府还权于企业的过程，这一过程可以用“两个层面”与“四个阶段”来概括。“两个层面”即：首先，政府把属于企业的权力还给了企业；其次，政府采取了各种改革措施推动企业自身壮大。而这两个层面则是通过“四个阶段”的改革措施来实现的，即：一是扩大企业自主权；二是落实企业经营权；三是推进制度化，让企业在制度中独立；四是深化企业内部治理结构。透过对改革开放 30 年来国有企业改革的宏观考察，我们可以归纳出广东推动国有企业改革的主体思路。

第三，政府与社会分权。为了适应社会主义市场经济体制的建立和发展，政府需要进一步转变职能，理顺政府与社会的关系，从政府包办社会向政府与社会分权转化。广东改革开放 30 年来，社会空间的扩大，社会力量的增强体现在两个方面：一方面是事业单位改革；另一方面则是民间组织的成长与发展。其中，后者将是本书着重论述的部分，就此而言，我们可以通过考察广东公益民间组织和互益民间组织的发展概况，来勾画出广东民间组织发展的画面轮廓。

第四，政府受制于法律[①]。一方面，广东按照法治政府的要求，建设有限政府首先要做到依法治权，尊重宪法权威，从立法、执法、司法等各个环节来限制和约束政府权力；另一方面，广东在放权于市县、还权于企业、分权于社会的历史进程中，都做到依法推进，用各项法规引导、规范、促进和保障着各领域的改革，为改革的顺利进行和经济社会的健康发展提供了良好的法治环境。

① 此处需从广义上去理解法律。

一、放权于市县

从1949年到1978年，为解决中央高度集权的计划经济体制所带来的弊端，调动地方政府的积极性和主动性，中央曾向地方两次放权。1978年开始的改革开放，拉开了中央向地方第三次放权的序幕。邓小平多次强调权力下放的必要性，1986年9月13日他在听取中央财经领导小组汇报时说："改革的内容，首先是党政要分开，解决党如何善于领导的问题。这是关键，要放在第一位。第二个内容是权力要下放，解决中央和地方的关系，同时地方各级也都有一个权力下放问题。第三个内容是精简机构，这和权力下放有关。"① 自改革开放始，伴随着中央向广东放权，广东向各市县放权的进程也在稳步推进。80年代的放权改革——对下更加放权是广东突破传统的计划经济体制迈向社会主义市场经济的前提，是"对外更加开放、对内更加放宽"的先决条件。从这种意义上说，"广东奇迹"很重要的一条基本经验就是——放权。对此，曾任东莞市委书记、市长的李近维有一番精彩的话，他说，"过分集中权力，结果是高度集中矛盾；过分集中财力，结果是高度集中困难"，大胆放权，赢得了长期繁荣和持续高速发展，真可谓"一放解千愁，一放得万福"。② 在1981年4月20日至5月4日，广东省委召开学习讨论会，要求解放思想使广东更加坚定地迈出改革开放的步伐。广东省委、省政府认真分析旧的经济体制集中过多、统得过死的弊端，大胆进行经济管理体制改革，实行层层松绑放权，将不该集中的办事权力逐级下放，即省对地市放权，地市对县、县对乡镇放权，扩大地方管理权限，给基层以更大更多的权力，从而充

---

① 《邓小平文选》第3卷，人民出版社1993年版，第177页。

② 林洪：《珠江三角洲"经济奇迹"的理论思考》，广东人民出版社1995年版，第9页。

分调动基层干部的办事积极性，使基层充满生机与活力。①

改革开放30年，是广东放权于市县的30年。广东向各市县放权主要是通过以下三种方式来实现的：一是下放财政权；二是下放审批事权；三是综合性放权试点。

（一）下放财政权

改革开放30年来，广东取得了巨大的经济成就，出现了广东“四小虎”，珠江三角洲地区基本实现了工业化，县域经济实力不断壮大，广州、深圳、佛山、东莞先后进入“3000亿俱乐部”。这些成绩的获得，其中最重要的一个原因就是广东向县市下放财政权，提高了县市努力发展经济的动力。

广东省政府改革地方各级财政体制，下放财政权是按照试点先行、稳步推进、因地制宜的原则进行的。1979年，中央确定从1980年起对广东实行“划分收支，定额上交，五年不变”的财政大包干体制。据此，1980年5月5日，广东省政府印发了《关于财政体制试行收支挂钩增收分成实施办法》，该办法要求各地有计划地进行财政体制改革，对市、县普遍实行“定收定支，收支挂钩，增收分成，结余留用，两年不变”的办法，根据各地不同情况，确定不同的增收比例，对海南区和广州市根据具体情况，另行适当规定。同年8月1日，省政府决定，广州市在省内首先试行“划分收支，分级包干”的财政体制。按照收支范围的划分原则，确定广州市工商税收入全部上缴数，固定收入留给广州市82%，上缴省18%，固定收入分成从1980年开始一定两年不变。1981年2月，省政府决定从1981年起，全省（广州、深圳、珠海、海南、自治州、自治县除外）实行“划分收支，分级包干”的新的财政管理体制。财政收支包干比例或定额补贴数，一定5年不变。对深圳、珠海市实行“收入留用”的体制，对广州市实行“一边挂”

① 卢荻、杨建、陈宪宇：《广东改革开放发展史（1978.12—2000）》，中共党史出版社2001年版，第37页。

的包干办法。1985年1月广东省政府决定对各市、地、县全面实行“划分税种，核定收支，分级包干，一定五年”的新的财政管理体制。省政府根据各地不同的经济基础和财政状况，采取区别对待，分级包干的办法：广州市实行“核定基数，增收分成”的体制，超过基数的增收部分，上交省财政40%，市留成60%；对佛山、江门、韶关、湛江、茂名等5个收大于支的市，实行“递增包干”的体制，除湛江上缴递增比例为6%外，其余4市为7%；汕头、肇庆、惠阳、梅县和海南行政区实行定额补贴的办法；深圳、珠海市和汕头经济特区继续实行全部留用的办法；对广州市和湛江市经济技术开发区，增收部分免于上交，全部留下作为开发投资；对海南黎族苗族自治州和粤北3个自治县，实行定额补贴每年递增10%的办法等。财政分级包干的办法扩大了各级政府的自主权，调动了各级财政当家理财的积极性，增强了改革的经济承受力，促进了生产力的发展。①

进入90年代，广东省政府向县市下放财政权随着分税制的实施而有所调整。1996年广东省政府决定实行分税分成财政管理体制。这一政策的出台，是广东深化和完善财政体制改革的重大措施。与之相配套，广东于1996年实施了省对市、县的过渡期转移支付制度，实现了由包干制到分税制的平稳过渡。1997年，分税分成财政分配新体制进一步完善，形成省与市县各级财政收入同步增长的新分配体制，实现了由分税包干制到完全分税制的过渡，也规范了省与市县财政的分配关系，调动了各地的积极性，保证了财政收入的增长。②

进入新世纪，广东为了率先实现社会主义现代化，增创体制新优势，在分税制的基本框架下，仍然推陈出新，通过各种方式向市县政府下放财政权力，以便进一步激励地方政府发展经济的能动

---

① 中共广东省委党史研究室编：《中国共产党广东历史大事记（1949.10—2004.9）》，广东人民出版社2005年版，第426~427页。

② 卢荻、杨建、陈宪宇：《广东改革开放发展史（1978.12—2000）》，中共党史出版社2001年版，第329页。

性。2004年，广东省出台了被誉为“强县新政”的激励型财政政策，按照《促进县域经济财政性措施意见》的指导思想和具体措施，鼓励各县市大力发展第二产业，大力发展有利于培植财源的项目，加速发展。这种政策设计不仅有利于推动县域经济发展和壮大，实现财政经济的良性循环，长远来看更有利于激发县域经济的后发优势，解决地区间发展不平衡的矛盾。这项激励型财政政策极大地调动起地方积极性，当年出台，当年见效。作为县域财政收入主要部分的共享“四税”呈现梯级递进增长势头，起步晚的贫困县增幅尤大。1—10月，全省县域的共享“四税”平均增长21.98%，山区县增长26.75%，扶贫开发重点县增长35.48%。山区及东西两翼各出奇招，拉开了一场你追我赶的经济增长大竞赛，促进了经济全面快速增长，有效地推进了全省城镇化进程。①

（二）下放审批事权

在全能政府体制下，行政审批是政府管理社会经济的基本手段，有人戏称，计划经济就是审批经济。传统的行政审批制度存在着诸多弊端，如行政审批事项过多，审批范围过广；越权审批，不能依法行政；行政审批事项的内容和条件缺乏严格、明确的规范；行政审批环节多、时间长、效率低；行政审批部门普遍存在重审批、轻监管现象等。② 传统的行政审批制度是计划经济背景下管理经济的一种行政手段，政府的“管家”心态让市场失去了活力，资源不能得到有效的配置，它越来越不适应社会主义市场经济的发展。要发展社会主义市场经济，就必须按市场经济规律办事，减少政府过多的、过分的行政干预，进行政府规制改革，发挥市场机制的作用，更多地利用经济手段和法律手段来调节市场运行，提高市场配置资源的效率，减少市场失灵。因而，在广东推进改革开放的

---

① 《县域经济“短板”加长，山区县工业增幅超珠三角》，《南方日报》2004年12月16日。

② 张思平：《体制转轨：广东90年代的改革》，广东人民出版社2003年版，第123～124页。

历史进程中，改革不适应社会主义市场经济体制发展的传统的行政审批制度就势在必行。从全国来看，广东省是较早进行行政审批制度改革的省份，其中，深圳从1997年开始，率先对政府审批制度进行了改革，制定了《深圳市政府行政审批制度改革实施方案》。深圳的行政审批制度改革，促进了广东乃至全国其他省市的相关改革。

广东行政审批制度改革的基本思路，是按照建立社会主义市场经济体制的要求，充分发挥市场在资源配置中的基础性作用，理顺政府与市场、政府与企业、政府与社会的关系，促使政府职能的转变，推动政府部门依法行政，提高政府行政效率。[①] 在实践中，按照上述思路推进的广东行政审批制度改革的一个重要工作，就是理顺上下级政府之间的审批事权，可以由下一级政府审批的事项，原则上予以下放，增强上一级政府的宏观调控职能。

其实，在广东于1997年开始推动三轮行政审批制度改革之前，在从计划经济体制向社会主义市场经济体制转型的过程中，广东早已经开始了下放审批事权的实践，这些下放的审批事权给市县政府带来了很大的权力，刺激了他们招商引资、发展经济的积极性。1979年9月25日，刘田夫在广州珠岛宾馆主持召开省经济工作小组第一次办公会议。会议专门讨论深圳市和珠海市的经济建设问题，决定适当下放对外经济活动的若干权限，两市有权审批100万美元的来料加工装配项目。[②] 1982年根据中央给予的政策，凡是建设和生产资料不需要省安排，产品不需要国家和省包销，出口不涉及配额，能自己偿还的“三资”、“三来一补”项目，按不同地区下放审批权，并规定限额：广州市为500万美元，海南行政区300万美元，各地、市和省直厅局为150万美元，县和县级市为50万美元。1984年全国沿海开放城市座谈会后，广州市审批权限提高

① 张思平：《体制转轨：广东90年代的改革》，广东人民出版社2003年版，第125页。

② 参见刘田夫：《刘田夫回忆录》，中共党史出版社1995年版，第450～452页。

到1000万美元，其余地市、厅局为500万美元以下，县为150万美元以下。“三来一补”企业则由各地自行审批。凡是主要依靠外资、自筹和进口器材建设，不需要省综合平衡、我方承担的资金、外汇能自求平衡的非生产性项目，开放城市不论投资多少，均由各市自行审批，其中50万美元以上的项目报省备案。利用外资项目的银行贷款审批权限，国家统配物资的管理和物价管理权限，也适当放宽。[①] 1992年3月，广东省委、省政府就进一步扩大开放的若干问题作出数项重大决定，其中之一是要进一步简政放权，扩大市、县审批利用外资项目的权限。

1993年11月，中共十四届三中全会通过了《关于建立社会主义市场经济体制若干问题的决定》，以此为契机，在党中央、国务院的领导下，广东开始了大规模、有计划、分步骤实施的三轮行政审批制度改革。改革取得了巨大的成绩，广东省各级政府不断“瘦身”，上下级政府间的权力关系更加明确，政府权力进一步受到法律的约束和规范。1999年下半年，根据“三讲”教育整改要求，广东省政府开展了第一轮行政审批制度改革。经过改革，省人民政府部门原有审批核准事项1972项，改革后减少了767项，减幅达39%，其中原有审批事项1392项，改革后减少了876项（部分改为核准制），减幅达63%；[②] 2001年10月，为了进一步转变政府职能，适应我国加入WTO的需要，广东省政府决定在总结第一轮经验的基础上，开始第二轮行政审批制度改革。在这轮改革中，经过清理审查，省政府决定保留现有行政审批事项中的1102项，占64.6%；取消或调整603项，占35.4%，其中取消318项，下放市、县级管理132项，转移54项，不列为行政审批事项、转为

① 卢荻、杨建、陈宪宇：《广东改革开放发展史（1978.12—2000）》，中共党史出版社2001年版，第64页。

② 张思平：《体制转轨：广东90年代的改革》，广东人民出版社2003年版，第126页。

正常管理99项。[①] 在取消一大批行政审批事项的同时，省政府把许多省级管理权限下放，达到简政放权的目的。如2001年，省政府向广州市下放了41项管理权限，部分下放了3项；2002年，省政府向深圳市下放了67项管理权限，部分下放了5项。[②] 2004年，广东省又根据即将实施的《中华人民共和国行政许可法》和国务院的相关要求，在前几年开展两轮行政审批制度改革、共取消和调整1404项行政审批事项的基础上，在全省开展第三轮行政审批制度改革。本次清理和审核的行政审批事项共254项，涉及省直单位43个。其中，对依据地方法规、省政府规章和省政府及其工作部门规范性文件设定的201项行政审批事项，保留行政许可58项，取消26项，委托下放14项，转移到其他部门10项，列为非行政许可事项，按一般业务管理93项；对依据国家法律、行政法规、国务院部门规章及规范性文件设定的53项行政审批事项，根据国务院的决定取消38项，移交给相应的行业组织或中介机构15项。[③]

在广东省内，深圳市的行政审批制度改革是开始较早，成效最大的。其他市县也在省政府的指导下，稳步推进行政审批制度改革，逐级下放行政权力。如2003年4月初，佛山市在之前向各区放权的基础上，佛山市再次向各区下放权限，此次放权的市政府职能部门共有19个，包括市外经贸局、交通局、国土局、人事局、国税局等，下放的权限共67项，其中审批标准事项44项、初审及日常管理事项23项。另外省直属有关部门向该市各区下放的行政管理事项13项，总共下放行政管理事项达80项。[④]

---

① 段功伟：《广东行政审批制度改革有成果，精简幅度达35.4%》，《南方日报》2003年5月27日。

② 段功伟：《广东：构建现代法治政府，扩大市县管理权限》，《南方日报》2004年11月3日。

③ 《广东省开展第三轮行政审批制度改革》，2004年7月5日，http://www.mos.gov.cn/Template/article/display0.jsp?mid=20040705004083.

④ 黄大勇：《广东佛山再向各区放权67项》，《信息时报》2003年4月3日。

（三）综合性放权试点

广东向市县放权，除去上述的下放财政权、下放审批事权之外，广东省政府还下放了许多其他的权力。这些权力的下放方式称为“综合性放权试点”，它具有试点、探路的性质。为了实现某一项目标，广东省政府一般会确定一个或几个市县先试点，总结经验，然后再普及推广，而往往确定试点的政策就意味着给相关市县更大、更多的综合性权力。如 1992 年 3 月，省委、省政府就进一步扩大开放的若干问题作出了决定，把惠州大亚湾、珠海西区和横琴岛、广州的南沙作为我省 90 年代进一步扩大开放的重点区域，要认真规划，打好基础，加快开放建设。① 1994 年，广东在全省范围内选定增城、顺德、罗定、英德和信宜作为全省的 5 个县级综合改革试点单位。1999 年 7 月，省委、省政府批转《关于确定顺德市为率先基本实现现代化试点市的意见》，确定顺德市为试点市，为全省基本实现现代化提供示范和经验。为保证试点工作的顺利进行，省委、省政府制定了一系列措施，赋予顺德市更大的改革试验权，允许顺德市根据“三个有利于”标准，从率先基本实现现代化的需要和本市实际出发，大胆进行体制创新的探索和试验，加快社会主义市场经济体制的建立和完善。省委要求各级党委、政府和有关部门要多关心、支持、帮助、指导，不争论不干涉。在维持顺德市目前县级建制不变的前提下，除党委、纪检、监察、法院、检察院等系统和国家垂直管理部门仍维持现行管理权限由佛山市代管外，其他所有的经济、社会、文化等方面的事务，赋予顺德市行使地级市的管理权限，并直接对省负责，以此吹响了率先基本实现现代化的号角。② 2006 年，根据党中央、国务院的指示精神，广东选取增城市、蕉岭县、徐闻县、清新县、饶平县和东莞市长安镇作为

---

① 中共广东省委、省政府：《关于扩大开放的若干问题的决定》，1992 年 3 月 12 日。

② 卢荻、杨建、陈宪宇：《广东改革开放发展史（1978.12—2000）》，中共党史出版社 2001 年版，第 362 页。

试点，展开以乡镇机构、农村义务教育和县镇财政管理体制改革为主要内容的新一轮农村综合改革。①

进入新世纪，全国上下掀起了一股强县扩权的热潮，许多省级政府进一步把权力下放给市县，广东也不例外。2005年6月23日，广东省政府公布了《广东省第一批扩大县级政府管理权限事项目录》，把综合性放权推向了一个新的高峰，按照责权统一、运转协调和“能放都放”的原则，赋予县市更大的自主权和决策权，把所有省已下放给地级市的审批权，除法律、法规、规章另有规定的以外，一律下放到县级市。第一批扩大的县级政府管理权限主要涉及市场准入、企业投资、外商投资、资金分配和管理、税收优惠、认定个人的技术资格及部分社会管理等方面的内容，共214项。②

综上所述，广东放权于市县，实质上是为了理顺广东省政府与市县政府之间的权力关系，清楚划分它们之间的权力边界。通过下放财政权、下放审批事权及综合性放权试点三种方式，广东省政府不仅减少了对市县经济活动的直接干预，增强了自身的宏观调控能力，更重要的是在下放权力的过程中，广东省的各级政府也开始划分、限定自己的权限，从而为趋向有限政府迈出了重要的一步。

二、还权于企业

在改革开放30年间，政府与企业的关系悄然发生了改变。在全能政府体制下，政府全面控制着企业，政企不分，企业组织行政化。企业不但按照国家的计划生产和销售产品，而且企业分属于不同的行政级别，企业的领导人也由政府任命。不同行政级别的企业享有不同的经营管理权，相互之间不平等，也不构成竞争。它们不以营利为目的，而是以完成经济计划任务为己任。中共十一届三中

① 赖伟行：《广东省展开农村综合改革工作，明确乡镇政府职责》，《人民日报》2006年9月14日。

② 《广东放权214项至地级市，加快县域发展出实招》，2005年6月24日，http://www.ce.cn/main/tese/xyjj/200506/24/t20050624_4063957.shtml.

全会之后，随着经济体制由计划经济体制向社会主义市场经济体制转变，企业的经营管理机制也处在不断变迁之中，企业慢慢具有了市场经济细胞的特质。在社会主义市场经济体制下，政企逐步分开，政府从市场领域中退了出来，不直接参与经济运营，而是通过法律、经济、行政等手段从宏观上调控经济运行。这一变化过程反映了全能政府逐渐走向有限政府的趋势，也反映了实现政企分开是企业改革的根本目标。政府专注于提供社会公共服务，从事社会公共管理，为市场经济提供良好的法治环境，而企业则逐渐获得自主权，独立自主地根据市场供求关系提供产品的生产和服务。

改革开放 30 年，是广东还权于企业的 30 年。政府还权于企业的过程，实质上也是政府还权于市场的过程。着眼于建立和完善社会主义市场经济体制，实现社会主义现代化，广东从一开始就在积极探索国有企业改革。对于广东国有企业改革而言，政府还权于企业的过程，可以用“两个层面”与“四个阶段”来概括。“两个层面”即：首先，政府把属于企业的权力还给了企业；其次，政府采取了各种改革措施推动企业自身壮大。通过这两个层面的改革，就如同一个成长中的孩子，广东国有企业逐步实现了自立自强。

而这两个层面则是通过下面“四个阶段”的改革措施来实现的：

第一个阶段从 1978 年到 1984 年。这一阶段广东国有企业改革的主要思路，是扩大企业自主权，努力实现政企分开。在这个阶段，广东创造了蜚声全国的“清远经验”，提出了“一个下放，两个结合”[①] 的方针，完成了两步利改税改革。

第二个阶段从 1984 年到 1992 年。此阶段广东国有企业改革的主要特征是实行所有权与经营权适当分离的原则，通过各种盈亏包干责任制来活跃经营权，使国有企业成为相对独立的经济实体，成为自主经营、自负盈亏的社会主义商品生产者和经营者。

① “一个下放”即下放权力，把相当一部分经济决定权下放给企业；“两个结合”即把计划调节与市场调节相结合，把经济手段和行政干预相结合。

第三个阶段从1992年到2002年。这一阶段广东国有企业改革的主要特征则是推动以建立现代企业制度为主体内容的综合性改革。在这个阶段，广东国有企业改革的重点是在产权制度改革上做文章，在积极推进国有企业建立现代企业制度的同时，还开展了其他各项配套改革，如继续扩大企业自主权，积极实施“抓大放小”战略与“三个一批”战略，以及深化国有企业领导体制改革等等。

第四个阶段则从2002年至今。这一阶段广东国有企业改革的主要方向，是以建立国有资产出资人制度为突破口，以实行规范的公司制改革、完善法人治理结构为重点，大力推进体制、技术和管理创新。① 在此阶段，广东不仅成立了广东省国资委，而且出台了指引广东国有企业改革未来方向的“28条”。

审视广东还权于企业，推进国有企业改革的30年历程，宏观把握其“两个层面”与“四个阶段”的改革特色和重点，我们可以尝试归纳出广东国有企业改革的主体思路：政企分开是广东还权于企业的根本目标，扩大企业自主权是主线，“包”字诀是重要形式，建立现代企业制度是主要形式，国有企业改革与国有资产管理体制改革相结合是未来方向。

（一）根本目标：政企分开

政企不分阻碍了国有企业的改革，妨碍了企业的自主经营，抑制了企业的活力，制约了经济的发展。“在蛇口工业区初创阶段，工业区的管委会既管企业，也管社会事业，还管社会团体，基本上是政企不分的组织领导体制。但政企不分最终会把一切社会矛盾都集中到企业，从而妨碍企业的进一步发展，因此，在适当时候要改变政企不分的组织领导体制，把社会事业机构和社会团体从企业组织领导体制中分离出去。”② 政企分开就是要做到改革政府机构，

① 唐莉娜：《广东国企利润7年增4.4倍，新一轮改革与发展启动》，2005年8月30日，http://www.southcn.com/news/gdnews/gdzw/zxbd/200508300695.htm.

② 张炳光主编：《对外开放区经济》，福建人民出版社1988年版，第194页。

使党政机关与所办经济实体和管理的直属企业脱钩，政府不得直接兴办和管理企业；要裁撤工业经济部门和行政性公司；要取消企业行政级别；要理顺政府与企业关系，政府不再直接参与企业的生产经营，从对企业的微观管理转向对社会经济活动的宏观管理，使企业成为自主经营、自负盈亏的市场竞争主体等。

在广东国有企业改革实践中，政企分开是广东还权于企业的根本目标。在80年代，广东就通过多种改革措施努力促进政企分开。从1981年8月起，广东对深圳市委、市政府机构进行了改革，其中最重要的改革措施之一是撤销企业上面的行政管理机关（如工业局、交通局、商业局、水产局等），加强经济管理机构（如财政、税务、工商、质量检查技术鉴定等），减少对企业的行政干预，加强经济监督，用经济手段管理经济。[①] 1981年8月13日至19日，国务院总理赵紫阳到广东视察时作了四点指示，其中重点强调"官"、商要分开，"官"是官，"商"是商，也就是政企要分开。特区的一切企业，都要独立经营，照章纳税。对于企业内部的事务，政府不要去管，政府应该管立法、监督、检查以及城市管理、治安、教育、卫生等等。[②] 为理顺国家与企业间的分配关系，做到政企分开，从1983年6月起，在总结试点经验的基础上，省政府决定对国营企业实行第一步利改税改革，到1984年第四季度，广东开始对国营企业实行利改税的第二步改革。利改税改革完成后，国家与企业分配关系更加规范化，增强了企业活力，涌现了一批像广州绢麻纺织厂等经济效益好的企业。80年代中期，广东又开始试点推广厂长（经理）任期目标责任制，确立经营者在企业中的中心地位，努力解决企业中党政不分，以党代政的问题。到80年代末期，广东推行所有权与经营权适当分离的原则，在政企分开上前进了一大步。

① 刘波：《组织人事制度改革势在必行》（1984年5月），中共深圳市委办公厅编：《深圳特区发展的道路》，光明日报出版社1984年版，第133页。

② 中共广东省委党史研究室编：《中国共产党广东历史大事记（1949.10—2004.9）》，广东人民出版社2005年版，第328页。

进入90年代，政企分开业已成为现代企业制度中的一个重要内容而继续推进，现代企业制度要求做到“产权清晰、权责明确、政企分开、管理科学”。与此同时，1992年，广东出台《广东省贯彻〈全民所有制工业企业转换经营机制条例〉实施办法》，提出企业不再套用行政级别。1999年，广东省人民政府出台《关于深化国有企业领导人员管理体制改革的实施办法》，提出按产权关系，确定企业领导人员管理体制，将企业领导人员与现行行政干部管理体制相分离，企业领导人员的待遇与原行政级别脱钩。到新世纪，广东从履行出资人职责出发，十分重视建立健全国有资产监管体系。这些改革措施把政企分开推向了一个新的高度。

（二）主线：扩大企业自主权

广东扩大企业自主权的改革经历了一个试点、逐步展开的过程，政府给企业的自主权越来越大。扩大企业的自主权，通俗的说法，是松开捆绑企业的“绳子”，给企业一个“笼子”，让企业有飞翔之地。[①] 扩大企业自主权是广东深化国有企业改革的主线，贯穿于整个国有企业改革的历程之中。

扩大企业自主权的首次探索始于清远。早在1978年，“清远经验”，即企业实行超计划利润提成奖，就揭示了通过多种形式扩大企业自主权的重要性。为了搞好国营企业，推广“清远经验”，1979年8月11日至23日，广东省委、省革委会在广州召开全省交通增产节约工作会议，会议决定在全省工业交通企业中，选择100家企业作为第一批进行扩大企业自主权的试点，广东先在广州、佛山等地选择广州绢麻纺织厂等10家企业，进行扩大企业自主权试点。

在80年代初，为贯彻任仲夷提出的“一个下放，两个结合”的改革方针，进一步扩大企业自主权，1984年8月21日，省政府

---

① 《坚持“特事特办，新事新办”，搞好特区的改革》（1983年3月），中共深圳市委办公厅编：《深圳特区发展的道路》，光明日报出版社1984年版，第47~48页。

发出《贯彻国务院〈关于进一步扩大国营工业企业自主权的暂行规定〉的意见》，决定在10个方面进一步扩大国营工业企业的自主权，其基本内容是：把经营自主权还给企业；扩大企业留利比例；实行厂长、经理负责制，民主选举厂长、经理；允许企业用集资方式筹集资金；改革劳动用工体制；企业奖金在征收奖金税的条件下，实行上不封顶、下不保底；改革工资奖金分配制度；推行多种形式的承包经营责任制等。① 同年12月，广东省在总结推广10家扩权企业试点经验的基础上，研究选择广东玻璃厂等70家企业，按照国务院关于扩大企业自主权的"十条"规定以及政企分开，所有权和经营权分开的原则，仿效广州自行车工业公司等10家扩大企业自主权试点单位的办法去进行扩权，赋予这些试点企业在生产计划、产品购销、产品价格、资金使用、劳动工资管理、机构设置、干部任免、固定资产处理、技术改造和引进项目审批以及对外贸易等方面的自主性权力。②

进入90年代，广东继续扩大企业自主权。1992年11月上旬，省政府在广州召开全省转换企业经营机制工作会议。这次会议后，省政府制定了《贯彻〈全民所有制工业企业转换经营机制条例〉实施办法》。该《办法》共32条，赋予全民所有制工业企业14项自主权，包括经营自主权、财产占有、使用和处分权、自主定价权、自主立项权、劳动用工权、人事任免权、分配权等，都下放给企业，可以说，该下放的权基本都下放了。③

（三）重要形式："包"字诀

各种盈亏包干责任制是在广东国有企业改革初期经常使用的办

① 卢荻、杨建、陈宪宇：《广东改革开放发展史（1978.12—2000）》，中共党史出版社2001年版，第54～57页。

② 卢荻、杨建、陈宪宇：《广东改革开放发展史（1978.12—2000）》，中共党史出版社2001年版，第131页。

③ 卢荻、杨建、陈宪宇：《广东改革开放发展史（1978.12—2000）》，中共党史出版社2001年版，第272～277页。

法，在当时，这种办法收到了很好的成效，极大地调动了企业积极性，增强了企业活力。但是随着国有企业改革的深入，这种形式的弊端也日益显现。承包制主要是在企业经营权上做文章，没有深入产权制度，不可能理顺产权关系，缺乏进一步制度创新的动力。

"包"字诀是广东还权于企业的重要形式。早在1981年，广东省委就提出了"包、联、通、创、学"（即承包、联合、流通、创新、学先进）五字方针，推行以"包"字为主要内容的各种盈亏包干责任制，具体形式有：一是实行全行业利润大包干；二是对微利企业实行定额上交包干，超额留成，减收自负；三是对任务不足造成利润下降的企业实行计划分成；四是对一部分企业实行利润与福利金、奖金挂钩；五是对集体所有制企业实行从统负盈亏改变为自负盈亏；六是对县级企业推广"清远经验"，实行超计划提成奖。[①] 后来，在实行所有权与经营权适当分离原则的指导下，1984年8月21日，广东省政府发出《贯彻国务院〈关于进一步扩大国营工业企业自主权的暂行规定〉的意见》，进一步要求推行多种形式的承包经营责任制。1987年5月，省政府发出《关于深化改革增强企业活力若干问题的通知》，要求深化企业改革，必须以增强企业特别是国营大中企业的活力为中心，大力推行多种形式的承包责任制，完善企业的经营机制。同年，广州掀起了国营企业实行承包经营制的高潮，至1987年底，广州市属预算内国营工交、城建企业已实行承包的占94.56%，市属商业大中型企业已实行承包的占93.14%。1988年，广州国有企业承包经营改革全面提速，到1988年底，广州市属预算内国有工交、城建企业除5户暂不具备条件外，全部实行承包经营。

1989年，针对第一期承包的部分企业即将届满的实际情况，广州及时提出了稳定和完善全民所有制企业承包经营责任制的意见，并制定《关于完善承包经营责任制的经营者收入办法的通

---

① 卢荻、杨建、陈宪宇：《广东改革开放发展史（1978.12—2000）》，中共党史出版社2001年版，第53~58页。

知》，明确了企业承包经营者收入的具体标准和考核办法，为推进新一轮的承包经营奠定了基础。[①] 1990 年 8 月底，广东省政府召开了全省工交企业承包工作会议，省长叶选平在会上提出，各方面要为承包经营创造条件，使企业这个经济细胞更有活力。1990 年 8 月 27 日，省政府发出《关于搞好全民所有制企业新一轮承包经营责任制的通知》，规定了新一轮承包的有关具体政策。到 1991 年，广州全面启动了新一轮的承包经营责任制，并推动了企业内部的各项配套改革。

（四）主要形式：建立现代企业制度

现代企业制度是要做到产权明晰、权责明确、政企分开、管理科学。与以往推动实施各种形式的承包经营责任制不同，现代企业制度是立足于理顺产权关系的重要制度创新，是一种在企业管理上实行多方面相互配合的综合改革。它标志着我国的国有企业改革由政策调整转向了制度创新阶段，也标志着从只关注经营权改革，转向了既关注经营权又关注所有权改革。

建立现代企业制度是广东还权于企业的主要形式，它是在企业股份制改革、公司制改革不断深入的基础上进行的。1993 年 12 月，《中华人民共和国公司法》颁布，为国有企业建立现代企业制度提供了法律上的保障。1994 年 5 月，省政府召开全省股份制企业试点工作交流会，交流总结经验，研究如何应用《公司法》规范股份制试点企业。5 月 25 日，省政府批转了省体改委、省经委《关于加快建立现代企业制度的意见》，明确提出从广东实际出发，吸收世界发达国家的有益经验，建立既符合国情、又与国际接轨的现代企业制度，形成广东企业机制优势，促进广东经济发展。同年 6 月 3 日至 4 日，谢非邀请广州地区 10 家大型国有企业以及省和广州市有关部门的负责同志座谈，共同探讨国有大中型企业建立现代

① 杨建城、刘小刚主编：《广州国有企业改革实践》，广东人民出版社 2002 年版，第 6 页。

企业制度的路子。谢非在讲话中指出，搞好国有大中型企业，需要在三方面有所突破和推进：一是明晰产权，理顺关系，真正使企业成为具有法人地位、独立自主经营的企业；二是建立一套科学的、严格的企业管理制度；三是通过技术改造，使企业具有先进的装备和技术。[①] 10月11日，省政府批准《广东省现代企业试点工作方案》，试点企业共有广州味精食品厂等250家企业。各地抓紧部署现代企业制度试点工作，把明晰产权、理顺国有资产产权关系、确立企业投资主体作为试点的前提和关键工作来抓。[②] 其中，顺德市的企业产权制度改革具有典型的意义。从1993年7月至1994年12月，顺德市初步完成了896家企业（占镇以上企业的82.7%）的产权制度和经管机制转换的改革，初步实现了企业"四自"，即自主经营、自负盈亏、自我约束及自我发展。

（五）未来方向：国有企业改革与国有资产管理体制改革相结合

中共十六大指出，继续调整国有经济的布局和结构，改革国有资产管理体制，是深化经济体制改革的重大任务。在坚持国家所有的前提下，充分发挥中央和地方两个积极性。国家要制定法律法规，建立中央政府和地方政府分别代表国家履行出资人职责，享有所有者权益，权利、义务和责任相统一，管资产和管人、管事相结合的国有资产管理体制。

为贯彻中共十六大精神，广东把国有企业改革和国有资产管理体制改革结合起来，从而推动广东国有企业改革进入一个新的阶段。2004年广东省国资委正式成立，代表国家监管近万亿元的国有资产。2005年8月29至30日，全省深化国有企业改革工作会议在广州召开，省长黄华华在会上指出，今后一段时期广东省深化国

① 中共广东省委党史研究室编：《中国共产党广东历史大事记（1949.10—2004.9）》，广东人民出版社2005年版，第632页。

② 卢荻、杨建、陈宪宇：《广东改革开放发展史（1978.12—2000）》，中共党史出版社2001年版，第325页。

有企业改革要做好两个方面的工作：一方面，要强化国有企业自身改革，如进一步推进战略重组，推进国有经济股份制改造，加快完善公司法人治理结构，增强企业技术创新能力，以及加强内部财务管理等等；另一方面，要围绕切实履行出资人职责，健全和完善国有资产监管体系。① 同年10月28日，广东省委、省政府出台《关于深化国有企业改革的决定》，即广东国有企业改革“28条”，明确提出了未来5年广东国有企业改革的目标是：着力推动广东省国有企业改革取得新突破，完成新一轮国有经济的战略性重组，努力打造若干营业收入超千亿元的国企“航母”，一批营业收入超百亿元的企业群体和具有核心竞争力的“单打冠军”；基本完成大中型国有企业股份制改造，实现国有企业产权多元化；完善公司法人治理结构，实现国有企业管理规范化、制度化、科学化；加快推进配套改革，解决国有企业的历史遗留问题；完善国有资产监管体系，实现国有资产监管机构管资产和管人、管事职能的统一。这“28条”把广东国有企业改革和国有资产管理体制改革结合起来，成为广东深化国有企业改革的新引擎。

为了保证实现未来5年广东国有企业改革目标，广东在继续推进“抓大放小”战略、“三个一批”战略、股份制改造与战略性兼并重组的同时，还出台了许多相关的配套政策，如《广东省省属国有资产收益收缴管理暂行规定》、《广东省省属国有企业增量资产奖励股权暂行办法》、《关于推进省属国有大中型企业主辅分离辅业改制　分流安置富余人员工作的实施意见》、《关于加快我省产权市场建设的意见》以及《关于省属企业完善法人治理结构推进监督管理机制创新的意见》等文件，这些配套政策的出台保障了新阶段广东国有企业改革的顺利推进。

---

① 唐莉娜：《广东国企利润7年增4.4倍，新一轮改革与发展启动》，2005年8月30日，http：//www.southcn.com/news/gdnews/gdzw/zxbd/200508300695.htm.

三、分权于社会

20世纪70年代末以来，世界各国的政府陆续开始了治道变革的进程，其中之一就是政府权力的多中心化，它主要表现在各国政府变革、提高地方自治水平、还权于社群等。[①] 改革开放之前，政府包揽了大大小小所有的社会事务，在城市通过单位制的形式加强对社会的全面控制。政府不承认社会有自我管理、自我调节、自我更新的能力，社会领域与政治领域不分，甚至相互重合。政府和社会合二为一，政府包办社会，形成了大政府—小社会的模式。这种全能主义式的政府—社会关系带来的实际后果是政府背上了沉重的包袱，使政府机构改革、转变职能困难重重，而且抑制了社会的自我发展。随着社会主义市场经济体制的建立和完善，我国政府职能逐步转变，在国有企业改革中逐渐实现政企分开，在社会治理上也稳步推动政府与社会分开。从全能政府走向有限政府，在小政府—大社会的模式下，政府的职能主要是提供公共服务和加强宏观管理，社会领域获得了自由发展的空间。正是在这种形势下，我国农村村民自治、城市社区居民自治以及企业职工参与才可能得到长足的深入发展，逐步推动公民社会的形成。

改革开放30年，是广东分权于社会的30年。经过30年的发展，广东社会领域逐渐扩大，社会力量也逐步增强。这主要体现为两个方面：一是广东事业单位改革。事业单位改革的思路是让事业单位与政府部门脱钩，取消行政隶属关系，建立法人治理结构，把原事业单位承担的行政职能划归政府部门或改组为法定执行机构，从而逐步摆脱了政府管事业、政府包事业的格局，使事业单位成为社会管理、社会服务的主体；二是民间组织的蓬勃发展，包括社会团体、民办非企业、基金会、未登记或转登记组织的发展。截至2005年，广东省共有民间组织18164个，其中，社会团体8697个、

① 毛寿龙、李梅：《有限政府的经济分析·序言》，上海三联书店2000年版，第1页。

民办非企业单位9331个、基金会136个。[①] 2006年，“规范和发展社会中介组织”研讨会暨管理学会2006年年会在广州召开，会上公布的数据显示，广东各类民间组织发展迅猛，目前已注册登记的达19771个，数量位居全国第二。“十一五”期间，全省民间组织将以每年10%左右的幅度增长，到2010年，达到3.2万个左右。[②]

其实，广东事业单位改革对民间组织的蓬勃发展有着巨大的促进作用。事业单位改革的目标大体上说就是将部分公共物品和准公共物品的提供从国家垄断到向市场和社会开放，引入市场和社会力量来提供公共服务。市场导向的改革促进了社会力量进入公共服务提供的领域，间接地促进了民间组织的发展。与此同时，在事业单位分类改革的过程中，一些事业单位转变成了企业，一些事业单位则转变为了民间组织。因而，王名、贾西津等学者主张，可以把处于转型中的事业单位纳入民间组织的观察视野。也正是基于这种认识，本书将重点考察民间组织的发展。在学理上，通常我们把民间组织分为“公益性组织”和“互益性组织”。公益性民间组织是指面向全社会各界提供公共产品与公共服务的民间组织；互益性民间组织，比如行业协会，它们面向会员、面向一定社会群体，以行业为边界，主要为同行业的企业家们提供互益性的公共服务。[③] 因此，为观察近30年来广东民间组织的发展，本书将首先考察公益民间组织的发展情况，然后以行业协会为例来考察互益民间组织的发展情况，由此展现出广东民间组织发展的画面。

（一）公益民间组织迅猛发展

民间组织正日益成为中国社会、经济生活中不可或缺的重要角色，这是多方面因素共同促成的。首先，改革开放以来物质财富急剧增长，使人民生活水平稳步提高，公民意识也日益成熟，为民间

① 徐林、王勇：《广东省将着重培育三类新型民间组织》，《南方日报》2005年9月7日。

② 文远竹、喻波：《广东民间组织数量全国第二》，《广州日报》2006年6月1日。

③ 王名：《国内外民间组织管理的经验和启示》，《学会》（福州）2006年第2期。

组织的发展提供了前提条件；其次，改革开放30年是社会大转型的30年，社会急剧变革带来了诸多问题——如环境问题、农民工问题等——亟待解决，为民间组织的成长提供了历史的机遇，公民社会路径作为促进国家建设、社会变革的途径之一也时常被学界提起；最后，更为重要的是，从全能政府走向有限政府的过程中，政府分权于社会的政策为民间组织的发展提供了宏观的政策支持环境。

审视改革开放30年来广东民间组织的发展状况，无论是公益民间组织还是互益民间组织，发展都十分迅猛。与互益民间组织相比，公益民间组织由于其面向全社会服务，所以有更大的影响力。在广东，公益民间组织呈现出“自上而下主导”与“自下而上推进”两种路径齐头并进的发展局面。所谓“自上而下主导”的发展路径，在学界被称为GONGO（政府组织的NGO），这些民间组织与政府的联系十分密切，在资金、项目等方面接受政府部门的支持，具有官办色彩。广东志愿服务发展势头十分喜人，许多志愿组织的成长与发展都与共青团组织、民政部门以及社区机构对志愿服务的大力扶持有关，因此它们可以成为GONGO的典型代表。而“自下而上推进”的发展路径，在学界被称为Grass－root NGO，主要指草根公益民间组织的发展。如果说以公营志愿组织为代表的GONGO发展，主要是为倡导和传播志愿服务的理念价值，那么，与之相比，广东草根民间组织的发展则更强调有活力的行动。然而，无论是哪类民间组织，它们的成长与发展，都说明了社会空间逐步扩大的事实。

1. 广东志愿服务发展喜人。

志愿服务是一类重要的公益活动，作为社会创新的重要领域，它的作用主要表现在：一方面能够帮助党和政府解决社会问题、消除社会矛盾、协调社会关系；另一方面能够成为公民特别是青少年进行自我教育的途径，通过参与志愿服务而提高公民道德意识、提高思想道德水平，从而提高全社会的精神文明水平。[①] 广东作为中

① 谭建光：《中国广东志愿服务发展报告》，广东人民出版社2005年版，第3页。

国志愿服务的发源地之一，改革开放30年来，在各级党政部门的重视和支持下，特别是共青团组织、民政部门以及社区机构对志愿服务的大力扶持，广东志愿服务取得了引人瞩目的成绩：一是组织规模庞大，服务数量空前；二是拥有三个“全国第一”的先行优势；三是开展了许多富有社会影响力的服务活动。

从组织规模和服务数量来看，1995年成立了广东省青年志愿者协会，截至2005年，全省共有各级青年志愿者协会180个，青年志愿者服务站5500个，青年志愿服务队64708支，参与青年志愿服务的人数累计100万人次，服务总时间达4亿多小时。①

就广东志愿服务的先行优势而言，广东省产生了志愿服务的三个“全国第一”：一是1987年在广州市诞生的第一条志愿服务热线电话——“手拉手”青春热线电话服务。这条志愿服务热线是由10多位青年志愿者联合起来建立的，自愿为中学生和社会有需要的人提供咨询服务；二是1990年在深圳市出现的第一个正式登记注册的志愿服务团体——深圳市义务工作者联合会。这个志愿服务组织由于具有了正式的法律地位，随着时间的推移，其社会影响力也越来越大；三是1999年广东省人大通过的全国第一部志愿服务法规——《广东省青年志愿服务条例》，该条例对于规范和促进广东青年志愿服务活动，保障广东青年志愿者及其组织的合法权益发挥了十分重要的作用。

从志愿组织开展的服务活动来看，在广东青年志愿者协会的推动下，各级青年志愿者协会开展了许多富有社会影响力的服务活动。这些活动主要包括：在帮扶困难群众方面，开展了“健康直通车”、“青春暖流”等服务活动；在促进经济建设和保护生态环境方面，开展了“建设青年志愿者路”、“青年志愿者绿色环保行动”、“保护母亲河”及“种植青年林”等服务活动；在支援山区，参与扶贫方面，开展了“西部计划”等服务活动；此外，围绕大型活动及公共危机事件，各级青年志愿者组织也开展许多富有实效

① 谭建光：《中国广东志愿服务发展报告》，广东人民出版社2005年版，第3页。

的服务。如为办好2001年全国第九届运动会，广东各级青年志愿者组织先后组织了15000多名志愿者为大会提供各种服务；为抗击“非典”，开展了“关心、爱心、信心，你我健康同行”等服务活动。

2. 草根公益民间组织发展势头良好。

虽然上述志愿服务带有公营志愿组织的色彩，但是它为广东草根公益民间组织的发展提供了经验借鉴，创造了良好的舆论氛围，拓展了政府政策支持的空间。与公营志愿服务相对，草根公益民间组织的志愿服务发展势头良好。草根公益民间组织是公民社会中的一支重要力量，与其他的民间组织相比，它具有比较强的独立性和自主性，因而草根公益民间组织的迅速发展，能够集中反映出政府与社会逐渐分离之后，社会自主空间越来越大，社会力量日益增强。

草根公益民间组织有两个重要特征：一是这类组织多集中在社会公益领域，成为政府与市场力量之外的有益补充；二是因现行体制与政策的原因，也由于自身的各种原因，这类组织大多长期处于未登记、挂靠或转工商登记状态。正因为如此，政府对其监管相对困难，所以目前在广东还很难获得完整的统计数据，学者对这类组织的研究，大多只能采取参与式行动研究与案例研究相结合的方法。但是，以广州公益性草根民间组织发展状况为例来看，这类组织因其公益性特征，在人民群众中较易获得认可，政府多采取默许态度，所以这类组织成长和发展也很快。

这些草根公益民间组织通过招募志愿者主要从事促进社会公益的活动，它们的活动领域主要包括困难群众救助、社区服务、助学、环境保护、公民教育、业主维权、职业安全等。以广州为例，从事困难群众救助的草根公益民间组织，主要以广州珠江工友服务中心、番禺打工族文书处理服务部、汉达康福协会、杨爱特殊孩子家长俱乐部、欢乐岛自闭症儿童训练园、广州慧灵智障服务中心等为代表；从事社区服务为主的草根公益民间组织，主要以广州生命缘志愿者协会、木棉花开志愿者行动网络以及广州基督教女青年会

为代表；从事帮助边远山区失学儿童的草根公益民间组织，以“灯塔计划”、“苗圃”和“麦田计划”为代表；从事环境保护的草根公益民间组织，以“广东自然之友”、“绿点广州”为代表；从事公民教育的草根公益民间组织，以广州“新天地”发展教育网络为代表；从事业主维权的草根公益民间组织，以“广州业主委员会联谊会”、“白云业主之家”为代表；而从事职业安全的草根公益民间组织，则以“安康职业安全保护服务部”、“维泰（Verite）”为代表。①近年来，这些草根公益民间组织能够持续发展，不仅取决于它们拥有一个以人为本的公益理念，并由具有志愿精神的志愿者把公益理念转换为志愿行动，而且与政府分权于社会的政策是息息相关的。

（二）互益民间组织蓬勃发展：以行业协会为例

伴随着广东改革开放步伐的加快，在公益民间组织迅猛发展的同时，互益民间组织发展也显得生机勃勃。在广东，互益民间组织的蓬勃发展，主要表现为行业协会、商会等的发展。本书将以行业协会的发展为例，来勾画广东互益民间组织的发展面貌。

行业协会在广东省经济发展中发挥了极其重要的作用，与社会中介机构的功能类似，它主要表现在：行业协会协助政府参与行业管理，成为政府管理行业的助手；行业协会提供多种形式服务，推动了本行业发展；开展行业自律，营造了公平竞争的市场环境等。改革开放 30 年来，广东行业协会蓬勃发展。上世纪 80 年代初，广东省仅有省交通运输协会、省食品工业协会等几个行业协会，现在全省已发展有行业协会 792 个，其中省级 131 个，市级 408 个，县（区）级 253 个，自 2000 年以来，各地成立的行业协会就达 290 多个，占行业协会总数的1/3。②

---

① 部分案例参见朱健刚：《行动的力量》，北京：商务印书馆 2008 年版。

② 《广东培育发展行业协会做法》，2006 年 5 月 11 日，http：//www. zjol. com. cn/05mjzz/system/2006/05/11/006614466. shtml.

行业协会的蓬勃发展是与转变政府职能、行政审批制度改革分不开的。如在《广东省2003年行政审批制度改革工作方案》中，明确规定2003年行政审批制度改革的工作措施之一就是："要积极培育和规范行业协会。各地、各部门要按照合理布局、优化结构、提高质量的要求，有重点地培育发展一批符合市场经济要求的行业协会；要对行业协会的地位、作用、职能、内部组织制度以及运作方式等加以规范，对转移给行业协会的事项要加强指导，使行业协会有序地开展活动；要推进行业协会管理体制改革，科学界定政府部门与行业协会的职能范围，对政府部门应当依法转移给行业协会承担的职能，要规范其行为；要加强对行业协会的监管，充分发挥行业协会的自律作用，促进行业协会健康发展"。在《广东省2005年行政审批制度改革工作方案》、《广东省2006年行政审批制度改革工作方案》中，都把"积极培育、规范行业协会和中介机构"作为行政审批制度改革重要措施加以推行。

近年来，广东高度重视培育发展对市场经济建设和社会具有重要促进作用的行业协会。2000年，广东省人民政府办公厅转发了《广东省经济体制改革委员会关于整顿规范广东省中介机构的意见》，明确提出加强行业协会自律管理。2002年9月，广东省政府办公厅转发了省民政厅《关于规范行业协会工作的意见》，提出建设功能齐全，行为规范，运作有序，作用突出的行业服务组织。2004年深圳市委、市政府全面启动了行业协会的改革工作，成立深圳市行业协会服务署，其职能是"培育、监管、规范、服务"全市行业协会，加快经济类行业协会、商会改革的步伐，促进行业协会、商会民间化，使其发挥更大的作用。2005年9月，广东省唯一一个民间组织联合体——"民间组织发展促进会"正式成立，这意味着广东省行业协会"民间化"改革取得了实质性成果。促进会成立后，广东省的民间组织工作特别注重社会公益性事业，为困难群众服务，注重多成立公益性民间组织，如基金会、慈善会，特别是非公募基金会。此外，广东省还将着重培育好以下三类新型民间组织：一是服务经济建设的行业性民间组织；二是服务"三

农”的农村专业经济协会；三是服务社会管理的基层性民间组织，主要是社区民间组织。[①] 2006年3月1日，《广东省行业协会条例》开始实施，为广东行业协会的发展提供了进一步的法律保障。

从行业协会的发展轨迹来看，广东互益民间组织的发展得到了政府的大力支持，与政府分权于社会的政策密切相关。在建立和完善社会主义市场经济体制的过程中，随着政府职能转变与行政审批制度改革的推进，作为一个重要的措施，互益民间组织起到了承接部分在行政审批制度改革中转移出来的社会责任和社会职能的作用，从而获得了蓬勃发展的历史机遇。

四、受制于法律

2008年1月1日，改革开放以来，对于整个中国最有影响力的事件之一是《劳动合同法》的实施。之前，华为、沃尔玛掀起了大规模“裁员潮”，试图规避《劳动合同法》。这些事件从另一侧面反映了法律在当今中国的影响力。法治正慢慢改变着中国，随着依法治国的基本方略逐步向前推进，它的点滴进步都影响着人们的日常生活。1997年9月，党的十五大在科学总结了我国社会主义民主和法制建设经验教训的基础上，郑重提出了“依法治国，建设社会主义法治国家”的重大战略任务。1999年3月，依法治国的基本方略和奋斗目标被庄严地写入宪法，即形成现行宪法总纲的第五条：“中华人民共和国实行依法治国，建设社会主义法治国家。”2006年，“十一五”规划则提出“贯彻依法治国基本方略，推进科学立法、民主立法，形成中国特色社会主义法律体系”的目标。

依法治国基本方略的顺利实施和推进是与改革开放的伟大进程分不开的。改革开放30年来，中国从计划经济体制转向了社会主

① 徐林、王勇：《广东省将着重培育三类新型民间组织》，《南方日报》2005年9月7日。

义市场经济体制。市场经济就是法治经济，市场经济的迅猛发展，使人民的法律意识和权利意识逐步提高，法律在社会生活中发挥了越来越重要的作用。从 1978 年开始，为保障改革开放事业的顺利进行，为建立适应社会主义市场经济体制发展的法制体系，广东在改革开放和社会主义现代化建设过程中，十分注重法制体系建设，而法制体系建设的首要任务就是“立法先行”。广东的地方立法工作在 80 年代处于逐步探索、积累经验的阶段，因而立法步伐不快，立法数量不多。但是，进入 90 年代，广东的地方立法工作则迈进了一个快速发展时期，这主要有两个方面的原因：一方面，广东获得了经济特区立法权，为广东的先行性、试验性立法创造了更大的空间。广东的三个经济特区都在 90 年代获得了立法权，1992 年 7 月，深圳获得经济特区立法权，1996 年珠海、汕头获得经济特区立法权。另一方面，中央支持广东的立法工作。1993 年 4 月，全国人大常委会委员长乔石视察广东并作出了“在制定地方性法规方面，广东可以先走一步，成为全国立法工作的试验田”的指示。2002 年 3 月 9 日，全国人大常委会委员长李鹏在参加九届全国人大五次会议广东代表团全体会议时指出，立法要体现人民意愿，越是经济发达的地区，依法治省、依法治市越重要，要以法律保障投资环境，以良好的法治环境和完善的规章制度保证现代化建设的顺利进行。

但是，法制仅是法治的前提，法制不等于法治。广东的地方立法在取得可喜成绩的同时，也存在着一些问题。例如，不少地方性法规和规章过分强调行政主管部门的权力，忽视其责任；有些地方性法规和规章对公民的义务规定得很具体，而对公民应该享有的权利及行使权利的具体途径、方式却只字不提，或是规定得很抽象。① 这不符合依法治国基本方略的精神，也不能与公民权利意识和法律意识日益提高的客观现实相适应，更与在市场经济条件下建

① 张思平：《体制转轨：广东 90 年代的改革》，广东人民出版社 2003 年版，第 250 页。

立有限政府的诉求相冲突。

依法治国首先要依法治权，使政府权力受制于法律，这也是有限政府的客观要求。随着改革开放的深入发展，依法治国基本方略的稳步推进，限制和规范政府权力日益被提上议事日程。首先，要尊重宪法的权威，把宪法规定的权力划分、人民权利落到实处；其次，要从立法、执法、司法等各个方面来限制和约束政府权力。为此，广东以《行政诉讼法》、《行政处罚法》、《行政复议法》、《立法法》、《行政许可法》以及《全面推进依法行政实施纲要》等的颁布为契机，大力推进有限政府建设；最后，广东在放权于市县、还权于企业，分权于社会的历史进程中，都努力做到依法推进，用各项法律法规引导、规范、促进和保障各领域的改革，为改革的顺利进行提供了良好的法治软环境。

（一）全方位规范政府权力

广东在建设有限政府的过程中，为规范政府权力，一方面大力推进权力监督机制建设，另一方面，广东还使政府权力受制于法规，从立法、执法、司法等各个方面来约束权力。为此，广东在贯彻落实全国性法律、行政法规及规章的同时，还积极根据这些法律的精神，结合广东的实际情况，制定相关的地方性法规与规章。

1989年4月4日第七届全国人大第二次会议通过《行政诉讼法》，为保证人民法院正确、及时审理行政案件，保护公民、法人和其他组织的合法权益，维护和监督行政机关依法行使行政职权提供了法律依据。该法规定公民、法人或者其他组织认为行政机关和行政机关工作人员的具体行政行为侵犯其合法权益的，有权向人民法院提起诉讼，人民法院审理行政案件时，不受行政机关、社会团体和个人的干涉。此法在司法诉讼上把个人或法人与行政机关置于平等的地位，从法律上规范了政府的权力。此外，为防止和纠正违法的或者不当的具体行政行为，公民、法人或者其他组织还可以向行政机关提出行政复议申请，因此，1999年4月29日第九届全国人民代表大会常务委员会第九次会议审议通过了《中华人民共和

国行政复议法》。根据上面两部法律，为规范广东省人民政府在行政诉讼活动中的应诉工作，2000年10月10日，广东省人民政府办公厅公布实施了《广东省人民政府行政应诉工作规则（试行)》。为加强和规范广东省行政复议工作，2003年7月25日广东省第十届人民代表大会常务委员会第五次会议公布了《广东省行政复议工作规定》。

1996年3月17日第八届全国人大第四次会议通过的《中华人民共和国行政处罚法》，规定了行政处罚相关事项。为此，广东省根据《行政处罚法》及有关法律、法规的规定，先后公布实施了《广东省行政执法证管理办法》、《广东省各级人民政府实施行政处罚规定》、《广东省行政执法队伍管理条例》、《广东省各级人民政府行政执法监督条例》以及《广东省行政执法责任制条例》。《广东省行政执法证管理办法》于1997年7月1日起实施，目的是为加强对行政执法证件的监督、管理，规范行政执法行为，保证行政执法机构依法行使职权。该办法规定，行政执法人员在实施行政执法时，应当主动出示行政执法证件，表明身份，对不出示行政执法证件的行政执法人员的执法行为，被管理人有权拒绝。《广东省各级人民政府实施行政处罚规定》于1997年8月11日起实施，目的是为了规范各级人民政府实施行政处罚，保障和监督各级人民政府有效实施行政管理，维护公共利益和社会秩序，保障公民、法人和其他组织的合法权益。该规定指出，由县级以上人民政府直接实施或者决定实施的行政处罚，政府工作部门或者其他组织不得越权实施处罚。《广东省行政执法队伍管理条例》于1998年1月1日起实施，该条例特别规定，行政执法队伍应当在法律、法规、规章以及省人民政府规定的职权范围内履行职责，不得超越职权范围执法。同日实施的《广东省各级人民政府行政执法监督条例》，就县级以上（含县级市、区）人民政府对其所属工作部门以及下级人民政府执行法律、法规和规章的情况进行监督，并对违法行政行为依法予以纠正的活动作了详细规定。《广东省行政执法责任制条例》于2000年1月1日起实施，其目的是为全面建立行政执法责任制，

促进行政执法主体依法行政，保护公民、法人和其他组织的合法权益。

2000 年 3 月 15 日第九届全国人大第三次会议审议通过了《中华人民共和国立法法》，它是我国第一部全面规范立法活动的基本法律，明确规定了立法的宗旨和原则，规定了立法权限制度、立法程序制度、立法监督制度、法律规范的适用规则以及法律规范冲突的裁决机制。《立法法》为广东进一步规范立法行为，提高立法质量，规范人大、政府及其他立法主体的立法权奠定了基础。2001 年 2 月 19 日，广东省九届人大四次会议公布了《广东省地方立法条例》，该条例对下列事项作出了具体规定：省人民代表大会立法权限和程序；省人民代表大会常务委员会立法权限和程序；较大的市的地方性法规、民族自治县自治条例和单行条例的批准程序等。

2003 年 8 月 27 日第十届全国人大第四次会议通过的《中华人民共和国行政许可法》，详细规定了行政许可的基本原则、设定、实施机关、实施程序及监督检查等。该法对行政机关的行政许可行为作出了许多限制性规定，规定实施行政许可，应当遵循便民的原则，提高办事效率，提供优质服务；行政机关不得擅自改变已经生效的行政许可；县级以上人民政府应当建立健全对行政机关实施行政许可的监督制度，加强对行政机关实施行政许可的监督检查等。《行政许可法》的实施为广东省顺利推动第三轮行政审批制度改革提供了历史契机，也为正确划分各级政府、政府与企业、政府与社会之间的权力边界提供了有力保障。2004 年 1 月，广东省人民政府转发了国务院行政审批制度改革工作领导小组办公室制定的《关于进一步推进省级政府行政审批制度改革意见的通知》，明确要求以《行政许可法》为指导，继续推动行政审批制度创新，加强对行政审批制度改革工作的组织领导和监督检查。

2004 年 3 月，为了贯彻落实依法治国基本方略，全面推进依法行政，建设法治政府，国务院公布实施了《全面推进依法行政实施纲要》和《国务院办公厅关于贯彻落实全面推进依法行政实施纲要的实施意见》。为贯彻落实《纲要》精神，增强政府依法行

政能力，强化对政府权力的约束和监督，结合广东实际，广东先后公布实施了《关于贯彻落实国务院全面推进依法行政实施纲要的意见》、《关于全面推进依法行政工作职责分工的通知》、《关于进一步推进行政执法职权公开透明运行工作的意见》以及《关于加快推进市县（区）政府依法行政的意见》。

（二）依法推进各领域改革

通过上文的论述说明，在广东推进改革开放和建设社会主义现代化事业的进程中，从全能政府走向有限政府主要是通过三个方面来实现的：放权于县市，还权于企业以及分权于社会。这一进程在启动之初，多是由政府所制定的专项政策调整和推动的。从对市县放权来看，广东省政府不断调整的财政政策给了各市县不同的财权，省政府推动的行政审批制度改革，也给下级政府下放了诸多权力。就还权于企业而言，政府围绕着企业经营权和所有权做文章，坚持推行扩大企业自主权政策，实行多种形式的承包经营责任制，建立现代企业制度，深化企业内部治理结构，逐步搞好搞活国有企业。对分权于社会来说，政府一直推行发展社会中介机构和行业协会的政策，让它们承接因行政审批制度改革所带来的职能转移，客观上起到了扩大社会空间，增强社会力量，促进民间组织发展的作用。

但是，随着改革的深入，单纯依靠政策调整和行政强制推行的方法越来越不能适应形势的发展，并且与依法治国的精神和有限政府的诉求相背离，因而，进入90年代，广东开始了依法治省、依法治市的进程，加强了立法、执法和司法建设工作。广东省政府依法推进各领域的改革，各项法律法规引导、规范、促进和保障着各领域的改革，为改革的顺利进行和经济社会的健康发展提供了良好的法治软环境。

首先，在放权于市县过程中，《中华人民共和国行政许可法》、《全面推进依法行政实施纲要》和《关于进一步推进省级政府行政审批制度改革意见的通知》成为广东第三轮行政审批制度改革的

主要法规依据，原则上规定把那些能由市县负责的审批权限下放给市县管理；其次，在还权于企业，推进国有企业改革方面，影响最为深远的法律是《公司法》，它为国有企业转换经营机制，按照建立现代企业制度的要求进行公司制改革指明了方向；最后，在分权于社会，促进社会民间组织发展方面，《广东省行业协会条例》是一个非常重要的地方性法规。该条例规定各级人民政府以及有关部门应当扶持和促进行业协会的发展，支持其依法独立开展活动，它为广东民间组织的成长、发展奠定了坚实的基础。

小　结

从全能政府走向有限政府，是解读广东改革开放30年历程的一种重要视角。有限政府作为一种重要的政府范式，指引着人们关心政府权力的边界问题，以及如何规范政府权力的问题。围绕着这些核心问题，广东建设有限政府的进程主要是通过以下四个方面来推进的：一是放权于市县，理顺省政府与市县政府之间的权限关系；二是还权于企业，顺应经济体制的转变，使企业成为平等的市场主体，在还权的同时促进企业自身发展壮大，从而搞活搞好整个国有经济；三是分权于社会，通过推动事业单位改革，促进民间组织发展，壮大社会力量，逐步实现政府与社会的分离；四是使政府受制于法律。通过推动依法治省，从立法、司法、执法等方面来规范政府权力，并依法保障上述各个领域的改革，把政府权力置于法律之下。

与其他省市相比，广东建设有限政府的最大特色是，各领域的改革在全国都是“先行一步”，走在前列：向市县放权几乎与中央向广东放权同步，在全国是最早进行的；推动国有企业改革，也因70年代末的“清远经验”而最早蜚声全国；广东的社会力量比较强大，民间组织在全国率先发展，具有许多示范性的经验；广东在依法治省方面同样作出了许多开创性、试验性的贡献。

回顾30年的有限政府建设历程，广东取得了喜人的成绩。一方面，政府权力的边界逐渐清晰，政府权力逐步受到制约，政府行为日益受到规范；另一方面，随着全能政府向有限政府的转变，政府与市场、社会的结构分化已初步显现，市场经济秩序得以建立，公民社会开始起步。

在取得成绩的同时，广东还积累了丰富的经验：一是限制和规范政府权力，需要走一条从政策调整向法治化转变的道路。二是建设有限政府，需要同步推进政府之间、政府与企业（市场）、政府与社会之间的权力分化，尽管在实际操作中可能有主有次，但仍然需要努力实现动态的平衡。当有限政府的雏形已经初步具备之时，需要建立和完善多元领域间的平等沟通与制度调适。三是实现政府自身权力变革和职能转变，是社会经济发展的重要前提，即建设有限政府是建设有效政府、公共服务型政府等的基础。

第六章
建设公共服务型政府

引 言

改革开放以来，广东省的政府改革经历了两次转变：首先是从革命型政府转变到经济建设型政府，然后是从经济建设型政府向公共服务型政府转变，逐步回归到政府本位上来。这两次转变跨度巨大，内涵丰富。从1978年启动改革开放至2002年，经济发展尤其是GDP增长成为调动政府、市场与社会的重要指挥棒。这一时期的政府可称之为“经济建设型”政府。在顺利地完成从革命委员会向人民政府的转变之后，广东省各级政府开始致力于以经济建设为中心，此后长期充当了经济建设主体和投资主体的角色。这种政府模式大大推动了广东经济的持续快速发展：改革开放近30年来，广东省的GDP以年均13.7%的高速度增长，[①] 成为中国最具经济活力和投资吸引力地区之一。

但是，政府直接充当经济建设主体和投资主体，也削弱了政府能力、降低了行政效率。如迟福林所指：“经济建设型政府有几个严重的误区：一是政府长期作为经济发展的主体力量，起主导作用；二是解决不了政府、国有企业与国有商业银行的结构性矛盾，

① 洪变宜：《省府举行酒会庆建国58周年 GDP年均增长13.7%》，《南方日报》2007年9月29日。

致使政企分开一直是改革中的一大难点；三是重视经济建设的投入回报，严重忽视社会事业投入的巨大经济、社会效益；四是不恰当地把一些本应该由政府提供的公共产品和公共服务推向市场、推向社会。实践证明，经济与社会发展失衡、区域经济发展失衡、经济发展和生态环境的失衡等，都与这种政府模式有直接、内在的联系。”① 我们不能否认政府在发展经济中的巨大作用，但当经济发展到一定阶段，政府就要强化其公共服务的职能。在2003年“非典”危机之后，广东省对传统的GDP思维展开了深刻的反思。各级政府越来越意识到，在新的历史条件下，政府不应当也不可能再充当经济建设的主体力量，它更应关注民生，关注社会的公平与正义，关注国民福利，关注公众的健康和安全，用完善的公共服务满足不同利益群体，促进社会与经济同步发展，从而实现向公共服务型政府的转变。

公共服务型政府，即以公共服务为宗旨并承担服务责任的政府。相对于传统的经济建设型政府而言，公共服务型政府囊括了教育、医疗、社会保障、公共财政等多项内容。具体来说，广东省各级政府从经济建设型政府向公共服务型政府的转型，主要包括如下方面的内容：

一是完善基本公共服务体系，实现从经济目标优先向社会目标优先的转变。长期以来，广东省各级政府的工作重心偏重于经济增长，较为忽视社会管理与公共服务的提供。但是，近年来，基于落实科学发展观，广东省开始着手全面构建包括基础教育、劳动就业、社会保障、环境保护等在内的基本公共服务体系。

二是健全公共财政制度，实现从投资型财政体制向公共型财政体制的转变。公共财政不仅是基于保障公共产品的制度安排，而且是政府有效提供公共服务，化解社会矛盾、减少社会风险、保持国家长治久安的制度基础。改革开放以来的很长一段时间，广东省实行投资型财政体制，对社会发展方面的投入不够重视。近年来，减

① 迟福林：《论“公共服务型政府”》，《人民论坛》2006年第5期。

少经营性领域的投资，大力压缩行政事业经费，将财力主要用于满足社会公共需要和社会保障，逐渐成为广东省公共财政政策的基本取向。

三是创新公共服务流程，实现从封闭型行政运行体制向公开透明型行政运行体制的转变。政府公共服务的对象是社会，只有建立公开、透明的行政运行体制，才能把政府的公共服务置于社会的监督之下。广东省各级政府在改革和完善政府决策机制中，越来越重视公众的知情权，不断创新公共服务流程，逐步提高了决策过程的透明度。同时，广东省尝试以制度化、程序化、理性化的方式渐进推行行政问责，不仅为公众的政治参与提供了更多的渠道，而且也向公务人员传达了一种重要信息，即他们必须为自己公共权力的行使承担责任。

一、完善基本公共服务体系：从经济目标优先到社会目标优先

近些年来，加快公共服务体系建设得到了广东各级政府的高度重视。针对本省经济社会发展中存在的突出问题，广东更加重视加快推进以改善民生为重点的社会建设，通过普及基础教育、扶持社会就业、构建社会保障体系和强化环境保护，为全省人民提供了更多、更丰富的公共服务，逐步完善了公共服务体系。

（一）普及基础教育

百年大计，教育为本。打造与经济发展规模相适应的教育强省，是使广东经济得以持续发展的基础性工程。广东省把教育作为战略发展重点，采取重大举措，创造良好条件，确保教育在现代化建设中先导性、全局性、基础性的地位和作用。在教育发展过程中，全省各级政府更加注重教育为经济社会发展服务，更加注重教育质量、效益的提高和结构的优化，更加注重教育的均衡协调发展，更加注重解决教育的热点难点问题，促进了广东教育事业的健

康发展与和谐发展。

自1986年国家出台《义务教育法》以来，广东积极普及基础教育，通过多年的不懈努力，取得了重大进展（见表6－1）。1994年，广东完成了基本扫除青壮年文盲的任务，并于次年通过国家验收；1996年广东基本普及九年义务教育，在全国率先实现“两基”目标；1997年提出巩固提高普及九年义务教育；2000年荣获全国唯一的“高考改革探索先锋”称号；2003年提出在2007年全省高水平、高质量普及九年义务教育。2004年提出高标准、高质量普及义务教育和全面实施城乡免费义务教育；2006年秋季，全省农村全面实施免费义务教育；[①] 2007年秋季起，免收全省农村义务教育阶段学生课本费，并计划在2010年全面实施城乡免费义务教育。按照《广东省教育现代化建设纲要（2004—2020年）》的要求，广东计划在2010年于全省范围内基本普及从小学到高中的12年基础教育，这将使25岁以上人口平均受教育的年限达到10年，从而在珠三角地区和广东大中城市率先基本实现教育现代化。

表6－1　广东省义务教育发展情况（2000—2004年）[②]

	项　目	2000年	2001年	2002年	2003年	2004年
小学	小学招生数(人)	1557286	1604435	1687362	1729914	1684682
	小学在校生数(人)	9299314	9529844	9796069	10253706	10496221
	小学学龄儿童净入学率(%)	99.7	99.62	99.7	99.53	99.66
	小学五年保留率(%)	100	100	100	100	100
初中	初中招生数(人)	1427696	1430218	1470872	1548622	1586418
	初中在校生数(人)	3889782	4063792	4158610	4321843	4495533
	初中毛入学率(%)	99.55	100	100	100	100
	初中三年保留率(%)	88.35	90.5	91.15	92.86	94.1

① 黄向群：《广东省基础教育情况介绍》，2006年3月25日，http://www.thjy.edu.cn/zwc2005/UpFiles/200603251201409183.ppt.

② 黄向群：《广东省基础教育情况介绍》，2006年3月25日，http://www.thjy.edu.cn/zwc2005/UpFiles/200603251201409183.ppt.

教育公平不仅是社会公平的重要基础，也是促进人的全面发展的客观要求。广东基础教育有很多亮点，但贯穿其中的一条主线就是大力促进教育公平。[①] 作为改革开放的“排头兵”，广东省认识到，要增强自己的发展后劲，基础教育必须走向“共同富裕”。但要走向“共同富裕”，广东省必须努力消除基础教育上存在多年的“贫富差距”现象：珠三角中心城市经费充足，设备先进，师资优良，教育水平自然较高；东西两翼、粤北山区和农村地区情况则不容乐观。而同样是在经济发达城市，由于学校等级评估，学生被人为分成三六九等，择校风愈演愈烈。这种“贫富差距”极大地制约着广东教育水平的整体提升，也侵蚀着广东经济发展的后劲根基。[②]

为了消除这种义务教育上的“贫富差距”现象，广东省着力做好两项工作，以促进基础教育的公平发展。一是分阶段、分步骤地推进免费义务教育，特别是不断加大对东西两翼、粤北山区农村的义务教育的公共教育资源的配置力度。从 2001 年起，广东省每年安排专项资金，免收全省农村人均年纯收入 1500 元以下的困难家庭子女义务教育阶段书杂费，这使得 103 万中小学生受惠；2005 年 11 月，广东省作出《关于推进农村免费义务教育的决定》，并从 2005 年秋季起在 16 个扶贫开发重点县开展了免除农村中小学义务教育阶段学生杂费试点，安排免费补助资金 4. 24 亿元，覆盖学生 129. 9 万人。随后广东又决定自 2006 年起在全省农村全面实施免费义务教育，试点并普及义务教育全免费。[③]

二是取消对义务教育学校的等级评估，代之以加大财政投入，逐步建立校长、教师定期轮换制，集中力量办好每一所学校。2004 年，广东延续 10 多年的义务教育“等级学校”评估全面停止申报，义务教育阶段学校将不再被分为三六九等，代之以全新的义务

---

① 颜晓岩等：《广东教育补“短板”》，《中国财经报》2006 年 6 月 27 日。

② 颜晓岩等：《广东教育补“短板”》，《中国财经报》2006 年 6 月 27 日。

③ 黄向群：《广东省基础教育情况介绍》，2006 年 3 月 25 日，http：//www. thjy. edu. cn/zwc2005/UpFiles/200603251201409183. ppt.

教育“规范化学校”建设。根据广东省政府制定的《广东省教育现代化建设纲要实施意见（2004—2010年）》，广东省的教育工作方向将转为促进教育均衡发展，大力推进义务教育“规范化学校”建设。按照《意见》要求，到2010年，珠三角地区和其他大中城市“规范化学校”达标率将达100%，东西两翼和粤北山区力争达到80%。[①] 这意味着，义务教育阶段学校将按均衡发展的要求，科学合理配置教育资源，学校之间的差距将逐步缩小。

（二）扶持社会就业

就业是民生之本。广东是人口大省、农民工大省、就业大省。广东省历来高度重视就业工作，把扩大与促进就业摆在经济社会发展的突出位置，积极创造良好的就业环境和就业机会，坚持把扩大就业作为国民经济和社会发展的重要目标，切实加大公共财政对促进就业的投入；坚持培育市场与加强监管相结合，加快完善市场导向就业机制；坚持常规服务与特殊援助相结合，进一步完善公共就业援助制度；坚持政府主导与社会共同参与相结合，大力发展技工教育和职业培训；坚持立足当前与着眼长远相结合，加快建立城乡劳动者平等就业制度，形成了全社会共同促进就业的工作格局，极大地改善了就业环境。[②]

1992年以前，广东坚持市场取向、围绕培育市场主体、增强企业活力这个目标，在劳动就业、工资分配、社会保险以及劳动计划管理体制等方面进行了一系列改革，逐步冲破了计划经济体制的束缚，着力培育就业环境。早在1980年，广东省根据深圳经济特区经济体制改革先行一步的政策，对特区劳动制度进行改革，在全国率先试行劳动合同制度。1983年，在总结试点经验的基础上，决定在全省国有、集体企业新招工人中全面实行劳动合同制。1985

① 参见广东省人民政府：《广东省教育现代化建设纲要实施意见（2004—2010年）》。

② 参见谢强华：《大力实施〈就业促进法〉让广东人民人人乐业安康》，《南方日报》2007年12月10日。

年，广东省全面实行了劳动合同制。1988 年，广东省率先改革劳动计划管理体制，全面取消指令性的劳动工资计划，把劳动力供需双方推向市场，实行双向选择，引入了双向选择和竞争机制，逐步确立了劳动力供求双方的主体地位。①

1992 年以来，广东按照中共十四大确定的改革目标，继续培育市场主体，着力建立以职业中介为主要内容的就业服务体系，探索建立市场运行规则。1995 年，广东省全面实施《劳动法》，各类企业与劳动者在平等协商基础上签订劳动合同的达 97% 以上，基本确立了劳动力供求主体。同年，为加快劳动力市场的形成，举办了劳（务）动力市场集市，开办常设性劳动力市场，积极发展和完善以职业介绍、就业训练、失业保险和劳服企业为主要内容的就业服务体系。到 1997 年，基本形成了省、市、县劳动人事部门举办的以职业（人才）中介机构为主体、社会职介机构为补充的、覆盖全省城乡的职业中介网络。② 并以此为基础，开展了求职咨询、职业指导、失业保险、转业培训、流动挂档等多种形式的就业服务，一些市还采用现代化网络设备收集和发布劳动力供求信息，较好地将全省劳动力资源以及外省入粤的劳动力纳入市场调节轨道。

经过近 30 年的持续努力，广东在扶持社会就业方面取得了良好的成效，基本建立了具有广东特色的积极就业政策体系，实现了就业率最高、失业率最低的目标，就业局势长期保持稳定。③

（三）构建社会保障体系

改革开放中先行一步的广东在经济腾飞的同时，率先在全国开展了以社会保险制度改革为序幕的一系列社会保障体制改革。广东

---

① 甘兆炯：《广东劳动制度改革二十年回顾与展望》，《创业者》1999 年第 2 期。

② 陈毅斯：《广东劳动制度改革的回顾与展望》，《广东社会科学》1999 年第 3 期。

③ 参见谢强华：《大力实施〈就业促进法〉让广东人民人人乐业安康》，《南方日报》2007 年 12 月 10 日。

社会保险制度改革起步于1983年。是年，广东率先在劳动合同制职工中试行社会保险，从而拉开了社会保险制度改革的序幕。此后，这一改革逐步深化，几乎每年都出台了新的改革方案和措施：1984年试行全民所有制和集体所有制企业职工退休费用社会统筹；1985年组建省、市、县三级事业性质的社会保险管理机构—社会劳动保险公司；1986年建立国营企业职工待业保险制度；1989年制定临时工社会养老保险制度；1990年实行固定职工个人缴纳养老保险费制度；1992年建立企业职工工伤保险制度；1993年公布了《广东省职工社会养老保险暂行规定》（1994年开始施行），确立了社会统筹与个人账户相结合的养老保险模式；1994年在全省直属机关及事业单位实行个人缴纳养老保险费的制度。①

1992年是广东社会保险迎来深化改革的重要一年。就在这一年，国务院批准广东省为建立统一的社会保险制度的试点省，这为广东构建社保体系提供了契机。② 在社会保险取得重大进展的同时，广东加快了社会福利、社会救济等多方面的改革步伐。

在社会福利改革方面，逐步实现了从单家独户办社会福利向发动社会力量办社会福利、从单纯强调社会效益向兼顾社会效益和经济利益、从单纯救济向扶持生产、从救济型向保障型和福利型的转变，走上了社会福利事业投资主体多元化、管理形式多样化、服务内容系列化、服务对象公众化的社会福利发展新路子。③ 在社会救济体制改革方面，广东各市普遍建立了城市居民最低生活保障线制度，并成为全国率先将最低生活保障范围覆盖到农村的省份之一，救济人数和保障标准均居全国首位。在社会优抚体制改革方面，全省有18个地级以上市和60多个县级单位建立了抚恤补助自然增长机制，有效地保证了残疾军人、复退军人、军烈属等优抚对象的生

---

① 王永平：《广东社会保险制度改革的回顾与展望》，《开放时代》1996年第1期。

② 王永平：《广东社会保险制度改革的回顾与展望》，《开放时代》1996年第1期。

③ 《广东社会福利事业迈向社会化》，2000年4月13日，http：//www. gdnet. com. cn/aspprg/gdnet/xxlb/detail. asp？num = 8563.

活水平。在医疗保险体制改革方面，全省各地制定灵活就业人员和困难企业参加医疗保险的办法，更好地满足群众就医用药需要。“十一五”期间，广东省将继续完善公共卫生和医疗服务体系，完善医疗机构补偿机制，强化医疗卫生服务公益性质和公立医院公共服务职能。2007 年，广东省政府对欠发达地区农村合作医疗补助从人均 25 元提高至 35 元，全省筹资标准达到 60 元以上。再次是包括疾病控制、卫生监督和医疗急救三大体系的公共卫生体系建设基本完成。[①]

经过多年的探索和实践，目前，广东省在社会保险、社会救济、社会福利、优抚安置和社会互助等方面，取得了长足进展，并通过多渠道筹集保障资金、管理服务逐步社会化逐渐完善了社会保障体系，并在全国产生了较大的影响。仅在 2006 年，广东的社保工作就创造了七个全国“第一”：企业养老保险参保人数全国第一；失业保险参保人数全国第一；医疗保险参保人数全国第一；工伤保险参保人数全国第一；社会保险基金结余全国第一；全省农民工参加医疗保险人数全国第一；全省农民工参加工伤保险人数全国第一。[②] 2007 年起，广东省有关部门对离校时尚未落实就业单位的高校毕业生进行失业登记，把他们纳入社会保障体系。将应届大学毕业生纳入社保在我国尚属首次。根据相关规定，只要是有就业愿望的城镇失业人员，均可向社保部门进行失业登记，纳入社保体系，享受劳动保障部门提供的职业指导、职业介绍等相关服务。2007 年 9 月，《中共广东省委、广东省人民政府关于解决社会保障若干问题的意见》正式下发，标志着广东迈入全民全面保障时代。[③]

① 黄华华：《政府工作报告——2007 年 2 月 2 日在广东省第十届人民代表大会第五次会议上》，2007 年 2 月 8 日，http：//www. gd. gov. cn/govpub/gzbg/szf/200702/t20070208_ 13394. htm.

② 《广东社保七个全国第一》，《广州日报》2007 年 10 月 15 日。

③ 《广东迈入全民全面保障时代》专题，http：//www. gd. gov. cn/govpub/rdzt/shbzxz/.

（四）强化环境保护

改革开放以来，广东经济发展成就举世瞩目，惊人的增长背后是严峻的环境现实。由于粗放型经济增长方式转变缓慢，作为经济发展基础支撑条件的环境保护与生态建设还无法与之相匹配，部分地区水质性缺水、森林生态系统效能低、农业生态环境日益恶化、颗粒物及酸雨等大气污染突出、近海生态环境恶化、固体废物量急剧增加、辐射污染防治及核安全管理能力亟待加强等一系列矛盾和问题，[①] 成为制约广东可持续发展的瓶颈。为突破这一瓶颈，广东省在资源消耗和污染物产生量大幅度增加的情况下，全省上下不懈努力，采取了一系列的环境保护措施，从而在开创生产发展、生活富裕、生态良好的文明发展道路上迈出了坚实步伐，为广东经济和社会健康发展做出了贡献，更为广东的可持续发展奠定了良好基础。

在所有环境保护措施中，尤为引人注目的是广东省对环境立法与执法工作的高度重视。针对突出的环境问题，广东在水污染防治、机动车污染防治、固体废物污染防治等方面出台了12部地方性环境保护法规。特别是2003年以来，广东先后出台了具有鲜明地方特色和创新性的《广东省固体废物污染环境防治条例》、《广东省环境保护条例》、《广东省跨行政区域河流水质保护管理条例》3部环境保护地方性法规。这些地方性环境保护法规的出台实施，为解决广东特有的环境问题等提供了强有力的法律保障。尤其是2003年，广东省政府与国家环保总局联合编制了《珠江三角洲环保规划》，该《规划》通过广东省人大批准实施，成为全国“第一个区域性环保综合规划”。[②] 通过将环境保护提升到地方立法的层

---

① 李清：《广东2004—2005年形势回顾与展望——新时期保持共产党员先进性教育活动形势报告》，2005年3月26日，http：//www. gdepb. gov. cn/djyjj/baoxian/wjldjh/t20050326_ 10588. html.

② 刘茜：《广东省大力整治环境见效　环保六大成就引人瞩目》，《南方日报》2007年2月2日。

面，广东省在环保监管工作中取得了良好的成效，人们最直观的感受就是广东蓝天多了。

二、健全公共财政制度：从投资型财政到公共型财政

健全公共财政制度是政府利用再分配手段保障社会公平，促进社会和谐发展的内在要求，也是政府强化公共服务和社会管理职能的必然要求。建立与社会主义市场经济相适应的公共财政，更是广东“增创新优势，更上一层楼，率先基本实现社会主义现代化”的必然选择。广东30年来改革开放的历程，带来了财政体制的极大变化。在体制完善过程中，广东通过优化财政支出结构，深化财政管理体制改革，完善政府采购制度，规范政府投资行为，不仅提高了全省各级政府提供公共产品和公共服务的能力，也悄然实现了由“投资型财政”向“公共服务型财政”的转变。

（一）优化财政支出结构

从改革开放之初一直到社会主义市场经济体制确立之初，广东的财政支出存在着许多与市场经济不相适应的地方，主要表现为：一是财政支出范围过大，包揽过多；二是支出结构不合理，“人头费”飙升，成了“吃饭财政”；三是收入分配不公显现，财政支出中用于调节分配的比重小。①

为了扭转这种局面，广东省不断调整财政支出结构，加快公共财政建设的步伐，着力扩大公共财政覆盖面，把更多的财政资金投向公共领域，加大财政在教育、卫生、文化、就业再就业服务、社会保障、生态环境、公共基础设施、社会治安等方面的投入。特别是中共十六大以来，广东省级财政支出不断向百姓最关心、最直接、最现实的利益方面转移，根据轻重缓急，通过系统化的方式交

① 李鲁云：《建立广东公共财政的政策思考》，《广东经济》2000年第5期。

错进行，省级财政在公共管理和公共服务方面的支出量越来越大，在省级一般预算支出中的比重从2001年的52.26%提高到2005年的76.26%。①

2006年是广东省级财政调整优化支出结构、全面构建公共财政体制的一个重要转折点。“十五”期间全省一般预算支出中，用于公共服务和发展公益事业的支出比重从31.7%提高到33.9%，用于实施公共管理的支出比重从24.2%提高到26.8%，而用于经济建设的支出比重从26.9%下降到20.4%。2006年全省一般预算支出中，用于公共服务和发展公益事业的支出占35.7%，比上年提高了1.8个百分点；用于实施公共管理的支出占27.4%，比上年提高了0.6个百分点；而用于经济建设的支出占19.9%，比上年下降了0.5个百分点，较好地体现了促进社会和谐发展的理财思路。② 近年来，全省生产建设性支出占一般预算支出比重不断下降，公共消费支出比重不断上升。随着财政支出结构的不断优化，广东公共财政的覆盖面不断扩大。

广东省通过把科学发展观贯穿到财政工作的各个方面，把构建和谐社会作为总目标，通过调整优化财政支出结构，集中财力解决了一系列当前发展中突出的、社会反映强烈的热点难点问题，为全面建设小康社会和构建和谐社会提供了强有力的财政支持。

（二）深化财政管理体制改革

改革开放初期，广东财政管理体制存在着诸多问题：一是计划经济体制导致了政府财权的分散，也导致了政府资产产权管理的分散。二是各级政府部门纷纷经商、办企业、部门行政事业收费“三乱”问题，政府部门不务正业，社会公共服务受到严重影响。三是财政资金分配管理不规范，使用效益不高。预算资金切块给主

---

① 庞彩霞、殷楠：《广东优化支出结构 公共财政覆盖面进一步扩大》，《经济日报》2007年1月20日。

② 刘昆：《公共财政：取于民用于民》，《南方日报》2007年1月31日。

管部门或领导掌握，部门成为第二财政；一些地方和部门多头请款、巧立名目要钱，截留、挤占和挪用财政专项资金比较严重；大量政府采购资金分散到各部门使用，缺乏监管，导致公共产品分配中以权谋私和权钱交易不鲜。四是预算约束软化。经人大确定的财政预算在执行中，各方批条子、追加项目和开支现象时有发生，导致财政增收赶不上支出的刚性膨胀。五是预算编制不科学。各部门预算经费多寡并非取决于事业发展需要，而靠原有基数；已有的基数下不去，新增的事业缺基数，造成部门间苦乐不均。六是财政投资办企业不仅造成经济、社会秩序混乱，而且也带来了财政管理体制上的混乱，财政部门的职务犯罪大幅度上升。①

上述问题的存在，促使广东省不得不对财政问题给予高度重视，进而开始推进、深化财政管理体制改革。在1979—1993年的财政包干制下，广东省通过实施“划分收支、分级包干”（1980年）、“划分税种、核定收支、分级包干”（1985年）到6种不同的财政收支包干体制（1989年），不断下放权力，使政府职能分散化。1996年，广东省对市县实行了“分税分成，水涨船高”的财政体制改革，地方财政预算中有分税后的地方固定收入和中央地方共享收入、转移支付类收入。1998年，广东开始改革预算体制，实施部门预算，从基数预算转向零基预算。

总体来看，广东财政管理体制改革历程呈现出一个先“放权、搞活”求发展、再以“公共财政”规范求公平的过程，它既是财经管理制度从计划经济向市场经济体制转变以适应市场经济发展的变迁过程，也是政府计划经济逐步萎缩、市场经济体制逐步建立与完善的历程。②

① 参见黎旭东、岳芳敏：《广东公共财政制度变迁及其效应：政府建设与职能转型》，《财政研究》2007年第1期。

② 参见黎旭东、岳芳敏：《广东公共财政制度变迁及其效应：政府建设与职能转型》，《财政研究》2007年第1期。

（三）完善政府采购制度

政府采购是公共财政基本制度的重要组成部分。作为一种购买性公共支出，它表现为政府购买物品或劳务的活动。广东省在全国较早开展政府采购工作。1997年，深圳市财政局在全国率先对集团控购的大宗物品实行政府采购，首批实行政府采购的商品是20多辆公务用车和公务车定点保险。但在全省范围内正式实施采购工作是在2000年。是年3月，广东省财政会议正式提出把实施“政府采购”作为财政支出改革的一项重要措施，并于6月成立广东政府采购中心。①

为更好地推行政府采购制度，广东省坚持“先易后难，循序渐进”的原则，从零开始，从小额到大批量，开始了从询价采购到公开招标和定点采购等多种采购方式的实践。为了推动政府采购信息化进程，广州、深圳、珠海、东莞、佛山、湛江、茂名、云浮、韶关等地，先后完善了政府采购信息网络，建立了专家评委库、商家库、信息资料库等，促使政府采购工作全面、扎实有序地开展。从2000至2003年，广东省政府采购一年跃上一个台阶，连续3年政府采购规模全国第一。②

在进行机构建设之后，广东省政府采购大抓制度建设，出台了《广东省政府采购公开招标采购方式暂行规程》、《广东省政府采购非公开招标采购方式暂行规程》等10个政府采购制度、办法和14个内部管理制度，为政府采购工作的改革沿着法制化轨道向纵深推进提供了制度保障，为规范化管理奠定了厚实基础。③ 为了实现“阳光作业”，广东省提出“建立两个竞争和一个制约机制”，以使

---

① 贺信、刘中元：《广东政府采购9个月省12亿》，《南方日报》2004年11月27日。

② 张乐人、卢晓珊：《广东政府采购3年全国第一》，《华南新闻》2004年11月18日。

③ 张乐人、卢晓珊：《广东政府采购3年全国第一》，《华南新闻》2004年11月18日。

政府采购工作更加公开化、透明化和规范化。“两个竞争”是指采购代理机构的竞争和供应商的竞争；“一个制约”是指供应商、代理机构、采购人、管理机构之间相互制约。① 为了提高政府采购的效率和服务水平，广东省政府采购工作已经运用信息技术加强监管和规范操作，采购人可通过“网上申报、下订单、网上审批、签合同”等形式实现采购，缩短了采购时间，提高了效率。

目前，广东省政府采购的制度体系和机构框架已经形成，在工作实践中确定了政府采购管理体制和监督机制，并在实践中体现出成效。政府采购制度使政府的采购活动在公开、公平、公正、透明的环境中运作，而且形成了财政、审计、供应商和社会公众等全方位监督机制，从而从源头上有效地抑制了政府采购活动中的各种腐败现象，有利于保护政府信誉，维护政府官员廉洁奉公的良好形象，增强民意对政府的依赖度。由于政府采购坚持“公开、公平、公正”的原则，监督机制发挥了巨大的作用，整个采购过程全部处于严格和有效的监督之下，达到从源头上治理腐败的目的。政府采购的公平、公开、公正以及依法管理收到了很好的效果，对全省经济的发展起到了很大的促进作用。

（四）规范政府投资行为

长期以来，我国各级政府投资缺乏必要的约束。广东省也不例外，每年都要安排大量政府资金，用于基础设施建设和发展公益事业。但总体看来，政府投资建设管理领域存在项目建设突击性和随意性较大、项目前期工作不充分等问题。究其原因，主要是我国对政府投资项目管理的立法基本上处于空白状态，使得一些地方在城市建设上不切实际、过于超前、盲目攀比，大搞“形象工程”、“政绩工程”。

2003 年，广东省首部规范政府投资行为的法规《珠海市政府

---

① 张乐人、卢晓珊：《广东政府采购 3 年全国第一》，《华南新闻》2004 年 11 月 18 日。

投资项目管理条例》获省人大批准，并在珠海市实施。该条例对进一步规范政府投资项目的决策和建设，保障工程质量，提高投资效益有重要意义。[①] 根据《条例》，珠海市政府今后投资必须量入为出，重点投向公益性和基础性项目，投资决策上则更加民主，实行集体决策，并禁止边勘察、边设计、边施工。

2004 年，广东建立政府投资失误责任追究制度，规定政府在城市建设等方面出现投资失误，将被追究责任。广东省政府明确要求，相关部门加强对建设项目的管理，对资本金不足，或者后续资金不保证的建设项目，不予办理项目许可，计划、建设、国土等部门不能办理立项、颁发施工许可证和用地等手续。而在建设领域则建立起失信惩戒机制。为规范政府投资行为，广东努力完善政府投资体制，健全政府投资项目决策机制，规范政府投资资金管理。要求对垄断性、经营性的政府投资项目，试行业主招标制度，公开竞争；对非经营性的政府投资项目，推行代建制。同时，建立政府投资失误责任追究制度，加强对政府投资项目的绩效审计。[②]

三、创新公共服务流程：从封闭运行型体制到公开透明型体制

公共服务流程是公共服务型政府的程序支撑体系。政府作为一个提供公共服务的系统，其公共服务职能有赖于行政流程的保证，只有设计和实行以公共服务为轴心的行政流程，才能从程序上确保公共服务职能的实现。创新政府的公共服务流程涉及管理体制、管理方式乃至于管理行为等政府自身建设的各个方面，是一个庞大的系统工程。改革开放以来，广东省以“公众需求”为核心，以“服务链”为纽带，通过公共服务流程的优化重组，形成社会管理

① 程雪超：《珠海立法规范化　管理政府投资行为》，《广州日报》2003 年 4 月 5 日。

② 《政府投资失误要追究责任　广东将遏制政绩工程》，《深圳商报》2004 年 9 月 8 日。

和公共服务多向互动的有机系统，全省各级政府绩效得到显著提高。其核心内容包括：推动公共管理方式创新，构建电子政务平台，优化各级政府和部门运作方式和工作流程；推动权力规范与在阳光下运行，实施信息公开制度，有效保障公民对公共事务管理的知情权、参与权和监督权；推动将企业管理标准引入政府政务服务，实施质量管理体系，提供让人民和社会满意的公共产品和服务；推动公务员对公民负责，建立健全行政问责制度，不断强化公务员的责任心和执行力。

（一）电子政务平台

广东省各级政府一直对电子政务建设予以高度重视和大力支持，在电子政务网络平台与安全体系建设、城镇信息化综合试点、"一站式"服务等方面，取得了显著成绩，提高了行政效率，加强了对政府部门的监督，方便了公民和企业办事，改善了投资环境，产生了良好的社会和经济效益，在国内也起到了一定的示范和带动效应。广东省自 1996 年起就坚持由省长担任省信息化工作领导小组组长，领导全省的信息化工作。2002 年 12 月，广东在全国率先开通了统一电子政务信息专网平台，这标志着广东的电子政务建设进入了高速发展时期。[①] 广东的电子政务建设在探索中前进，在前进中探索，逐步形成了比较明确的发展思路和目标，以及带有操作性的实践模式。

这种实践模式的一个基本特点就是坚持地方先行与构建全省统一的电子政务平台相结合。[②] 在广东电子政务发展过程中，以全国信息化综合试点市原南海市（现为佛山市南海区）政务信息化建设为代表的地方政府的先行探索，为全省的电子政务建设提供了试点经验。在试点过程中，各试点单位坚持将电子政务建设列为"一把手"工程。因此，全省的电子政务从规划到实施都能够在高

---

① 张艺：《广东电子政务实践模式》，《信息化建设》2003 年第 1 期。

② 张艺：《广东电子政务实践模式》，《信息化建设》2003 年第 1 期。

起点、高水平上展开，从而为更高层次的电子政务平台的搭建提供了基础。统一的电子政务平台，既可以充分利用有限的网络资源，提高网络的效率，也可以节约通信费用和管理费用，提高网络的安全性。广东在原九运会信息网络基础上，建成了全省电子政务统一平台，形成与互联网物理隔离的统一电子政务专网平台，实现省四套班子的内部办公网互联、省政府和各市政府专网平台互联、省直部门之间以及省市部门之间的办公网互联。这个平台建成后，夯实了广东省电子政务建设的基础，为开展广泛的政务应用创造了良好的网络条件。省政府的应急指挥系统、全省视像会议系统、全省劳动力市场信息系统、国库集中支付系统等一批电子政务应用系统，现在都在这个平台上运行。

（二）信息公开制度

广东省毗邻港澳，对外开放程度高。广东已经成为国内外重要的新闻信息集散地，一举一动都备受瞩目。广东省高度重视信息公开制度建设，各级政府及时主动地向公众公开政府信息，既尊重了群众的知情权，也增强了政务透明度，提高了行政效率。通过走上信息公开的前台，广东省各级政府向我们展示着从管治型政府向服务型政府的嬗变。

早在1993年，省政府新闻办借省“两会”期间大量港澳记者前来采访之机，建立了新闻发布的制度，邀请省长及有关部门领导向媒体通报情况。此后，省政府新闻办不定期举办新闻发布会，向中外媒体介绍广东省的重大决策、经济成就或进行重大辟谣。[①] 2006年6月初，省政府办公厅下发通知，要求省政府、各地级以上市人民政府和省政府各部门、各直属机构全面建立新闻发言人制度。至此，全省三个层次的政府新闻发言人队伍建立了起来。[②]

---

① 段功伟：《政府走上信息公开前台　广东全力打造服务型政府》，《南方日报》2006年10月27日。

② 段功伟：《政府走上信息公开前台　广东全力打造服务型政府》，《南方日报》2006年10月27日。

2006年，广东省在中山市对200余名新闻发言人进行了一次规模最大、层次最高、覆盖面最广的培训，这表明广东新闻发布制度的建设已经驶上快车道。①

积极推进信息公开的法制化建设，这是广东省各级政府打造透明政府的一大特色。2003年1月1日，《广州市政府信息公开规定》颁布实施，这是我国迄今为止由地方政府制定的第一部全面、系统规范政府信息公开行为的政府规章。《规定》明确规定，政府信息"以公开为原则，不公开为例外，公开时则以合法、及时、真实、公正、利益平衡和不收费"为原则，首次开了政府以政令形式强制政务公开的先河，不啻为各地政府信息公开提供了范本，也标志着广州市政府向政务信息公开迈出了探索的第一步。② 2005年7月，广东省出台了全国第一部全面、系统规范政务公开的省级地方性法规——《广东省政务公开条例》，就政务公开的原则、内容、形式、时间、程序、责任主体和法律责任等有关问题作出明确规定，这标志着我国政务公开的政府规章向法制化迈出了具有深远意义的重大一步。③

（三）质量管理体系

政府质量管理体系是政府为保证和提高公共管理质量，运用系统概念和方法将质量管理涉及的各阶段、各环节的职能组织起来，形成一个任务、职责和权限明确而又互相协调、互相促进的有机整体。国家质量监督检疫总局和国家标准化管理委员会于2004年8月30日联合发布了《卓越绩效评价准则》，并于2005年1月1日起正式实施。这为政府质量管理提供了理论依据和实践工具，也突

---

① 段功伟：《政府走上信息公开前台　广东全力打造服务型政府》，《南方日报》2006年10月27日。

② 张英姿：《广州要全面公开政府信息》，《信息时报》2002年10月31日。

③ 段尧清、汪银霞：《我国政府信息公开纵向透视》，《情报科学》2006第6期。

显了建构政府质量管理体系这一基础性工作的必要性和可行性。①政府质量管理体系就是促使政府工作程序化、规范化、标准化，换言之，政府机关导入ISO质量管理体系，就是为了提高行政效能，政府机关将当前企业质量管理的先进理念和方法引入机关工作中，按照ISO质量管理标准建立起规范化的政务运作程序和方法，促进行政管理制度化、规范化、法制化。广东省在实践中，大胆导入ISO质量管理体系，不但增强了全省公务员的公共服务理念，也带来了政府管理机制的变革，有效地推进了广东公共服务型政府建设迈向新台阶。

广东省江门市是最早推行ISO质量管理体系的地级市政府。早在2003年，江门市蓬江区白石村将“两委”工作纳入村的ISO体系管理，不但严格制定了班子成员的职责、工作目标和考核标准，还将这些与年终报酬挂钩。在总结和推广白石村经验的基础上，江门市立足本市实情，引入现代企业管理和公共管理理论，通过借鉴企业家精神来塑造服务型政府的施政理念。在经过以江门市政府办公室为试点并获得成功后，ISO质量管理体系被逐渐推广导入江门市政府机关。2004年，江门市政府办公室一次性通过了北京和瑞士两家权威认证机构的审核，成为中国首家成功导入ISO质量管理体系的地级市政府办公室。江门市各市直机关导入ISO质量管理体系后，强调了政府管理过程的标准化，对每项工作“如何做”、“做到什么程度”，都有明确规定，有效地消除了过去在管理和服务上的随意性。凡事有人负责、凡事有章可循、凡事有据可查、凡事有人监督，工作质量和效率进一步提高，机关公务员的责任意识也得到了强化，成为江门市直机关导入ISO质量管理体系后的主要变化。②

珠海市金湾区是全国第一家县区级政府通过标准认证的政府机

① 王家合、陈讯：《政府部门实施质量管理的可行性》，《上海管理科学》2005年第6期。

② 亦然：《一场“绩效”革命》，《珠海特区报》2004年6月12日。

关。金湾区政府质量管理体系的主要特点和创新之处，就是在政府政务活动管理中导入了国际企业通用的ISO9001：2000质量管理体系标准，建立适合于区政府指挥和控制政务活动质量方面的体系，使政府的政务管理发生了可喜的变化。这套体系以“依法透明、公正廉明、便民务实、高效创新”为质量方针，以顾客（即企业、社会、公众及上级）为关注焦点，强调领导在质量管理中的地位和作用，以事实为决策的依据，通过全员参与，采用“过程方法”、“管理的系统方法”，坚持持续改进的观念，把质量管理纳入政务活动的全过程，确保顾客要求得到识别、确定并予以满足。[①]到2004年，金湾区已初步建立了一套系统化、制度化、科学化的管理模式；改变过去行政机关内部管理中常见的办事流程不具体、工作标准不明确、制度建设不系统、工作责任不落实的状况；杜绝了行政审批行为的随意性；形成了一套不以人的意志为转移、不以人事更迭而变化的制度与有效约束机制，使办事效率明显加快。[②]

一石激起千层浪，江门市政府和金湾区政府引入质量管理体系的成功起到了良好的示范效应。2005年，珠海市开始在全市范围内导入ISO质量管理体系（简称“贯标”）试点工作。通过导入ISO，珠海市进一步明确了部门事权，明确了岗位职责，明确了工作流程，明确了质量标准，有效地解决政府机关工作的规范化、标准化问题，塑造了服务型政府的新形象。2006年5月，东莞市财政局开始在全市率先将ISO质量管理体系导入机关行政管理中。通过ISO质量管理体系的导入，该局进一步规范了自身的行政行为，为杜绝“职责不清、管理混乱、扯皮埋怨”等弊病，提高财政管理服务水平、提高工作质量和效率打下了良好的基础。2006年8月，来自广州、深圳等地的近30名专家学者前往江门学习取经。2007年，广州市越秀区开始在城管大队实施导入ISO9001：2000质量管理体系试点工作。通过质量管理体系的导入，进一步规范了城

① 郭鹏：《金湾区政府通过ISO9001认证》，《珠海特区报》2004年7月29日。
② 郭鹏：《金湾区政府通过ISO9001认证》，《珠海特区报》2004年7月29日。

管执法的流程，缩减不必要的程序，提升城管部门的整体执法效能。目前，广州地税也通过了ISO认证，通过成功引入ISO质量管理体系，该局的整个业务流程得到了重新整合，运行更加科学合理，工作更加规范有序。

（四）行政问责制度

有权必有责，用权受监督，侵权要赔偿。这是现代法治行政原理的内在要求。行政问责制是民主政治的一个组成部分，是行政民主化和法治化的产物。行政首长问责制对于督促行政首长依法、合理地履行职责，建设有限政府、高效政府和责任政府，具有重要的意义。2003年，以卫生部原部长张文康和北京市原市长孟学农的离职为标志，“行政问责”逐步在中国推开。行政问责在中央层面启动之后，为了进一步推动责任政府建设，广东省结合自身实际推出了很多创新之举。

广东省的行政问责制建设以深圳市最为典型。作为改革开放排头兵的深圳，尝试以制度化、程序化、理性化的方式渐进推行行政问责。深圳行政问责始于2005年。为了打造一支高素质、高水平、敢抓敢管、勇于任事的现代公共管理团队，是年10月，深圳市作出了关于在全市掀起“责任风暴”、实施“治庸计划”，加强执行力建设的决定。随后出台的《深圳市人民政府关于健全行政责任体系加强行政执行力建设的实施意见》等“1+6”配套文件，详细划分了行政责任过错追究的方法。“1+6”文件首次在全国确立的行政首长问责制、行政许可责任追究、训诫制度和警醒教育制度等，旨在通过完善政府内部监督机制，使行政监督无处不在，形成强大的内部监督压力。作为落实“1+6”文件的一项具体行动，2006年初，深圳市再次在全国率先探索性地推出了政府部门白皮书制度，将部门责任、工作任务及目标等向社会公开，一时被誉为“开风气之先”。2007年，深圳市把失职渎职官员公开道歉纳入制度化轨道，推出了“公开道歉制度”，以作为“问责风暴”的延续与细化。该制度要求，如果公务员一旦出现严重的行政不作为或失

职渎职问题，要以登报发表声明等形式向公众道歉。深圳市此举，不仅在培养官员的“道歉意识”方面再次充当了“排头兵”，更体现了一种民意和民主的进步。

深圳市行政问责制的推行，对于规范政府行为、促进依法行政、提高行政效率，无疑发挥了重要作用。同时，它还产生了广泛而深远的影响。2008 年 7 月 3 日，广东省召开省政府常务会议，会议为加强对政府部门行政首长的监督，促使其恪尽职守、依法行政，确保政令畅通，提高行政效能，防止和减少行政过错，建立勤政、廉洁、务实、高效的政府，决定出台《广东省政府部门行政首长问责暂行办法》。该《办法》规定，广东各级人民政府对所属各部门不履行或不正确履行职责，或者政府部门行政首长在公众场合的言行不适当造成重大失误或不良社会影响的行为，将追究行政首长责任。① 我们有理由相信，广东省这一《办法》的实施，将会促使本省各级行政一把手恪尽职守、依法行政，将进一步确保政令畅通，提高政府的行政效率，使政府工作更廉洁、更务实、更以人为本，最终使全省人民对政府工作更满意。

小　结

通过 30 年的不间断的努力，广东省逐步回归到以公共服务为主的政府本位上来，并在教育、医疗、社会保障、公共财政、公共服务流程创新等多方面取得了喜人的成绩。这些成绩主要体现在：

一是通过完善以基础教育、劳动就业、社会保障、环境保护等公共产品和公共服务为基本内容的公共服务体系，广东省完成了从经济目标优先向社会目标优先的转变，完善了基本公共服务体系。针对本省经济社会发展中存在的突出问题，广东更加重视加快推进以改善民生为重点的社会建设，通过普及基础教育、扶持社会就

① 《黄华华主持省府常务会议：部门行政首长将问责》，2008 年 7 月 4 日，http：//www. gd. gov. cn/govpub/zwdt/gzhy/200807/t20080704_ 58956. htm.

业、构建社会保障体系和强化环境保护，为全省人民提供了更多、更丰富的公共服务，逐步完善了公共服务体系。

二是通过将财力主要用于满足社会公共需要和社会保障，广东省基本实现从投资型财政体制向公共型财政体制的转变。近年来，减少经营性领域的投资，大力压缩行政事业经费，将财力主要用于满足社会公共需要和社会保障，逐渐成为广东省公共财政政策的基本取向。

三是通过创新公共服务流程，把政府的公共服务置于社会的监督之下，逐步提高决策过程的透明度，广东省基本完成了从封闭型行政运行体制向公开透明型行政运行体制的转变。

四是通过建立和完善严格的行政问责制，广东省基本完成了从管制型政府向责任型政府的转变。建设公共服务型政府，关键是以法律规范约束政府和公务人员的行为，从上至下加强政府官员的法律意识教育。广东省尝试以制度化、程序化、理性化的方式渐进推行行政问责，不仅为公众的政治参与提供了更多的渠道，而且也使公务人员意识到必须为自己行使公共权力的行为承担责任。

就广东经验而言，广东省回归政府本位、建设公共服务型政府的过程，是对政府角色理性反思的过程。在落实科学发展观的过程中，广东各级政府逐步认识到，在新的历史条件下，政府不应当也不可能再充当经济建设的主体力量，它更应关注民生，关注社会的公平与正义，关注国民福利，关注公众的健康和安全，用完善的公共服务满足不同利益群体，促进社会与经济同步发展。惟其如此，整个社会才能迸发出创新的活力。

第七章
携手政治协商

引　言

早在1954年，周恩来总理针对人大召开后出现有些人轻视政协的现象曾专门指出，人大、政协“两会只是有权力之分，无高低之别。……政治地位上是平等的”①。不过与人民代表大会相比，人民政协的民主作用一直未能突显，在很长的一段历史时期内人民政协仅被定性为统一战线组织而主要发挥着团结的功能。改革开放之后，人民政协作为一种民主形式在性质上才逐步明晰起来。从20世纪90年代开始，《中国人民政治协商会议章程》（以下简称《政协章程》）经历了两次修改，团结与民主作为人民政协的两大主题被正式确立下来。1994年通过的《政协章程》（修正案）在原有“中国人民政治协商会议是中国人民爱国统一战线的组织”的条文后面增加了“是中国共产党领导的多党合作和政治协商的重要机构”这一表述；2004年又进一步增加了“是我国政治生活中发扬社会主义民主的重要形式”的条文。② 2006年出台的《中共中央关于加强人民政协工作的意见》进一步明确了人民政协作为

① 中国人民政协理论研究会秘书处编：《中国人民政协理论研究会第一次理论研讨会论文集》（上），中国文史出版社2007年版，第334页。

② 政协广东省委员会办公厅编：《广东政协五十年》，广东人民出版社2005年版，第245页。

一种民主形式在我国政治生活中的作用，意见指出“人民通过选举、投票行使权利和人民内部各方面在重大决策之前进行充分协商，尽可能就共同性问题取得一致意见，是我国社会主义民主的两种重要形式。……发展社会主义民主政治，建设社会主义政治文明，要善于运用人民政协这一政治组织和民主形式”①。这些规范性文件的出台与完善，既是对人民政协改革开放后实践活动的回应，也推动着人民政协成为一个重要的民主政治参与平台。

推动人民政协成为一个民主政治参与平台具有很强的现实意义，它既有助于广泛吸纳民意、促进有序参与，也有助于提高执政党和国家决策的民主化、科学化。人民政协通过政治协商、民主监督和参政议政等途径，对关乎国计民生和影响群众具体利益的各项决策，能针对性地反映各党派团体和各界代表人士的意见，充分表达他们的利益诉求，从而保证了社会各界的利益要求能够通过体制内渠道获得反映，推动各党派、社会各界、各社会团体的有序政治参与；同时执政党与国家在决策过程中通过人民政协这一组织吸纳社会的各种声音，最大限度地表达各种利益诉求，既增强了国家决策的合法性，又促进决策的民主化、科学化。

回顾广东政协改革开放后的历史，我们可以清晰地看到人民政协成为社会利益表达平台、有序政治参与平台所历经的实践步骤。自1977年底恢复工作以来，广东政协主要围绕4个方面来提升自身的履职能力：首先，重视政协机关建设，这是广东政协工作的重头戏，它集中体现为各专门委员会的成立以及相应的运作规则创制，从而构建起完备的协商平台；其次，突出政协界别特色，通过对界别范围的调整与扩大，广东政协最大限度地把社会各界的利益诉求纳入体制中来，推动政治参与的有序化；再次，发挥政协委员主体作用，作为政府与社会公众的联结纽带，政协委员依托政协这一协商平台积极介入国家决策等活动中，表达着其所代表界别的利益诉求；最后，推进多党合作，作为人民政协最原初的功能，促进

① 参见《中共中央关于加强人民政协工作的意见》，2006年2月8日。

政党合作自然也是广东政协工作的重点。这 4 点构建了广东政协“四位一体”[①] 的工作布局。根据广东政协在不同的历史阶段不同的工作中心，改革开放后的广东政协发展历史可以划分为三个阶段。

（一）政协工作的恢复阶段（1977—1988 年）

广东省政协工作的恢复阶段始于 1977 年 12 月省政协四届一次会议的召开，这个阶段历时 10 年（包括省四届政协与省五届政协两个时期），这一时期省政协基本上处于“按部就班”状态，机构设置不齐全，同时省政协的日常运作几乎都是参照全国政协出台的相关法律法规，富含广东特色的政协法律法规及相关文件仍在酝酿之中。这个阶段的广东政协扮演的是一种承上启下的角色，上承中断 10 年之久的羸弱状况，下开政协工作的“广东风气”。

这一阶段，政协工作的主要内容为会议的召开与提案工作的开展。政协全体会议、常委会议等各类会议逐渐实现制度化、常规化，成为政协进行政治协商、民主监督和参政议政的重要渠道。提案工作在这 10 年获得了初步发展，成为本阶段工作的一个亮点，在 1979 年 12 月省政协四届二次会议至 1987 年五届六次会议期间，提案审查委员会共受理立案提案 2447 件，提出或参与提出提案的委员达 7585 人次，其中有 2398 件提案得到办理答复，平均办复率为 98%，提案办理的质量相当突出；这些提案工作重心在于经济建设层面，同时兼顾社会事务，内容涉及工业、交通、城建、外事等各个方面，成果卓著。[②]

（二）政协工作的推进阶段（1988—2003 年）

经过 10 年的恢复，广东省政协进入了一个重要的发展阶段，

---

① “四位一体”指的是人民政协自身建设的内涵，它最先由《中共中央关于加强人民政协工作的意见》加以规范。

② 政协广东省委员会办公厅编：《广东政协五十年》，广东人民出版社 2005 年版，第 50 ~ 51 页。

它历时15年（从省六届政协至省八届政协），在这个阶段，广东政协做了大量富有建设性的工作，为其有效履行职能奠定了基础。

政协机关的建设是这个阶段工作的首要内容，尤其是政协相关规则的创制基本上涵盖了整个15年。从1988年12月28日《广东省政协常务委员会工作规则》的审议通过到2000年8月《中共广东省委关于加强和改善党对人大、政协工作领导的意见》的出台，广东政协已经构筑起较为完备的规则框架，为政协工作划定了活动领域。在后续历史中发挥着重要作用的政协专门委员会也在这个时期获得了完善，这些专委会的出现进一步提升了政协的履职能力，以1988年正式成为常设机构的提案委员会为例，它的出现推动了提案工作的迅猛发展，在第六至第八届政协广东省委员会的15年时间里，提案委员会共受理立案提案高达6023件，其中党派、团体提案439件，有22880人次提出或参与提出提案。① 除此之外，政协工作的其他方面也陆续开展，在这一阶段，政协界别工作也获得了很大的发展，如通过增加新的界别来提高政协的代表性等。

（三）政协工作的蓬勃发展阶段（2003年至今）

2003年省政协九届一次会议的召开开启了广东政协蓬勃发展之路。承接广东政协在推进阶段所取得的工作成就，广东在省九届政协时期迎来了特色发展时期，确立起政协工作的“广东模式”，出现了一系列令人关注的“广东现象”。

这一阶段，广东政协工作在多个层面进行了创新。在改革会议发言形式方面，省政协九届五次全会首次采用委员即席发言方式，极大地调动了委员的积极性；在提案办理方面，九届五次全会引入提案现场办理方式，邀请省政府领导和承办单位负责人与委员进行面对面协商，有效提高提案办理效果；在视察活动方面，九届政协开创了把视察活动与经贸投资结合的新方式；在创新民主监督形式

① 政协广东省委员会办公厅编：《广东政协五十年》，广东人民出版社2005年版，第52页。

方面，各级政协相继在新闻媒体上创办“政协论坛”、“政协之声”等专栏节目，促使政协的民主监督与舆论监督形成合力；在反映社情民意方面，各级政协委员相继开设“委员信箱”与“委员博客”，增强与社会公众的互动，更便利地收集社情民意……[①]通过这一阶段的创新实践，广东政协作为民主政治参与平台的特征愈加明晰了。

一、政治协商平台的搭建

政治协商、民主监督与参政议政的功能发挥必须依托于人民政协这一组织平台，故而平台的完善与否将直接影响到这些功能的有效发挥，它进而影响到社会各党派、界别和团体的利益能否得到顺利表达和政治参与能否有序地进行。广东省政协自 1955 年 1 月召开一届一次会议后就非常重视自身的组织建设，这一态度在改革开放后的岁月中尤为明显，它成为广东政协工作的重头戏。广东省政协完善协商平台的工作主要包括两个方面的内容：一是进行政协机构的建设，其重心在于拓展专门委员会机构，以便为广东省政协内的各党派、界别和团体提供更为广阔的活动空间；二是进行广东政协运作规则的创制活动，人民政协既然是一个社会各界人士有序参与政治的平台，那么对其运作做相应的规范自是题中应有之义了，它为广东政协的活动提供了规则和依据。

（一）政治协商机构的建设

在 1977 年底刚开始恢复工作时，广东全省各级政协组织的数量仅为 42 个，大多数市县（区）政协组织处于缺失的状态，这对政协工作的开展极为不利；经过 20 多年的努力，到 2003 年底，全

---

① 廖珍玉、陈建萍：《广东模式 · 广东现象 · 广东经验——透视广东政协五年写就精彩华章》，《人民政协报》2007 年 12 月 6 日。

省各级政协组织的数量发展到143个，广东政协组织系统基本成型。[①] 在此基础上，广东政协内部机构的建设也同步进行，这一过程历经工作组到专门委员会的发展过程，到了1988年，专门委员会的格局基本确立，并在后续的历史中进一步完善。

1977年12月召开的省政协四届一次常委会上，学习委员会、文史资料研究委员会、学术资料研究委员会和对台工作组得以成立，为了便于它们工作的开展，常委会同时设立了秘书处与人事处等办事机构。省五届政协在此基础上进一步充实内在的工作机构，增设了包括教育组、文化体育组、医卫组、城市建设组、经济组、工商组、华侨组等在内的工作组，很明显这些工作组主要以界别作为划分标准，与此同时，政协内部的办事机构也加以调整，尤其值得一提的是，1987年11月省编委同意省政协增设提案工作委员会办公室，这为提案工作委员会在1988年由一个临时机构转变为常设机关作好了准备。[②] 在恢复工作的这10年，省政协的办事机构不论从规格上还是数量上都有了很大的改进，支持了政协的日常运作，同时以界别为划分依据的工作组成了这一时期省政协主要的工作机构，它们虽与后期出现的各专门委员会差距甚远，不过也成为这些专委会出现的必要阶段。

从1988年六届一次常委会议开始，省政协加快了专门委员会设置的步伐，在该次会议上，学习委员会、文史资料研究委员会、“三胞”联络委员会和提案委员会成为政协的常设工作机构。同年12月召开的省政协六届四次常委会议继而增设经济委员会、教育文化委员会、科学技术委员会、医药卫生体育委员会、法制委员会、民族宗教委员会和妇女青年委员会等7个常设机构，这两次常委会的决议形成了一个较为完备的专门委员会格局，并一直沿用到省政协第七届委员会。到了1998年的八届一次常委会会议上，省

① 政协广东省委员会办公厅编：《广东政协五十年》，广东人民出版社2005年版，第4页。

② 政协广东省委员会办公厅编：《广东政协五十年》，广东人民出版社2005年版，第50、368～369页。

政协对专门委员会的设置做了进一步的调整，数量从原先的 11 个下调为 7 个，提案委员会、学习委员会、文史资料研究委员会、经济委员会保持不变，教育文化委员会、科学技术委员会和医药卫生体育委员会调整为科教文卫体委员会；法制委员会更改为社会和法制委员会；“三胞”联络委员会变更为华侨港澳台胞联络委员会，专门委员会的设置显得更为精炼了。4 年之后的省政协八届十八次常委会上，省政协继续调整专门委员会的格局，合并学习委员会和文史资料研究委员会，增设人口资源环境委员会，用港澳台侨外事委员会取代原先的华侨港澳台胞联络委员会，这 7 个专门委员会加上省政协书画艺术交流促进会和省政协历届委员联谊会这两个机构构筑了今天我们所见到的省政协专门委员会格局（见图 7－1）。

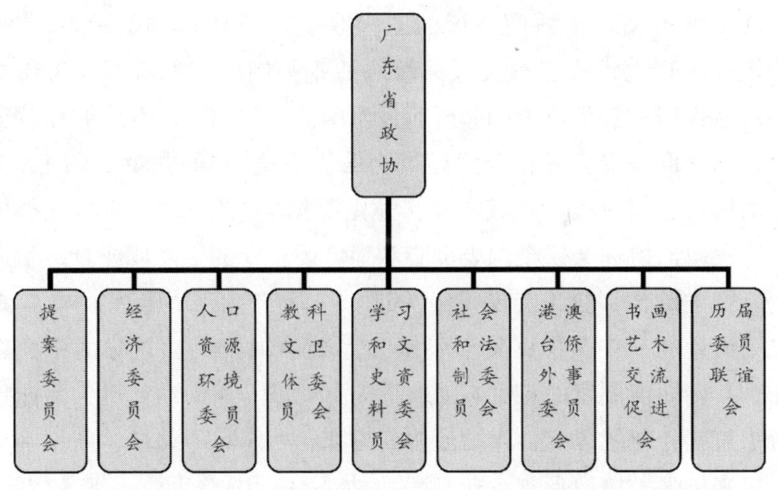

图 7－1　广东省政协各专门委员会架构图①

专门委员会的成立为政协委员发挥他们的知识技术优势提供了重要的活动平台，既保证了政协委员政治协商、民主监督与参政议

① 政协广东省委员会办公厅编：《广东政协五十年》，广东人民出版社 2005 年版，第 47 页。

政各项职能的履行，也有力地推动了广东省政治、经济与社会的发展。在9个专门委员会中，社会和法制委员会、经济委员会以及提案委员会的作用尤其重要，后续历史表明广东省政协依托这些平台保持着对社会各领域持续的影响力。

（二）政治协商规则的创制

广东省政协工作的规范化与制度化应置于全国政协制度成长的环境中加以审视。中国共产党领导的多党合作和政治协商制度是我国的一项基本政治制度，中国人民政治协商会议根据中国共产党同各民主党派和无党派人士“长期共存、互相监督、肝胆相照、荣辱与共”的方针，促进参加中国人民政治协商会议的各党派、无党派人士的团结合作，发扬社会主义民主统一战线。这一切集中反映在中国人民政治协商会议的三大职能（政治协商、民主监督、参政议政）上，我国有关人民政协的相关制度大部分是围绕着如何有效保障此三大职能的履行而设定的。1982年12月11日中国人民政治协商会议第五届全国委员会第五次会议通过的《中国人民政治协商会议章程》在其“工作总则”第二条作了明确规定：“中国人民政治协商会议全国委员会和地方委员会的主要职能是政治协商、民主监督、参政议政。”① 为进一步落实《政协章程》，7年多之后出台的《中共中央关于坚持和完善中国共产党领导的多党合作和政治协商制度的意见》（以下简称《意见》）对此三大职能进行了可操作化的界定，在政治协商方面，《意见》总结了新中国成立以来的多种协商形式，包括民主协商会、谈心活动、座谈会等；在参政议政方面，“要保证民主党派成员、无党派人士在全国人大代表、人大常委会委员和人大常设性专门委员会中占有适当比例”、“举荐民主党派成员、无党派人士担任各级政府及司法机关

---

① 政协广东省委员会办公厅编：《广东政协五十年》，广东人民出版社2005年版，第246页。

的领导职务”;[①] 在民主监督方面，“人民政协要对国家大政方针、地方重要事务、政策法令的贯彻、群众生活和统一战线中的重大问题，加强政治协商和民主监督。”[②] 民主监督可包括提出议案、视察、参与调查等形式。1995 年 1 月通过的《政协全国委员会关于政治协商、民主监督、参政议政的规定》（下文简称《规定》）在其第三条、第四条与第五条中对此三大职能作了更为完整的界定，范围涉及政治协商、民主监督与参政议政的主要内容及主要形式，比上文的《意见》更为全面。此外，《规定》还明确保障政协委员的权利，“政协委员的民主权利应受到保护。在政协的各种会议上，各种意见都可以充分发表。”[③] 从而为政协委员的积极履职提供了制度保障。在三大职能的相关规定出台之后，政协九届全国委员会八次会议于 2000 年 2 月 29 日审议通过《中国人民政治协商会议全国委员会提案工作条例》，从而为政协委员行使提案权，有效落实民主监督职能奠定了制度基础；政协委员的提案工作立足于社情民意的表达，只有真正了解民意、尊重民意，政协委员才能有效地行使其提案等各项民主权利，2001 年全国政协第三十三次主席会议通过的《政协全国委员会关于进一步加强反映社情民意工作的若干意见（试行）》就表达了全国政协在这一方面的努力。除了这些制度规范外，全国政协还完善了内部的工作规则等相关规定，政协工作已逐步步入法制化的轨道。

广东省政协的法制化过程实质上是全国政协已有成绩的进一步细化、可操作化的过程，同时伴随着创新性的实践过程，其内容主要包含三个方面，分别为省政协内部规章制度的出台、省政协关于三大基本职能的具体规定以及广东省保障政协运作的相关规定。从

① 政协广东省委员会办公厅编:《广东政协五十年》，广东人民出版社 2005 年版，第 254 页。

② 政协广东省委员会办公厅编:《广东政协五十年》，广东人民出版社 2005 年版，第 255 页。

③ 政协广东省委员会办公厅编:《广东政协五十年》，广东人民出版社 2005 年版，第 259 页。

1988年到2003年，广东省先后制定了《政协广东省委员会秘书长副秘书长工作规则》、《政协广东省委员会常务委员会工作规则》、《政协广东省委员会专门委员会通则》、《广东省政协、各民主党派省委、省工商联秘书长座谈会简则》等内部规章制度，它们保障了省政协日常工作的有序运行。

为认真贯彻《中共中央关于坚持和完善中国共产党领导的多党合作和政治协商制度的意见》，结合广东实际，中共广东省委1990年出台了通知文件，对《意见》中有关政治协商、民主监督与参政议政三大职能做了更为具体的规定，如省委要通过民主协商会、座谈会等形式就一些大政方针、重要人事安排以及社会重大问题进行协商等。在《意见》关于民主监督规定的基础上，通知文件规定"各级党委要制定约访各界人士制度。由领导同志约见提出重要意见或要求约见的民主党派和无党派人士。凡有民主党派组织的部门和单位，都要建立健全中共负责人与民主党派座谈和联系的制度，经常倾听他们的意见，自觉接受监督"[①]。与此同时，通知文件还要求"各级党委要按照中央14号文件的规定，保证民主党派、无党派人士在各级人大代表、政协委员以及人大、政协领导成员中有适当的比例"[②]。关于这一点在5年后中共广东省委印发的文件中得到了更具操作性的规定："认真做好民主党派成员和无党派人士在各级政府及司法机关中的实职安排工作，市、县政府班子中要逐步配备并保持1名党外干部。省、市、县检察院、法院、司法行政部门的领导班子中，要尽可能各配备1名党外人士担任副职；省政府职能部门要力求有一半左右的领导班子配1名党外人士担任副职，市、县政府职能部门也应尽可能配备党外人士担任副

① 政协广东省委员会办公厅编：《广东政协五十年》，广东人民出版社2005年版，第308页。

② 政协广东省委员会办公厅编：《广东政协五十年》，广东人民出版社2005年版，第308页。

职。”[1] 这些努力直接促成了1995年年底《政协广东省委员会关于政治协商、民主监督、参政议政的规定》的出台，该规定较为全面地界定了广东省政协的三大职权。在后续的历史中，广东省政协又陆续制定了一些行使各项职权的规定，如2000年颁布的《政协广东省委员会提案工作条例》等。

在通知文件中，广东省委为确保政协工作的顺利开展，提出要改善民主党派的工作条件和生活条件，如“……民主党派成员过组织生活，外出参加民主党派必要的会议和活动，所在单位要予以安排时间，按规定报销差旅费。在行政、业务经费、人员编制、车辆配置等方面，要统筹安排，适当照顾”[2]。广东省委这一关于保障政协人员编制的规定是基于1989年9月3日广东省编委出台的《关于我省市、县政协机关机构设置和人员编制配备的意见》而作出的，它结束了广东省各市县政协无定编的状态。[3] 广东省的这一实践直接促使中共中央于1995年出台旨在解决地方政协活动经费的通知，即《政协全国委员会办公厅、财政部关于切实解决地方政协活动经费的通知》，通知要求：“各级党委要为政协开展工作积极创造条件，对政协干部编制、活动经费等方面存在的困难，要切实帮助解决。”“请地方财政部门会同当地政协组织，认真贯彻落实中共中央通知的精神。对政协的活动经费、政协全体会议、常务会议以及委员视察、调研等专项业务经费，视财力的可能给予必要保证。”[4]

总之，过往30年里所作的“定规立矩”的工作使广东省政协有力地推进了“政治协商、民主监督、参政议政”的规范化、制

---

① 政协广东省委员会办公厅编：《广东政协五十年》，广东人民出版社2005年版，第315页。

② 政协广东省委员会办公厅编：《广东政协五十年》，广东人民出版社2005年版，第309页。

③ 广东年鉴编纂委员会编：《广东年鉴·1990》，广东年鉴出版社1990年版，第119页。

④ 政协广东省委员会办公厅编：《广东政协五十年》，广东人民出版社2005年版，第300页。

度化与程序化，使广东省政协得以更好地履行人民政协职能。

二、政协界别的演进

广东政协地处改革开放的前沿地带，大量新的社会阶层伴随着经济社会的发展而不断涌现出来，他们的意见和利益诉求需要得到重视和表达，这是社会现实状况给广东政协提出的任务。通过合理的界别设置与调整，广东政协最大限度地把新的社会阶层和各方面的代表人士吸纳到政协组织中来，扩大团结面，增强代表性，过往六届省政协界别构成的变化就很好地说明了这一点。

自省四届政协至九届政协，广东政协的界别构成发生了很大的变化（见表7－1），具体而言主要包含如下4种情况：

第一，界别的新增，如省七届政协开始设立经济界和科协两个界别。1993年改革开放政策的提出已经有15年的时间，作为先行者的广东省在获得骄人的经济成绩的同时也面对着新的问题与新的利益诉求，经济界的设立既有助于吸纳这些新阶层的利益诉求，也提升了政府应对经济建设过程出现的新问题的能力。另外，社会经济的不断发展也加深了社会对科学技术作用的认识，省政协增加科协这一界别正是出于对“科学技术是第一生产力”的回应。在新设立的两个界别中，经济界的人数逐届增加，占委员总数的比重也逐届上升，从七届时的30人，占委员总数的3.75%，到八届时的39人，占委员总数的4.43%，再到九届时的55人，占委员总数的6.49%，这与企业家的社会地位不断上升的现象是相互对应的。

第二，界别范围的扩大，如省四届政协中的贫下中农协会和社会福利团体。贫下中农协会在省五届政协时改称为农会，增加了非贫下中农的农民；到了省六届、七届政协时又增加了林业界的人士而改为农林界；省八届、九届政协则把农林届改为农业界，囊括了农、林、渔、牧等第一产业的人士。与此同时，社会福利团体也历经了社会救济福利团体再到社会福利界的变化。

第三，界别范围的减少，如省四届政协中的归国华侨界别的范

围限定为归国的华侨，它维持了三届，人数基本维持在20名以内；到省七届政协时归国华侨界改成侨联，其成员仅限于参加侨联的个人，省八届政协则将侨联改成归国华侨联合会，但是省九届政协仍定为侨联界，其界别范围维持不变。

第四，界别分化，如省六届政协增设的港澳同胞在省七届政协时分开为香港人士与澳门人士，随着港澳的回归，省九届政协把他们改称为香港特邀人士和澳门特邀人士。

表7－1　广东省第四至第九届政协各界别的变化一览表①

	四届	五届	六届	七届	八届	九届	总计
中共	37	33	32	30	38	38	208
民革	13	13	14	14	12	17	83
民盟	15	15	20	20	19	20	109
民建	15	15	12	16	16	16	90
民进	4	6	12	12	12	15	61
农工	12	12	15	15	15	10	79
致公	6	6	8	8	8	8	44
九三	5	5	8	8	8	8	42
台盟	4	4	6	5	3	3	25
无党派人士	14	14	13	14	15	15	85
共青团	3	3	3	3	3	3	18
总工会	11	11	11	11	11	7	62
贫下中农协会	6						6
农会		6					6
妇联	7	7	7	6	7	5	39
青联	4	4	4	3	4	3	22
台联			6	3	4	3	16
工商联	20	20	16	17	25	30	128
科协				19	23	19	61

① 政协广东省委员会办公厅编：《广东政协五十年》，广东人民出版社2005年版，第188～229页。

续上表

	四届	五届	六届	七届	八届	九届	总计
文化艺术界	61	61	60	56	52	42	332
科学技术界	100	100	90	69	77	66	502
社会科学界	9	9	13	15	15	11	72
经济界				30	39	55	124
农林界			35	27			62
农业界					32	29	61
教育界	66	65	62	65	66	65	389
体育界	14	14	13	14	14	11	80
新闻出版界	5	5	5	9	10	11	45
医药卫生界	62	62	61	60	57	47	349
对外友好团体	5	5	5	5	5		25
对外友好界						5	5
社会福利团体	2						2
社会救济福利团体		2	4	4			10
社会福利界					4	5	9
少数民族	16	14	10	10	9		59
少数民族界						9	9
港澳同胞			84				84
香港人士				71			71
澳门人士				25			25
侨联				29			29
侨联界						23	23
归国华侨	18	16	18				52
归国华侨联合会					22		22
宗教界	6	6	10	10	11	10	53
特邀人士	253	230	138	96	244	238	1199
总计	793	763	795	799	880	847	4877

从政协各界别的角度来看，以上变化表明，广东省政协针对经济社会的变迁而适时地调整自己的界别构成，或增加新的界别，或扩大原有界别的范围，或减小旧有界别的范围，或对界别进行分化，这一系列的调整都有助于增强广东省政协的民主代表性，使之

具有更大的包容性。在此基础上，我们进而来观察各个界别在具体人数及其占委员总数比重的两组变化，它能够使我们更清楚地看到广东政协在30年来所取得的民主成就，广东省政协不再仅是统一战线的爱国组织，它已成为中国共产党领导的多党合作和政治协商的重要机构，同时也是发扬社会主义民主的重要形式。为了分析的便利，我们将政协的各个界别划分为四大类型，即政党性界别（包括中国共产党、8个民主党派和无党派人士）、职业性界别（包括文化艺术界、科学技术界、社会科学界、经济界、农业界、教育界、体育界、新闻出版界、医药卫生界、对外友好界、社会福利界、少数民族界、宗教界、特邀香港人士与特邀澳门人士15个）、团体性界别（包括共青团、总工会、妇联、青联、工商联、科协、侨联与台联8个）、综合性界别（即特邀人士）。[①] 首先来看政党性界别，其人数除五届政协有轻微的下调外，其余各届都有所增加，从四届政协时的125人发展到九届政协的150人，不过从其占历届委员总人数的比例均在18%以内（见表7－2）可以断定广东政协已经超越了单纯的爱国统一战线的性质。再来看职业性界别的名额与比例，该界别的人数基本维持在360人以上，六、七届甚至高达470人，占了当届政协委员总数的59.12%和58.82%（见表7－3），职业性界别的名额与比例过半表明广东政协具有很大的包容性，成为社会各阶层和各界人士表达利益诉求的重要平台。此外，团体性界别与综合性界别也随着社会经济的变迁而做出相应的调整，它们都是广东政协界别演进中的重要内容。

表7－2　政党性界别名额和占当届政协委员总人数比例变化情况表

	四届	五届	六届	七届	八届	九届
人数	125	123	140	142	146	150
比例	15.76%	16.12%	17.61%	17.77%	16.59%	17.71%

① 界别四大类型的分类借鉴了全国政协办公厅秘书局的谢楚芝与许雄波两位同志的观点。

表7-3　职业性界别名额和占当届政协委员总人数比例变化情况表

	四届	五届	六届	七届	八届	九届
人数	364	359	470	470	413	366
比例	45.90%	47.05%	59.12%	58.82%	46.93%	43.21%

三、政协委员强力履职

作为参加政协的各党派团体和各族各界的代表人士，政协委员是人民政协履行职能的主体，他们作用的发挥将直接影响人民政协工作的成效。为了推动政协委员履行职能的积极性与有效性，广东政协做了大量卓有成效的工作，给其他省份的政协提供了有益的经验借鉴。

（一）调动政协委员履职的积极性

政协委员履行职能的积极性既源于内在的动力也来自于外在的助力，广东政协的工作正是依此二者而展开，一方面通过开设培训班提高委员参政议政的能力，另一方面强化委员履行职责的激励约束措施，并依法维护委员的各项民主权利。

1. 建立政协委员轮训制度。

为提高政协委员参政议政能力，省政协于2004年制定了《广东省政协2004年至2007年政协干部教育培训计划》，计划在3年内分7期对全省政协干部进行轮训，对象包括省政协委员、地级以上市政协主席副主席、县级政协主席以及省、市政协部分机关干部。培训班的课程内容涵盖人民政协的理论和实践、构建社会主义和谐社会、民族宗教问题等多个领域，有力地提升了参训人员的知识素养。此外，为了确保高教学水平，培训班邀请了一大批经验丰富的领导和理论扎实的专家学者担任授课老师，他们要么来自于国务院有关部门、全国政协机关及广东省有关部门，要么来自中央党校、北京知名大学等高等学府的专家和教授，师资力量可谓一流，

受到了广大委员的欢迎。当然，除了政协委员自身的自觉性外，培训班的顺利举办以及发挥重大影响还有赖于相关的约束机制。在2007年1月底的一个培训班上，76名新增补的政协委员中只有60人出席了培训，还有16名政协委员因故缺席。在培训班上，省政协秘书长杨懂表示那些委员缺席的理由并不充分，委婉地表达了对这些缺席委员的指责，并强调了委员参加会议活动的纪律要求。[①]通过建立政协委员轮训制度，委员参政的自觉性与积极性随着自身素质的提高而大为强化。

2. 对不作为政协委员说“不”[②]。

政协的会议包括全体会议、常委会议、主席会议等形式，它们是政协履行职能的主要形式，是政协委员履职的重要平台，其中政协的全体会议是政协最高层次的协商形式，可见，参加全体会议在内的各种会议是委员作为政协一员的基本要求，如果政协委员对如此重要的参政形式都不积极参与，甚至不当一回事，那么所谓参政，也就无从说起。长期以来，由于部分委员把“政协委员”当作标签、当“挂名委员”，从而导致委员的参政积极性较弱，政协会议的委员到会率很低，这种现象严重影响了政协职能的正常运行。为了改变这种状况，广东省政协从2004年开始就在系统内部掀起一系列针对政协委员“不作为”的“责任风暴”，这场风暴持续时间长、影响深远；2005年，省政协对无故不出席九届八次常委会议的常委予以通报；2006年1月23日的省政协九届十三次常

① 参见廖珍玉、陈建萍：《广东模式·广东现象·广东经验——透视广东政协五年写就精彩华章》，《人民政协报》2007年12月6日；吴暇、夏令、祝勇：《省政协秘书长称请假理由不充分》，《信息时报》2007年2月1日。《省政协举办提高参政议政能力培训班》，2006年8月8日，http://www.rmzxb.com.cn/zxtz/zxgz/t20060905_98806.htm.

② 参见廖珍玉、陈建萍：《广东模式·广东现象·广东经验——透视广东政协五年写就精彩华章》，《人民政协报》2007年12月6日；孔搏：《广东省政协规定：政协委员无故不参加会议将被除名》，《深圳特区报》2006年9月27日；建达：《政协委员不能成摆设》，《人民日报》2006年2月15日；王洪伟：《广东两奥运冠军因未履行省政协委员职责被撤职》，《广州日报》2006年2月14日。

委会议上，28名省政协委员因年龄、工作调动、任职期满等各种原因而被“请辞”，其中包括两位两年未参加政协全体会议的奥运跳水冠军孙淑伟和胡佳，“责任风暴”的方式与力度在全国都属首创；相比起前面的这些做法而言，2006年9月26日由省政协九届十六次常委会审议通过的《关于规范省政协委员参加会议活动的规定》则具有全局性的意义，它首次以规范的形式对委员出席会议作了明确的要求，制定了相应的处置措施。规定指出，委员未请假缺席全体会议一次的予以提醒、一届内累计两次则按规定程序撤销其委员资格；常委未请假缺席常委会议两次的予以提醒、一届内累计四次则按规定程序撤销其常委资格。

3. 依法维护政协委员的权利。

政协章程规定，政协委员享有对国家机关和国家工作人员提出建议和批评等八项民主权利，不过由于政协委员的民主监督等权利并不具备强制性，它的落实需要相关监督对象的合作，这就使得委员在运用民主权利的过程中经常会陷入尴尬的处境。针对这一情况，广东省政协积极以组织的力量来维护政协委员依法履行职责、行使民主权利，“要为委员履行职责创造有利条件。委员在正常履行职责中受到不公正待遇时，政协组织应理直气壮地维护好委员正当权利。”① 这一态度在2006年8月发生的“孟浩事件”②中得到了淋漓尽致的表达：针对广州市教育局要求成立联合调查组调查孟浩委员“闯局”的主张，省政协予以否决，并明确表示，“……支持和保护孟浩以政协委员的身份就群众关注的热点、难点问题开展调查或视察；了解、调查社情民意的途径，并不只限于通过会议或组织的形式，孟浩8月4日上午是在履行其政协委员职责，不能当信访看待。”③ 正是省政协组织的大力支持，政协委员行使参政议政、

① 廖珍玉、陈建萍：《广东模式·广东现象·广东经验——透视广东政协五年写就精彩华章》，《人民政协报》2007年12月6日。

② 下文对该事件有进一步的说明。

③ 朱丰俊：《政协委员求见官员竟要报警：孟浩求见是履行委员职责》，《南方日报》2006年8月13日。

民主监督职责才有了足够的底气和勇气，才有了强大的责任和动力，广东省政协委员才得以这么“牛”。

（二）政协委员议政：信箱、博客与论坛

人民政协作为发扬社会主义民主的重要形式这一点表明了其内在主体——政协委员只有有效地与社会公众保持良性的互动，政协委员才能有效地获得社情民意，从而为履行职权找到方向与动力；只有与公众保持良好的互动，政协委员才能得到社会的广泛支持，从而有效地开展各项民主监督、参政议政等活动。广东省政协组织政协委员积极参政议政，采取了诸如政协委员信箱、政协委员博客以及政协论坛等生动活泼的形式。

1. 政协委员信箱。

2004 年 2 月 7 日，应媒体的要求，广东省政协委员孟浩公开了自己的信箱和电子邮箱，成为广东省政协委员公开联系方式的第一人。与此同时，他还向省政协九届二次会议提交了一份题为《关于我省各级人大代表、政协委员应以适当方式在一定范围内向社会公布其名单及其联系方式、方法的建议》的提案，提案指出大部分代表或政协委员由于各方面条件的限制很少接触到工作范围之外的社会实际，社会各界的百姓和民众也因为不知代表、委员的联系方式而无法向他们反映社会问题。为此，孟浩建议省人大和省政协应该号召所有代表和委员们，采取适当的方式公布他们的名单和联系方法，以达到与民意的直接交流。[①] 针对这一公开联系方式的建议，省人大与省政协均认为不宜作硬性的规定，并在正式的答复意见中说明了原因，主要是因为我国人大代表和政协委员绝大多数为兼职，公开联系方式会牵涉到个人隐私与部分领导同志的安全问题。不过，省政协表示“将考虑以省政协办公厅或专委会的名义，征得委员同意后，将他们的电话、电子邮箱和通讯地址等在省政协办公厅的网站上向社会公布，也提倡由委员将自己的通讯方式

① 张琳：《“孟浩邮箱”：让我们更贴近民意》，《新快报》2004 年 2 月 23 日。

向社会公布，以便与群众联系”①。

孟浩委员公开邮箱的方式引起很大的反响，在那之后很多政协委员相继公开自己的邮箱，全省大多数的政协办公厅（室）的网站也陆续开辟“委员信箱”或“政协信箱”的栏目，在这个栏目下有那些愿意公开邮箱的政协委员的名单，网民只要找到准备写信的委员名单轻轻点击即可链接至他/她的邮箱，操作十分便利，以政协广州市委员会为例，民众可在其官方网站的“委员信箱”栏目下找到所有市十一届政协委员的联络方式。

委员信箱的出现拉近了委员与民众之间的距离，民众得以便利地反映社会问题，委员也可以更真切地了解社情民意，在这种良性的互动中政协委员能够更为有效地履行职权。

2. 政协委员博客。

政协委员信箱更多体现为委员与民众一对一的交流，它意味着单一的委员可能要面对着众多潜在的写信者，在委员的时间与精力都有限的情况下，委员信箱虽可为其收集社情民意提供有益的帮助，不过作用会大打折扣。如果能够改变委员与众多民众一对一的状况，而是将委员与众多的民众置于同一个平台中讨论问题，那么委员信箱所面临的局限性就会大大减低，政协委员博客的出现正是对这种需求的回应。

为提高政协委员履行职能、参政议政的成效，深圳政协从2006年开始就尝试与新闻网站合作开展委员网上议政活动，该活动受到了广大网民与委员的欢迎，反响甚巨。鉴于此类活动便于政协委员广泛吸纳社会各界人士的声音，深圳政协决定以开设博客的形式促使该活动持续地运作下去。2007年2月16日，深圳新闻网开设了政协委员博客专区，知名人士杨一平、邓清辉、魏达志等十几位委员和市政协人口环境委员会开始开博客议政，从而开启委员

① 左志红：《公开邮箱　为何开不下去》，《新快报》2005年1月11日。

博客之路（见表7-4）。①

表7-4 深圳开博客的政协委员基本情况一览表②

姓 名	界别	职业	博客地址
杨一平	无党派	律师	http://yangyiping. blog. sznews. com
张克科	民盟	研究人员	http://zhangkeke. blog. sznews. com
邓清辉	民革	企业家	http://dengqinghui. blog. sznews. com
杨子江	无党派	海归创业人士	http://yangzijiang. blog. sznews. com
张俞强	民盟	公务员	http://zhangyuqiang. blog. sznews. com
区绮文	特邀人士	企业家	http://ouqiwen. blog. sznews. com
梁文匡	特邀人士	企业家	http://liangwenkuang. blog. sznews. com
蒋展能	无党派	企业家	http://jiangzhanneng. blog. sznews. com
黎 军	民革	教授	http://lijun. blog. sznews. com
陈 斌	农工党	医生	http://chenbin. blog. sznews. com
谭 刚	无党派	高校研究员	http://tangang. blog. sznews. com
吴庆捷	青联	播音员	http://wuqingjie. blog. sznews. com
朱克恒	教育界	中学教师	http://zhukeheng. blog. sznews. com

从表7-4可以看出，开博客的政协委员多为教授、医生、律师等“高知”阶层，且以政党界别人士居多，似乎表明拥有高学历与身处规范政党界别中的政协委员更有开放的议政意识，故而他们愿意选择博客这一“网上议政”的方式。以无党派人士杨一平律师为例，他在其博客内开设“民主监督之窗”栏目，对一些侵权渎职、损害人民群众利益的社会现象予以公开披露并与网民讨论，这种做法又属其个人首创，没有自觉的参政议政意识也就不会有这样的创新举措。③

在深圳政协开通博客网后，全省各级政协纷纷效仿，许多委员

① 郑小红：《深圳政协委员开博客 网上议政受到网民追捧》，2007年3月20日，http：//news. xinhuanet. com/local/2007-03/20/content_ 5870531. htm.

② 数据来源于深圳博客，http：//space. sznews. com.

③ 洪奕宜：《深圳市政协委员博客开设“民主监督之窗”》，《南方日报》2006年4月11日。

也开设了自己的个人博客，与委员信箱一样，这些博客大多数集中于相应的政协官方网站中，一部分散见于相关网站，委员博客与委员信箱一道成为政协委员收集社情民意、行使民主权利的重要渠道。

3. 政协论坛。

政协论坛又是深圳市政协的一个创举，它与委员博客一样成为深圳政协委员参政议政的重要平台，也是委员与广大市民就社会热点问题进行思想交流、观点碰撞的平台。政协论坛与委员博客不同的地方在于，它依托于电视媒体而委员博客却是网络的产物，它能够轻松实现多对多的交流（即多个委员与多个市民的互动），是借助电视这一舆论媒介来增强政协委员自身履职实效的有益尝试。

《政协论坛》是深圳市政协办公厅和深圳广播电影电视集团于1994年合作开办的一个电视谈话节目，在全国首开运用电视媒体开展参政议政的先河。节目每周六、周日分别在深圳电视财经频道和都市频道播出，每期25分钟，内容以关注政协工作和社会热点为宗旨，强调政协委员与广大市民之间的互动，节目所提出的许多问题都得到了政府相关部门的重视，从而得以解决，为此，政协论坛成为沟通政府与民众的重要桥梁，成为政协委员展现自我风采的舞台。①

在深圳开办政协论坛并取得重大影响后，全省各级政协也陆续尝试利用电视、电台等媒体来增强自身参政议政的能力，“政协之声”、“政协热线”等方式在各级政协间续出现，大大提高了政协委员参政议政的影响力。

（三）政协委员监督：孟浩事件

民主监督是人民政协的职能之一，它不是权力监督而更多的是一种柔性监督，主要通过批评和建议进行监督，没有强制性，这是从法理层面来看政协的民主监督职能。2006年“孟浩事件”的出

① 深圳政协论坛，http：//www. sznews. com/zhuanti/node_ 22938_ 6. htm.

现既表明广东政协的民主监督已呈现出某种刚性监督的色彩，也说明广东政协所进行的工作是卓有成效的，委员强力监督的发生离不开广东政协的努力。

2006 年 8 月 4 日，广东省政协委员孟浩就广州市一名中学生的志愿填报问题前往市教育局了解情况，求见局领导时遭拒，本来这种情况下政协委员只能选择改日再来。不过，从当日随行记者录下的一段对话我们可知，孟浩委员并未因此退却，而是依法力争，强调自己是在行使民主监督职权，“你这里是政府的职能部门，政府的职能部门就要接受社会监督，要接受人大的法律监督、政协的民主监督、社会的群众监督，还有新闻媒体的监督”，“我们是民主监督……”① 在抗争无效的情况下，孟浩只能选择“硬闯”，正是在这种情况下接待的陈副主任发出了报警的威胁：“那我就……如果你这样子我就打 110 报警了。”② 这段对话后经媒体传播迅速扩散开来，从中我们可以看出委员孟浩确实很“牛”。

如果说“孟浩事件”仅止步于此的话，那么它的影响还不至于如此深远，广东省政协在该事件中的立场进一步表明政协已不是昔日的“软柿子”。针对孟浩“硬闯”的行为，在同年 8 月 9 日致广东省政协的一封公函中，市教育局表达了要对孟浩行为进行联合调查的要求：“8 月 4 日上午，省政协委员孟浩到我局了解初中毕业生小华（化名）错填升学志愿的有关事宜，我局负责信访工作的同志认真接待了孟浩委员，由于双方认识不一致，产生了一些不愉快的事情，我局已就此事提请省、市政协开展联合调研，以弄清事实。”③ 在这个节骨眼上，广东省政协明确表示，大力支持政协委员就群众关注的热点、难点问题开展调查视察，大力支持委员履行政协委员职责，从而回绝了市教育局成立联合调查组的要求，保

① 芾筱：《没有善后的孟浩事件》，《天涯博客》2006 年 8 月 3 日，http：//pxygz. blog. tianya. cn.

② 芾筱：《没有善后的孟浩事件》，《天涯博客》2006 年 8 月 3 日，http：//pxygz. blog. tianya. cn.

③ 朱丰俊：《孟浩求见是履行委员职责》，《南方都市报》2006 年 8 月 13 日。

护了委员孟浩。正是由于广东省政协的坚定立场与明确态度，再加上媒体舆论对该事件的持续性报道，广州市教育局终于不再一味地强硬，而是做出了相应的让步，2006年8月16日，市教育局发布了题为《认真学习贯彻新〈义务教育法〉全面加快创建教育强市步伐》的通稿，通稿在回应"孟浩事件"时说到，"近日，省政协委员到市教育局了解情况时，工作人员将他当成一般的群众来访是不妥的，在知道其政协委员身份的情况下，说出报警的话是不当的，今后要加强和改进机关工作作风，坚决杜绝'门难进、脸难看、话难听、事难办'的现象，保障人民群众对教育改革与发展的知情权与参与权，办人民满意的教育。"① 从行文用词可以看出，教育局仍然不大情愿，但相较之前的公函而言已经作了很大的让步，这不得不说是广东省政协与孟浩委员的胜利。

不经意间我们发现，广东省政协的腰板已经硬起来了，"孟浩事件"将不再是孤立的个案，众多类似的案例将不断上演，而这些将构成广东"强势政协"的重要内容。

四、多党合作的推进

在政协的界别组成中，民主党派和无党派是组织完备、运作有序的佼佼者，是政协履行政治协商、民主监督和参政议政过程中的重要力量，为此，多党合作的推进对人民政协至为重要，它有助于构建一个充满活力的政党活动平台，引导各民主党派和无党派人士积极有序地参与到国家政治生活中来。广东政协也不例外，从其成立开始就非常注重开展党派活动，其实践原则集中地反映在2006年出台的《中共广东省委关于加强人民政协工作的意见》中，意见指出各民主党派和无党派人士是人民政协的重要组成部分，要支持各民主党派和无党派人士参与广东省重大决策的讨论协商，要尊

① 芾筱：《没有善后的孟浩事件》，《天涯博客》2006年8月3日，http: pxygz. blog. tianya. cn.

重和保障各民主党派在政协的各种会议上发表意见及提出提案，要保证政协机关和国家机关中应有一定数量的民主党派和无党派人士担任专职领导职务。① 可见，协商、提案与出任公职是过往岁月中广东政协党派工作的重心。

（一）政治协商：在政党之间

1. 专题协商座谈会。

专题协商会议是广东省政协为了就一些重大社会问题与党委、政府有关部门进行面对面的协商而采取的一种会议形式。专题协商会议为广东省政协所首创，它大大提高了政治协商的实效性。从1996 年开始，省政协开始引入专题协商方式，在当年的 6 月和 11 月分别召开了关于把反走私斗争推向深入和贯彻执行建设工程招标投标法规的两次专题协商座谈会，会议提出的意见和建议以主席会议的建议案形式报送省委、省政府，取得了很好的成效。② 截止到2006 年，广东省政协在 10 年的时间里总共举办了 39 次专题协商座谈会（见表 7 – 5），1996 年与 1997 年各 2 次，1998 年.3 次，1999—2002 年各 4 次，2003 年与 2004 年各 5 次，2005 年与 2006 年各 3 次。其中，2000 年之前的 11 次专题协商座谈会并未有省委、省政府领导及相关部门负责人到场，会议讨论的结果主要以主席会议的建议案形式报送省委、省政府，如 1999 年省政协共向省委、省政府报送《关于新丰江水资源保护和利用的建议》、《关于进一步做好贫困县脱贫奔康工作的建议》、《关于湛江市水利建设和发展南亚热带作物的建议》、《关于进一步贯彻台胞投资保护法、优化台商投资环境的建议》4 个建议案；③ 到了 2000 年，省政协首次邀请省委、省政府领导及相关部门负责人参与了建立覆盖全社会的

① 中共广东省委办公厅：《中共广东省委关于加强人民政协工作的意见》。

② 广东年鉴编纂委员会编：《广东年鉴 · 1997》，广东年鉴社 1997 年版，第 162 页。

③ 广东年鉴编纂委员会编：《广东年鉴 · 2000》，广东年鉴社 2000 年版，第 135 ~ 136 页。

社会保障体系等在内的4次专题协商座谈会，面对面的协商使得协商过程更具针对性与集中性，大大提高了协商的成效，最后建议与意见以主席会议的建议案形式报送。[①] 此后，在每年举行的专题协商座谈会上，省政协领导与省委、省政府领导及相关部门负责人进行面对面的协商，这已成为一个惯例，并逐渐成为政治协商的一种重要方式。

表7－5　广东省政协历年专题协商座谈会基本情况表[②]

年　份	次　数	协商议题
1996	2	☆把反走私斗争推向深入 ☆贯彻执行建设工程招标投标法规
1997	2	☆提高东深供水工程水质 ☆禁毒斗争
1998	3	☆广东省旅游业发展问题 ☆加强政法队伍建设问题 ☆计划生育工作问题
1999	4	☆新丰江水资源的保护和利用 ☆全省16个贫困县脱贫奔康 ☆湛江水利建设和发展南亚热带作物 ☆贯彻台湾同胞投资保护法
2000	4	☆贯彻落实《广东省计划生育条例》 ☆省高校扩招 ☆建立覆盖全社会的社会保障体系 ☆加快全省非公有制经济发展
2001	4	☆全省农村基层文化建设 ☆韩江水资源的保护和利用 ☆中国加入世贸组织后过渡期改善广东省经济发展环境 ☆雷州半岛引水治旱和农业结构调整情况
2002	4	☆广东省华侨农场改制情况 ☆加强保护外资民营企业工人合法权益工作 ☆珠江三角洲城乡普及信息化问题 ☆广东省省直机关干部职工实施基本医疗保险制度有关问题

① 广东年鉴编纂委员会编：《广东年鉴·2001》，广东年鉴社2001年版，第140页。

② 广东年鉴编纂委员会编：《广东年鉴》（1997—2007年），广东年鉴社1997—2007年版。

续上表

年　份	次　数	协商议题
2003	5	☆珠江三角洲城乡生活污水与垃圾处理 ☆促进广东省会展业健康快速发展 ☆禁毒 ☆文物保护和利用 ☆加快台资企业在广东的发展
2004	5	☆改善投资环境、提高引资水平 ☆完善科技创新体系、推进科技强省建设 ☆妥善处理征地拆迁引发的群众上访问题 ☆东江中上游生态公益林建设与保护情况 ☆珠三角旅游资源保护利用开发情况
2005	3	☆加强基层调解工作 ☆大力发展高中阶段教育 ☆解决广东省城乡基层群众看病难问题
2006	3	☆加快广东省农村中医药事业发展 ☆广东省自主创新存在的问题和对策 ☆加强流动人口出租屋管理工作

由表7－5可以看出，专题协商座谈会的议题涉及政治、经济、社会和文化等方面，其中经济议题所占的份额最重，占据所有专题的过半数；社会议题所占比重次之，尤其在最后两年，专题协商座谈会所涉主题几乎都是社会性的话题；政治议题主要存在于最初的两三年，如1998年的“加强政法队伍建设问题”专题协商座谈会等；文化议题也较少，这与广东这一阶段经济社会发展的总体状况比较相符。通过专题协商座谈会，广东政协能够更深入地在各种决策中发挥影响。

2. 大会即席发言①。

政协大会的发言一般都有固定的程序，指定发言人、规定题目大纲、事先准备发言内容、发言时“照本宣科”，几乎是千篇一律

① 参见李妍等：《首次大会发言委员争举手》，《广州日报》2007年2月4日；黄磊：《粤政协全国率先试验“即席发言”》，《21世纪经济报道》2008年3月4日；《激情48分钟——大会即席发言现场速写》，http：//www. szzx. gov. cn/news/zxjx/200703/two70323_ 188842. htm.

的模式，在整个发言过程缺乏交流与沟通，会议发言的实效性极低。会议是政协履职的主要形式，而会上的发言是其中最重要的环节之一，发言低效果则无疑使会议的功能大打折扣。有鉴于此，广东省政协为了提高会议的功效，在全国首次设置大会即席发言环节。2007 年 2 月 3 日，广东省政协九届五次会议举行了有史以来第一次大会即席发言，即参与政协大会发言的委员在大会指定的程序性发言环节之后，都享有在大会现场即席举手争取限时发言的权利，不限话题、自由举手、随机点名。但这并非意味着这是完全自由随性的即席发言，作为初次尝试，委员仍然需要把发言提纲提前交由常委会审查，它的进步在于不再指定发言人而是自由举手、随机点名，无须“照本宣科”，委员可以畅所欲言等。在这场即席发言中，随着主持人柯小刚副主席“话题不限，谁先举手谁发言，每人发言限时 5—8 分钟”的话音刚落，几十只手一下举了起来，场面可谓热烈，王则楚委员成了第一个幸运儿，同时他也成为全国第一个进行即席发言的政协委员。在两个半钟头的发言时间里，共有 19 名委员“抢”到了话筒，大家围绕 2007 年广东省委、省政府的工作重点，对经济发展、文化建设、民生等问题进行了激烈的讨论。委员们旁征博引、妙语连珠，会场气氛空前活跃，媒体形容达到了“爆棚”状态，这一举措在引起重大反响的同时也赢得了委员与社会各界人士的普遍赞誉。省政协的有益尝试带动了市一级政协进行实践，比如说，2008 年 2 月 19 日，广州市政协十一届二次会议首次在大会发言程序中加入了委员即席发言的环节，在为时一个半钟头里共有 22 名委员获得了发言机会；其他的市一级政协如深圳市政协、珠海市政协、韶关市政协等也进行了类似的实践尝试。

（二）民主党派议政：提案工作

1. 提案工作的基本情况。

从 1979 年省政协四届二次会议恢复提案工作以来，我们以 1988 年与 2003 年为界把提案工作的成果分为三个阶段。

第一阶段为初步发展阶段（1979—1987 年），该阶段的提案工

作重心在于经济建设层面，同时兼顾社会事务，内容涉及工业、交通、城建、外事等各个方面，成果卓著。在1979年12月省政协四届二次会议至1987年五届六次会议期间，提案审查委员会共受理立案提案2447件，提出或参与提出提案的委员达7585人次，其中有2398件提案得到办理答复，平均办复率为98%，提案办理的质量相当突出。例如，1981年的提高中小学教职工的工资待遇的提案、1982年的关于广州石牌五山文化区的建设和市场供应问题的提案、1983年的建立省生物工程中心的提案等都得到了及时的落实。①

第二阶段为全面发展阶段（1988—2002年），在这一阶段中，省政协积极运用提案的方式进行参政议政，立案交办的提案比起上一阶段无论从数量上还是从参与人次来看都有显著的提高。在六届、七届和八届会议的15年里，提案委员会共受理立案提案高达6023件，其中党派、团体提案439件，有22880人次提出或参与提出提案。各承办提案的单位对提案办理工作更加认真负责，15年来，共有4400多件提案得到有关部门的采纳或落实，其中不乏对广东社会主义现代化建设有突出意义的提案，如1988年的关于发展电梯工业的提案、1990年的关于为民主党派专题调查提供工作条件的提案、1995年的推广使用散装水泥问题的提案等。②

第三阶段为快速发展阶段（2003年至今），进入省政协九届以来，提案工作可谓硕果累累。省政协九届一次会议至二次会议期间（2003年1月—2004年2月），提案委员会共收到委员提案516件，立案491件，其中以党派、团体名义提出的提案54件，由副主席负责督办的重点提案5件；③省政协九届二次会议至三次会议期间（2004年2月—2005年1月）共收到提案793件，立案723件，其

① 政协广东省委员会办公厅编：《广东政协五十年》，广东人民出版社2005年版，第50～51页。

② 政协广东省委员会办公厅编：《广东政协五十年》，广东人民出版社2005年版，第52～54页。

③ 广东年鉴编纂委员会编：《广东年鉴·2004》，广东年鉴社2004年版，第158页。

中以党派、团体名义提出的提案71件；① 省政协九届三次会议至四次会议期间共收到委员提案662件，立案553件，参与提出提案的委员达2623人次，其中5件提案被列为重点提案加以督办。② 数据表明，2003年之后的提案工作进入了一个快速发展时期，单就提案委员会受理立案的数量来看，2003—2006年这三年里提案委员会共受理立案1767件，年均589件，而省政协六届至八届期间提案委员会的年均受理立案才接近520件，立案数量大幅提升，提案委员会进入了一个繁忙的时期。广东在提案工作方面的突出成就折射出广东省政协及其委员协商的广度与力度在不断的加大。

2. 提案现场办理。

2007年2月2日，广东省政协九届五次会议举行了首次提案现场办理座谈会，省致公党、省农工党以及委员陈奕标在座谈会上现场递交了提案，省劳动和社会保障厅厅长方潮贵、省卫生厅、省编办相关负责人当即对提案涉及的农民工保险中门槛高、转移难、参保率低、退保多等问题进行了回应。③ 这种邀请省政府领导和承办单位面对面协商办理提案的方式又是广东政协的一个创举，它使提案办理从“关门办案”向“开门办案”转变，增强了办理提案的透明度；同时也使提案从“文来文往”向“人来人往”转变，提高提案办理的时效与成效，是广东省各民主党派和省政协委员积极履行职能的重要举措。

提案现场面对面协商办理的方式在省以下政协中还没有得以铺开，然而，市一级政协在提案办理工作方面也进行了卓有成效的探索，形成了一些颇具特色的提案办理方式，与省政协的提案现场处理方式相互呼应，其中深圳市政协于2007年3月18日投入使用的动态监控提案办理全过程的信息管理系统最为突出。利用这个系统，委员可以对提案的质量和办理绩效进行分析和评估，比如说在

① 广东年鉴编纂委员会编：《广东年鉴·2005》，广东年鉴社2005年版，第158页。

② 广东年鉴编纂委员会编：《广东年鉴·2006》，广东年鉴社2006年版，第162页。

③ 静睿等：《广东政协首创提案现场办理　聚焦农民工社保》，《南方日报》2007年2月3日。

评估提案办理绩效方面，管理系统会根据系统是否及时签收、制定办理方案，是否与提案者沟通，及时答复、落实反馈情况进行评估。这大大提高了提案办理的实效。①

（三）民主党派参政：出任公职

会议、提案、调研视察等是各民主党派和无党派人士实现参政议政的主要方式，也是常规的方式，这些方式侧重于参政议政中的“议”上面，即协商的特征相当突显；各民主党派与无党派人士出任国家公职则意义大为不一样，这时他们正式进入决策的制定与执行层面，而非决策之前的协商层面。通过出任公职，各民主党派与无党派人士在参政议政方面实现了由以“议政”为主向以“参政”为主转变，协商力度得到空前的提升。

广东各民主党派与无党派人士在出任公职方面无论是数量还是级别都领先全国其他省份的同行。2003 年以来，广东省共有 8 个民主党派主委被安排担任副省长、人大常委会副主任和政协副主席等职务（见表 7－6），其中副省长 1 名，为民建党人士宋海；省人大常委会副主任 1 名，为农工党人士王宁生；其余 6 人为政协副主席，分别为致公党的王珣章、民革党的周天鸿、九三学社的姚志彬、台盟的陈蔚文、民盟的韩大建和民进的罗富和。其中姚志彬副主席在 2003 年 4 月出任省卫生厅厅长一职，广东这一民主党派人士出任政府部门正职的做法在全国引领风气之先。② 广东还先后安排 2 批近 50 名党外人士担任副县长、县长助理、法院副院长和检察院副检察长。据统计，截止到 2007 年 10 月，全省担任县级以上领导实职的民主党派成员和无党派人士共有 825 名，其中厅级干部 163 名。此外，各民主党派和无党派人士在各级人大政协中的作用得到进一步发挥，广东全省有近 3 万名党外人士担任各级人大代表

---

① 杨丽萍：《市政协提案全程网上办理》，《深圳特区报》2007 年 3 月 19 日。

② 可具体参见广东人大之窗、广东省政府网站和广东省政协网站中相关的栏目获得这些领导人的信息。

和政协委员，规模可谓巨大。①

表7－6　2003年至今广东省民主党派主委出任副省级职位情况表

姓　名	党　派	出任职位
宋　海	民　建	副省长
王宁生	农　工	省人大常委会副主任
王珣章	致　公	省政协副主席
周天鸿	民　革	省政协副主席
姚志彬	九三学社	省政协副主席
陈蔚文	台　盟	省政协副主席
韩大建	民　盟	省政协副主席（2008年离职）
罗富和	民　进	省政协副主席（2008年离职）
温思美	民　盟	省政协副主席（2008年上任）

小　结

30年来，广东政协的发展确实是可圈可点，它给世人留下了"强势政协"的印象。首先，广东政协注重政治协商平台的搭建，它一方面不断调整与完善政协内部的专门委员会，另一方面积极探索政协履职的制度化，制定出一系列富含广东特色的政协规范文件，为广东政协工作提供了有力的制度保障；其次，从省四届政协至今，广东政协通过增添新的界别或调整原有界别的方式逐步扩大政协的团结面，增强政协的代表性；再次，广东政协在规范委员工作作风、开辟委员知情知政渠道以及保障委员行使权力等方面付出了巨大的努力，政协委员的参政议政等职能得到强化；最后，广东政协通过专题协商座谈会、提案工作及出任公职等方式大力支持各民主党派进行政治协商、民主监督与参政议政的活动，突显民主党派在政协中的地位和作用。在这些工作中，广东政协的创新之举主要有如下几方面。

① 陈绍基：《在中共十七大小组讨论时的发言提纲》，2007年10月16日。

1. 规范政协委员工作作风。针对个别政协委员当“挂名委员”的现象，广东省政协从2004年起在系统内部掀起一系列针对政协委员“不作为”的“责任风暴”，在这场“责任风暴”中，包括奥运跳水冠军孙淑伟和胡佳在内的28名省政协委员因多次无故缺席政协会议而被“请辞”；在“责任风暴”的基础上，广东省政协进而在2006年9月出台了《关于规范省政协委员参加会议活动的规定》，文件对无故缺席政协会议的委员作了相关的处罚规定，这在全国尚属首例。对“不作为”委员说“不”确保了广东政协委员的活力，是广东政协有所作为的重要条件之一。

2. 拓宽政协委员履职空间。广东政协委员善于利用各种媒体渠道来扩展自身的履职空间，从而提升履行职权的实效；不仅报刊、电台、电视是广东政协委员频频使用的渠道，而且“委员信箱”、“委员博客”和“政协论坛”也成为广东政协委员进行议政的重要平台。利用这些传媒工具和沟通平台，广东的政协委员既从中汲取了广泛的社情民意，又通过与公众的互动赢得了广大民众的支持。广东政协不仅在议政方式上创新，而且尝试在民主监督方面有所突破：近年发生的数起广东政协委员强力监督事件（如“孟浩事件”等）一改政协民主监督惯有疲软的特征，为强化政协民主监督职权提供了一种可行的模式；“孟浩事件”等事例表明，政协委员的强硬与政协机构的组织支持，二者的合力有可能促成政协民主监督的刚性化，这对于其他地方政协具有重大的借鉴意义。

3. 创新政治协商方式。广东政协注重面对面的协商方式，这比起常规的文件传递更具实效。一方面，广东政协注重政协与党委、政府相关部门之间的面对面协商，2000年开始引入面对面协商的专题协商座谈会使得协商过程更具针对性与集中性，极大地提高了协商的成效；另一方面，广东政协积极推动政协委员间的面对面协商，广东省政协九届五次会议开创的大会即席发言制度赢得了委员与社会各界人士的普遍赞誉，增进了委员之间的交流，提高了大会的成效。

第八章
以制度抑制腐败

引　言

改革开放30年来，反腐败一直是一个艰巨而繁重的任务。改革开放初期，中央和广东各级党组织及领导干部虽然对对外开放可能给广东带来的负面影响有一定的思想准备，但对其影响之深、之快却没有充分的估计。1980年，广东省党员、干部因经济上严重违纪而受到党纪处分的从1979年的364人增至605人，上升了66.2%。经济案件中直接体现权钱交易腐败现象的干部受贿案，1981年前还基本是空白，1982年却达到449宗，其中县处级以上领导干部受贿案达42宗。[①] 邓小平曾就打击经济犯罪和干部腐蚀问题指出："要足够估计到这样的形势。这股风来得很猛。如果我们党不严重注意，不坚决刹住这股风，那末，我们的党和国家确实要发生会不会'改变面貌'的问题。这不是危言耸听。"[②] 广东改革开放30年，反腐倡廉成为政治建设乐章中一个不可忽视的音符，并奏响着强音。30年来，广东的廉政建设根据不同的时代背景和要求，可划分为以下三个阶段。

---

① 丘海：《邓小平党风廉政建设理论与广东的实践》，广东人民出版社1998年版，第139页。

② 《邓小平文选》第2卷，人民出版社1994年版，第402～403页。

第一阶段：正视问题，以事后惩罚打击为主要手段（1978—1992年）。

这一阶段经历了两个时期，主要特点是纪检监察机关配合省委、省政府，对经济领域中的犯罪活动进行事后打击。第一个时期从1978年到1989年，广东着力打击经济犯罪活动。1978年党的十一届三中全会之后，中央给予广东先行一步的“特殊政策，灵活措施”，广东经济得到极大发展，但是法制的不健全和体制转换增加了对权力监控的难度，领导干部思想防御体系相对脆弱，加上商品经济意识开始渗透到社会的各个方面，经济犯罪活动比较猖獗。这一时期，全省立案查处公职人员经济违法犯罪案件达15830件，给予党纪处分6012人，政纪处分5729人，依法惩处3619人，有2539人被开除党籍。[①] 第二个时期是从1989年到1992年，以事后打击惩罚为主要特点，同时也开始探索廉政制度的建设。这个时期有其特定背景，权力下放过程出现空当，没有相应的监督机制，加上1988年推行综合改革试验后，由于体制不完善、制度法规不配套、政策界限不明确等原因，以权谋私、走私贩私、权力经商等问题时有抬头，干部以权谋房问题尤为突出。80年代后期，建房住房采用的是单位福利分房的做法，有关制度不完善，漏洞较多，广东在短短几年内刮起了一股以权谋私建私房的歪风。在两年的清房工作中，全省给予党纪、政纪、法纪处理的市厅级干部有6人，县处级干部94人，科级干部321人，依法被判处徒刑的党员、干部共75人。[②] 同时，廉政制度建设开始展开，反腐教育强度也开始加大。1987年，广东省委决定将增加工作的透明度作为廉政制度建设的重点，至1989年，全省推行“两公开、两监督”制度，到了1990年4月，“两公开一监督”制度得以建立。

第二阶段：标本兼治，全面探索建立监督制约机制（1992—

① 丘海：《邓小平党风廉政建设理论与广东的实践》，广东人民出版社1998年版，第91页。

② 丘海：《邓小平党风廉政建设理论与广东的实践》，广东人民出版社1998年版，第217页。

2001年）。

这个阶段最突出的特点是在打击腐败没有松懈的基础上，全面探索和建立监督制约机制。以突击性的方式开展反腐斗争，其效果不持久，且运行成本较高，要将反腐工作纳入一个稳定且长期有效的机制范畴，必须要有完善的监督制约机制。1992年，邓小平发表南方谈话，对于反腐工作，他指出："事实证明，共产党能够消灭丑恶的东西。在整个改革开放过程中都要反对腐败。对干部和共产党员来说，廉政建设要作为大事来抓。"① 省委也明确了要做到"五个更加"，即思想更加解放、对外更加开放、改革更加深化、管理更加严格、法纪更加严明。自此之后，廉政建设形势开始发生新的变化。首先，监督主体的力量进一步增强。1994年，中共广东省纪律检查委员会和广东省监察厅合署办公，从此双轨运行的党、政两股监督力量纳入一体化进程；改革办案工作体制，建立办案责任制，进一步加强了反腐主体的力量。其次，强化监督制约机制。其具体内容包括纠风工作责任制、办事公开群众监督制度、权力分解制度、重要岗位轮换交流制度、建设工程公开招标投标制度、重大项目集体审批制度、领导接访制度、民主评议制度、特邀监察员制度等。最后，加大惩罚的力度。从1993年到1996年，广东在查处违纪违法案件中，注意突出部门或行业的重点，集中较多的人力、物力和时间查处发生在"三机关一部门"的案件；为了加大从源头上治理和预防腐败的力度，全省完成了党政机关与所办经济实体和管理的直属企业脱钩工作。②

第三阶段：惩防并举，建设有广东特色的惩防腐败体系（2002年至今）。

这个阶段的特点是系统全面地建设有广东特色的惩防腐败体系，把反腐倡廉工作融入经济建设、政治建设、文化建设、社会建

---

① 《邓小平文选》第3卷，人民出版社1993年版，第379页。

② 卢荻、杨建、陈宪宇：《广东改革开放发展史（1978.12—2000）》，中共党史出版社2001年版，第375～377页。

设和执政党的建设之中。2002 年，中共十六大提出“建立健全与社会主义市场经济体制相适应的教育、制度、监督并重的惩治和预防腐败体系”的崭新命题，对广东来说这是一个创造反腐倡廉亮点的契机。广东在全国较早地颁布了《广东省建立健全教育、制度、监督并重的惩治和预防腐败体系实施意见》，提出 2007 年建成广东特色的惩防腐败体系基本框架。此阶段的特点在两个方面得以体现：第一，在监督机制建设方面，2007 年开始实行“一年一巡视、一年一评议、一年一谈话”制度，规定每年对地级以上市和省直重点部门巡视一次，对领导班子和领导干部履行职责情况及领导干部德才表现每年一评议，在巡视和评议的基础上，有针对性地开展谈话；广东对行政审批的改革力度和做法也走在全国前列，行政许可电子监察系统使得行政许可项目的办理审批全过程“看得见，管得住”。第二，在反腐举措方面，针对以前遗留的问题，继续加大清理力度，如 2003 年清理党政机关事业单位的经营性资产；[①] 针对新时期出现的新的腐败形式如商业贿赂，2006 年全省立案查处商业贿赂案件 1514 件，涉案金额 64472.67 万元，其中百万元以上大案 61 件。[②] 至今，广东省仍在建设具有广东特色的惩治和预防腐败体系的路上积极探索前进。

在改革开放 30 年中，为抑制公共权力的滥用，加强对权力的监控，保证正常的市场和社会秩序，广东的反腐倡廉工作着眼于以制度抑制腐败，构建了一个具有广东特色的集教育、监督和惩治三位于一体的惩防腐败体系。

一、构建强力高效的反腐主体

反腐主体是反腐倡廉建设中的引导、监督和执行者，在查办案

① 广东年鉴编纂委员会编：《广东年鉴·2004》，广东年鉴社 2004 年版，第 159 页。

② 《广东治理商业贿赂专项工作取得阶段性成效》，2007 年 3 月 21 日，http://www.gd.gov.cn/wsjc/jctsgz/200711/t20071126_35114.htm.

件、教育宣传、惩治腐败、推进廉政制度建设过程中，反腐主体的威慑力和行动能力是保证反腐倡廉建设顺利进行的基础。构建强力高效的反腐主体，是广东反腐斗争30年来的题中要义，广东省在这方面摸索出了诸多具有自己特色的行之有效的路子。它主要包括三个方面的内容：组织架构的搭建、机构内部工作制度的完善及纪检监察队伍的建设（见图8－1）。

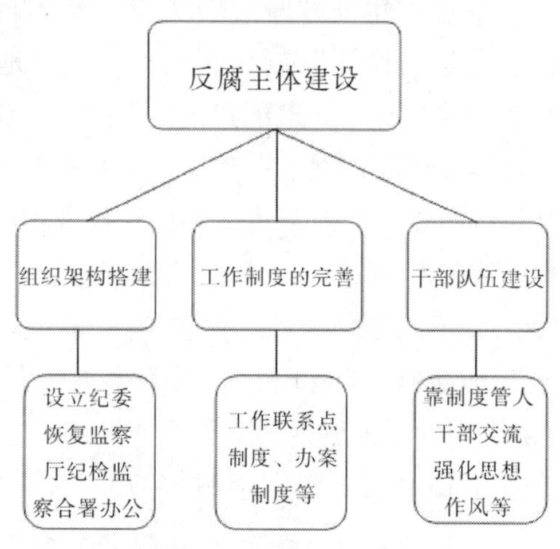

图8－1　广东反腐主体建设图

（一）反腐主体的组织架构搭建

1. 党的纪律（监察）机关与行政监察机关[①]。

1977年8月，中国共产党第十一次全国代表大会决定，中央和县以上党委设立纪律检查委员会。据此，1978年4月召开的中共广东省四届一次全会选举产生了中共广东省委纪律检查委员会，简称“省委纪委”。1983年2月24日至3月4日召开的中共广东省第五次代表大会，选举产生了中共广东省纪律检查委员会。据此，是年3月18日，中共广东省委纪律检查委员会的名称改为中共广东省纪律检查委员会，简称“省纪委”。

---

① 参见广东纪检监察网，http：//www.gdjct.gd.gov.cn/main/dwgk/lsyg/.

行政监察机构在新中国成立后经历了从撤销到恢复的过程。在1954年4月，第二届全国人民代表大会第一次会议决定，撤销中华人民共和国监察部。根据这个决定，是年6月10日，中共广东省委发出撤销广东省监察厅的指示。6月23日，广东省人民委员会通过了撤销广东省监察厅的决定。7月5日，广东省监察厅停止办公。到了1987年8月15日，国务院发出了《关于在县以上地方各级人民政府设立行政监察机关的通知》，据此，同年9月5日，中共广东省委常委会决定组建广东省监察厅，行政监察机构恢复。

2. 纪检监察合署办公与行政监察领导体制。

为了适应改革开放新形势下反腐败斗争和加强党风廉政建设的需要，中共十四大后，党中央决定党的纪律检察机关和国家行政监察机关合署办公。根据党中央的决定，经中共广东省委和省政府批准，中共广东省纪律检查委员会和广东省监察厅于1994年1月合署办公。省纪委与省监察厅合署办公，实行一套人马两块牌子，履行党的纪律检查和政府行政监察两种职能，对省委全面负责。监察厅仍属省政府机构序列，受省政府领导。省纪委、监察厅合署办公后，仍实行在中央纪委、监察部领导下和省委、省政府领导下进行工作的双重领导体制。经省政府和省编委同意设立了省直机关行政监察专员办公室（与省直机关纪工委合署办公）。[①] 合署办公在决策上总体是正确的，强化党的纪律检查和行政监察两项职能，形成合力，进一步增强综合效能，不仅领导力量得到了加强，队伍集中统一，而且工作上减少了重复交叉。

纪检监察机关合署办公后，还有另外一种领导体制存在。深圳市监察局作为我国第一个恢复建立的行政监察机关，是合署还是保留单设或是做另外的体制改革，一时成为焦点。1993年，当时的中央纪委书记尉健行提出鉴于经济特区的特点，在合署办公问题上不可搞一刀切。深圳市委、市政府根据特区的实际和监察机关发挥

① 广东年鉴编纂委员会编：《广东年鉴·2004》，广东年鉴社2004年版，第193页。

了重要作用的具体情况，向中央要求继续保留现行的行政监察领导体制，暂不合署。同年11月，尉健行赴深圳考察，听取了专项汇报，同意深圳继续探索行政监察新路子，暂不合署办公，因此，深圳市行政监察领导体制仍坚持单设，并继续实行集中管理垂直领导的模式。①

（二）内部工作制度的完善

1. 工作联系点制度。

工作联系点制度是广东各级党委纪委在实践中探索和总结出来的、以抓好结合点为特点的一种做法。1987年改革开放逐步推进，这时期的省纪委工作的关注点主要在经济领域。为了更好地了解和熟悉改革开放情况，研究和解决出现的新问题，1987年省纪委组织了3个调查组，就广东改革开放和经济活动中涉及党风党纪的一些问题，进行了调查研究，并向省委作了专题报告，这是一次工作方法上的新尝试。接着，各市地纪委共派出160多个调查组、620多人次，直接和在改革第一线的厂长、经理联系。② 省纪委先后把顺德、台山等市县，省二轻厅等省直厅局以及广州海运集团公司等企事业单位作为联系点，这一年全省各市地纪委建立了工作联系点50多个。③ 工作联系点的最大作用在于，省委、省纪委关于党风廉政建设的许多新思路、新做法都可以在联系点上试行取得经验后再向全省推广。

2. 逐步规范办案工作制度。

办案制度建设和办案工作途径是纪检监察机关30年来不断探索的内容。在改革开放新形势下开展纪检监察工作，靠过去的群众斗争和政治运动已经难有效果。但是不搞群众运动不等于不发动和

---

① 中央纪委监察部纪检监察研究所编：《中国经济特区行政监察》，中国人事出版社1997年版，第83页。

② 广东年鉴编纂委员会编：《广东年鉴·1988》，广东年鉴社1988年版，第81页。

③ 丘海：《邓小平党风廉政建设理论与广东的实践》，广东人民出版社1998年版，第85页。

依靠群众，改革开放初期，在打击经济领域严重犯罪活动为主要内容的时候，群众提供的案件线索是有关部门案件来源的主要渠道。广东查办案件数量上的起伏与群众来信来访数量的变化即群众的发动面有着直接的关系，比如1988年，群众来信来访数量较上一年下降了42.1%，同年查处的案件数和处分的党员数分别比上一年下降了36%和45.5%；1989年群众来信来访量比上年增长43.5%，而全年查处案件数及处分违纪党员数分别比上年增加120.6%和116.7%。[①] 在办案方法上，经过长期的反腐败斗争和查办案件的实践，广东在各部门间的协调配合上逐步积累了一些行之有效的经验，如各部门联合协同办理大案要案，具体做法有两种（见图8-2）。另外，广东的做法还有一个特点，就是实施每一项反腐败任务时，都会成立相应的领导协调小组，如1982年至1986年打击严重经济犯罪活动斗争，广东成立了“六人领导小组”；1989年至1991年清房工作期间，省里成立了贯彻省委“六号文”领导小组办公室；1994年成立了“省办案工作协调小组”；2006年治理商业贿赂时成立了省治理商业贿赂领导小组等，这在办案过程中起到了领导和协调的作用。

90年代初的深圳在办案工作制度上迈出了较大步伐，通过改革办案体制有效地查办大案要案。全市从纪委、检察院、监察局抽调得力人员组成重点案件调查组，全市统一排案，统一指挥，责任到组，每年拨出40万元作为办案奖励基金，对完成任务突出、贡献大的办案组给予奖励。这个办法能调动办案人员的积极性，增强办案人员的责任感，查案效率明显上升。全省各市各单位也相继落实了领导挂案、包案责任制，有的地方是责任到组，以组负责，出了问题追究组长和直接负责人的责任。广东办案工作也通过制度不断地规范，2002年广东出台了《关于加强省纪委、省监察厅机关办案工作监督的规定（试行）》、《关于纪检监察机关错案及执纪执

---

① 丘海：《邓小平党风廉政建设理论与广东的实践》，广东人民出版社1998年版，第167页。

法过错责任追究的暂行规定》、《关于借用外单位车辆办案的规定》、《广东省纪检监察机关案件检查考核综合评价标准》等制度规定。①

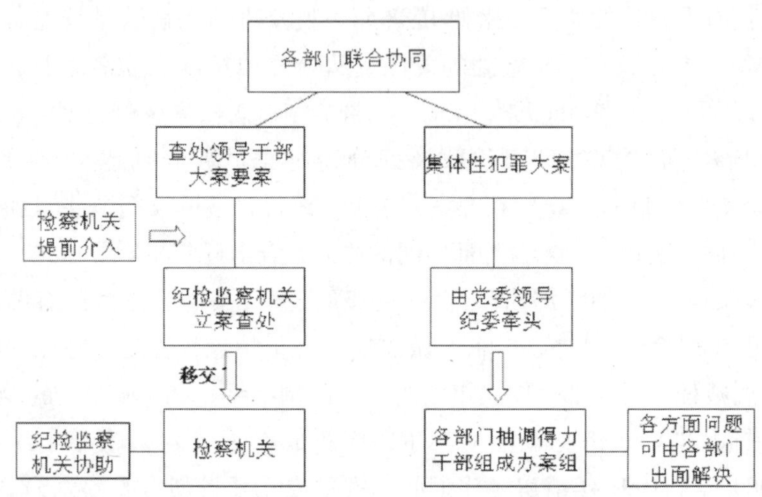

图 8－2　广东各部门联合协同办理大案要案的具体做法②

（三）纪检监察队伍建设

在广东纪委和监察机关先后恢复组建之后，队伍建设逐步规范化和制度化。纪检监察机关通过建立健全组织机构和工作网络，不断地进行各类培训充实干部队伍，提高队伍的思想政治素质、业务素质，保证反腐败斗争和廉政建设的顺利进行。1978 年省委纪委成立后，按“立场坚定、旗帜鲜明、坚持原则、谦虚谨慎、刚正不阿、不徇私情，敢于同任何违法乱纪的组织和个人作不调和的斗争，时刻把党和人民利益放在心上，严格按照党章办事，模范遵守

① 广东年鉴编纂委员会编：《广东年鉴·2003》，广东年鉴社 2003 年版，第 154 页。

② 笔者根据丘海著作《邓小平党风廉政建设理论与广东的实践》中的有关办案制度内容整理。

党纪国法”的标准，着手配备纪律检查干部。[①] 至1995年底，全省建立纪检监察机构7958个，配备专职纪检监察干部16658人，配备兼职纪检监察干部16186人。[②]

加强制度建设，靠制度管人是省纪委领导一贯的思想，也被证明是行之有效的办法。近几年来，广东省纪委监察厅关口前移，制定了学习制度、议事决策制度、内部管理制度、奖惩激励制度和监督制度等一系列制度。广东省纪委监察厅对制度的落实也有一系列举措，比如2005年7月开展纪律教育月活动期间，机关党委、干部室就重点对三项制度的落实情况进行了检查，即《八小时工作以外活动管理的规定》、《外出执行任务的纪律规定》和《办案工作人员守则》。

广东省纪检监察机关还注重通过干部交流提高队伍素质，从1990年开始就率先做好干部交流工作。1990年底到1992年初，广东省纪检监察机关先后调出2名副厅级、3名正处级、2名副处级干部到外单位任职，调进、借调2名干部到机关工作，1991年全省各级纪检机关共调出228人，调进290人。[③] 干部交流的作用在于使机关干部得到多方面的锻炼，增强活力，优化纪检监察队伍的结构，提高整体的素质。

总的来看，广东省按照“政治合格、公正清廉、纪律严明、业务精通、作风优良”的要求锻造纪检监察队伍。在30年的历程中，围绕各个阶段的政治任务，不断整顿纪检监察干部的思想作风。2004年纪检监察机关提出着力提高“五个水平”[④]，即服务大局水平、依纪依法办案水平、执纪监督水平、组织协调反腐败水平

---

① 中共广东省纪律检查委员会、广东省监察厅编：《广东纪检监察志（1950—1995）》，广东人民出版社1999年版，第393页。

② 中共广东省纪律检查委员会、广东省监察厅编：《广东纪检监察志（1950—1995）》，广东人民出版社1999年版，第399页。

③ 中共广东省纪律检查委员会、广东省监察厅编：《广东纪检监察志（1950—1995）》，广东人民出版社1999年版，第400页。

④ 广东省前纪委书记王华元2004年8月在全省纪检监察机关自身建设会议上提出的要求。

和创新工作水平。2008年1月，广东提出纪检监察机关要继续解放思想，牢固树立“五种意识”①：一是牢固树立大局意识，二是牢固树立保障意识，三是牢固树立预防意识，四是牢固树立以人为本意识，五是牢固树立创新意识。近年来，广东纪检监察机关成绩斐然，省纪委、省监察厅机关共有11个室或党支部被评为全国先进基层党组织、全国纪检监察系统先进单位、全省和省直机关文明单位；20多名党员干部被评为全国纪检监察系统、全省和省直单位先进个人；有12人（次）在办案工作中荣立一、二、三等功和受到嘉奖。2004年，中央纪委研究室对广东省抽样调查显示，81.07%的群众对党风廉政建设和反腐败工作成效表示认可。②

广东省反腐主体30年的建设，主要从主体的组织架构、内部的工作制度、干部队伍的建设三个方面着力，构造一个有威慑力的、运作机制良好的纪检监察机关。在很多做法上，广东走在全国的前头，为全国其他地方提供了范本，如在廉政建设中引入了以点带面的理念，探索出了工作联系点的方法，在办案工作中建立领导协调小组以及队伍建设中进行干部培训、干部交流等。广东省反腐主体的建设为广东惩防腐败提供了组织保证。

二、双重的权力监控机制

权力运行监控机制主要着眼于内部监控和外部监控，目的在于通过双重的监督防止权力的滥用和腐败。内部监控机制的主要制度组成有80年代中后期的“两公开一监督”，90年代末至今的巡视制度、领导干部经济责任审计等，旨在权力内部形成监控力量。而仅有内部监控是不够的，需要外部监督的补充。广东省改革开放30年来，不断探索专门机关监督与社会监督相结合，依靠人民群

① 广东省委书记汪洋在2008年1月召开的广东省纪委十届二次全会上提出的要求。

② 杨尧鑫：《广东省纪委监察厅加强自身队伍建设纪实》，《中国纪检监察报》2005年9月13日。

众开展监督工作的有效方法，使内外双重合力的监控机制（见图8－3）逐步形成并发挥着重要作用。

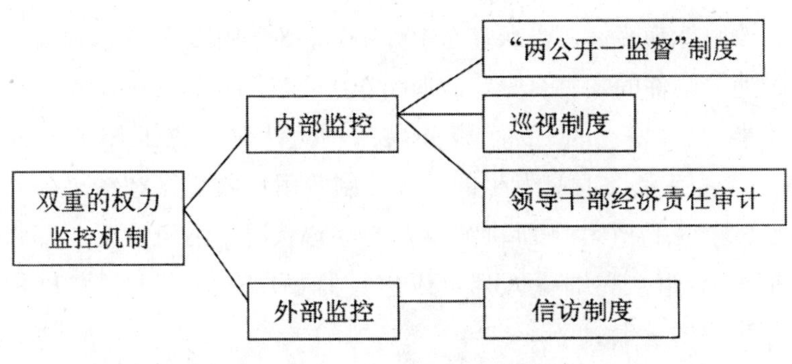

图8－3 双重的权力监控机制图

（一）“两公开一监督”制度

80年代中期，改革进一步深化，中央对省逐步放权，省对地方及企业逐步放权，增加了地方和企业的自主性，但是另外一方面，如果这种下放了的权力得不到有效的监督，那么权力滥用将会对改革造成反作用。有效的监督首先要增加机关工作的透明度，让监督成为可能。1987年12月，中央书记处召开党风廉政建设座谈会，指出：除了搞好党风廉政建设外，还要搞制度建设，增加透明度，增加开放程度。根据中央书记处的要求，广东省委决定将增加工作的透明度作为廉政制度建设的重点，在全省特别是基层单位普遍建立以“两公开一监督”为主要内容的廉政制度，即公开办事制度、公开办事结果、依靠群众监督。

为了使这个制度能稳步地推进和收到良好的效果，广东决定先在东莞和广州白云区试点，取得经验后再向全省推广。省直、广州和东莞有关部门抽调了近200名干部组成试点工作组，经过培训后分赴东莞市和广州白云区开始试点工作。东莞的试点工作进行了3个月，通过试点，东莞市的先行点共制定“两公开一监督”制度

51个,[1] 如东莞市建委针对建筑工程发包透明度不够，由少数领导说了算的状况，制定了《关于建设报建公开办事制度的规定》，借鉴国外的做法和经验在5个建设项目上搞工程招标试验，公开招标，改暗标为明标，当众宣布中标结果，对利用工程发包权谋私的违纪违法案件的发生有一定的遏制作用。广州白云区的试点工作开展了半年。以广州白云区税务局为例，针对税收工作中“人情税”、“关系税”时有发生的情况，制定了税收程序和结果公开的制度，全区14个税务所将纳税人的经营状况、纳税情况全部张榜公布,[2] 让群众和纳税人都可以进行监督，有效防止了“以税谋私”现象的发生。

试点是成功的，积累了很多经验。1988年11月，省委、省政府发出《关于加强政务工作公开性的通知》，根据通知，全省党政机关推行了“公开化”，一是办事制度、办事程序公开化；二是领导干部一些生活、工作情况的公开。到1989年9月底，全省市、县两级共有7609个直属机关单位、9208个基层单位制定并实行了“两公开一监督”制度。[3] 这项制度的建立意味着广东的廉政制度法规建设逐步加大事前预防和事中监督的力度，开始寻求一条通过制度遏制腐败的发展道路。

（二）领导干部“定期体检”：巡视制度

1. 建立巡视机构。

1993年中央纪委四次全会提出了反腐败工作的三项任务，其中一项就是“进一步落实和深化领导干部廉洁自律工作”。1996年1月，中央纪委六次全会决定建立巡视制度，1999年，中央组织了

---

① 丘海：《邓小平党风廉政建设理论与广东的实践》，广东人民出版社1998年版，第269页。

② 丘海：《邓小平党风廉政建设理论与广东的实践》，广东人民出版社1998年版，第271页。

③ 丘海：《邓小平党风廉政建设理论与广东的实践》，广东人民出版社1998年版，第269页。

“三讲”教育专项工作巡视组，但是这个时候的巡视还缺乏具体的内容，到了2001年至2003年7月初，中央纪委、中央组织部联合派出了3批巡视组，巡视工作才算正式铺开。对广东来说，这项制度的探索起步较早，在1996年，省委就已经开始探索巡视制度。2002年广东省委制定了《中共广东省委巡视工作暂行办法》。到2004年1月，广东省委决定建立巡视机构并将开展巡视工作作为一项政治任务来抓，同年2月27日，省编委下文设立5个省委巡视组和省委巡视工作办公室，巡视人员从省纪委和省委组织部工作人员中抽调组成。2004年4月28日，广东巡视机构正式挂牌，标志着广东巡视工作进入一个全新的发展阶段。

2. 广东巡视制度的运作。

前广东省委书记张德江的比喻形象说明巡视制度在党内监督中的作用，“巡视工作好比是‘健康体检’，巡视组就是‘保健组’，巡视员就是‘保健医生’。”① 广东巡视工作的对象是党政“一把手”和班子成员。巡视工作的一个重要的功能是通过巡视，省委可以全面、客观、准确地了解掌握领导班子及其主要领导干部的情况，同时为管理和使用干部提供有价值的参考依据。对每一届领导干部一般在任期内进行1~2次的巡视“体检”，对一个地级市的巡视时间一般为3个月，巡视手段包括召开见面会、听取汇报、问卷调查、个别谈话、调阅资料、明察暗访等等。广东的巡视制度在实践中有以下几个特点：

第一，创新工作方法，充分考虑心理因素。刚开始巡视工作的时候，巡视人员发现召开座谈会这种形式效果不明显，后来改为以个别谈话为主，效果有所改善。在问卷调查中，巡视人员发放问卷调查表和征求意见表时并不当场回收，而是要求三天内投在指定信箱，再由巡视人员统一收回。原惠州市委常委、公安局长吴华立的有关问题，巡视组最初就是通过这种形式了解掌握了一些线索，并把他确定为重点调查了解的对象，这为后来纪检监察机关对吴的立

① 参见前中共广东省委书记张德江在2007年9月全省巡视工作座谈会上的讲话。

案查处提供了一些有价值的材料和线索。[①] 另外，规定巡视人员在谈话时必须关闭手机，对谈话内容绝对守口如瓶，这些都为谈话者营造了一个宽松的谈话环境，他们在这种情况下相对容易说出真话。

第二，有效地发现、澄清和解决问题。首先巡视人员发现"要注重倾听有关监督职能部门领导同志的意见和看法"，因为实践证明他们掌握的情况和线索比较多，而一些刚从领导岗位上退下来的老同志因为"顾虑少，信息多"，也是巡视人员要重点关注的谈话对象。[②] 其次，巡视组采取公开化的工作方式，即完全向群众公开，媒体也时有报道。这使得巡视组的信息源相当广泛，在地方上也有较高威信。这种方法成为可以准确向上"报喜报忧"的最牢靠保证，有关部门通过它既能发现一些问题，也可澄清一些问题，既提出了一些可行性建议，也推荐了一些优秀干部。最后是问题整改的规范化，按照《中共广东省委巡视工作暂行规定》，省委巡视组在一个单位巡视结束后，要在20天内形成巡视工作报告，省委巡视办将巡视情况综合后报省委和省委巡视工作领导小组研究审定，然后由省委巡视组和巡视办向被巡视单位反馈有关情况和问题，有关单位需在两个月之内将整改情况上报省委。从2005年10月开始，省委巡视组还实行"巡视回头看"制度，对巡视过的地级市和省直单位落实整改的情况进行督促检查，确保巡视成果运用取得实效。

第三，巡视范围的延伸。广东巡视的范围在全国来说是比较广泛的，最先开始巡视的对象是地级市，后来扩大到省直机关和县（市、区）及华南农业大学、华南师范大学在内的5所高校，之后在几家省属国企进行巡视。同时对巡视内容也有侧重点，比如被巡视对象同样是领导班子，但对国企的巡视和对地方政府的巡视重点

---

① 参见《广东狠刹五股不正之风》，2005年2月6日，http://www.gdjct.gd.gov.cn/main/tsgz/200502067252.shtml.

② 参见粤纪宣：《巡视制度：领导干部的定期体检》，《南方日报》2006年10月11日。

并不完全一致，国有企业领导人决策失误、违规经营以及违法违纪，一直是国有资产流失的主要原因，因此国有资产是否被有效保值增值，是对国企巡视的重要内容。据统计，2000年以来，广东共查处国有及国有控股企业经济违法违纪案件3227宗3730人，其中厅级59人，处级601人，涉案总金额10.89亿元。[①]

第四，赋予巡视更多的功能。比如在通过监督、反馈促使领导干部时刻自警的同时，巡视组也建议对一些单位的“一把手”进行调整。在巡视某市时，巡视组发现群众来信中，反映当地法官队伍问题的信件多达93件。经查证后，巡视组即向省委领导作了专报。不久，欺压群众、非法持枪的法官被依法逮捕，一些沉积10多年的错案得到纠正，该市法院院长被调离。另外，对事前的监督和纠正的功能也很显著。在对某地级市的巡视中，巡视组发现某县的“一把手”存在与个别房地产开发商关系过于密切、亲戚在本地承包建筑工程等问题时，巡视组负责人及时进行谈话提醒，该“一把手”马上进行整改。[②]

3. 广东省首创“一年一巡视、一年一评议、一年一谈话”制度[③]。

2007年5月，广东省第十次党代会提出建立“一年一巡视、一年一评议、一年一谈话”制度，9月制定出台《对省管党政领导班子和领导干部实行“一年一巡视、一年一评议、一年一谈话”制度试行办法》，这在全国是一个创举。“一年一巡视”对已有的巡视方式方法进行了调整和充实，巡视地级以上市的时间增加为一个月左右，省直单位一般为半个月左右，巡视组由已有的5个增加到13个；“一年一评议”主要是了解当地干部群众及社会各界对领导班子和领导干部履行职责、德才表现的看法，评议工作由省纪

① 参见粤纪宣：《巡视制度：领导干部的定期体检》，《南方日报》2006年10月11日。

② 参见粤纪宣：《巡视制度：领导干部的定期体检》，《南方日报》2006年10月11日。

③ 简称“三个一”制度。

委、省委组织部具体组织实施，各地各单位党委（党组）协助；“一年一谈话”则是在巡视、评议了解情况的基础上，有针对性地肯定成绩、指出问题、提出希望和要求，班子正职由省领导同志负责谈话，副职一般由班子正职负责谈话，各地级以上市党委、政府领导班子其他成员也可由省领导同志进行谈话，谈话一般个别进行，必要时进行集体谈话。

这三者是一个有机整体，互相衔接、互相配合、互相促进，对监督与管理的内容和形式、广度和深度都进行了扩展，在体现创新的同时也使监督体系系统化。巡视和评议都是为了及时、准确地了解、掌握领导班子和领导干部的真实情况，谈话是巡视和评议结果的运用过程，能够及时反馈和核实巡视、评议的有关情况，帮助谈话对象认识苗头性问题并予以整改。① 巡视、评议、谈话结果，送省纪委、省委组织部备案，形成领导班子调整和领导干部选拔任用、培养教育、奖励惩戒的重要参考依据。

为了进一步推进巡视制度，广东省将进一步扩大巡视覆盖面，全面推进对高校、企业和县（市、区）的巡视工作，争取对省属46所高等院校、26家国有企业和全省121个县（市、区）的巡视率达到60%以上，2008年底前将建成广东省巡视成果档案库，形成科学、规范、简便、高效的巡视成果运行机制。②

（三）领导干部经济责任审计

广东省较早开始对乡镇和县级直属部门领导干部实施任期经济责任审计。从1986年起，就对国营企业的厂长、经理进行离任审计，1995年又把经济责任审计扩大到党政领导干部，并建立了对党政干部和国有企业领导人实行任期经济责任审计制度。2000年，省委、省政府办公厅联合制定了《广东省党政领导干部任期经济

① 《省委巡视办相关负责人解读“三个一”制度》，《南方日报》2007年12月19日。

② 《省委巡视办相关负责人解读“三个一”制度》，《南方日报》2007年12月19日。

责任审计实施办法（试行）》和《广东省国有企业及国有控股企业领导人员任期经济责任审计实施办法（试行）》。这些文件一是明确规定纪检监察和组织人事部门要把领导干部的经济责任审计情况列入党风廉政建设责任考核内容，并同时进入干部的《廉政卷宗》；二是要求各级党委、政府必须建立经济责任审计工作联席会议制度；三是将省党政领导干部任期经济责任审计对象范围扩展到省、市直属部门县处级以上党政领导干部。自此，经济责任审计工作正式在广东省全面推开。

2001 年作为正式起步的一年，广东决定把经济责任审计范围扩大到厅局级党政干部，审计结果作为干部考察任免、晋升的依据。从 1998 年至 2001 年，广东各地审计机关共对近 3000 名相关人员进行了经济责任审计，其中党政干部超过2/3，共查出违纪金额 162 亿多元，194 人被免职，25 人被降职，14 人被撤职，受党政处分有 28 人，移送纪检监察机关审理的案件 27 宗，移送司法机关处理有 18 人。①

2002 年，广东省纪检监察联合其他部门制定了《关于对地级市党政领导干部经济责任审计试点的实施细则（试行）》，开始了地级市市长经济责任审计试点。由各地方党委、政府结合本地实际制定相关规章和制度，经济责任审计工作逐步规范化、制度化、法制化。同时广东省重视发挥经济责任审计的监督作用，研究制定了《广东省任期经济责任审计结果运用办法（试行）》，强化审计结果的利用。从 2000 年到 2004 年，全省各级审计机关共对 10772 名领导干部进行了任期经济责任审计，共查出单位违法违规金额 353 亿元、损失浪费金额 47 亿元、管理不规范金额 612 亿元。其中由领导干部直接经济责任造成的违法违规金额为 23. 2 亿元，损失浪费金额 4. 8 亿元，管理不规范金额 20. 9 亿元。②

---

① 广东年鉴编纂委员会编：《广东年鉴 · 2002》，广东年鉴社 2002 年版，第 137 页。

② 朱桂芳：《广东推进经济责任审计工作，县处以下干部逢离必审》，《南方日报》2005 年 10 月 13 日。

2006年开始，广东对县处级以下党政领导班子主要干部做到逢离必审，对县处级党政领导班子主要领导干部在任期内多数进行一次经济责任审计。2007年，广东实现各级领导班子主要领导干部任期内多数进行一次经济责任审计的目标，对国有及国有控股企业领导人员基本做到逢离必审和先审后离，对地级市党政领导班子主要领导干部任期内的审计工作走向规范化，并全面实行审计结果公告制度。

实行领导干部经济责任审计，是从机制和源头上治理腐败，加强对领导干部主动监督的一项有效措施。但在实施的过程中，也存在一些需要改进完善的地方，比如，由于缺乏对领导干部经济责任的具体规定以及审计人员的专业水平的局限等，这些都会直接影响审计结果及结果运用。另外，需要组织人事部门和审计部门的有效协作和配合，这一制度的运行才能更加顺畅，审计结果的运用也更为有效。

（四）外部监控力量[①]：信访制度

1. 广东首创信访督查专员制度。

广东省于2004年1月在全国率先建立信访督查专员制度，要求新任副厅级领导干部分期分批到省信访局担任3个月[②]信访督查专员。对于信访热点、难点问题，信访督查专员要进行调研，在解决个案的同时，还要找出问题症结所在，形成一种集中解决矛盾纠纷的长效机制。同时，全省21个市、120多个县（市、区）均参照省里的做法，建立了信访督查员制度。[③] 广东省信访督查专员制度实施3年，先后有4000多名领导干部担任省、市、县信访督查

① 外部监控力量包括人大、政协、媒体及群众监督，由于人大、政协、媒体监督在本书其他章节有具体论述，本章只论及作为群众监督的信访制度。

② 其中，在省信访局办信处办理群众来信半个月，到省委或省政府人民来访接待室接待上访群众1个月，其余一个半月时间包案处理信访大要案或直接派驻信访问题较突出的地级市信访部门工作。

③ 国信宣：《广东省在破解信访难题上下功夫　建立信访督查专员制度》，《人民日报》2007年7月24日。

专员，共督办6.2万多宗重要信访案件，其中12批105位省信访督查专员共督办信访案件3246宗，结案率达95%。2004年1月至11月，广东省信访局受理群众来信数量比上年同期下降6.7%，接待群众来访批次、人次分别下降8.8%和13.8%，这是15年来广东省信访量首次下降。[①]

除了信访督查专员制度，2004年广东省还建立了信访工作联席会议制度，在省信访工作领导小组内再分设7个分组，均由一位副省级领导任组长，集合省相关职能部门领导，专责处理辖内的信访案件，此外，省信访局也专门增设了督查处，加大信访案件的督办力度。2005年全省信访总量同比下降6%，越级到省集体上访批次和人次分别下降33%和35%，[②] 信访秩序进一步好转。

2. 电子信访：信访渠道的拓宽。

深圳市规划与国土资源局2000年9月22日在全国政府机构中首家推出电子信访服务，信访信件中反映的部分事件得到了及时、准确的处理。2003年5月20日起，该局在原信访工作的基础上，又推出了公众信息咨询系统，使用者可通过语音电话、电脑触摸屏、电子邮件、传真、手机短信等7种途径获取相关信息。

2000年，广州市天河区在本区信息网站上开设了“留言板”；2001年3月，该区又在全国率先开通了政府呼叫中心（95100），利用现代信息技术，构建以“区长信箱”、“政民互动留言板”和“政府呼叫中心”为主要载体的电子信访平台，这开创了广州现代电子信访工作的先河。据统计，自2001年3月至2002年4月30日，呼叫中心共收到关于政务咨询、投诉反映和社区服务等各类电话62975个，属天河区受理的共2030件，其中已处理完毕的1898件。[③] 2003年以来，电子信访平台受理咨询投诉电话、信访件20

---

① 国信宣：《广东省在破解信访难题上下功夫　建立信访督查专员制度》，《人民日报》2007年7月24日。

② 《勇于创新破难题——记广东省信访工作的探索和实践》，《经济日报》2006年5月21日。

③ 刘奕伶：《天河区电子信访制度成绩显著》，《新快报》2002年5月17日。

多万件次，95%以上的信访问题得到及时处理，2007年1至3月越级上访人次同比下降50%。[①] 定期收集反映的问题，由有关职能部门限期处理并回复群众，建立政府信息网站，向群众通报民生信访问题解决情况，接受社会监督。

电子信访平台的建设，拓宽了信访的渠道和信息的来源，有利于信访工作的推进，但是网络是把双刃剑，信访机构必须处理好大量信息和工作效率间的关系，也要注意信息客观性准确性的问题。

3. 信访举报公开制度：维护群众知情权。

惠州市在信访举报公开制度方面的探索较为深入，从2005年起，惠阳区纪检监察信访举报工作向群众实行“五公开”，即公开政策法规、公开信访原则、公开信访程序、公开接访领导、公开处理结果，制定首访负责制等12项信访举报日常工作制度和工作人员守则，编写制作《惠阳区纪检监察信访举报工作公开栏》，着重公开信访原则、受理范围、办理期限、信访举报程序及信访人的权利义务等。为了让群众明白向谁举报和如何举报，他们通过新闻媒体、举报网站、公开栏等向社会公布纪检监察机关通信地址、举报电话、电子邮箱、信访接待日时间和地点、信访程序等。实行信访举报公开，对增强群众有序信访意识，提高基层信访办理能力和质量有积极作用。2005年1至10月，惠阳区纪检监察系统办理属受理范围的群众信访136件，同比减少30件，下降18%，信访按期办结率和署实名信访回访回复率均达96%，诬告现象也大为减少。[②]

信访举报的公开为群众监督的真正落实提供了条件。群众信访举报的目的在于解决问题，当信访渠道畅通，信息量增大的时候，也会使这种目的与工作效率形成差距，信访举报公开制度的探索能有效缩减这种差距，促进群众和信访举报机关相互理解，不仅提高

---

① 刘奕伶：《天河区电子信访制度成绩显著》，《新快报》2002年5月17日。

② 《惠阳区纪委信访室：实行信访举报办事公开推动信访举报规范化建设》，2006年2月20日，http://www.hzdx.gov.cn/news/view.asp?id=1492.

信访效率，而且也有效抑制诬告现象。

三、“拒腐防变”的教育长效机制

惩防腐败体系的框架，就是自律与他律的有机统一和相互支撑，其目的就是通过加强自律与他律，使党员干部“不愿腐败”、“不能腐败”和“不敢腐败”，从而最大限度地降低腐败发生率。当不成文的规范作为制度化激励机制的补充而不是替代时最能发挥作用。[①] 文化作为不成文规范的一种表现形式，反映的是社会的共同追求，一旦形成具有廉政特色的文化，就具有强大的影响力，这种文化力量，潜在地把人们引导到廉政建设所确定的目标上来，使其思想观念和行为追求与廉政目标趋于一致。廉政文化所具有的熏陶、引导、渗透、影响的力量，可以感化、优化党员干部的从政行为，树立“不愿腐败”的思想观念，最大限度地构建思想上的防御体系。广东改革开放 30 年来，坚持“越是改革开放，越要反腐倡廉”，重视廉政宣传教育的开展，逐步打造出了广东廉政文化。

（一）反腐保廉教育

80 年代末的反腐保廉教育主要是作为保证整顿经济秩序顺利进行的工具和手段，主要特点是将纪律教育与整顿经济秩序结合起来。为了保证改革开放的顺利进行，清除广东党员干部队伍中存在的一些严重违法违纪的现象，广东省委根据省纪委的建议，及时做出了进行以廉洁为主要内容的纪律教育的决定。从 1988 年 8 月开始，广东采取自上而下、一级抓一级、一级带一级的方式进行为期半年的廉政教育，具体的方法是：以正面教育为主，不搞人人过关，但对违法违纪问题严肃查处。[②] 这一次及时的教育对保持党政

① ［美］弗朗西斯·福山，黄胜强、许铭原译：《国家建构——21 世纪的国家治理与世界秩序》，中国社会科学出版社 2007 年版，第 63 页。

② 中共广东省纪律检查委员会、广东省监察厅编：《广东纪检监察志（1950—1995）》，广东人民出版社 1999 年版，第 191 页。

机关廉洁起到了积极的作用，监督意识也在这次教育中提升到重要层面。到1989年2月廉政教育结束，根据统计，省纪委收到检举揭发不廉洁问题的信件，比开展纪律教育前5个月增加了39.4%。在清房工作中的保廉教育也体现了这个特点。1991年初，各级纪委在对清房工作的检查验收中，就运用这场整治中的典型案例材料，通过电教手段和电视媒体对广大党员干部进行党性、党的宗旨、党的纪律和反对腐败的教育，如省纪委通过省电视台、《南方日报》组织报道以权谋房典型53个，其中单位17个，个人36个，宣传表彰在分房建房中廉洁自律的先进典型11个。①

（二）纪律教育学习月：打造廉政文化精品

1989年东欧剧变，部分党员干部出现了思想波动，有人甚至怀疑中国能否将社会主义大旗扛下去。因此，针对不同时期党员干部的思想实际，建立起对党员干部反腐倡廉教育的长效机制，牢固党员干部拒腐防变的思想防御体系，是一个关键的问题。1991年，省纪委第五次全会提出，用半年的时间，在全省党员中开展一次以学习《党章》、《准则》、中央纪委1988年以来颁发的关于党纪处分的8个规定为主要内容的党内法规教育。这是当时广东省党内进行的最广泛、最系统、最深入的一次纪律教育，全省受教育党员人数达到2310683人，占党员总数的96.1%，举办处以上党员干部学习班6342期，培训党员领导干部345502人（次），其中厅级以上党员领导干部2482人（次），处级党员干部32181人（次）；全省共总结宣传正面典型11812个，剖析反面典型8096个；为群众办好事、实事21.8万多件（次）。②

纪律教育作为党员教育的重要内容，必须做到经常化、制度化。因此，在1992年，广东省委、省政府作出决定，每年在全省

---

① 参见中共广东省纪律检查委员会、广东省监察厅编：《广东纪检监察志（1950—1995）》，广东人民出版社1999年版，第191~194页。

② 参见党锋：《清风正气拂面来——来自广东廉政文化建设的报道》，《党风》2006年第2期。

开展纪律教育学习月活动，即每年7月至9月期间集中一段时间、集中力量、集中开展纪律教育活动，组织党员干部特别是领导干部学习党纪政纪条规和法律知识，进行遵纪守法、廉洁从政教育。广东推行廉政教育活动的一个特点是，由省委作出部署，纪委组织协调，组织、宣传、党校、文化等部门和新闻媒体等共同配合，这样能形成合力进行廉政教育的“大宣教”格局。

广东全省在纪律教育学习月活动中也注重精品打造，经过十几年的锤炼，广东省纪律教育月活动基本形成自己独特的模式，打造了一批反腐教育品牌和精品，比如“三纪教育培训班”。据统计，自2002年以来，全省共举办“三纪”教育培训班595期，参加学习的领导干部46063人，总结正面典型1682个，剖析反面典型1053个。①“三纪班”这项被广东各级党组织誉为“关爱工程”的教育形式，已经成为纪律教育学习月“含金量最重”的品牌。另外，为扩大教育面和影响力，在教育月期间还推出全省性的教育活动作为载体。比如，1998年，省纪委组织创作了以反腐倡廉为题材的大型话剧《浪淘碧海》，该剧荣获第7届全国精神文明建设“五个一工程”奖，广东省第六届宣传文化精品奖。②

（三）廉政文化建设示范点

2005年，省纪委选择英德市、廉江市、佛山市高明区荷城街道、深圳市福田区梅林一村社区、广州市芳村区教育系统、广东电信公司等6个地方和单位，作为廉政文化建设示范点。每个示范点的廉政文化建设都有侧重，如英德市侧重开展廉政文化进家庭工作，廉江市侧重开展廉政文化进农村工作。如廉江市将包公像等近3万幅廉政字画发放给村（居）民，聘请有较高威望的长老、族老担任廉政宣传监督员，协调处理村中的矛盾和问题，同时在条件相

① 参见党锋：《清风正气拂面来——来自广东廉政文化建设的报道》，《党风》2006年第2期。

② 参见党锋：《清风正气拂面来——来自广东廉政文化建设的报道》，《党风》2006年第2期。

对成熟的村，设立“村民论坛”，组织村民谈论家事村事国事和村风民风建设。①

在示范点的带动下，各地各单位都积极推进廉政文化建设。“反腐倡廉教育要面向全党全社会”，广东开始开展廉政文化进社区、进校园、进企业、进家庭、进农村“五进”活动。2005年，全省共办“五进”示范点300多个。② 深圳市开展以“公务员廉洁需要您的支持”为主题的廉洁文化进民企试点工作，号召民营企业和中介组织增强廉洁意识、法制观念，加强企业诚信建设和职业道德建设。广州市建立区（县）、教育管理部门和学校三级领导机制，推动廉政教育进中小学，对校领导重点进行廉洁从政教育，对教师重点进行廉洁从教教育，对中小学生重点进行廉洁意识教育。全省高校系统也采取多种形式推进廉政文化进大学工作。

四、多元惩治：反腐行动举隅

（一）开放初期的举措——打击走私贩私

改革开放初期，长期封闭的国门刚打开，少数领导干部错误地认为，走私贩私能较快地吸纳和筹集资金，发展当地的经济，因而对走私贩私活动睁只眼、闭只眼，放任不管，甚至公开或暗中支持一些部门、单位从事贩私活动，个别人还亲自组织或参与走私贩私。这不仅给社会造成了严重的危害，也由此引发了一批贪污受贿等经济犯罪案件。

1982年1月11日，中共中央就广东、福建等省存在的走私贩私、贪污受贿等问题发出《紧急通知》。通知指出，对一些干部甚至一些负责干部走私贩私、贪污受贿等严重违法犯罪行为，全党一

---

① 参见党锋：《清风正气拂面来——来自广东廉政文化建设的报道》，《党风》2006年第2期。

② 参见党锋：《清风正气拂面来——来自广东廉政文化建设的报道》，《党风》2006年第2期。

定要抓住不放，雷厉风行地加以解决。4月13日，中共中央、国务院发出《关于打击经济领域中严重犯罪活动的决定》。广东省委坚决贯彻中央、国务院的有关指示和决定精神，在沿海地区开展了反走私斗争，成立了以省委书记为组长的省“六人领导小组”领导斗争的开展。3月底，省委从省直机关抽调科以上干部67人，组成12个工作组，分赴汕头等7个地市检查和协助抓大案查处工作，全省先后共抽调了两万多名干部参加办案工作，大力加强办案力量，保证办案工作的顺利进行。

在斗争的方法上，采取了突出重点、逐步铺开的方式，先集中查处走私贩私案，以此为突破口，揭露和查处一大批党政机关、企事业单位内的经济犯罪分子。据统计，在打击严重经济犯罪活动斗争中，全省共立案查处经济犯罪案件1.5万多件，其中大案要案2168件，追缴赃款赃物共值人民币1.17亿元、港币400多万元；共判处经济犯罪分子3300多人，其中死刑27人，死缓12人，无期徒刑80人；因经济违纪违法受党纪处分的党员5500多人，其中开除2373人。[①] 一批涉及县处级以上领导干部的重大经济案件受到了查处，如原海丰县委书记王仲、副书记叶妈坎等人，就是在这个时期被清除出党并受到法律的严厉制裁。

地处沿海的原革命老区海丰县是当时广东走私贩私最严重的地方之一。打击经济犯罪斗争一开始，很多正直的干部、群众便纷纷向省委和有关部门写信揭发，要求坚决查处县委书记王仲和副书记叶妈坎。王仲是抗日战争时期入伍的南下老干部，当时担任汕头地区政法委书记。叶妈坎是“文化大革命”中靠打、砸、抢发家的“三种人”之一，虽然“文化大革命”后已被清查，并撤销了县委副书记职务，但他是本地人，利用宗族、同乡及派性的关系结成的关系网非同一般。对这两个人的问题能不能突破，不少人心存疑问，对此，广东省委的态度相当坚决。在中纪委的大力支持下，省

① 丘海：《邓小平党风廉政建设理论与广东的实践》，广东人民出版社1998年版，第147页。

委、省纪委向海丰县派出了强有力的工作组，排除了种种干扰和阻力，冲破关系网，经过近一年的努力，终于先后突破了王、叶两案：查清了王仲利用职权，大量侵占应上缴国家的缉私物资；勒索申请出境人员的财物，折款合计69000多元的犯罪事实；查清了叶妈坎亲自组织大量走私出口黄金、白银、银元等物资，走私进口电器、布料等物资，总额达52万多元的犯罪事实。① 后经司法部门审判，依法判处王仲、叶妈坎死刑。

该案被誉为共和国打私反腐第一案。从中我们可以看到广东省在打击经济犯罪中的力度：不管是什么人，资格多老，只要是违纪违法，都会坚决查清其违纪违法的事实，按党纪国法予以严肃处理。经过几年的斗争，广东终于遏制了沿海地区走私贩私和经济犯罪活动的势头，这为刚刚起步的广东改革开放事业顺利推进提供了重要的保证。

（二）改革深入时的惩治——查处干部以权谋房

1. 第一次清房工作。

广东进行过三次清房工作，第一次是20世纪80年代初。经清查，全省党政机关、企业事业单位的党员、干部在分房方面有不正之风问题的5103人，多分多占住房面积98581平方米；非法或违规建私房的9309人，建房面积96.2万多平方米，非法侵占土地1457亩，在建房中非法侵占集体或群众财物共计138.7万多元。对严重违法乱纪的党员、干部，除作经济处理外，给予党纪政纪处分的283人，其中开除党籍77人，行政撤职103人，受刑事处分50人。②

这次清房工作是改革开放后广东开展的第一次以解决领导干部以权谋私、搞特殊化为主要内容的专项工作，对全省的党风廉政建

---

① 丘海：《邓小平党风廉政建设理论与广东的实践》，广东人民出版社1998年版，第152页。

② 丘海：《邓小平党风廉政建设理论与广东的实践》，广东人民出版社1998年版，第210页。

设有一定推动作用。但是由于当时各级党委、政府把主要精力放在抓经济建设和打击经济领域严重犯罪活动斗争，所以清房力量比较单薄，受到客观条件的影响和牵制也较大，比如经验不足，缺乏完善配套的制度规定，社会监督和群众监督缺位，因而出现了清房工作开展不平衡、处理不平衡的情况，其成果基础也不牢固。

2. 第二次查处干部以权谋房。

80年代后期，部分党员、干部组织观念淡薄，纪律松弛，大搞以权谋私；另一方面由于建房住房方面的有关制度漏洞不少，容易被人钻空子。这很快就在广东省党政干部中再次掀起了一股更为猛烈、性质也更为严重的建私房热，在1986至1988年间形成高潮。

1989年3月24日，广东正式开始第二次清房工作。由于在建私房的人中有相当数量是各级领导干部，所以清理和查处的难度相当大。省、市两级组织派出了多批次的核查组、工作组帮助各地开展清房工作，协助查处清房中揭露的大要案，同时采取放手发动群众，依靠群众公开监督的方法，清房工作的局面很快打开。在两年多时间里，全省共立此类案件830件，处分违纪党员干部607人，移送司法机关追究刑事责任75人，收回应交、补交、应退、应补款1.07亿元；收回地皮60万平方米；收购私房488幢（套）、没收私房36幢（套）。[①] 在清房工作中，纪检部门还揭露和处理了涉及领导干部的大案要案，如原廉江县委常委、长青水果场场长、全国五一劳动奖章获得者叶树章，利用职权大肆索贿受贿达30万元以上，并用赃款建造了一幢建筑面积为537.3平方米的装修讲究的四层半楼房；原英德县公安局局长张文列，利用掌握审批出境、户口“农转非”的职权，索贿受贿超过50万元，先后建起两幢建筑面积共700多平方米的楼房。叶、张两人都被开除党籍并被依法判

① 广东年鉴编纂委员会编：《广东年鉴·1991》，广东年鉴社1991年版，第167页。

处死刑。①

这次清房工作在制度配套上较为完备。为了配合清房工作，省委、省政府及有关部门先后下发《关于处理党政干部建私房及超标准装修住房问题的规定》、《关于处理党政干部建私房及超标准装修住房问题的补充规定》、《关于在建房、住房方面有违纪违法行为的党员、干部纪律处分的若干规定》、《关于查处干部以权谋房的十项规定》等文件，明确了清房工作10个方面的政策界限，分别对违反规定的行为进行清理、查处，明确对以权谋房者给予处理的参照依据及具体标准，在制度化层面上打击极少数违法犯罪分子，同时也减少随意性，挽救解脱了大多数犯有一般错误的干部。

由于有了第一次清房工作的经验教训，广东省将抓认识、抓领导、抓公开监督、抓认真核查、抓制度建设作为第二次清房工作的5个重点环节，有效地遏制了全省大范围的干部建私房和用公款装修住房的不正之风。

3. 第三次清房工作。

随着住房制度改革在全省逐步展开，新的问题又涌现出来。由于当时房改工作采取的是边探索、边试行、边建制的形式进行，允许县级以上政府根据当地实际，自行提出房改方案，少数领导干部就钻全省不统一、不健全的房改制度的空子，千方百计地为自己及亲属在建房和住房上谋取利益。广东省决定第三次清房工作采取每年重点解决一两个突出问题，逐步深入，稳步推进的方式进行。据统计，全省自查违反规定参加集资建房的领导干部有36人36套，自查参加集资建房的面积超过规定标准的有112人，自查租住公房又参加集资建房的49人，均按规定进行了整改。②

这次清房工作更加注意干部住房建房及房改方面的制度建设，并逐步把现有的制度进行规范和完善。随着制度监管力度的加强，

---

① 丘海：《邓小平党风廉政建设理论与广东的实践》，广东人民出版社1998年版，第160页。

② 丘海：《邓小平党风廉政建设理论与广东的实践》，广东人民出版社1998年版，第163页。

自此之后干部以权谋房方面的问题明显减少。

（三）新时期的出击——整顿商业贿赂

1. 整顿工作的展开。

商业贿赂是指在商业活动中，相关单位和人员通过给予或收受对方财物或其他利益，以控制交易机会或获取其他经济利益的违法行为。从2006年开始，中央把治理商业贿赂作为我国反腐败工作的重点。2006年2月24日，省政府召开第四次廉政工作会议，开始强调推进专项治理商业贿赂工作。随后成立治理商业贿赂领导小组，制定下发《广东省治理商业贿赂专项工作实施方案》。从2006年第二季度开始，在工程建设、土地出让、产权交易、医药购销、政府采购和金融投资等重点领域对不正当交易行为进行分阶段的自查自纠工作。省和有关部门还建立自查自纠工作联系点制度，用以点带面的方式推动工作深入。在整顿商业贿赂专项出击中，广东省有以下两个特点：

其一，从完善市场经济体制制度入手，从各项行政及社会制度入手建设长效机制，从源头上防治商业贿赂。比如行政管理体制改革，在省及13个市开通“行政审批电子监察系统”，对行政许可事项办理过程实施全程监控；实行医疗机构药品网上限价竞价“阳光采购”，减少医药购销中间环节，挤压药品价格“水分”，在入围的药品中属于竞价的药品平均价格下降40%；[①] 社会信用体系建设方面，初步建立了省、市两级企业信用信息网络系统，健全市场准入清出制度，实行企业信用“黑名单制”，对违规违法的单位和个人予以曝光；政府采购方面，推进《广东省政府采购管理条例》立法进程等。

其二，强化监督管理，增强抵御商业贿赂的“免疫力”。在国资、银监、证监、保监等行业中，其主管及监管部门通过制定反商

---

① 《广东过去一年多共立案查处商业贿赂案件1794件》，2007年8月15日，http：//news. 163. com/07/0815/16/3LUUQHLD000120GU. html.

业贿赂承诺制度等，广泛接受社会各界和新闻舆论的监督。在非公有制企业中，以厂务公开民主管理为载体，充分发挥工商联、外（港澳台）商协会、民企协会的作用，制定了《关于进一步推进全省非公有制企业治理商业贿赂专项工作的意见》。同时通过深化行业组织、中介机构自律和专项治理成果，建立自我监督管理机制和诚信体系建设，这是铲除滋生商业贿赂的土壤的有力举措。

2. 阶段性成果。

据统计，全省共查找出问题8824个，制定整改措施8192项，自查上缴资金3421.59万元，其中卫生系统1667.1万元。[①] 全省执纪执法部门密切关注商业贿赂易发多发部位和关键环节，严肃查处六大领域九个方面的商业贿赂案件。2006年至2007年6月，全省共立案查处商业贿赂案件1846件，其中百万元以上大案79件，要案184件；给予党纪政纪处分992人，其中厅级干部11人，县处级干部90人；已判刑617人，其中县处级以上干部36人。[②] 省纪委通报了十起典型案例，比如佛山市禅城区原区委副书记、常务副区长梁福钊受贿贪污案。1992年到2004年，梁福钊在担任南海市副市长和禅城区委副书记、常务副区长期间，利用职务便利，为智达集团等单位解决借款问题，多次收受有关单位和个人贿赂共计人民币113万元、港币12万元，挪用公款人民币601万元、港币349万元。2006年9月18日，佛山市人民法院依法以受贿罪、贪污罪和挪用公款罪判处梁福钊有期徒刑15年。[③]

经过这两年的整治，广东商业贿赂案件易发多发势头得到有效遏制，公平、公正的市场竞争新秩序逐步建立，促进了广东经济社会的健康快速发展。不过，广东仍需继续积极探索防治商业贿赂长

---

① 姜洁：《广东省严治商业贿赂：上缴资金3421.59万元　处分821人》，《人民日报》2007年8月15日。

② 张玉琴：《广东治理商业贿赂案1846件　查处11名厅级干部》，《信息时报》2007年8月22日。

③ 张玉琴：《广东治理商业贿赂案1846件　查处11名厅级干部》，《信息时报》2007年8月22日。

效机制，尤其是在政府采购、房地产建设、医药购销、产权交易等重点领域，同时也要强化行业自律机制，形成多方合力进行防治。

小 结

广东改革开放30年来的反腐历程是一个不断探索反腐之路的过程，是建设具有广东特色的腐败惩防体系的历史，也是中国改革开放30年来廉政建设的一幅缩影图。

30年来，广东反腐倡廉最重要的成果是初步建构了一个具有广东特色的开放、动态、创新的腐败惩防体系，这是一个“三位一体”的体系（见图8－4）。“三位”是指“教育”、“监督”和“惩治”。“教育”是指一套廉政教育的运作机制（如“纪律教育学习月”、“廉政文化教育示范点”等），它以思想道德教育、廉政教育为内容，旨在形成一套具有内在约束力的富有广东特色的廉政文化；“监督”则是指监督权力运行的制度框架，涉及内部监督和外部监督两个方面；“惩治”则包括惩治腐败的手段、措施以及行为。所谓“教育”、“监督”和“惩治”三位于一体意味着，三者相互支撑、彼此配合，共同构成了一个富有广东特色的腐败惩防体系。

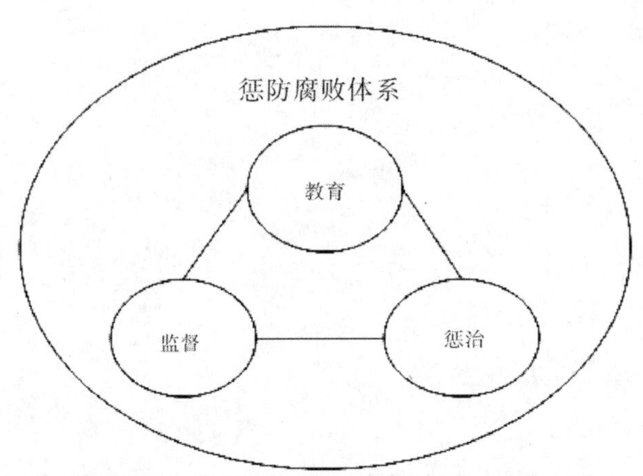

图8－4 “三位一体”的惩防腐败体系

集教育、监督和惩治三位于一体的反腐倡廉体系，其实质是以制度抑制腐败。因为，综观广东省30年来的反腐败斗争，无论教育、监督，还是惩治，它们都离不开制度的建设和保障。举例来说，在教育宣传中，“纪律教育月”已经在定期的举办中成为一种常规性的制度安排；在对权力的约束和监督中，述职述廉、民主评议、民主生活会和经济责任审计等在多年的实践中已经形成为制度；在多元惩治中，如整治商业贿赂从一开始就将惩治的目的、手段以及惩罚方式落实到制度程序之中。

改革开放30年来，广东的反腐倡廉不仅取得了相当的成效，积累了丰富的经验，而且初步建立了一个集教育、监督和惩治三位于一体的反腐倡廉体系。但是，广东的反腐倡廉仍然任重道远。广东必须不断解放思想，进一步探索用制度来治理腐败。这是因为制度化的反腐败更具有稳定性、长期性和威慑力。值得期待的是，广东决心将以“思想的大解放，方法的大更新，制度的大创新，推动反腐倡廉工作的大发展”。[1]

① 参见广东省纪委书记朱明国在2008年1月省纪委省监察厅召开的“解放思想大讨论”动员会上的讲话。

第九章
基层群众自治

引　言

邓小平同志曾经指出："没有民主就没有社会主义，就没有社会主义的现代化。"① 高度发达的社会主义政治民主是以健全完善的基层群众自治为基础的。离开了基层群众自治，社会主义政治民主就是无源之水，无本之木。基层群众自治不仅是建立民主社会的基础，更重要的是，它是广大人民群众根据宪法和法律规定管理社会公共事务的重要途径，可以为人民群众带来实际利益。

20 世纪 80 年代后期以来，中国共产党开始重视基层民主建设和基层群众自治工作。中共十四大报告、十五大报告、十六大报告都强调要切实发挥村委会、居委会和职代会的作用，反复指出乡村村民自治、城市居民自治和企业职工参与的重要性和必要性。中共十七大报告首次将"基层群众自治制度"纳入中国特色政治制度范畴。根据这四次党代会报告关于基层群众自治的表述，本书认为，乡村村民自治、社区居民自治和企业职工参与是中国基层群众自治的三个有机组成部分。

所谓自治，是指某个人或集体管理其自身事务，并且单独对其

---

① 《邓小平文选》第 2 卷，人民出版社 1994 年版，第 168 页。

行为和命运负责的一种状态。① 从政治学意义上讲，自治是指在一定区域或社会组织内，其成员根据宪法和法律规定，对自己所处共同体内部的公共事务享有决定权，从而进行自我管理、自我教育、自我服务。广东在改革开放中先行一步，已走过了30年，其成果可以被看作是中国改革开放成就的缩影。这一时期，广东的基层群众自治也取得了许多重要成就，逐步形成了具有地方特色的基层民主建设实践。

在乡村，广东以村民自治为核心，走过了一条曲折的村治发展道路。随着农村家庭承包责任制的普遍推行，人民公社体制开始解体，乡镇政府对农村的控制力减弱，这为村民自治的产生和发展创造了契机。20世纪80年代以来，广东乡村经历了小村制、无选举的村委会制、管理区制，最后重新回到有选举的村委会制的曲折历程。进入21世纪以来，广东在村民委员会换届选举中引入了选举观察员制度和换届选举工作责任制度，逐步完善村治中关于民主决策和民主管理方面的制度建设，一些比较富裕的行政村还在村务公开中引进了农村管理信息系统，用新技术推动村民对村务进行民主监督，这些新探索有力地推动了中国基层民主向纵深发展。

在城市，广东以社区自治为核心，稳步推进社区居民自治工作。随着行政体制改革的不断深入，城市社区建设要求社会管理体制从单位制向街道居委会管理制转型。30年来，广东的城市社区自治经历了三个阶段，分别是：传统单位体制的延续阶段、社区建设与社区服务的探索阶段和城市社区居民自治阶段。近十年来，广东普遍实行社区居委会选举，并探索出了以深圳“盐田模式”为代表的政府与社区关系新模式，以广州“逢源街区安老服务”为代表的社区公共服务提供模式，形成了以业主委员会为核心的城市业主维权运动，这些新现象将有可能拓宽中国基层民主发展的战略空间。

---

① ［英］戴维·米勒、［英］韦农·波格丹诺主编：《布莱克维尔政治学百科全书（修订版）》，邓正来等译，中国政法大学出版社2002年版，第745页。

在企事业单位，广东以职工参与为核心，通过多种形式发展职工参与民主管理。从走出“文化大革命”影响的“拨乱反正”开始，广东企业职工参与经历了恢复重建阶段、改革探索阶段和创新完善阶段。20世纪80年代到90年代中期，深圳摸索出了“蛇口模式”、“宝安之路”等工会工作思路。近年来，深圳、东莞等地部分企业出现了由普通工人直接选举的企业工会领导人，深圳、佛山等地工会采用区域性、行业性职工代表大会的形式来推进集体合同制度；广州、梅州等地工会借鉴ISO9000标准规范，创新厂务公开工作，并不断推进新兴非公有制企业的工会组织建设，从而保障广大职工的主人翁地位。这是继乡村村民自治和城市社区居民自治之后广东乃至中国基层民主发展的新动向。

一、乡村村民自治

改革开放以前，由于体制原因和“以阶级斗争为纲”，广东乡村经济发展停滞不前，农民生活水平很低，甚至连温饱都解决不了；改革开放以来，广东农民“洗脚上田”，成为农村经济改革和现代化建设的急先锋。尽管广东处在中国改革开放的最前沿，是中国过去30年经济最活跃的地带之一，但其确立村民自治制度的过程却迂回曲折。

广东的村民自治工作起步比全国晚了整整十年。广东省撤销人民公社后，在农村基层管理制度的选择上几度反复，走过了小乡制（1984—1986）——无选举的村委会制（1986—1989）——管理区制（1989—1998）——有选举的村委会制（1998年至今）的曲折道路。1984年，广东省按中央撤社建乡的规定，将原来的人民公社改为区公所，原生产大队改为镇、乡人民政府，原生产小队改为村民委员会。其隶属关系是：区公所领导乡，乡领导村。1986年，广东省又将原区公所改为镇、乡人民政府，原乡镇（大队）改为村民委员会，原村民委员会（小队）改为村民小组，开始实行没有选举的村委会管理体制。1989年，由于推行村民自治的实际效果并不理想，广东省委、省政府决定在农村进行“两改”工作，即将村民委员会改为管理区办事处，作为乡镇政府的派出机构，同时将村民小组改为村民委员会，开始实行农村管理区体制。1998年6月，在管理区制度实行9年后，中共广东省委常委会决定撤销农村管理区办事处，设立村民委员会，由村民民主直选村委会，统一实行村民自治。①

民主选举、民主决策、民主管理和民主监督是中国乡村村民自治的四个要素，是村民自治不可或缺的组成部分，它们在村民自治的不同层面上发挥着作用，共同构成了村民自治的运行机制。广东乡村村民自治在这四个方面具有不同于全国其他省份的特殊经验，形成了自己的地方特色。

（一）广东村民自治中的民主选举

自从实施村民委员会选举以来，广东坚持高起点、高标准、力争后来居上的要求，村民自治的势头发展良好。1998年11月27日，广东省人大常委会审议通过了《广东省实施〈中华人民共和国村民委员会组织法〉办法》和《广东省村民委员会选举办法》，为在全省范围内转变农村管理体制提供了法律保障。从1999年全省范围的选举结果看，在20295个村民委员会成员中，中共党员占77%，原管理区干部占77.8%，12%是经济能人，初中以上文化程度的比例由原来的82%提高到85%，平均年龄42.4岁，比原来管理区班子的平均年龄下降了2.1岁；广东省5000多万农业人口有3000多万选民参加了选举，平均参选率达到96.1%。全省民主选举产生的25236名非党员村委会成员，有8997人加入了中国共

① 参见李江涛、郭正林、王金洪、李大华、董晓频：《民主的根基——广东农村基础民主建设实践》，广东人民出版社2002年版，第30~31页；王春生：《珠江三角洲镇村干部关系格局演变探究》，徐勇、项继权主编：《村民自治进程中的乡村关系》，华中师范大学出版社2003年版，第97~122页；李文辉：《“车轮型”模式乡村关系的构建——以广东省村民自治为例》，徐勇、项继权主编：《村民自治进程中的乡村关系》，华中师范大学出版社2003年版，第128~130页。

产党，占非党村委会成员的 35.7%；私营企业主、个体户当选为村委会主任的 571 个非党人士，有 292 人加入了党组织，占非党人数的 51.1%。[①] 通过选举，一大批懂经济、会管理、素质好、有开拓进取精神的人进入了村委会班子，实现了选举组织者的初衷。

2002 年，广东农村进行了第二届村民委员会换届选举。与首届村委会选举相比，2002 年的选举出现了以下三个方面的新变化：[②]

首先，普遍实行了“两推一选”和“两选联动”。所谓“两推一选”主要是村党支部改选的一种方式，即：在村党支部换届选举时，一方面由村党员大会提出村党支部新一届成员候选人名单，另一方面由村民或村民代表提出党支部成员候选人名单，把党员提名结果和村民提名结果综合起来，再确定党支部成员正式候选人，最后由全体党员大会民主产生村党支部成员。所谓“两选联动”是把党支部和村委会的选举联系起来，在先进行村委会换届选举时，同时考虑下一步村党支部的选举，在先进行党支部换届选举时，同时考虑下一步村委会的选举。

其次，实行中心选举会场混合投票与以村民小组为单位投票相结合。在召开提名大会或正式选举时，广东农村有的地方只设中心会场，也称主会场，摆放一到两个比较大的投票箱，选民实行集中投票；有的地方在中心会场同时摆放若干个票箱，以村民小组为单位，在中心会场分组投票；有少数地方不设中心投票站，在各村民小组同时设立投票点，称为分会场，然后再由选举工作人员收集、计算选票；最后还有一种被称为“流动票箱”的情况，主要是针对因老、弱、病、残、产假和不能离开工作的特殊岗位的选民，在选举日不能到选举大会或投票站参加投票时，选区领导小组有计划地派出专人持流动票箱登门就选的一种方式。

---

① 广东省民政厅基层政权与社区建设处：《我省农村基层民主政治建设》，2003 年 8 月。

② 王金红：《村民自治与广东农村基层民主的发展》，《社会主义研究》2003 年第 6 期。

最后，有正式候选人与无正式候选人相结合。广东地方法规规定，如果村民提名大会严格按照法定程序进行，参加选举的选民超过选民总数的一半，被提名者得票超过参选选民半数（俗称“两个过半”），则可以直接当选，不需要再召开正式选举大会，这属于无正式候选人的选择。如果被提名者得票没有超过半数，则按照得票多少根据需要确定正式候选人，然后召开正式选举大会，按照“两个过半”的要求，根据得票多少确定选举结果，这属于有正式候选人的选举。

2005年，广东省举行了第三届村委会换届选举。与前两届相比，第三届村委会换届选举最大的亮点是全省统一实行了选举观察员制度，在全国农村村民委员会选举中开创了大规模、有组织实行选举观察的先例，成为在国内具有较大影响的一项地方政府制度创新。从实施选举观察员制度的实际效果来看，2005年的初步实践表明，这一制度受到广东各级地方政府的积极支持，并且在全省范围内切实运转起来。根据广东省民政厅的统计，在2005年的农村选举中，各级选举观察员对2100个村的选举进行了观察，省级观察员观察101个村，市级观察员观察559个村，区县级观察员观察1440个村。经过选举观察，发现选举违法违规事件126宗，其中，被推倒重新进行选举的有32个村，被上级指导小组勒令纠正部分选举工作错误的有94宗。① 实践证明，选举观察员同选举指导小组和民政部门建立了密切的联系机制，能够及时发现问题，让上级指导部门依据法律法规指导农村换届选举工作，及时发现和纠正错误，保证选举严格按照法律法规进行，提高了选举质量。

2008年，广东省举行了第四届村委会换届选举。与前三届相比，第四届村委会选举更加规范，更加注重严格按规则办事。本届选举最大的制度创新点是建立了换届选举工作责任制，各地的市委书记是主要责任人，县（市、区）书记是第一责任人，乡镇、街

---

① 广东省民政厅基层政权与社区建设处：《广东省实行村委会选举观察员制度的报告》，2006年3月。

道党（工）委书记是直接责任人，一级抓一级，层层抓落实。这表明广东省委、省政府更加注重村民自治中的制度建设，重视村委会选举的质量，并建立了责任追究机制。

在村委会选举过程中，广东各级党委和政府充分尊重村选举委员会在选举事务上的权力。村选举委员会在选举过程中遇到有争议的问题时，拥有经协商后在合法的基础上自行决定的权力，而不必上报政府民政部门裁决。广东乡村村委会选举实践表明，民主选举是合理解决乡村公共权力分配的最佳制度。在公平、公开和公正的民主选举中，候选人在阳光法则下竞争，最大限度地减少了任人唯亲、裙带关系等凭借不正当手段夺取农村公共权力的可能性。

（二）广东村民自治中的民主决策

根据村民自治法的精神，农村事务的最高决策权属于全体村民组成的村民会议。村民会议是农村的最高决策机关，享有本村事务的最高决策权。一般来说，村民会议的最高决策权具体体现为村民公决的形式。在广东农村，通过召开村民会议对村里的大事进行村民公决的实例并不罕见。2000 年 3 月，湛江市湖光镇临东村曾经发生过一次经过村民公决，给村委会干部发奖金和加补贴的事例。①

然而，农村的实际情况并不允许经常性地进行村民公决。由于农民家庭生产经营活动分散，时间难以统一，农民流动范围扩大，人员难以召集，全体村民开会议事难以保证，因此，对农村所有大事召开村民会议进行村民表决或公决事实上是难以做到的。于是，多数地方成立了村民代表会议，由村民代表会议代行村民会议的职权，决定本村重大事情。村民代表会议的地位和性质在法律上是得到认可的。在广东农村，村民代表会议在村务决策中具有重要作用，请看案例 9 - 1。

① 王金红：《村民自治与广东农村基层民主的发展》，《社会主义研究》2003 年第 6 期。

案例9－1 龙岗村里的民主决策①

广东省博罗县龙溪镇龙岗村，1999年该村大片土地被国家征用以后，得到一大笔土地补偿费，在如何分配使用这笔经费的问题上，有的村民主张全部分光，村党支部和村委会主张拿出一部分资金来搞第三产业，发展本村集体经济，一部分分配给村民，各种意见很不一致。最后，党支部和村委会本着尊重民意的精神，召开了村民代表会议。经过村民代表的讨论，在听取各方面意见后，村民代表会议以表决的形式通过一项决议，主要的补偿金用于分配给村民，但是，村集体拿出一部分资金进行村公益事业建设，具体就是，为本村修建一条较好的公路，对全村电力设施和公共照明系统进行改造，修建村民文化娱乐活动室。

这套方案得到多数村民代表的支持。随后，村党支部和村委会一起，按照村民代表会议的决定，逐项进行了落实。由于村民代表会议的决议既照顾了多数村民的个人利益，又满足了村民对村公共产品和公共利益的需求，受到村民的好评。

在村民自治制度中，农村党支部和村委会也是农村村务的决策主体。为了处理好农村两委的关系，防止两委争权夺利，损害村民利益，广东省的地方法律和指导性文件规定，在一般事务决策和重大事项决策方案的形成过程中，党支部同村委会必须民主协商，集体讨论，反对少数人和个人说了算。

在广东的一些地方，除了村民会议、村民代表会议、党支部、村委会都是法定的农村民主决策主体之外，有些地方还创造性地设立了村民参政议政小组，村民参政议政小组也被赋予参与重大村务决策的权利。自从1996年开始，深圳市万丰村就专门成立了村民参政议政小组。村民参政议政小组成员从村民代表中经过民主选举产生，成为村民代表会议的常设机构，组长由村民代表会议选举产生。另外，在村民参政议政小组中，还选举产生了秘书长、副秘书

① 李江涛、郭正林、王金洪、李大华、董晓频：《民主的根基——广东农村基础民主建设实践》，广东人民出版社2002年版，第110～111页。

长，村里专门为他们设立办公室，配备办公设备。村民参政议政小组每个月召开一次工作例会。对于村里重大事项的决策，参政议政小组成员有权参加，党支部、村委会要认真听取他们的意见。万丰村村民参政议政小组成立以来，在经济、社会事务的重大决策方面发挥了积极的作用，在群众中享有较高的威信。①

在广东农村民主决策的实践中，还有一些地方在涉及农民生产经营与产业结构调整的重大决策上引入了决策听证会的形式。广东省郁南县县委、县政府为了促进地方经济发展，帮助农民致富，倡议当地农民发挥当地优势，饲养农家土鸡。但村干部反对用行政命令强迫农民统一饲养农家土鸡的倡议。为了打消农民的顾虑，1999年10月18日，当地县领导、各镇领导和100多位普通农民在一起举行听证会，回答农民代表的提问，并通过电视进行直播，最终启动了年饲养土鸡500万只的计划，有效地促进了当地的经济发展，帮助农民实现了致富计划。②

自从实行村民自治制度以来，广东农村多元化决策主体开始形成，逐步建立了一套较为完整的民主决策体系。这一体系以村党支部、村委会作为决策方案的提出者，以村民参政议政小组或者农民经济合作组织代表作为决策的参谋咨询机构，以村民会议或村民代表会议作为决策的中枢，基本达到了科学化决策体制的要求，奠定了农村公共事务民主决策和科学决策的基础。多元决策主体的形成和民主决策体制的建立，促使村务决策纳入到多方利益主体公平博弈和多元权力主体相互制衡的过程之中。在这个过程中，村民同村干部彼此学会了平等协商、相互谅解、相互妥协、相互包容，积淀了实行民主的必要社会心理基础。③

① 参见欧阳发：《万丰村志》，海天出版社2002年版，第89页。

② 李江涛、郭正林、王金洪、李大华、董晓频：《民主的根基——广东农村基础民主建设实践》，广东人民出版社2002年版，第112~113页。

③ 郭正林：《中国农村权力结构》，中国社会科学出版社2005年版，第132页。

（三）广东村民自治中的民主管理

村民自治制度的实施是一个政府还权于农民的过程，不仅要把选举权、决策权和监督权还给农民，更为重要的是把乡村内部事务的管理权还给农民。乡村村民自治制度的实行，要求广大农民在乡村内部公共事务的管理中切实享有管理参与权，同时，对个人事务享有自主决定权、管理权和处置权，从而，实现自我管理、自我教育、自我服务。

从管理内容来看，实行村民自治制度以后，广东乡村村务管理的主要内容包括以下三个方面：

（1）经济事务管理。广东乡村的经济事务管理主要包括：村集体企业的管理；村财务收支管理与债权债务管理；村集体土地、物业等资产经营管理；企业、工程项目承包经营和招标、投标管理；村集体经济收益的分配与使用办法；政府下拨的补助经费、专项资金的收支管理；农民负担标准的制定与执行；村干部的工资、奖金和补贴发放标准的制定；村经济发展规划的制定与执行。

（2）公共事务管理。广东乡村的公共事务管理主要包括：本村公用设施的兴建与管理；村合作医疗费的收集与管理；村民福利事业和公共活动的组织与管理；村容村貌建设与环境卫生管理；村民宅基地的分配使用方案和村庄建设规划的制定。

（3）社会事务管理。广东乡村的社会事务管理主要包括：精神文明建设；对外交往联系；归侨、侨眷联谊；“五保户”和孤寡老人的照顾；对困难家庭子女接受义务教育的资助和对本村村民子女上大学学费的资助；救济救灾、扶贫助残、拥军优属、社会捐助等款物的收集和发放。

从管理主体来看，在村民自治制度下，乡村村务管理的主体由过去单一的党政组织转变为多样化的管理者，管理权的行使由集权模式转向分权模式。目前，广东乡村的村务管理主体主要包括以下六个方面：

（1）村党支部。农村党支部是农村各种组织和各项工作的领

导核心。凡属于本村内部的重大事项，先由村民委员会提出初步方案，再经过党支部讨论，然后交给村民会议或村民代表会议讨论表决。

（2）村民委员会。村民委员会是村务的主要执行者，它履行村民会议、村民代表会议通过的决定和计划，按照法律规定行使管理村务的职权和职责，向村民会议负责，并接受村民会议或村民代表会议的监督。

（3）专门委员会。农村人民调解委员会、治安保卫委员会、公共卫生委员会、经济管理委员会、计划生育委员会等专门委员会是村民自治组织体系中具有独立职权和独立地位的组织。

（4）村民小组。村民小组是实行村民自治的基本单位，是享有对本组内部经济、社会和公共事务独立管理权的基本自治组织。

（5）农民合作组织。在村民自治制度下，农民合作组织在组织上接受村民委员会的管理，在业务上享有独立开展经济活动的自主权，村民委员会不干预其自主经营活动和内部事物。

（6）村民个人。在村民自治制度下，村民个人既是本村公共领域各项事务的管理主体，又是私人领域各项事务的管理主体。

从管理方式来看，广东乡村的村务民主管理方式丰富多样，制度规定非常严格。广东乡村的村务民主管理形式主要包括以下五种：

（1）实行村务公开，让村民掌握知情权。为了保障村务公开的制度化、法律化和经常化，广东省人大常委会于 2001 年 5 月专门制定和颁布了《广东省村务公开条例》。该条例对实行村务公开的原则、内容、方式、方法以及不实行村务公开的责任追究都作了明确规定。

（2）财务管理民主化。广东的村务管理办法规定，农村财务管理实行分散化管理，村民委员会和村集体经济组织的财会人员要专业化和专职化；党支部、村委会成员和集体经济组织负责人本人以及直系亲属不得担任财务人员；实行账、钱、物分开管理，会计管账，出纳管钱，非出纳人员一律不准管理集体现金，资金收支必须有原始合法凭据；党支部书记、村委会主任、村民理财小组、村务公开监督小组共同对村开支项目进行审核和签署，防止个人随意审批收支和报账。

（3）实行公章、账本分开管理。村党支部印章由党支部组织委员管理，经村党支部书记审批后方可盖印；村民委员会印章经村委会提名、党支部同意、村民会议或村民代表会议通过后由专人保管，村委会主任批准后方可盖印；党支部书记、村委会主任本人不直接保管印章；村集体经济组织的印章由文书保管或由内部选定的专人保管，经过经济组织负责人审批后方可盖印。村集体的账本由村委会会计保管，集体经济组织的账本由该组织会计保管。

（4）对村委会成员实行民主评议。按照广东省村务管理办法的规定，乡村村委会成员每年年终要接受村民代表会议或村民会议的民主评议，任期结束时还要作述职报告，接受任期民主评议。评议的结果分为优秀、称职、基本称职和不称职四个等次。对于年度民主评议为不称职的，要进行罢免或训诫。民主评议的结果同时成为确定村委会成员享受村集体工资或补贴标准的依据。民主评议制度的确立，形成了村委会成员管理具体村务、村民监督村干部的互动管理监督格局。

（5）引入科学的现代管理手段。在广东珠江三角洲经济发达农村，像南海、番禺、顺德、中山、东莞、深圳等地农村，已经大量使用电脑进行村级财务管理，聘用电算化会计，终结了一把算盘打天下的传统做法。有些地方还运用互联网技术建立了农村管理信息系统，实行网络进农家，使村民更为方便、快捷地了解村务，参与政务，管理事务。

管理主体的多元化和管理方式的多样化，使广东农村在转入村民自治制度后，民主管理逐渐走上正轨，有效解决了农村管理中的诸多难题。从村委会的运行情况来看，党支部与村委会争权夺利、管理秩序混乱、规章制度不健全已经成为少数现象。绝大多数农村朝着规范化、制度化、理性化的管理方向发展，广东农村呈现出走

向善治的良好前景。①

（四）广东村民自治中的民主监督

在乡村村民自治中，对村民来讲，选举是他们感受到自治的最好和最直接的活动，他们通过各自独立意志的充分表达和整合，最后选出自己的领导人。但从另一方面来看，乡村领导被选出来之后，如果缺少全村村民对其强有力的监督，也难免会发生滥用村务管理权力的现象，背离村民与领导之间权力委托—代理关系的最初目的。因此，在村民自治的四个要素中，民主监督是保障性环节，从某种意义上讲，也是最重要的环节。没有民主监督，即使选举是民主的，也很难保证村民自治制度公正、高效和有序地运行下去，民主决策和民主管理也会因为缺少民主和监督而变成个人或少数人的行为。

民主监督历来是政治生活中最引人注目又是难度很高的问题。相对于民主选举和民主决策来讲，民主监督的过程最长，行为最复杂，更不能弄虚作假，因为权力离开了有效监督，则无一例外地会走向腐败。因此，民主监督就成了村民自治中最为薄弱的环节。村民自治制度实施以后，广东农村民主监督的发展主要体现在三个方面：一是村务公开的普遍实行，二是村民民主理财小组的积极作为，三是村民罢免权的切实行使。

从村务公开方面看，广东各地出现了许多好的经验和做法。包括设置村务公开栏，确立村务公开日，设立村务监督箱，确定村民议政日，建立村民民主理财小组等等。广东省南海市西樵镇率先开发和运用了“农村管理信息系统”，通过互联网技术、电子政务和电子村务系统，把镇政府、村委会和农民三者有机地联系起来，较好地解决了农村村民自治制度中民主决策、民主管理和民主监督的实施所必需的相关信息、技术和参与途径。制度和技术的有机结合，促进了农村治理的民主化和科学化，同时也改善了镇政府与村

① 郭正林：《中国农村权力结构》，中国社会科学出版社 2005 年版，第 132 ~ 135 页。

委会的关系。[①] 总之，广东发达地区农村通过把先进科学技术引入到村务公开中来，开创了村务公开的新形式，保证了广大村民的知情权和监督权，为村民自治的健康发展开拓了广阔前景。

村民民主理财小组的财务审查与账目清理活动是村民对村委会实行民主监督的有效形式。从1996年开始，深圳市万丰村为了保证村财政管理人员依法照章办事，杜绝随意开支和以权谋私，专门成立了村民财务监督小组（1999年以后改称村民民主理财小组）。村民民主理财小组成员由村民代表选举产生。按照万丰村村民自治章程的规定，党支部、村委会成员均不得参加村民民主理财小组，也不能兼任组长职务，党支部书记、村委会主任的家属和直系亲属也不能担任组长。村民自治章程还规定，村民民主理财小组有权审查村财务的任何收支项目，并有权直接将审查结果予以公布。[②]

如果说村务公开和村民民主理财小组的活动是对村务的有效监督的话，那么，罢免权的切实实施则是对村干部不良行为的有效制约，《中华人民共和国村民委员会组织法》对村民罢免权的规定，使村民获得了制约村干部不良行为的法宝。在广东农村第一届村民委员会产生以后，村民运用罢免权对村委会成员进行民主监督的力度较大，效果非常明显。请看案例9－2。

案例9－2　罢免让人失望的村委会[③]

2000年3月，广州市白云区竹料镇龙塘村村民对本村村委会全体成员实行了全部罢免，成为广东省农村首例村委会班子被集体罢免的案例。1999年12月，经过民主选举，龙塘村产生了第一届村民委员会，村委会班子共有5名组成人员，这5名村委会成员基本上都是该村原任村干部。在上任只几个月的时间里，村委会干部沿袭过去行政管理体制下的工作作风，不深入群众，听取群众意

① 王金洪：《制度变革、技术支持与农村治理的发展》，徐勇、项继权主编：《村民自治进程中的乡村关系》，华中师范大学出版社2003年版，第275～289页。

② 参见欧阳发：《万丰村志》，海天出版社2002年版，第89页。

③ 郭正林：《中国农村权力结构》，中国社会科学出版社2005年版，第138页。

见，而是习惯于走上级路线。他们经常利用公款请镇、区少数几个私人关系密切的干部吃喝，大肆挥霍村集体资金。而且，村委会成员的日常开支很多是一纸白条单，财务管理十分混乱，村财务和其他重要事务不向村民公开。村委会干部的种种表现令村民不满和失望。结果，村民联名要求对这一届村委会实行集体罢免。2000 年 3 月，全村 2800 多名村民参加了罢免表决大会，2680 名村民同意对村委会成员实行集体罢免。

除了上述三个方面之外，广东农村还通过将村财务进行民主化管理、实行公章与账本分开管理、对村委会成员实行民主评议等一些具体而细致的制度设计来监督村党支部、村委会和集体经济负责人，通过各种形式“给村民一个明白，还干部一个清白”，真正做到让村民监督权力的行使，让村务管理在阳光下进行。广东乡村自治中村民民主监督权的行使，使民主监督从抽象的“纸上权力”变成了有效的实际行动，对规范和制约村干部的用权行为起到了富有成效的作用，同时，也对预防和遏制农村干部的贪污腐化行为起到了强有力的制约作用。

二、城市社区居民自治

如果说乡村村民自治是中国乡村的第一轮基层民主改革，那么城市社区居民自治就是中国城市社区的第二轮基层民主尝试。与乡村村民自治一样，中国城市社区居民自治也是政府下放权力的结果。没有政府的主动放权，不再将居委会视为政府的职能部门延伸，居委会的自治性就无法充分体现并得到保障，城市基层管理体制也不可能真正从行政化管理向社区居民自治体制转变。社区建设是社区居民自治的突破口，它改变传统的城市基层管理体制，从由行政化管理为主变为在党的领导下，居民依法自治，以自我管理为主。

广东改革开放以来的社区居民自治主要可以分为三个阶段：1978—1986 年，广东城市社区基本上延续了计划经济年代的单位

管理体制；1987年，广州市开始在若干街道进行社区服务及社区文化建设工作试验，逐步探索社区建设与社区服务的新思路、新模式；1998年以来，广东开始对城市管理体制和街道行政管理体制进行改革，为推动社区居民自治奠定了基础；从2002年起，广东省全面实施社区居委会选举，全面落实居民自治制度。

与乡村村民自治相比，广东的社区居民自治并没有非常清晰地划分为若干个有机组成部分。为了叙述的便利，本节从社区居委会选举、社区与政府关系变革、居委会与非政府组织的共同治理、居委会与业委会的权力分界四个方面来概括总结广东社区居民自治的地方特色。

（一）居委会民主选举：选出社区的“当家人”

社区自治组织建设是推行城市社区建设的首项任务。国内普遍的做法是通过投票选举使居委会真正变为居民自治组织。2002年8月26日，广东省首次社区居委会选举在肇庆举行。肇庆端州区及四会市共27个社区的1000多位居民代表同时进行投票，向居民自治迈出了第一步。

在广东省第一届社区居委会选举中，居委会成员的选举由街道办主持进行。在试点社区，选择采用一人一票直接选举，其他社区就根据实际情况采取直接或间接选举的形式。在试点社区广州市农林街第三居委辖区，居委会成员的候选人是由街道办工作人员在反复征求居民意见之后提出来的，分为居委会主任候选人和居委会委员两张候选名单，互相不重复；由居民一人一票选举。选举结果是：候选人当中的原居委会主任及成员全部当选，副主任和其中一名委员来自居民，新一届社区居委会顺利产生。

截止到2002年底，社区居委会的改组工作已经基本完成。从广东第一届社区居委会选举的结果可以看出，在选举方式来上，采用直接选举的占总数的14.6%；采用户代表选举的占总数的16.7%；采用居民代表选举的占总数的68.6%。广州市东山区率先进行了老社区的直接选举，并取得成功，为全省推进社区居委会

的直接选举创造了经验。全省社区居委会成员中，大专以上学历的有4924人，占总数的17.4%。[①]

广东2005年进行的第二届社区居委会选举比2002年的第一届社区居委会选举有了比较大的进步。以广州为例，2005年2月，广州市把全市1580个社区调整为1426个，使每个社区在边界、规模、资源配置等方面更加清晰合理，在此基础上以直选、户代表或居民代表的形式进行换届选举；5月，原东山区在黄花岗选取11个社区调整合并为5个社区，并在社区设置了社区党委、社区居委会、社区政务中心（即"两委一中心"）；同时，天河区在骏景社区开展社区工作站试点工作。这些试点为广州市今后规范和明确社区居委会的工作职能，进一步完善居民自治开拓了思路。

从广东第二届社区居委会的选举结果看，全省的居委会选举均采取了差额选举，并设立了投票间。全省登记选民1359万人，应换届选举居委会5854个，完成换届5848个，占应选总数的99.9%。直接选举的比例和选举质量都有所提高，直接选举比例由上届的12%增加到25.12%，其中"海选"占3.02%；户代表选举占14.1%，居民代表选举占55.51%。选举产生社区居委会成员29373名，其中主任5823名、副主任和委员23550名。当选的社区居委会成员中是党员的有20334名，占69%；高中及大专以上学历的有24720名，占84.2%；40周岁以下的有15053名，占51.2%。[②] 这些数据表明，与第一届社区居委会选举相比，广东第二届居委会换届选举的直选率上升，选举过程更公开、更透明，选举出来的社区"当家人"文化水平进一步提高，显示了广东城市社区自治水平有所提高。

2008年，广东进行了第三届居委会换届选举。与同年进行的村委会换届选举一样，本届居委会选举最大的看点就是建立了换届

① 广东省民政厅基层政权与社区建设处：《关于我省城市基层管理体制改革的情况报告》，2003年2月。

② 广东省民政厅基层政权与社区建设处：《广东省社区居委会选举基本情况表》，2005年11月。

选举工作责任制，由各市、县（区）、镇党政负责人挂帅督导，保证居委会选举保质保量地按时完成。通过居委会选举，广东逐步完成了社区居民自治组织的建设，明确了社区居委会为居民利益代言的角色，理顺了政府和社区的关系，为社区实现居民自治奠定了坚实的基础，为居委会发挥自治功能开辟了广阔的空间。

（二）社区与政府的关系变革："盐田模式"探析

社区是国家和社会的临界地带，是建设和谐社会的"细胞"。如何处理政府与社区居委会的关系，是城市社区管理体制改革和社区居民自治的一个重大课题。深圳的"盐田模式"改革是一次由政府牵动、社区推动的国家和社会关系重塑过程，政府和社区互相发生作用，为中国城市社区管理体制改革提供了一个"强政府—强社区"的基层社区治理模式，有助于实现国家与社会协同发展的理想目标。我们通过案例9－3简单回顾一下盐田模式的改革历程。

案例9－3　深圳"盐田模式"改革①

从1999年起，深圳市盐田区以提高行政效率、创建服务型政府为目标，开始探索以理顺政府与社区关系为主线、以明确政府与社区自治组织的权责边界为内容的社区管理体制改革，经历了八年时间，实现了三次重要的创新。2006年1月，盐田区社区治理体制改革项目获得了第三届"中国地方政府创新奖"，得到了社区居民、上级领导和政府以及专家学者的高度肯定。

盐田模式的社区治理体制改革经历了三次重要的制度创新。第一次创新是1999年，盐田区政府利用居委会换届选举的机会，规定通过选举产生居委会，把居委会和股份制企业合一的传统"股

① 参见侯伊莎主编：《透视盐田模式：社区从管理到治理体制》，重庆出版社2006年版，第15～33页；又参见侯伊莎：《激活和谐社会的细胞——"盐田模式"制度研究》，中央编译出版社2007年版，第112～130页。

民之家”模式进行分离，股份制企业的董事长或总经理不能再担任居委会主任；第二次创新是2002年，盐田区创建了“一会（合）两站”的社区新型管理体制，即对居委会的工作进行细化和初步分化，居委会下设社区工作站和社区服务站，工作站主要承担政府交办社区的任务，服务站负责完成社区居委会的社区建设特别是社区服务任务；第三次创新是2005年，盐田区以“会站分离”为理念建构“一会（分）两站”的社区治理模式，即实行社区工作站与社区居委会分设，把社区工作站从社区居委会剥离出来。

“盐田模式”的核心内容是按照下述逻辑展开的：根据“议行分设”的理念，把原来长期由居委会承担基层的行政、自治和服务三种功能进行分化，把政府行政职能和公共服务功能从居委会中剥离出来，通过创建与居委会平行的政府组织——社区工作站来执行政府的行政事务，通过居委会的下属机构、非政府组织——社区服务站来承担社区的公共服务，同时把居民直接选举产生的社区居民委员会变成议事机构，履行社区自治功能，以理顺社区与政府的关系，最终达成强政府和强社会的治理模式的目的。①

深圳市盐田区以理顺政府与社区关系为起点，改革传统的、以政府为主导的社区管理体制，以“一会两站”的专业分工化解社区行政化的通病，用多元治理主体解构政府主导的一元治理主体，借强政府的能力促成强社区的形成，努力培育社会资本，目的是建立政府与社区自治组织、非政府组织、社区居民多元主体合作治理的社区治理体制，以促进社会的和谐、稳定，加快中国公民社会的发展。

深圳“盐田模式”被誉为“激活了和谐社会的细胞”，实现了政府和社区权力相互强化的效果，明确了公共权力组织和社区自治组织的责任和义务边界，加强了社区党组织的政治领导能力，提高了政府行政能力，降低了政府管理成本，提升了社区自治能力，培育了社区的社会资本。它的重要贡献是实现了政府与社区的交叉互

① 侯伊莎：《激活和谐社会的细胞——“盐田模式”制度研究》，中央编译出版社2007年版，第2~3页。

动、资源共享，酝酿着一种政府和社区互动互强的新型关系，解决了其他社区模式如上海模式、沈阳模式、武汉模式等不能解决的问题。这对于城市居民切实行使民主权利、真正实现自治具有重要意义。

（三）社区公共服务的共同治理模式：逢源街安老服务

长期以来，政府一直是中国社区公共服务的直接提供主体，或由政府先将服务分配给单位，然后再由单位分配给个人，这种模式被称作是“科层式供给”。[①] 随着社会结构的转型和单位制的解体，政府的财政能力又非常有限，由政府提供的社区公共服务，尤其是诸如社区养老这类服务的供给匮乏成为一种普遍现象。社区公共服务供给不足为NGO的产生和公民社会的发展提供了可能。广东的城市社区在提供这类公共服务方面摸索出了一条新路，即通过NGO来整合社区各种资源，推动居民邻居关系和发动志愿者服务，实现社区资源的优化配置，更有效地帮助孤寡老人、伤残人士和特困家庭等，探索出了一条由街道办、NGO、志愿者、社区居民等多方主体共同参与提供社区公共服务的共同治理新模式。广州逢源街的安老服务（见案例9－4）就是最好的例证。

案例9－4　广州市逢源街安老服务[②]

广州市逢源街的面积有0.78平方公里，人口约6.5万。1999年，文昌街与逢源街合并为逢源街道。逢源街位于老城区，是广州旧商业文化的保留地。由于成长起来的新一代居民大都搬走了，留下来的多是不愿或不能搬走的老人，所以该社区老人较多。据统

---

① 何艳玲：《从“科层式供给”到“合作化供给”》，《武汉大学学报》（哲学社会科学版）2006年第5期。

② 参见黎熙元等：《社区建设——概念、实践与模式比较》，北京商务印书馆2006年版，第165～166页；另参见《恢弘中华美德，彰显和谐成效——从文昌慈善会的经验看和谐社区的构建》，2007年1月22日，http://www.gdmz.gov.cn/oldsite/luntan/2007/0122_1.html.

计，该社区60岁以上的老人有1.1万人，占街道总人口的16.9%，其中孤老、残疾、特困等人士1390人。为了帮助这些老人和特困人士解决生活困难，1996年7月8日，原文昌街道办事处主任，逢源街道党工委书记王辉倡导成立了以社区筹款互助为目标的文昌慈善会，由此开始了以安老服务为中心的社区服务。

1998年，街道办与香港社会服务机构邻舍辅导会联合创办“文昌邻舍康龄社区服务中心”，各种设施和服务构成了一个逐渐完善的社区服务体系。目前，文昌慈善会已建立了托老中心、文化中心、康复中心、医疗中心等；还有一支以照顾老人为主的近3000人的义工队伍。社区卫生医疗站为3000多位老人实行医疗跟踪服务，共设立了993张家庭病床和慈善病床，慈善会每月为孤老、特困老人每人支付50元医药费，为老年人免费提供200多套康复健身器械。2006年，广州市荔湾区逢源街耀华社区获得全国“敬老模范村居”称号。

逢源街安老服务成功的关键在于以街道办事处和党工委为代表的政府组织和以文昌慈善会为代表的非政府组织相互借力，取长补短，共同参与社区公共服务的提供，通过各自行动和组织之间的互动形成了社区范围内的组织网络。一方面，作为非政府组织的文昌慈善会的日常运作在很大程度上都必须依靠基层政权的体制内权威来实现，比如慈善会的登记注册需要得到政府有关部门的许可，慈善会的理事会成员有一半以上是街道干部，重要职位几乎都是由体制内成员担任，在筹款时街道干部也给予大力支持等；另一方面，文昌慈善会解决了社区公共服务供给不足的问题，舒缓了体制内供给渠道的压力，有效地提高了社区居民的生活质量，由此也促进了基层政权在社会转型期的合法性重建，这也是慈善会能够自始至终得到体制内力量支持并最终能够发展壮大的主要原因。①

以文昌慈善会为主轴的逢源街安老服务的成功实践，为处于社

① 何艳玲：《从“科层式供给”到“合作化供给”》，《武汉大学学报》（哲学社会科学版）2006年第5期。

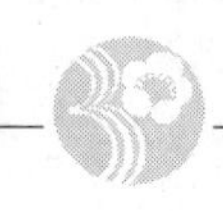

会转型期的中国社区公共服务供给提供了一种共同治理的可能选择。这种共同治理存在于由政府、私人部门、非政府组织、志愿者、居民等治理主体构成的网络结构中，治理参与者在地位上是平等的，他们在网络中的行动是建立在信任基础上的资源共享与资源交换。

（四）居委会与业委会的权力分界：社区物业管理难题

伴随着城市住宅商品化和物业管理自治化的发展，如何处理居委会、业委会和物业公司之间的复杂关系已成为中国城市社区管理的主要症结之一。居委会虽然在法律上被定为群众自治组织，但实际上却担负着街道办事处派出机构的功能；业主委员会是业主大会的执行机构，代表社区内的全体业主，在社区物业管理体制中处于主导地位，对物业管理的一切重大事项享有决定权，扮演着决策者的角色；物业公司则是受雇于业主委员会的“管家”，在物业管理体制中扮演着执行者的角色。业主委员会和物业公司通过物业管理合同维持联系。在现有体制下，物业自治自成一体，与居委会没有直接的联系。在业委会和物业公司发生矛盾和冲突的时候，居委会根本没有地方插手。这是居委会在住宅小区中没有号召力，居民参与热情不高的一个重要原因。2002 年，广州新兴白云园就发生了因业委会换物业公司而引起的冲突事件（见案例 9－5），在其中就看不到居委会的影子。

案例 9－5　广州“新兴白云园”冲突事件①

“新兴白云园”是广州市因道路扩建而为安置拆迁户所兴建的居住小区，入住的居民有 4000 多户，其中 2000 多户具有私人产权，其余 2000 余户属于共有产权，产权人是“扩建办”（即道路扩建办公室），“扩建办”指定属下的悦华物业管理公司负责小区

① 廖瑾璞、华锐等：《业委会炒鱿鱼，物业接管成“攻城拔寨”》，《新快报》2002 年 12 月 10 日；华锐、廖瑾璞：《两家保安小区内互不相让》，《新快报》2002 年 12 月 11 日。

管理。悦华物业管理公司的保安人员不负责任，业主与其交涉未果，惹怒了业主。业主委员会在获得业主代表大会的授权后，通过招投标（其中4家物业公司参与投标，但悦华物业管理公司始终未参与竞争），选中了广东华信物业管理公司，经过广东省公证处的公证，双方签订《物业管理委托合同》并送交区房管局备案得到认同。2002年12月9日，业主列队欢迎华信物业管理公司进驻小区，悦华物业管理公司阻止华信物业公司进入小区，以华信物业管理公司、业主、业主委员会为一方，悦华物业管理公司与“扩建办”为另一方，一天之内，双方发生多次激烈冲突。警方强行劝阻各方并召集业主委员会、嘉禾街居委会、华信物业管理公司、白云区房管局及“扩建办”五方代表协调，未达成共识。该小区出现了两个物业管理公司共管的局面。

这个案例不过是广东城市住宅小区业委会维权运动中的一个。事实上，房地产开发商和物业公司经常会通过贿赂政府有关部门及官员或采用其他方式动用各种资源，阻挠业主维权组织的成立。在维权过程中，业委会成员甚至会受到黑恶势力的威胁。为了维护业主的共同利益，广州热心公益并长期投身于业主维权事业的孙威力先生，联合广州一些维权骨干和积极分子，发起成立“广州业主委员会联谊会”（简称业联会），呼吁广州“有（房）产者”联合起来，最终成立“广州业主委员会协会”，以改变业主在利益博弈中的不利地位。但是，业联会只是一个没有合法注册身份的草根NGO，其生存面临着巨大的困境。为了获取政府的认可与合法的法律地位，业联会在以孙威力为首的维权精英的努力下，通过各种非正式行动策略来为自己造势，在夹缝中求生存，并试图影响地方政府的决策。经过多次博弈后，业联会和政府达成了一种隐性契约：政府默许业联会的存在，业联会主动配合政府、人大、政协等组织的工作，并承诺采取在合法的范围内维权。[①]

---

① 张紧跟、庄文嘉：《非正式政治：一个草根NGO的行政策略》，《社会学研究》2008年第2期。

业联会的种种努力从一个侧面反映了城市住宅小区业主的权益常常被开发商和物业公司所侵害，仅仅凭借业委会难以维护和保障业主的合法权益，才导致了业主维权精英们想联合起来成立更高一级协会组织的政治诉求。业联会通过和政府维持某种隐性契约关系，既为自身的生存赢得了空间，又把业主维权行动保持在合法的范围内，为建设和谐社会、和谐社区做出了积极的探索。当然，这种以非制度化为基础的默契缺乏稳定性，难以具有普适性意义，这需要广东地方政府进一步解放思想，积极探索业委会及业委会联合会的成长空间。

三、企业职工民主参与

企业职工民主参与是中国基层群众自治的重要组成部分。职工代表大会制度是企事业单位实行民主管理的基本组织形式，是一种重要的中国基层民主制度。职工代表大会、职工大会、工会、企业管理委员会、职工董事与职工监事以及其他类型的职工代表制度等共同构成了中国企业职工民主参与的基本框架。

1978 年 10 月，邓小平在中国工会九大上指出："工会要教育全体会员积极参加企业的管理。为了实现四个现代化，我们所有的企业必须毫无例外地实行民主管理，使集中领导和民主管理结合起来。""企业的重大问题要经过职工代表大会或职工大会讨论。企业的领导干部要在大会上听取职工意见，接受职工的批评与监督。对某些严重失职或作风恶劣的领导人员和管理人员，大会有权向上级建议给以处分或撤换。各企业的工会，将成为职工代表大会和职工大会的工作机构。"① 这标志着经历十年动乱后，中国的工会工作重新走上正轨。在工会九大和十一届三中全会精神的指导下，广东开始在部分企事业单位中恢复、建立工会和职工代表大会制度，

---

① 邓小平：《工人阶级要为实现四个现代化做出优异贡献》，全国总工会政策研究室编：《中国企业领导制度的历史文献》，经济管理出版社 1986 年版，第 423 ~ 424 页。

实行企业职工民主参与。实施改革开放30年来，广东企业的职工民主参与大致经历了三个阶段：1978—1986年，职工民主参与的恢复重建阶段；1987—1998年，职工民主参与在市场化改革中的探索阶段；1999—至今，职工民主参与的创新和完善阶段。

近年来，广东在企业工会领导人直选、区域性行业性职代会建制、采用ISO9000标准推进厂务公开制度、用职工持股制度的方式试行经济民主等方面均有所建树，这些探索成为中国基层民主建设的新亮点。

（一）直选企业工会领导人

广东的企业工会领导人直接选举并非最近几年才产生的新现象。早在1986年，深圳蛇口的工会联合会就率先开始了民主直选。20世纪80年代，蛇口是一个以外商投资企业为主的新兴工业区。大量外资和劳工的涌入，使蛇口工业区的劳动关系发生了深刻的变化。与当时内地的国营企业劳动关系不同，蛇口的外资企业拥有高度自主权，企业管理方式多国化，经济利益关系多元化，劳动关系非常复杂。面对新情况，蛇口工会联合会通过提倡基层工会主席直选的形式，逐步形成了一套颇具特色、行之有效的模式，1994年被中华全国总工会总结为“蛇口模式”。然而，“蛇口模式”一提出，就有反对总结“这样”的经验的意见。在宣传和介绍过程中，“蛇口模式”也遇到了多种阻碍。但是，这并不意味着“蛇口模式”被湮没在历史之中。

近年来，广东的一些外资、民营等非公有制企业中出现了由企业职工自主建立的工会组织，并通过采用直选的方式产生工会领导人，这不仅意味着出现了一种维护工人权益、协调劳资关系的新型力量，还被看作是继村民自治和居民自治之后中国基层民主发展的又一个新动向。[①] 中山市三乡镇宝元鞋厂从1997年开始直选工会；

① 王金红：《工会改革与中国基层民主的新发展》，《华南师范大学学报》（社会科学版）2004年第5期。

东莞虎门彩印公司从1998年开始工会直选工作；截止到2003年，广东12万多个基层工会组织中，有将近1/3的企业实行了工会直选。直选产生的工会承担着代表职工与资方谈判，签订集体合同，捍卫职工正当权益的职责。[①] 其中，影响最大的是深圳市宝安区南太公司的工会领导人直选（见案例9-6）。

案例9-6　广东深圳南太公司的工会直选[②]

2003年6月30日晚，深圳市宝安区港资企业南太电子（深圳）有限公司举行了第五届工会委员会换届选举，这次工会直选可以说是非公有制企业中劳资双方通过协商合作，共同促进工会组织建立和工会直选的成功范例。

南太电子（深圳）有限公司1992年就建立了企业工会，但当时并未实行直选，员工们对工会也不信任，一碰到问题总是直接找老板反映。1998年，南太公司接受宝安区总工会的建议，开始推行工会民主直选。当选工会委员要经过三道“关卡”：首先，在南太下属的三个公司南太、世成、JIC大致按照7∶1的比例在1532名工会会员中选出200多名工会代表，各部门、车间的工会代表再投票推选出16名工会委员候选人；在换届选举大会上，由工会代表以无记名投票的方式，对16名候选人进行差额选举，选出11名工会委员。谁当工会主席，再由当选的11名工会委员选举产生。民主选举产生的南太工会正在成为劳资双方进行协商的平台。通过这个平台，员工的意见得到了充分反映，员工加入工会的积极性也提高了。南太现有1800多职工，其中1532人加入了工会，入会率达85%。

南太公司的工会领导人直选并不是完全自发的产物，而是在宝安区总工会的建议和帮助下成立的。与南太公司不同，开平市侨达

---

① 《广东工会民主直选》，《政工研究动态》2003年第23期。

② 孙国英等：《强力推动基层民主建设，直击深圳企业工会直选》，《南方日报》2003年7月8日。

公司的员工委员会是在全球化背景下，由国际力量推行的企业社会责任运动对中国民营企业的工作场所进行外部干预的典型案例（见案例9－7）。

案例9－7 侨达经验：员工委员会①

广东省开平市侨达制衣有限公司是一家从事代工制造的民营企业，占地面积10000平方米，生产厂房8100平方米，员工约700人，其中管理人员27人，外省员工占98%，女工占55%。侨达公司主要为美国Timberland和德国嘉士达广利洋行生产休闲类服装。侨达公司为了能够接到这些海外订单，必须按照其要求遵守当地劳动法和国际劳工条约的核心条款，履行企业社会责任。为了保障员工的表达权利，在外部两个NGO的帮助下，侨达公司进行了员工委员会的试验。

根据公司的员工委员会章程，员工委员会是一个聚合工人意见，与工厂管理层进行沟通的一个组织化平台。公司的每个车间都要单独设立自己的员工委员会，每个车间由7～10个生产班组组成，每一班组产生一名正式员工代表和两名候补代表，候补代表制度主要考虑员工的流动性。班长不得参选员工代表，如果员工代表被任命为生产班长即为自动辞去员工代表，由候补代表继任。这样，员工委员会有7～10名员工代表组成，在7～10名员工代表中产生一位员工委员会组长。

员工委员会的运转必须有制度保证。根据章程规定，员工委员会代表所在车间全体员工利益，员工代表根据相对多数原则由海选产生。员工代表负责收集员工信息，由员工委员会组长向公司管理层提出召开员工代表会议或反映员工意见。经公司管理层批准，且管理层必须出席并负责答复员工代表的提问。员工委员会开会必须

① 张晨：《侨达制衣有限公司善待员工促发展》，《WTO导刊》2006年第Z1期，第73页；余力：《侨达故事：企业社会责任的中国之路》，《南方周末》2005年7月21日，第C21版；黄岩：《全球化背景下外来工抗争的政治逻辑》，博士学位论文，中山大学政治科学系，2007年，第124～126页。

得到管理层批准主要基于两个原因：第一，管理层必须了解情况，解决员工委员会的问题；第二，员工委员会开会，公司必须进行补贴，补贴以最低工资的双倍计算。没有经批准的代表会议公司不予以补贴。员工代表会议一般每月召开一次，代表们的碰头会采取不定期、非正式的形式经常进行。除了开会误工补贴外，每位代表每月固定有30元补贴。如果员工代表不称职，员工可以发起罢免，也可以由代表组长或公司提起罢免行动，但具体程序没有规定。

与传统的职工代表大会制度不同，侨达公司的员工委员会是由国际品牌公司倡议、资方主导、NGO支持、外来工参与的新型职工民主参与模式。尽管员工委员会的运转资源由资方控制，在相当程度上影响了他们的活动范围，但这种有限范围内的工人自治有利于工人发出自己的声音，形成了一种公司订单增加、员工福利提高、流失率降低的“双赢模式”。

（二）探索职代会制度的新形式

职工代表大会制度是企业事业单位实施民主管理的基本形式。职代会制度是职工参与民主决策、民主管理的基本制度，是维护职工合法权益的有效途径。30年来，广东省总工会不断探索如何充分利用职代会制度在各种所有制企业中实行职工民主参与。

1. 80年代末到90年代的职代会工作。

20世纪80年代，外资企业作为一种新兴企业类型，成为珠三角地区经济结构的重要组成部分。如何组织和代表职工参与外资企业的管理，实行职工自治，是广东省总工会在改革开放中面临的新课题。外资企业的特殊经济性质，职工在企业中的特殊地位以及企业的特殊管理结构，使外资企业职工参与管理的权限，一般低于公有制企业的职工民主管理，只对企业生产经营重大决策有协商共决权，对企业的生产管理活动有依法监督权。其中，以中方为主管理的合资、合作企业，职工参与管理的主要形式和权限，一般可参照全民所有制企业的做法，建立职工代表大会，行使职代会条例规定的五权中的前四权。以外商为主管理的合资、合作企业，职工参与

管理的主要形式，是建立民主协商会议制度，其权限是：对企业的生产经营重大决策有知情、讨论、建议权；对企业管理的重要规章制度有协商建议权；对涉及职工切身利益的重大生活福利问题及企业中的劳动争议有协商处理权；对企业的生产经营活动有依法监督权。外商独资企业，职工参与管理的主要形式是劳资协商会议，其职权是：对企业的重大经营决策及重要规则制度有建议权；对有关职工的安全保护措施、劳动生产条件、工资、奖惩、生活福利以及劳资纠纷等，有协商处理权；对企业的生产经营活动有依法监督权。①

2. 新世纪以来的职代会工作。

随着改革开放的不断深入，特别是中国加入 TWO 以来，广东中小型民营企业迅速发展。它们主要集中在广东各镇（村）、街道（社区）、工业园区、商业大厦、集贸市场，其职工人数大多在几十人到三五百人之间。广东省总工会 2004 年的调查显示，广东非公有制企业中只有不到 5% 配备了专职工会干部。在配备工会干部的非公有制企业中，多数是大型跨国公司在广东投资兴办的企业，或者是有数千甚至上万职工的私营企业。在已经组建工会的非公有制企业中，约 30% 由企业部门负责人兼任工会主席，约 20% 是企业副职（主要是外资企业的中方负责人）兼任工会主席，约 50% 由一般生产工人兼任工会主席。这些企业的工会主席开展工作缺时间、缺经费、缺业务知识。在“强资本、弱劳工”的劳动关系格局下，要求他们据理力争维护职工合法权益，独立自主地开展工会活动，实属苛求。② 同时，这些企业的职工流动性大，劳动关系不稳定，企业侵犯职工权益的现象时有发生，工人的合法权益得不到有效保障。

广东在非公有制企业开展职工民主管理的工作思路是把基层工

① 广东省总工会：《粤工征途》，广东人民出版社 1993 年版，第 56～60 页。

② 参见《广东省总工会关于推行区域性、行业性职工代表大会和专项集体合同制度的意见》，2004 年 3 月 23 日。

会组织一时难以承担的职责提升到上一级工会来承担，通过上级工会带动基层工会开展活动。在这方面，深圳市罗湖区的经验比较有代表性和典型性。2002年6—7月，深圳市罗湖区在新加坡人投资的斯比泰电子公司、港人投资的东海商苑实业公司和民办的明珠学校召开职代会，打破了只有公有制企业才能召开职代会的认识局限。2002年11月，罗湖区在黄贝岭商城组织个体工商户和员工代表签订了工资集体协议，确立了维护非公有制企业职工权益的有效机制。2004年，罗湖区又在东门商业步行街区、黄贝街道凤凰社区和翠竹街道新村工业区珠宝行业进行了区域性、行业性职代会试点，为非公有制企业推行民主管理取得了重要经验。截止到2007年底，广东省共建立区域行业职工代表大会制度的有1463个，覆盖企业102213家，覆盖职工人数达1982891人。① 区域性、行业性职代会发挥了村、街道（社区）、工业园区和行业工会的作用，在实践中继承、发展和创新了职代会制度，探索了一条非公有制企业职工民主参与的新路子，对加强基层工会组织建设、推动非公有制企业职工民主参与具有重要的启示与借鉴意义。

（三）创新厂务公开制度

厂务公开是指企事业组织根据有关法律法规规定，依照党和国家的方针政策，将与本单位发展和广大职工切身利益密切相关的问题，通过适当的形式向广大职工公开，吸收广大职工参与监督、管理和决策的民主管理制度。厂务公开最初是在1998年新华社《国内动态清样》第2242期关于石家庄拖拉机厂的一篇报道《厂务公开促使“石拖”重振雄风》中首先提出的。②

1999年4月1日，广东“全省厂务公开协调小组”成立，确立了厂务公开领导机构。同年6月25日，广东省委办公厅、广东

---

① 广东省厂务公开协调小组办公室：《2007年我省厂务公开民主管理工作统计》，2007年12月。

② 全国厂务公开协调小组办公室：《厂务公开》，中国方正出版社2004年版，第2～4页。

省人民政府办公厅转发了省纪委、省总工会《关于在全省实行厂务公开制度的意见》。在推进厂务公开的过程中，广东各级工会既重视提出总体目标，又强调在公开的形式和内容上不搞一刀切，坚持从实际出发，分类指导。对大型企业，重在指导他们进一步完善职代会制度，把厂务公开的原则融入企业生产经营管理的各项制度中去；对于中小型企业，重在要求他们围绕职工关注的热点、难点、疑点和焦点问题进行公开，逐步完善内容和形式；要求效益好的企业把重大经营决策、物资采购供应、基建工程承发包等作为公开的重点；要求困难企业、亏损企业侧重把减员增效、下岗分流方案、基本生活费发放、各项保险金的缴纳情况作为公开的重点；对干群关系紧张的企业则要求把领导干部廉洁自律和涉及职工切身利益的问题作为公开的重点。①

2002年7月25日，广东省九届人大常委会第三十五次会议审议通过了《广东省厂务公开条例》，并于2002年10月1日正式实施。用法规形式规范厂务公开，标志着广东省厂务公开工作纳入了法制化轨道。2004年3月5日，广东省厂务公开协调小组办公室下发了《关于确定按照ISO9000标准建立厂务公开民主管理的制度试点单位的通知》，决定把广东省电信公司广州市分公司、广州市地下铁道总公司运营事业总部等六家公司作为借鉴ISO9000标准，建立厂务公开民主管理质量体制试点单位。同年7月23日，中共广东省委办公厅、广东省人民政府办公厅下发了《关于在全省非公有制企业实行厂务公开民主管理的指导意见》，为非公有制企业实施厂务公开民主管理提供了依据。2006年2月6日，广东省纪委、广东省监察厅制定下发了《广东省违反政务公开厂务公开村务公开条例责任追究的暂行办法》，为处罚违反厂务公开民主管理的企业提供了标准。

此外，各地方工会积极探索适合本地特点的厂务公开民主管理

① 广东省厂务公开协调小组办公室：《厂务公开在广东》（内部交流学习材料），2006年，第16页。

的具体形式。东莞市结合本市非公有制企业多、外来员工多、经济结构和劳动关系复杂等特点，积极探索民主管理的新形式，在非公有制企业中广泛开展“员工满意企业”评选活动，让员工充分行使民主权利，维护自己的合法权益。东莞市制定了“员工满意企业”的八大评选条件：企业是否成立工会；工资是否按时发放；员工合法权益是否受到侵犯；安全生产、劳动保护措施是否得到有效落实；员工是否都与企业签订了集体合同；员工的工作环境、生活环境是否良好；文化娱乐设施是否完善；工会活动内容是否丰富等。在政府有关部门的密切配合下，镇总工会负责评选镇一级的“员工满意企业”。企业员工通过问卷的形式参加投票，每年评选一次。企业只要获得80%以上的满意票，就可挂上由镇委和镇政府授予的“员工满意企业”牌匾。但是，每一年或两年要复评一次，达不到标准的除被摘牌外，还要进行通报。东莞市通过开展这项活动，让员工充分行使民主权利来评价企业，直接向企业行政反映员工的诉求，表达员工的意愿，监督企业认真落实和兑现劳动法律法规及相关政策，唤醒了员工的民主参与意识，体现了员工的主人翁精神。

通过借鉴ISO9000标准、评选“员工满意企业”等形式推行厂务公开制度，广东各地加强了企业内部的监督约束机制，在一定程度上遏止了某些管理人员违法违规、商业贿赂、任人唯亲等现象，对促使企业摆脱家族式管理走上现代企业管理的轨道具有积极促进作用；此外，实施厂务公开还鼓励职工监督企业遵守劳动法律法规，促使劳资关系的稳定、和谐，促进了地方经济的快速、健康发展。

（四）推行经济民主试验

随着市场竞争日趋激烈，企业想要保持可持续发展乃至基业长青，仅仅依靠几个高层领导和中层管理者的智慧和谋略已难以为继，如何激发和调动广大职工的责任感、积极性和创造性，共谋企业和职工的双赢发展，成为企业管理层面临的重要问题。在企业内

部实现经济民主是其中的一个选择。经济民主的涵义非常丰富，从微观角度看，其核心思想无非是企业由工人共同拥有，鼓励普通员工参与企业管理和决策，共担决策风险，参与利润分成，共享劳动成果。而员工持股制度是实现企业经济民主的一种重要形式。

深圳市作为中国改革开放的试验田，在员工持股方面也做得比较规范和完善，走在了全国的前列。1994 年，深圳市政府公布了《关于内部员工持股制度的若干规定（试行）》，首先选取了非上市公司金地、火炬等作为员工持股的试点，上市公司的员工持股作为第二步来实施。金地公司的内部员工持股制度成为广东在国企改制过程中采取经济民主的形式获得成功的典范，为国有企业改革提供了一种可供选择的新形式。

金地集团的前身是深圳市上步工业村建设服务公司。由于工业区前期多头开发、各自为政，区内配套条件差，存在着诸多问题。1992 年，福田区委、区政府对公司进行改组后，情况有所改善；但公司仍面临着产权结构、资本结构单一，行政干预过多，缺乏内在激励机制，员工积极性不高，资产负债率高等问题。1994 年 5 月，金地公司向深圳市体改办提出了进行现代企业制度改革的申请，并得到了批准。1995 年 9 月底，《金地员工持股制度实施方案》正式实施。1995 年 12 月 26 日，“金地（集团）股份有限公司”成立，其中持股员工的代言人金地公司工会为第二大股东。

金地集团员工持股的主要内容可从员工拥有企业、员工参与决策、员工共担风险、员工分享利润四个层面来看：首先，员工委托公司工会作为社团法人参股公司，占公司总股本的 23%，成为第二大股东，并通过在工会内部设立员工持股管理委员会对其所持股份进行运作。第二，持股员工依法选举董事、监事进入公司董事会和监事会，参与公司的重大决策，对公司的经营管理进行监督。第三，持股员工与公司共摊风险，员工持股资金的 35% 由员工个人出资，35% 由公司划出专项资金借给员工，30% 由公司工会从历年积累的公益金中划转，既提高了员工参股的积极性，又对持股员工形成有效约束。第四，持股员工与公司共享利润，员工持股的股份分红要优先用于偿还公司借款的本息，借款须在8年内还清，如果每年的股票分红不足以偿还借款的本息，必须从员工的工资或奖金中扣付。

金地公司经过员工股份制的改造，经济效益迅速提高。改制之初的1995年，公司共完成销售额1.2亿元，实现利润2100万元，出口创汇680万美元，分别比上年增长46.54%、39.36%、47.51%。而正式实施改革方案后的1996年，实现利润4016万元，上交税收1500多万元，分别比上年增长73%、250%，公司净资产也比改制前增加了124%。①

1997年9月24日，深圳市政府发布了《深圳市国有企业内部员工持股试点暂行规定》，这一规定较1994年的《关于内部员工持股制度的若干规定（试行）》有很大的突破，更具普遍适用性，是一部真正有中国特色、切实可行、规范完整、符合客观经济规律的指导性文件。《暂行规定》指出，内部员工持股是"指公司内部员工个人出资认购本公司部分股份，并委托公司工会持股会进行集中管理的一种新型的公有制产权组织形式"。这项规定概括了中国职工持股的特征，并说明中国内部职工持股是实现公有制的一种新形式，为中国的中小型国有企业改制提供了一种经济民主的新思路。

小　结

改革开放以来，广东的乡村村民自治、城市社区居民自治、企业职工民主参与或从无到有，或恢复重建，并不断发展完善，成为基层群众自治制度在广东运作的三大支柱。在这三大支柱中，乡村村民自治可分为民主选举、民主决策、民主管理和民主监督四大板

---

① 关于金地集团的详细介绍，参见路石：《金地集团内部员工持股》，《中国机械企业管理》2000年第1期；又参见深圳市体改办：《创造机遇，挑战常规》，《集团经济研究》2000年第9、10期。

块；城市社区居民自治可分为居委会选举、社区与政府关系变革、居委会与NGO共同治理、居委会与业委会权力分界四大板块；企业职工民主参与可分为企业工会领导人直选、职代会制度创新、厂务公开制度创新、以内部职工持股为核心的经济民主试验四大板块。这三根支柱、十二大板块给我们展现了广东基层群众自治十二个不同方面的风景，撑起了广东基层群众自治的一片蓝天。

在乡村村民自治方面，自上而下的政府推动和自下而上的农民参与要求的双重驱动，不仅促使民主走进了村民的日常生活，而且推动了农村多元治理格局的形成。更为重要的是，选举观察员制度、换届选举工作责任制度、民主评议村干部、村民民主理财小组、农村管理信息系统等一系列具有地方特色的制度创新被植入乡村治理结构中，改善了乡村治理绩效。

在城市社区居民自治方面，广东各级政府大力调整政府与社区关系，积极采取措施培育社区的社会资本，斥巨资解决欠发达地区居委会办公用房的难题，帮助城市社区实现居民自治。深圳的盐田模式、广州的逢源街安老服务、广州业主委员会联谊会等一批具有广东特色的实践模式提供了不同于国内其他城市的社区公共治理的新模式和鲜活经验。

在职工民主参与方面，广东省各级工会组织努力推动工会领导人直选，创新职代会制度和厂务公开制度，组织职工参与企事业单位民主管理，取得了许多重要的成果。蛇口模式、宝安模式、员工委员会、区域性行业性职代会、用ISO9000标准规范厂务公开制度、内部员工持股制度等独特的广东经验充分展示了广东作为改革开放排头兵的形象。

从整体上看，乡村村民自治、城市社区居民自治、企业职工民主参与只是广东基层群众自治的三个点，这三个点构成了广东基层群众自治的平面。显然，这对实现更为广泛的基层民主和群众自治而言略显单薄。要想进一步推进基层民主政治建设，广东仍需继续解放思想，不断培育基层群众自治新的增长点，继续扩展基层民主的实践空间。

第十章
公民有序政治参与

引　言

政治参与是现代公民政治生活的重要组成部分，是政治现代化的重要标志。从一般意义上理解，政治参与是普通公民在政治体制和法律框架内有序地影响政府行为和公共决策的活动。① 这一理解将政治参与主体界定在普通公民而非政府官员或政治职业者，并强调政治参与过程和形式的合法性和有序性。②

---

① “政治参与”是一个含义广泛的政治概念，《布莱克维尔政治学百科全书》对“政治参与”的定义相当宽泛，认为政治参与是“参与制订、通过或贯彻公共政策的行动。这一宽泛的定义适用于从事这类行动的任何人，无论他是当选的政治家、政府官员或是普通公民，只要他是在政治制度内以任何方式参加政策的形成过程”（中国政法大学出版社 1992 年版，第 563 页）。亨廷顿和琼·纳尔逊则把政治参与界定为“平民试图影响政府决策的行动”，并强调了政治参与定义的五个要点：（1）政治参与包括活动而不包括态度；（2）政治参与特指平民的政治活动，从而区分了政治参与者和政治职业者；（3）政治参与只指平民试图影响政府决策的行动，从而指明政治参与的目标指向是公共当局而非一般社会团体或私人团体；（4）政治参与包括试图影响政府的所有活动，而不管这些活动是否产生实际效果；（5）政治参与包括自发和受策动的影响政府决策的行动，即自动参与和动员参与（［美］塞缪尔·亨廷顿、［美］琼·纳尔逊：《难以抉择：发展中国家的政治参与》，华夏出版社 1989 年版，第 5 页）。亨廷顿的政治参与概念在政治参与主体、目标指向上有较为严格的限制，而在参与过程、活动后果和参与方式上的限制则较为宽泛。

② 亨廷顿的政治参与概念“并不考虑这些活动根据政治系统的既定准则是否合法。因此，抗议、暴乱、示威游行甚至那些企图影响公共当局的叛乱行为，都属于政治参与形式”（《难以抉择：发展中国家的政治参与》，第 6 页）。

改革开放以来，广东作为改革开放的前沿阵地，在经济、政治、思想、文化和社会观念上都发生了巨大变化，并走在了全国的前列。改革开放本身是思想解放的产物，而改革所开放带来的经济发展反过来又不断促成新的思想解放，在此过程中，普通公民的利益意识、权利意识在改革开放所带来的成就和问题中不断觉醒、不断成长，并引导他们参与到社会政治生活中，维护自己的权益。

（一）广东公民政治参与发展的背景与动力

改革开放以来，广东公民的政治参与在两条主线的共同作用下发展。主线之一是国家宏观的改革开放政策，这一政策的持续稳定的实施及由此所带来的广东经济的迅速发展，构成了广东公民政治参与发展的宏大背景，是广东公民与政府双方在政治参与方面思想解放的基本条件。主线之二是在这一宏大背景下，广东公民权利观念的蓬勃兴起，它构成了广东公民政治参与率先发展的强大动力。在改革的不同阶段，公民的权利观念具有不同的特征，它随着改革开放的深入而不断提升，并形塑了不同时期广东公民参与的不同面相。

1. 商品经济条件下个体利益观念的彰显。

1984 年 10 月，中共十二届三中全会作出了《中共中央关于经济体制改革的决定》，明确提出："要突破把计划经济同商品经济对立起来的传统观念，明确认识社会主义计划经济必须自觉依据和运用价值规律，是在公有制基础上的有计划的商品经济。商品经济的充分发展，是社会经济发展的不可逾越的阶段，是实现我国经济现代化的必要条件。"中央对商品经济地位的重新认识和对多种所有制模式并存的确认，是经济体制改革中新的思想解放，意味着新一轮改革开放的兴起。

在这一过程中，人们的思想观念发生了重大变化，利益观念开始作为一种正当的而非"有违社会主义道德"的观念得以彰显，争取和维护个人利益（私人利益）具有了明确的正当性，随之而来的是人们对"如何实现和维护个人利益"的思考。在个体利益观念的驱动下，越来越多的公民通过参与来表达自己的经济利益诉

求，迈出了公民参与的基础性一步。

2. 市场经济条件下公民经济权利观念的兴起。

1992年之后，随着计划经济向市场经济转型，非公有制经济的地位日显重要。同时，国有企业转制所引发的20世纪90年代中后期的“下岗潮”给中国带来强大的就业、再就业压力，下岗工人的劳动权利观念开始显现。外来工维权也成为广东劳动就业中的焦点问题，工人以不同方式讨薪的新闻常见之于报端。这些政治参与活动表明了广东公民新的权益观念——劳动权利观的兴起。

在此期间兴起的另一个权利观念是财产权（产权）观念，它与20世纪80年代之后广东住房改革和房地产市场的兴起密切相关。20世纪90年代末，福利分房政策全面结束，房地产市场走向活跃，随之而来的房产业主维权现象和拆迁户维权现象的兴起，则折射出这一时期公民财产权利观念的彰显。以劳动权和财产权为代表的公民经济权利观念的兴起，促使公民进一步参与政治生活，也促使政府顺应时势，开辟更多的公民参与渠道。

3. 公民政治权利观念的发展。

随着中国市场经济体制的完善和公民利益的分化，公民对权利的认知度越来越高。2003年3月，广州发生了震惊全国的孙志刚案，激起了人们对公民人身自由权利和政府权力的严肃反思，呼吁进行违宪审查，公民生命、自由权利进一步受到重视。以孙志刚案为代表，这一时期的公民权利观念的拓展与网络媒体的急剧发展紧密相关，网络的发展对公民权利观念的传播产生了重要影响。2004年3月，《中华人民共和国宪法修正案》发布后，有公民开始在拆迁维权中使用最新的宪法条款作为维护自己财产权的根本依据，并为媒体所广泛报道，成为公民依法、有序维护自身权益的鲜活教材，宪法权利观念进一步深入民心。

政治权利观念的发展使广东公民的参与意识进一步提升，公民参与的目标不再局限于实现经济权利，而是逐渐要求实现宪法规定的政治权利。这种变化使广东公民的政治参与提升到了一个更高的层次。

（二）广东公民政治参与发展的几个阶段

改革开放以来，随着改革开放形势的发展及由此带来的公民利益和权利意识的变迁，广东公民的政治参与大体上可以分为三个发展阶段：

1. 公民政治参与的起步阶段（1978—1989 年）。

这一阶段，改革开放刚刚起步，执政党和政府的工作重心逐渐转移到经济体制改革和建设上来。商品经济的发展释放出个体利益观念和平等观念，公民正当的利益诉求逐渐浮出水面。与此相对应，处在改革开放前沿的广州、深圳等地率先开放了支持公民政治参与的渠道，如开通市长专线、市长专邮、民生电台，实行政务公开和领导接访制度，优化信访制度等。

这一时期的公民政治参与尚处于起步阶段，主要对应经济利益层面的诉求。市民主要通过政府设定的渠道，向政府反映自己所遇到的生产、生活等基本民生问题，寻求政府的帮助。政府通过这些渠道，一方面能有效地疏通民意，疏导因改革开放环境下利益转变所带来的矛盾，另一方面也可借此吸纳民意，为政府决策提供更为详尽的信息支持，形成公民与政府之间的良性互动。

2. 公民政治参与的推进阶段（1990—2002 年）。

随着改革的深入，劳动权和财产权成为广东公民在政治参与中的重要关注点。政府因应时势，开辟了一系列公民政治参与的新渠道和新方式，包括开辟公共论坛、实行立法听证、创设公民旁听人大会议制度等。

公共论坛的开设，意味着广东公民在参与中所表达的不再是纯粹的与公民个体利益直接相关的问题，公民政治参与的公共性开始凸显。立法听证则意味着公民政治参与开始走出单纯的权益表达的层面，进入了影响立法、影响政府决策的层面。公民旁听人大会议制度的建设，增加了人大工作的透明度和普通公民对人大和政府的知情权和监督权，也开拓了新的政治社会化渠道，从而使普通公民对国家政治生活和政治参与有更为深入的认识，为公民权利的进一步维护打下坚实基础。

3. 公民政治参与的拓展阶段（2003年至今）。

随着公民政治权利认知的不断拓展和公民政治参与意识的提升，公民有序参与继续在创新中发展，最重要的是竞争性参与的出现。在2003年深圳区级人大代表选举过程中，出现了人大代表独立参选人向原有的“安排性”的人大代表候选人提出了挑战，并且有独立参选人在选举中获胜。独立候选人的出现，意味着广东公民逐渐认识到权利不是写在宪法文本上的空洞口号，而是需要公民以行动来赋予现实内涵的东西，意味着普通公民兑现宪法权利的要求正在兴起。2005年1月，深圳市民邹涛自荐参与他所住社区的深圳市第四届人大代表的选举，并在网上寻求选民支持。这些现象的兴起，构成了广东公民政治参与的新图景。

改革开放以来广东省公民政治参与的几个发展阶段，在逻辑上并不是替代性的，而是推进式的，即原有经济诉求方面的参与并不因公民权利诉求方面的参与的出现和兴盛而消失，公民权利诉求方面的参与也不因竞争性参与的出现而消失。广东公民的有序政治参与正是随着公民对自身权利体认的不断深化而稳步地得到推进的。

（三）广东公民政治参与的几个基本面

改革开放以来，广东公民的政治参与在以下四个方面得到了长足发展：（1）参与主体的多元化；（2）参与渠道的扩展；（3）参与方式的演进；（4）参与的机制建设。这四个方面紧密关联，相互影响，整个广东公民政治参与的发展，都在这四个基本面上展开（见图10－1）。

其中，改革开放所带来的利益分化和权利觉醒是公民政治参与发展的宏观背景和基本动力，它促成了公民政治参与主体的多元化，构成了公民政治参与进一步发展的坚实基础。在此基础上，广东公民政治参与渠道和参与面不断扩展，公民政治参与方式在演进中使公民政治参与的层次不断提升。这三个基本面的发展，均仰赖于公民政治参与机制的建设。公民政治参与机制对广东公民政治参

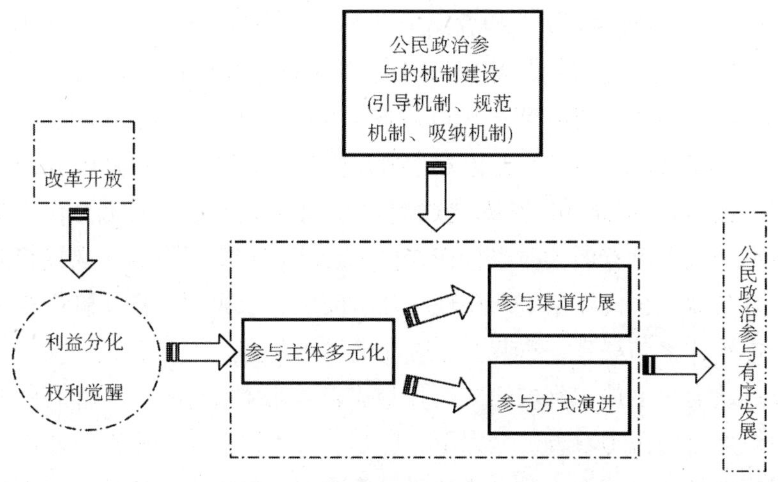

图 10－1　广东公民政治参与的四个方面

与的发展起着引导、促进、规范和吸纳的作用，从而使广东公民政治参与沿着积极、规范、有序、有效的轨道发展。

一、公民政治参与主体的多元化

改革开放是一个重新调整社会利益的过程，在此过程中，公民对个体利益的追求获得了正当性，利益分化日渐明晰，新的社会阶层也得以产生。在传统的以农村、城市居民来划分的政治参与主体之外，新阶层的政治参与也越来越活跃，呈现出参与主体多元化的现象。其中，私营企业主和农民工都是改革开放之后所产生的极具典型意义的新阶层，是中国改革开放的直接产物；律师和知识分子也在广东公民政治参与的发展中发挥着越来越重要的作用。这些阶层日益活跃的政治参与，共同塑造出广东公民政治参与主体的多元化面相，展现出这些阶层在政治参与上的鲜明特点和特殊意义。

（一）农民工的政治参与

自从实行改革开放政策以来，广东的经济、社会发展就与农民工产生了密不可分的关系。广东是全国农民工人数最多的省份，

1988年，全国各地南下的农民工已经突破百万，到上世纪90年代末则突破了千万。[①] 截至2006年，在广东省务工的农民工达到了2600多万人，占全国农民工总数的1/4，其中深圳和东莞的农民工数量均超过了500万人，农民工对广东GDP的贡献率达到了25%。[②] 改革开放30年来，农民工对广东经济社会的发展作出了不可替代的贡献，但同时也存在农民工经济权益难以保障、政治权利难以行使、公民资格难以兑现等严峻问题，农民工的权益维护往往与无序化参与联系在一起。

政府早已认识到农民工所作贡献与实际待遇存在偏差的问题，在政府与农民工双方的努力下，广东农民工的经济和政治权益逐步得到保护。一方面，广东省各级政府为保障农民工权益作出了不懈努力，通过实施普法教育，制定保障农民工权益的法律法规，逐步推行农民工社保、医保，建立劳动争议仲裁制度等，在法律和制度层面逐步建立起农民工权益保护机制；另一方面，农民工也逐步提高了政治法律意识和权利保护意识，通过不同的渠道参与社会政治经济生活，在参与中维护自身权益。

1. 参与工会组织，维护经济权益。

农民工离乡背井、客迁他乡，普遍从事劳动强度大、条件差、报酬低的工作，权益难以保障。农民工在权益受到损害时，受体制、身份、资源和能力的制约，他们维权的个体力量非常薄弱，因此必须借助组织化的力量，才更有利于在合法、有序的框架内维护自己的权益，在这种情况下工会就成为农民工维权的重要组织选择。

但是，由于传统户籍制度和城乡二元结构的制约，再加上工会组织“福利性”特征下的利益障碍问题，数量庞大的农民工群体往往被作为临时性、流动性的务工人员而难以加入工会并得到工会组织的帮助。2003年，有关农民工加入工会的问题引起了社会各

① 广东省总工会：《继承·创新·前进：广东新时期工会理论研讨会优秀论文集》，广东人民出版社2006年版，第114页。

② 胡中梅：《不辞长作岭南人——广东省农民工思想道德建设调研报告集》，广东人民出版社2006年版，第1页。

界的重视。在当年3月的全国十届人大一次会议上，广东代表团陈舒等30名代表提交了《关于修订完善〈中华人民共和国工会法〉切实保护农民工的合法权益，保障我国全面实现小康目标的议案》，呼吁政府正视和解决对农民工的制度歧视问题，为农民工加入工会等问题提供法律保障，为进城农民提供公平的就业和生活环境。同年8月4日，中华全国总工会发出了《关于切实做好维护进城务工人员合法权益工作的通知》，正式提出要“采取有力措施，依法把进城务工人员组织到工会中来”，“凡与用人单位建立劳动关系（含事实劳动关系）的职工，不论其户籍是否在本地区或工作时间长短，都有依法组织和参加工会的权利，任何组织和个人不得阻挠和限制”，从而“最大限度地把进城务工人员组织到工会中来”。2003年9月22日，中华全国总工会主席王兆国在中国工会第十四次全国代表大会的报告上进一步明确指出：“一大批进城务工人员成为工人阶级的新成员……迫切要求我们最大限度地把他们组织到工会中来，维护工人阶级队伍的团结统一，进一步密切党和职工群众的血肉联系。”自此，农民工加入工会坚冰已破。

广东是农民工人数最多的省份，在2003年3月中华全国总工会下发通知之前，广东已经对吸收农民工加入工会做了有益尝试。深圳市总工会有关负责人对媒体表示，农民工只要签了劳动合同，并在企业连续工作3个月以上就可以申请加入工会组织。截至2002年9月底，全市已发展私营企业工会会员7.4万人，非公有制企业工会会员12.6万人，非公有制企业的会员大都是外来务工者，其中相当一部分就是农民工。① 到2003年底，深圳市工会组织已覆盖事业单位4万多家，工会会员180多万人，其中农民工达48万人。② 从2005年下半年开始，广东省各级工会提出了“农民工有困难找工会”的口号，省总工会要求各级工会组织要成为农民工的第

---

① 《深圳市总工会：申请加入工会并无户口限制》，2003年3月11日，http://www.southcn.com/news/dishi/shenzhen/shizheng/200303110513.htm.

② 胡中梅：《不辞长作岭南人——广东省农民工思想道德建设调研报告集》，广东人民出版社2006年版，第21页。

一知情人、第一帮助人、第一报告人和第一监督人。截至2005年，广东已有工会会员1336.8万人，其中农民工会员占65%左右。[①]

农民工加入工会，为他们维护自身合法权益找到了组织支持，仅在2005年一年内，广东省各地工会总共为81.3万名农民工追回了被拖欠工资7.3亿元。[②] 政府也非常重视工会对维护农民工权益的作用，为农民工权益的维护提供有力的政策支持。2006年1月23日，广东省总工会联合省委宣传部、省高院、省劳动和社会保障厅等10个部门，出台了全国首个维护农民工权益的地方性文件——《关于维护农民工合法权益的若干意见》，提出了维护农民工权益的13条指导性意见，并对各部门在维护农民工权益工作中的任务和职责作了详细的规定。从2007年起，广东工会又探索推行了农民工一次分配领域“工资定额协商”，二次分配领域“工会工伤探视”的维权新模式，[③] 收到了良好的效果。据报道，江门三和玩具有限公司等一批企业，在推行“工资定额协商”后有效地调动了劳资双方的积极性，企业的劳动生产率和员工的收入双双获得提高，员工工资平均提高了15%。[④] 工会在农民工的维权中，起着越来越重要的作用，而农民工也通过工会这一组织，更加方便地通过合法有序的渠道维护自身的权益。

2. 进入党代会或人大，表达权益诉求。

---

① 韩建清、杨文雯：《工会成农民工第一帮助人》，《人民日报》2006年5月9日。

② 韩建清、杨文雯：《工会成农民工第一帮助人》，《人民日报》2006年5月9日。

③ 所谓“工资定额协商”就是在第一次分配领域，根据当前农民工反映相对集中的工资增长与企业发展相同步的趋势要求，按照《劳动合同法》规定与和谐企业建设的要求，以一线职工为重点，以实行计件工资制企业为主体，把劳动定额及计件单价作为着力点，引导企业行政与职工进行协商，促使职工工资收入与企业发展相辅相成。“工会工伤探视”，即全面收集农民工工伤信息形成档案，要求企业加强安全生产管理，并对工伤职工实施多元化帮扶，内容包括针对生活困难提供探视扶助、针对工伤治疗提供医疗救助、针对工伤争议提供法律援助等，构建一个以工会为主的工伤探视帮扶机制（叶小钟、冯建华：《广东工会探索维护农民工合法权益新途径》，《中国改革报》2007年8月24日）。早在2004年，广东省就要求各级工会建立工伤探视扶助制度，慰问受工伤的农民工（王娇萍、叶小钟：《有困难我们会去找工会》，《工人日报》2006年1月11日）。

④ 叶小钟、冯建华：《广东工会探索维护农民工合法权益新途径》，《中国改革报》2007年8月24日。

长期以来，农民工的政治参与往往受到户籍制度和城乡二元结构的限制。在这种架构下，农民工的选举权和被选举权仍留在其户籍所在地，因而无法在其所工作的城市实现。因此，农民工也就长期被排斥在城市的人大代表选举等政治活动之外。这一状况使得本来就以到城市打工“赚钱”为目的的农民工进一步政治冷漠化。有调查表明，广东的农民工较为普遍地存在政治冷漠的情况。在广州，“大多数农民工在政治上缺乏进取意识，42.2%的农民工对入党（团）或争当先进模范抱着无所谓的态度，12.7%的农民工则明确表示没这方面的意愿，13%的农民工甚至从来都没想过”①；在深圳，“（农民工党员）政治参与意识淡化。他们普遍认为现在的工作环境不具备参与政治的条件，大多数对政治参与几乎失去信心。……（非党员农民工）他们的政治态度，一般朦胧意识和从众心理多一点，没有强烈的政治愿望”②。农民工政治参与渠道不畅通和政治参与意识薄弱的一个直接后果就是，他们在国家的正式政治渠道中缺乏自己的真正代表，难以表达自己的权益诉求。

广东在探索让农民工进入党代会或人大参政议政方面起步较早。早在2002年，珠海市金路幼儿园的教师、来自山西的农民工付丽君就被推选为中共十六大代表，成为广东省第一位，也是全国第一位农民工党代表。2007年，又一位在珠海工作的农民工张树源被推选为中共十七大代表。在省一级层面上，这一年广东全省共有6名农民工当选为广东省第十次党代会的代表，农民工党代表的人数呈现出递增的趋势。

外来工进入人大参政议政，首先出现于基层。2003年，在深圳市区级人大代表换届选举中，来自广东省河源市的农民工陈彩琼被推选为龙岗区人大代表。2007年11月，广东省共有6位农民工被推选为省十一届人大代表，其中广州、深圳各有2名，佛山、东

① 胡中梅：《不辞长作岭南人——广东省农民工思想道德建设调研报告集》，广东人民出版社2006年版，第9页。

② 胡中梅：《不辞长作岭南人——广东省农民工思想道德建设调研报告集》，广东人民出版社2006年版，第20页。

莞各1名，所选的农民工代表的条件为非广东户口及非城镇户口。在这一届人大会议上，广东的农民工代表走向了更高的层次。2007年3月16日，第十届全国人民代表大会第五次会议作出了《关于第十一届全国人民代表大会代表名额和选举问题的决定》，规定“在农民工比较集中的省、直辖市，应有农民工代表”。作为全国农民工数量最大的省份，广东省于2008年1月，率先选出了第一位全国人大农民工代表——来自四川、在佛山工作的胡晓燕。胡晓燕在2008年3月的全国人大会议上，敢说敢言，代表农民工表达权益呼声，得到了温家宝总理及媒体的赞扬。

3. 创设农民工组织，探索自主维权。

随着改革开放的深入，农民工的权利意识也在觉醒。在维权过程中，一部分权利意识先觉醒起来的农民工开始考虑建立自己的组织，以更好地服务于农民工群体。20世纪90年代后期，一些草根性的农民工非政府组织开始出现。

在广东，第一个由农民工创办的非政府组织诞生于番禺。1998年8月，曾经做过保安，后来自学法律，来自四川的“打工仔”廖晓峰以“个体户”的名义，通过工商登记注册方式创办了“番禺打工族文书处理服务部”，以法律知识帮助打工一族维权，“成为第一个敢向无良老板挑战、用法律武器维护打工者合法权益的英雄”。[①] 后来，廖晓峰的同事曾飞洋接手了这个服务部。服务部起先以低收费或免费方式为外来工提供法律诉讼代理服务，并于2002年在获得德国基督教发展服务社（EED）资助后完全转换为非营利性的服务组织。目前该服务部下设打工族法律辅导中心、珠三角健康与安全支援网络、打工族文化发展中心、打工族社区教育网络、打工族志愿者网络和企业社会责任关注组等六个服务组，开展法律辅导与帮助、珠三角健康与安全支援网络、企业社会责任工

① 一飞：《华南劳工NGO脸谱》，《南方人物周刊》2007年第31期。

作、打工仔文化发展、志愿者网络工作等。[①] 服务部受到媒体的多方面关注，在珠三角地区的农民工群体中具有了一定的社会影响力。

在“番禺打工族文书处理服务部”之后，新的农民工维权组织陆续出现，如黄庆南创立的深圳“打工者中心”（2003 年）、张志儒创立的“春风劳动争议服务部（深圳外来工协会）”（2004 年）、“民工律师”周立太创办的专为农民工打官司的“周立太律师事务所”等。这些农民工维权组织既有收费的，也有免费的。深圳当代社会观察研究所（ICO）的刘开明博士认为，像“打工者中心”这样的非政府组织目前在珠三角有 50 多家，而浮出水面的维权人士有 200 多人。[②] 这些农民工维权组织的创办者大都有过非常艰辛的打工生涯，对农民工的生存状况有深切体会，从而创办这些维权组织为同路人提供在农民工可承受的成本之下的服务和指引。

农民工维权组织的出现，为农民工维权提供了新的选择。尽管这些组织还良莠不齐，且还存在很多不规范的地方，但他们的确为农民工维权带来了另一种希望。在中国目前民间组织还不够发达的情况下，农民工维权组织的存在并发挥作用就更显不易。一方面，这些草根性的农民工维权组织在政府一端较难得到认同；而另一方面，农民工维权组织在雇主（资方）一端则容易受到敌视并导致报复性的打击，2007 年 11 月 20 日深圳“打工者中心”负责人黄庆南被砍一案即属此例。但即便如此，农民工维权组织的兴起毕竟是对政府在劳资关系管理方面的一种有效补充，在目前农民工工作条件和生存状况仍未能令人满意的情况下，农民工维权组织的生长具有不可替代的价值。

农民工政治参与的发展，是广东政治文明发展不可或缺的组成部分。改革开放 30 年来，尽管农民工政治参与的广度、深度和强

---

① 岳经纶、屈恒：《非政府组织与农民工权益的维护——以番禺打工族文书处理服务部为个案》，《中山大学学报》（社会科学版）2007 年第 3 期。

② 龙志：《劳工自救的艰难时刻》，《南方都市报》2007 年 12 月 16 日。

度，都尚未能与这一庞大的群体及其所作的社会贡献完全匹配，但毕竟农民工的政治权利意识已经逐渐成长，政治参与的坚冰已破，农民工权益的呼声也随着农民工政治参与的进一步拓展而得以更多地进入决策者的视野。这既是农民工政治参与的基本目的，也是广东政治文明发展、公民社会成长的重要基础。

（二）私营企业主的政治参与

改革开放以来，广东省的私营经济发展迅速。2000年，广东省已有私营企业[①]18.4万户，私营企业户数、注册资本在全国各省区居第一位。[②] 到2007年6月底，广东省的私营企业数量已经达到58万户，占全国私营企业总数的11.14%，仅次于江苏省。[③] 随着私营企业的发展，私营企业主逐渐成为新兴的重要社会阶层，逐渐表现出政治参与的愿望和诉求，并逐步参与到社会政治生活中来。私营企业主（民营企业家）主要通过以下方式参与政治生活：

1. 加入中国共产党，增进与执政党的沟通。

私营企业主虽然在经济地位上具有较高的社会显示度，但其政治地位一直以来相对较低，私营企业主一直被拒于中国共产党之门外。2001年7月1日，江泽民在纪念中国共产党成立80周年的讲话中指出，私营企业主等新阶层也是有中国特色社会主义事业的建设者，应该把承认党的纲领和章程、自觉为党的路线和纲领而奋斗、经过长期考验、符合党员条件的社会其他方面的优秀分子吸收到党内来。这意味着中国共产党对私营企业主敞开了大门。

广东的部分私营企业主入党的愿望由来已久，据广东省委统战部的调查，1997年广东有15.7%的私营企业主希望加入中国共产

① 根据1988年《中华人民共和国私营企业暂行条例》的界定，私营企业是指企业资产属于私人所有、雇工八人以上的营利性的经济组织。

② 中共广东省委党校课题组：《关于广东私营企业若干问题的调研报告（上）》，《南方经济》2002年第1期。

③ 富子梅、欧阳国焰：《我国私营企业首次突破500万户》，《人民日报》2007年8月16日。

党。[1] 截至2001年7月，深圳、清远、阳江等13个地级以上市的私营企业主当中，共有党员1244人。2001年江泽民“七一”讲话后，清远、茂名、韶关、云浮、梅州、汕头、惠州、潮州、江门、深圳、东莞、揭阳等13个市共有135名私营企业主提交了入党申请书，其中22人入党。[2] 除了私营企业主自己加入中国共产党之外，广东省私营企业还掀起了组建党组织的高潮，大胆探索园区统建、挂靠组建、街企（村企）联建等新型党建形式，2003年全省符合建立党组织条件的7178家私营企业基本上都建立了党组织，比2002年提高了近20个百分点。[3]

私营企业主加入中国共产党，有利于他们增强与执政党在正式渠道上的政治接触，实现和维护企业的权益。成为中共党员，意味着拥有更多的影响政府决策的机会，有些私营企业主甚至成为党代表，参加中共各级党代表大会。2002年，有8名私营企业主参加了中共广东省第九届党代表大会，从而使这个阶层的政治参与达到了一个前所未有的高度。[4] 其中，广东金潮集团董事长刘思荣还在省党代会上以高票当选为中共十六大代表，成为全国7名私营企业主代表中的一位，[5] 并在十六大上积极建言，提出了《关于实行党代表常任制的建议》，希望一线的党代表能在党代表大会闭会期间，对党内重大事情有参与权和知情权。[6]

私营企业主入党，参与党的政治生活，一方面是为了获得一种身份上的认同，从而更有利于企业的发展；另一方面也有利于他们从正式的渠道得到更多党内信息，从而对中国政治局势有更为清晰的判断和把握，以维护其企业的权益。

2. 参与人大、政协，表达权益呼声。

---

① 赵丽江:《中国私营企业家的政治参与》，中国经济出版社2006年版，第149页。

② 中共广东省委党校课题组:《关于广东私营企业若干问题的调研报告（上）》，《南方经济》2002年第1期。

③ 王比学:《私营企业党建发展迅速》，《人民日报》2004年7月1日。

④ 赵丽江:《中国私营企业家的政治参与》，中国经济出版社2006年版，第153页。

⑤ 赵丽江:《中国私营企业家的政治参与》，中国经济出版社2006年版，第154页。

⑥ 赵丽江:《中国私营企业家的政治参与》，中国经济出版社2006年版，第155页。

随着改革开放的深入，广东私营企业获得了长足的发展。近年来，广东私营企业在数量上和企业所创造的国民生产总值上，都超过了国有企业。私营企业主逐渐走上政治舞台，通过人大、政协等渠道，表达自己的权益呼声。

在十届全国人大代表中，广东、浙江、江苏、湖南代表团的私营企业主都在10人以上，其中广东人大代表团中的私营企业主多达20人，为全国各省之最。① 在十届全国人大的50多名私营企业主代表中，广东代表就占了1/3。② 在省、市一级层面上，私营企业主在人大、政协的参与面更为广泛。2002年，广东省共有372名私营企业主被选举为省级人大代表，有895名私营企业主被推荐为省级政协委员。③ 2004年，广州市的私营企业主中有9人当选为省人大代表、7人当选为省政协委员，有47人当选为广州市十二届人大代表、30人当选为广州市政协委员。④ 1999年至2003年4年间，深圳市商会共组织民营企业家提交了200多件人大议案和政协提案，其中获优秀议案、提案的有50多件。⑤

广东私营企业主作为人大代表参与政治生活，表现出较强的参政能力。私营企业主参加人大、政协的首要目的是反映私营企业主的利益需求，维护私营企业主的权益。改革开放以来，私营企业虽然得到了长足发展，私有制也被确认为"公有制的有益补充"，但是私营企业主对自身财产权利和政治地位的担心仍然存在。九届全国人大代表、深圳劲力集团总裁郑卓辉对此深有体会，着力为解决这一问题而奔走呼号。1998年，他作为新当选的第九届全国人大

---

① 王远启：《私营企业主政治参与的解读》，《广东省社会主义学院学报》2007年第3期。

② 赵丽江：《中国私营企业家的政治参与》，中国经济出版社2006年版，第163页。

③ 王远启：《私营企业主政治参与的解读》，《广东省社会主义学院学报》2007年第3期。

④ 《"橙色计划"：扶本固元一良方》，2004年12月30日，http://www.ycwb.com/gb/content/2004-12/30/content_823068.htm.

⑤ 廖根深：《走向政坛的青年私营企业主——对广东青年私营企业主群体政治参与的调查》，《中国青年研究》2004年第5期。

代表，争取到其他31位代表的支持，在九届全国人大一次会议上联合提出了《关于就保护私营企业财产立法的议案》。这份个人提案与当年全国工商联关于保护私有财产的团体提案一起，都作为“私产入宪”的提案而受到了全国人大的重视。[①] 1999年3月15日，九届全国人大二次会议通过的宪法修正案将“私营经济是社会主义公有制经济的补充”的表述，修改为“在法律规定范围内的个体经济、私营经济等非公有制经济，是社会主义市场经济的重要组成部分”，这意味着私营经济的地位有了本质的变化。2004年3月14日，十届全国人大二次会议通过的宪法修正案正式规定：“公民的合法的私有财产不受侵犯。国家依照法律规定保护公民的私有财产权和继承权。”郑卓辉多年呼吁的“私产入宪”终于成为现实。《南方周末》这样评价郑卓辉：“在新中国宪政发展史上，他甚至算得上一个值得记住的人物：他是第一个向全国人大提出立法保护私有财产议案的人。”[②]

私营企业主参加人大、政协，也发出了超越本阶层的政治诉求和呼声。在2003年1月召开的广东省人大会议上，深圳代表郑卓辉就非户籍常住人口的民主权利问题，提出非户籍人口固定在一个城市工作5年以上的，应当在居住地享有选举权和被选举权，[③] 这一提议表现出他对外来非本地户籍公民的基本政治权利问题的关注。九届、十届全国人大代表温鹏程在参加两会过程中，连续6年谈“三农”问题，被称为“农业专家”。[④] 雷州市私营企业主代表李明在接受记者采访时则说，她更愿意站在一名普通农民的立场上讲话。[⑤]

3. 参与社团组织，扩大社会影响。

---

① 孙亚菲、闵家桥：《中国私产保护26年记》，《南方周末》2004年3月18日。

② 孙亚菲：《郑卓辉的民企代言人之路》，2004年3月18日，http://news.sina.com.cn/c/2004-03-18/13503038811.shtml.

③ 宋君华：《非户籍人口何日能就地当选人大代表》，2003年1月27日，http://www.people.com.cn/GB/14576/14997/1680045.html.

④ 赵丽江：《中国私营企业家的政治参与》，中国经济出版社2006年版，第164页。

⑤ 赵丽江：《中国私营企业家的政治参与》，中国经济出版社2006年版，第165页。

私营企业主政治参与的另一种方式是参加各种社团组织。目前，广东省已经在不同层级上成立了个体劳动者协会、私营企业协会、工商联、外商联谊会、企业家协会等企业社团。私营企业主通过参与社团活动，与同行互通信息，与政府相关部门和官员进行接触，并参与到社团组织的工作上来。

私营企业主参与社团组织主要有两方面的考虑，一方面是要通过社团活动来扩大企业影响。以“光彩事业”为例，深圳市光彩事业促进会所做的工作最为广东社会所瞩目。深圳光彩事业促进会成立于1996年，是由民营企业家、港澳人士和其他热心人士组成的民间社团，以鼓励和引导民营企业在老少边穷地区、中西部地区和其他地区进行多种形式的合作开发为宗旨。在1996年至2007年的11年间，深圳光彩事业促进会先后创造了招工扶贫、种养扶贫、科技扶贫、安居扶贫、智力扶贫、招商扶贫、市场扶贫、再就业扶贫、公益扶贫、旅游开发扶贫和助残扶贫等“11大扶贫模式”，吸引了400多名工商界人士参与投资、捐资光彩事业，探索了一条民间扶贫与政府帮扶相结合的新路子，鼓励、推动、组织光彩理事参与对口帮扶地区的光彩项目，建立了深圳光彩事业“全国—省—市”三级对口帮扶的新格局。11年间，深圳光彩事业累计投资项目达130个，投资总额达108.9亿元，共安排30.4万人就业。此外，深圳光彩事业促进会还捐助贫困地区办学和其他公益事业559项，捐助总金额达6.3亿元。① 通过参与此类社团活动，民营企业家在社会上树立了勇于担负责任、回馈社会建设的良好形象，扩大其企业的社会影响。

私营企业主参加社团活动的另一个考虑是通过与政府进行接触来影响公共政策。在广东，从省、市到县甚至乡镇都成立了各级青年企业家协会或青年商会，企业家通过这些社团组织与政府沟通。2002年7月30日举行的“卢瑞华省长与青年企业家座谈会”是其

① 秦志勇、吴欢：《深圳光彩事业促进会创新扶贫模式——11年累计投资108.9亿元》，《人民日报》2007年12月25日。

中最高级别的一次沟通。[①] 私营企业主与政府官员的座谈、沟通，有利于增进政府对私营企业主的了解，为政府科学决策提供更为充分的信息，同时也有利于私营企业主直接向政府反映其利益需求，从而影响公共政策的制定。

私营企业主是随着中国改革开放进程的不断推进而产生的一个新的社会阶层。随着改革开放的深入，这一阶层群体轮廓渐趋明晰，并逐渐由单纯的经济领域走向社会政治生活领域。广东私营企业主政治参与的发展，为广东政治参与主体多元化格局的发展增添了新的时代内容。

（三）律师的政治参与

20 世纪 90 年代以来，广东出现了困难群众维权现象增多的趋势，维权涉及的问题包括劳动合同、资方欠薪、工伤医疗保险、劳动保险等方面。以公民维权为切入口，律师作为一个法律专业群体逐渐介入公共政治生活，在政治参与领域崭露头角。广东律师的政治参与主要表现在以下几方面：

1. 参与人大，影响立法。

律师有“天生就是立法者”之称，他们在法律方面的专业能力对法治社会的建设具有重要意义。北京大学法学院的贺卫方教授认为：“律师参与政治生活的最后但也许是最根本的理由是法治或依法治国本身。……律师对国家政治生活的参与程度乃是一国法治实现程度的标尺 。”[②] 律师从律师事务所走向各级人大，为国家立法工作提供专业性的意见，以提案方式直接参与立法和法律修订、制度修正工作，对推动民主法制建设和社会良性有序发展产生了实质性的影响。

在全国范围内，人大代表中的律师代表为数很少。1998 年，

---

① 廖根深：《走向政坛的青年私营企业主——对广东青年私营企业主群体政治参与的调查》，《中国青年研究》2004 年第 5 期。

② 贺卫方：《律师的政治参与》，《中国律师》2001 年第 3 期。

来自广东佛山天爵律师事务所的律师陈紫芸首次出现在九届全国人大会议上，成为广东的第一位律师代表，是当时全国人大5名律师代表之一，并连任第十届全国人大代表。在担任全国人大代表的10年间，陈紫芸提出了数项具有重要影响的议案。1998年，她率先提出修改《婚姻法》的议案，主张法律应该明确禁止“包二奶”行为，并对无过错方给予赔偿，该主张后来被写入修改后的《婚姻法》。2002年底，全国人大常委会讨论修改《律师法》，亦专门请陈紫芸列席并作大会发言，陈紫芸在九届全国人大五次会议上再次提出修改《律师法》的议案。在2003年的十届全国人大一次会议上，陈紫芸领衔所提的三个议案中有两个议案——《关于建立、完善信用法律体系的议案》和《尽快制定有限合伙企业法的议案》被提交到全国人大有关专门委员会审议，成为立法案。① 2003年，与陈紫芸一起当选为十届全国人大代表的还有广州金鹏律师事务所的律师陈舒。当时全国总共有8位律师代表，广东就占了2位。陈舒关注困难群众和农民工的权益问题，在十届全国人大一次会议上领衔提出了《关于修订完善〈中华人民共和国工会法〉切实保护农民工的合法权益，保障我国全面实现小康目标的议案》，受到大会的关注。在十届全国人大期间，陈舒先后5次参与《物权法》草案的讨论，她所提出的不动产统一登记公示等建议也被《物权法》所采纳。②

在省级、市级人大层面上，广东的律师也表现出越来越高的参政热情，截至2005年，省级人大代表中有律师5人，市、县各级人大代表中共有律师50人。③ 近年来，越来越多的律师进入人大代表队伍，2006年底，广州市人大代表中律师已经达到51人；④ 2007年初，深圳市共有36名律师当选为省、市区人大代表或政协

① 高凌燕：《活跃在政治舞台上的广东律师——广东律师参政议政纪事》，《中国律师》2004年第2期。

② 陈丽平：《参加物权法立法过程让我终身难忘》，《法制日报》2007年3月9日。

③ 贺信、刘洪群：《广东律师踊跃参政》，《南方日报》2005年12月26日。

④ 杜萌：《广州律师：服务民生建言献策》，《法制日报》2007年4月6日。

委员。[①] 广东律师正凭借其在法律方面的专业特长，越来越多地参与到人大当中，参与立法，为广东法制建设建言献策。

2. 担任政府法律顾问，参与政府决策。

1989年4月，《中华人民共和国行政诉讼法》正式颁行，该法的宗旨之一就是“维护和监督行政机关依法行使行政职权”；1994颁布的《中华人民共和国国家赔偿法》也开宗明义地表明该法的制定是要“保障公民、法人和其他组织享有依法取得国家赔偿的权利，促进国家机关依法行使职权”。随着改革开放的深入，依法行政、建设法治政府成为政府施政的基本要求。

深圳市在1988年9月就成立了深圳市人民政府法律顾问室，成为国内较早成立法律顾问室并由政府聘请政府法律顾问的城市之一。[②] 深圳市借鉴香港律政司的经验，聘请律师为政府决策提供法律咨询。法律顾问在重大项目的决策上具有发言权。咨询并听取法律顾问室的法律意见，逐渐成为市政府作出重大决策过程中的一个必经程序。[③] 2003年6月，深圳市颁发了《深圳市人民政府法律顾问工作规则》，将政府法律顾问工作进一步规范化。到2007年，深圳共有21名律师被各区聘为政府法律顾问。[④]

2005年，广东省长黄华华在省十届人大三次会议的政府工作报告上提出，要在全省范围内探索推行政府法律顾问制度。目前广州、深圳、佛山、河源、珠海等多个地级市已建立起政府法律顾问制度，聘请律师参与政府相关法律工作。律师出任政府法律顾问，为政府决策提供法律咨询意见，并代理涉及政府部门的诉讼案件、参与重大工程项目的谈判，并且在政府重大决策上提供法律建议，成为广东各级政府依法行政的重要保障。

3. 提供法律援助，维护公民权利

---

① 赵鸿飞、马灼兵：《深圳律师成参政重要力量》，《深圳商报》2007年3月2日。

② 《深圳市法律顾问室年报2004》第1页。

③ 贺勇：《深圳：政府重大决策　还得问问律师》，《人民日报》（海外版）2007年1月17日。

④ 赵鸿飞、马灼兵：《深圳律师成参政重要力量》，《深圳商报》2007年3月2日。

广东是国内最早开展法律援助的省份。广州市司法局在《一九九三年律师工作意见》中，最早使用了“法律援助”的概念，规定要“建立法律援助基金，以保障有困难的单位或个人获得法律帮助的权利”。① 1995年11月，全国第一家政府法律援助机构——广州市法律援助中心成立并受到广东省政府的推广，省内其他地市陆续组建法律援助中心。1999年9月1日，《广东省法律援助条例》正式实施，成为全国首部省级人大制定的法律援助地方性法规，明确规定各地要建立健全法律援助机构。2001年10月，广东省人民政府又颁布了《〈广东省法律援助条例〉实施细则》，为法律援助工作的开展提供了更为详细的法律依据。到2001年9月，全省21个地级市及122个区、县（市）都成立了法律援助机构，②这一架构被称为法律援助的“广东模式”，广东法律援助工作的成就也被国务院新闻办公室作为人权司法保障写入了《中国人权状况》白皮书。③

2006年底，因应形势的发展，广东省第十届人民代表大会常务委员会第二十七次会议通过了新修订的《广东省法律援助条例》。从1999年《广东省法律援助条例》出台，到2006年底该条例第二度修订的7年间，广东省法律援助机构共接待来访群众约75.236万人次，组织办理法律援助案件87646件，受援人总数达11.7721万人。④ 在这个过程中，广东律师为困难群众的权益维护作出了重要贡献。

当然，通过法律援助的方式维护公民权利，援助任务通常带有政府指派性质，广东省司法厅要求每名律师每年至少办理1至2起

---

① 许年渊：《广东法律援助机构向普通公民敞开大门——没钱也能上法庭打官司》，《瞭望》2004年第12期。

② 曾庆春、刘学兵、刘洪群、张慧鹏：《法律援助与司法救助为弱势群体撑起一片天　两万官司减免费用千万元》，《南方日报》2002年2月17日。

③ 裴智勇：《让法律的阳光照亮每个角落——广东省大力推行法律援助纪实》，《人民日报》2001年10月24日。

④ 陈球、刘洪群、彭莉红、杨泳：《粤7年办法律援助案87646件》，《南方日报》2006年12月26日。

法律援助案件，否则各级司法行政机关不予年审注册。[①] 对于律师来讲，这种方式具有一定的被动性。但是近年来，广东律师主动为普通公民权益奔走呼吁、维护公民权利的现象也越来越常见，成为广东律师政治参与的新亮点。

2004 年 6 月 2 日《羊城晚报》报道，广东广信律师事务所律师张成勇、林川向全国人大发出《致全国人大的一封信》，建议全国人大修改《中华人民共和国未成年人保护法》，呼吁增加保护儿童“玩的权利”的条款。2006 年 6 月，广东“齐二药”假药事件法律援助律师团的 5 名律师向全国人大常委会提交公民建议书，建议在行政处罚和刑事制裁外，修改《消费者权益保护法》第 49 条，在“人身损害赔偿”项目内，明确引入学界呼唤多年的“惩罚性赔偿”概念，并扩大适用范围，建议对假药案实行惩罚性赔偿。[②] 2007 年元旦，广州律师周玉忠上书全国人大，请求全国人大常委会对最高人民法院的《关于审理人身损害赔偿案件适用法律若干问题的解释》进行审查，呼吁城乡“同命同价”。同年 4 月 10 日，广东大同律师事务所主任朱永平等 5 名律师联名上书劳动和社会保障部，提出劳动部于 1995 年制定的《关于贯彻执行〈中华人民共和国劳动法〉若干问题的意见》第十二条关于“在校生利用业余时间勤工俭学，不视为就业，未建立劳动关系，可以不签订劳动合同”的规定与《劳动法》相冲突，且与目前的客观现实严重不符，建议尽快废止此规定以保护学生利用业余时间勤工俭学的正当权益。2007 年，广东发生了轰动全国的“许霆案”，在法院一审判决利用银行 ATM 机漏洞恶意取款 17.5 万元的许霆无期徒刑后，广东海际明律师事务所的何富杰律师上书全国人大法制工作委员会，建议全国人大通过法律解释对此类行为进行明确界定，以作为此类判决的依据。[③] 2008 年 1 月 8 日，北京市瑞风律师事务所律师

---

① 越师：《法律援助排头兵》，《人民日报》2001 年 9 月 30 日。

② 邓新建：《“齐二药假药事件”进入司法程序》，《法制日报》2006 年 6 月 9 日。

③ 鲁钇山：《广州律师上书为许霆讨说法》，《羊城晚报》2007 年 12 月 26 日。

李方平联合来自北京、广东、上海和福建的其他7名律师就“许霆案”向全国人大常委会和最高人民法院提交了一份《关于刑法及其法律适用若干问题亟待修改》的公民建议书，认为该案件存在制度性缺陷，无论许霆是否构成盗窃罪，量刑标准都存在问题。[①]这些案例的出现，表明广东律师越来越关注社会公共权益问题，政治参与日益走向深入。

广东律师逐渐活跃于社会政治生活领域，对广东依法治省和公民有序政治参与的发展起着越来越重要的影响。律师进入人大参与立法，带来立法主体的专家化；政府法律顾问制度的实施，则将政府行政进一步纳入法治轨道；而律师为公民维权的行为则通过媒体的报道而具有了很强的社会显示度，从而使“公民权利”一词更加深入民心。在广东律师的努力下，一个法治而有序的公民政治参与格局具有了更为坚实的基础。

（四）知识分子的政治参与

广东的改革开放进程，是与思想的解放结伴而行的。改革开放初期，中国虽然经过了真理标准问题的讨论和十一届三中全会对人们长期以来的思想迷雾的清理，但老的思想观念仍不时对中国的改革提出诘难。广东省作为改革开放的先行者，通过社会各界的探索和讨论，冲破了种种禁锢，将改革开放不断推向深入。在此过程中，知识分子对改革基本问题的探讨起了重要作用。知识分子作为一个并不新鲜的阶层，对广东政治的发展却起了重要推动作用。知识分子的政治参与，主要是以探讨社会热点问题、公开发表个人意见的方式，通过媒体论争和学术研讨不断推动广东社会的思想解放进程。

1. 发表报刊言论，引导思想解放。

改革开放初期，关于改革会将中国引向何方的顾虑在很长时期内都没有彻底得到解决，直到1992年邓小平视察南方之后，关于

---

① 黄琼、李斯璐、陈杨：《许霆案二审　律师作无罪辩护》，《新快报》2008年1月9日。

改革究竟姓“资”还是姓“社”的质疑和争论才基本平息。广东知识分子通过大众媒体提出了不少论争，逐渐破除了人们思想认识上的枷锁。20 世纪 80 年代初，有人对资本主义对社会主义的“侵蚀”忧心忡忡。1980 年元旦，《人民日报》副刊发表了《恭喜发财》一文，提出要“彻底纠正偏见，肃清轻财流毒”①，7 个月后，广东有杂文作者开始回应此文。1980 年 8 月 3 日，《羊城晚报》发表了舜之的评论文章《且慢“恭喜”》，对“恭喜发财”用语提出了质疑，提出“对‘发财’还是且慢‘恭喜’为好”，由此引发一连串对该不该“恭喜发财”的大讨论，交锋非常激烈。据《羊城晚报》的统计，在一年多的时间里，北京和广州两地遥相呼应，先后有 10 篇文章参与到此事的讨论当中（见表 10－1）。

表 10－1　“恭喜发财”讨论始末②

时间	作者	标题	刊登处
1980 年 1 月 1 日	董　枫	《恭喜发财》	《人民日报》
1980 年 2 月 15 日	吴有恒	《从春联见经济学》	《羊城晚报》
1980 年 6 月 3 日	吴有恒	《和气生财说》	《羊城晚报》
1980 年 8 月 3 日	舜　之	《且慢恭喜》	《羊城晚报》
1980 年 9 月 8 日	刘孟洪	《该不该“恭喜发财”?》	《人民日报》
1980 年 10 月 23 日	陈漫天	《赶快恭喜》	《羊城晚报》
1980 年 12 月 24 日	舜　之	《且慢“恭喜”之续》	《羊城晚报》
1980 年 12 月 26 日	黄树森	《且慢“且慢恭喜”》	《南方日报》
1981 年 1 月 1 日	易　耕	《连声恭喜》	《羊城晚报》
1982 年 4 月 8 日	吴有恒	《由发财讲到发才》	《羊城晚报》

1980 年 6 月 8 日，《羊城晚报》发表舜之的文章《“香港电视”及其他》，认为香港电视统统是一种“心灵的癌症”，如不封禁，社会风气将遭受“污染”。黄树森则在同年 10 月 7 日的《羊城晚

① 董枫：《恭喜发财》，《人民日报》1980 年 1 月 1 日。

② 《要不要“恭喜发财”？——关于 22 年前一场讨论的回顾》，《羊城晚报》2002 年 9 月 14 日。

报》上发表《“香港电视”是非谈》，反对舜之封禁香港电视的主张，认为对香港电视不应一概否定。[①] 知识分子就社会问题所开展的类似的争论，在改革开放初期常见诸广东报端，这些争论对厘清人们的利益观念，摆脱守旧思想的禁锢具有现实意义。

进入21世纪之后，知识分子在媒体就社会热点事件发表评论已经成为广东日常社会生活的一部分。广东政府对媒体和知识分子的社会观点持较为开明和宽容的态度，广东由此而产生了《南方周末》、《南风窗》等具有全国性影响的报刊，知识分子在这些报刊上的言论的影响覆盖全国。1997年由南方报业集团创办的《南方都市报》，在短短的几年时间里，就成为具有全国性影响的报纸，并在2006年、2007年蝉联全国晚报都市类报纸综合竞争力第一的荣誉。许纪霖教授在《自有大报风骨在——贺〈南方都市报〉创刊八周年》一文中认为，“当代中国的报业中心，南北对峙，北在北京，南在广州。影响全国的公众舆论，常常从这两个中心，传播到大江南北。而广州的舆论中心，近年来非《南方都市报》莫属”。他对《南方都市报》给予高度评价，认为“半个世纪中国公共领域的荒芜，《大公报》的独立传统失传久矣。不过，当新的世纪来临不久的今天，我们从年轻的《南方都市报》那里，又依稀辨出了《大公报》当年的身影”。《南方都市报》有如此重大的影响，一方面出于它敢于报道的独立品质，另一方面则出于它高质量的社会评论文章，为广大读者所称道。在小小2—3版的评论板块里，《南方都市报》汇集了一批合作稳定的知名学者、教授、著名报刊评论员，就社会热点问题发表评论文章，这些文章都紧贴广东乃至全国时代发展的脉搏，直指当今社会存在的种种问题，就中国宪政、法治、公民权利、权力监督等问题提出见解，对新时期的公民思想启蒙产生了重要影响。

2. 开设公众讲座，普及现代文明理念。

知识分子具有知识积累、创新、传播和教化功能，随着社会的

---

① 《在争议声中慨然前行》，《信息时报》2003年12月19日。

发展，他们不再局限于书斋或象牙塔，而是将触角延伸到了社会。广东近年来开辟的“岭南大讲坛”，成为知识分子面向社会公众进行知识传播的活跃的平台。

岭南大讲坛是由中共广东省委宣传部和广东省社会科学界联合会共同主办的高品位公益论坛，它面向普通市民，以“弘扬人文精神、传播先进文化、普及社科知识、提升社会理性”为宗旨，邀请国内外著名专家学者、企业家、官员及知名人士开办公共讲座。截至2007年底，该论坛已经开辟了六大板块，包括学术论坛、公众论坛、地市论坛、巡回论坛、艺术论坛和企业论坛。[①] 学术论坛是最早开办的一个板块，启动于2005年12月，每月举办一次，邀请我国具有较高知名度的学者、专家、学者型的高层领导以及海外知名学者等到广州各大学或广东省科技图书馆开展学术讲座。启动于2006年2月的公众论坛则面向广州公众，每周六上午举办一次，主要邀请省内外知名的专家学者跟踪解读公众关心的社会时政热点问题、难点问题。

到学术论坛和公众论坛开讲的基本上都是人文社会科学领域的学者，他们的专业可能各不相同，但讲座的目标始终指向帮助公众提升其人文社科素质，包括提升听众的基本政治素质。不同的主讲人带来不同的专业问题，提出不同的学术见解，传播不同的社会观念，多元化的学术思想传播更有利于公众更加全面、理性地看待各种社会问题，从而为普通公众进一步的政治参与提供理性的观念和认识基础。知识分子政治参与的过程，更多地表现为一种政治社会化的过程。

广东知识分子的政治参与，在某种程度上可以看作是改革开放新时期公民政治的“新启蒙”。他们借助期刊、报纸、广播等媒体，向转型期的广东公民传播现代公民政治基本理念，公民权利意识在公民对自身生活的体验和知识分子对公民政治理念的传

---

① 《博弈论与企业策略行为——岭南大讲坛·企业论坛第一期》，2007年12月4日，http://theory.southcn.com/llzhuanti/lndjt/qylt/content/2007-12/04/content_4285465.htm.

播中日渐成长，为广东公民政治参与的进一步发展提供了一片理论沃土。

二、公民政治参与渠道的扩展

普通公民参与政治生活的意愿，除了自身权利观念的觉醒之外，还与参与渠道是否畅通密切联系在一起。正如亨廷顿所言，“从理论上说，个人和群体能否获得用以达到他们目标的各种替换手段，这将左右个人和群体试图影响政府的倾向。假如非政治手段如同政治渠道一样有希望或比政治渠道更有希望，人们就会适当地把他们的时间和精力投放到非政治手段上”。[①] 亨廷顿的本意是，人们在决定是否通过影响政府来解决问题时，主要考量他们所面临的实际问题与政府相关性的大小，如果问题与政府直接相关，只有通过影响政府才能解决，人们会倾向于采取政治手段，反之则采取非政治手段。但从另外一个角度看，政府对公民所开放的参与渠道，显然会改变公民达成目标的“替换手段”的构成。如果开放渠道不畅通，公民就难以或者几乎没有可能通过政治手段（影响政府）来解决实际问题。反之，政治手段则可能成为人们在解决实际问题时的重要备选方案——特别是当他们面临无法通过一己之力解决的具有公共性的问题的时候。

改革开放以来，广东公民有序参与渠道不断扩展，依靠改革开放先行者的优势，借助不断发展的信息通信技术，在开拓新的公民参与渠道上走在了前面，在市一级层面率先开通了方便公民与政府进行沟通的市长专线、市长专邮、民生电台等参与渠道，并顺应时代发展，逐步建设电子政府，通过网络媒体吸纳民间意见，实现政府与公民间的良性快速互动。

---

① ［美］塞缪尔·亨廷顿、［美］琼·纳尔逊：《难以抉择：发展中国家的政治参与》，华夏出版社1989年版，第17～18页。

（一）通过政务电话反映民生问题

1986年1月1日零时，全国首个“市长专线电话”在广州开通，实行24小时值班制，不间断地接听市民电话，处理市民反映的问题，引起广州市民的广泛参与。据统计，市长专线电话开通当年，接到市民来电6550多次，涉及供电、供水、城市建设管理、改善交通、治安管理、市场管理等方面的问题。对来电反映的问题，能答复的当即答复，能马上解决的不拖延，暂不能解决的转有关部门处理，重大问题呈市长阅批。全年市民来电反映的问题，有80%得到及时妥善的处理，基本做到“件件有着落，事事有交代”。[①] 其后，通过市长专线电话向政府反映问题的市民越来越多，1987年市长专线电话接听市民来电9641人次，1989年达到13130人次，到1990年之后，市长专线电话每年接听市民来电次数都在1万到2万人次之间。[②] 2003年，由于“非典”的影响，广州市长专线电话全年接听市民来电达到430728人次，创历年之最（见表10－2）。[③]

表10－2　1986—2004年广州市市长专线电话历年接听市民来电人次表[④]

年份	接听来电人次	年份	接听来电人次	年份	接听来电人次
1986	6550	1992	2.14万	1998	12374
1987	9641	1993	2万	1999	16203
1988	7956	1994	18262	2000	13069
1989	13130	1995	19801	2001	12350
1990	21601	1996	17787	2003	430728
1991	19010	1997	15656	2004	27588

① 广州年鉴编纂委员会编：《广州年鉴·1987》，广州文化出版社1987年版，第73页。

② 数据分别来自历年《广州年鉴》。

③ 广州年鉴编纂委员会编：《广州年鉴·2004》，广州文化出版社2004年版，第78页。

④ 数据来源：历年《广州年鉴》“政治—市长专线电话”及“政治—信访工作”条目。

市民打电话到市长专线，早期所反映的问题主要是涉及市民自身生活的民生问题，如供水供电、城市建设、城市交通、治安问题、市场管理问题、环境保护问题等。1995 年之后，征地拆迁、个体经济矛盾、城建拆迁安置、劳资纠纷、下岗就业等问题也进入市长专线电话，成为市民反映较多的问题。

市长专线电话受理面广，并力争做到对市民反映的所有实际问题都能够有着落、有交代，也使得市民的参与热情高涨。1988 年起，《广州日报》开辟了《给市长打电话》专栏，将市民来电简报刊登在专栏上，并定期公开报道来电处理情况，全年共刊登市民来电处理消息 49 期共 178 条。市长专线电话拉近了政府与市民的距离，加大了市政府工作的开放度和透明度，同时大大提升了市民参政意识，对推进政府工作民主化、提升政府办事效率起了重要作用，市长专线电话也因此于 1988 年被评为“广州市改革开放 10 大成就”之一。

1991 年 4 月，广州市出台《广州市市长专线电话网络目标管理责任制（试行)》，建立了以市长专线电话网络工作守则和联络员工作守则为考核内容的管理体系，要求各网络单位领导把承办市长专线电话和本级专线、投诉电话工作列入议事日程，做到有领导分管、层层有人抓。各网络单位对市长专线电话转办件要 100% 立案；本级专线、投诉电话全年在 1000 宗以上的，立案率要达到 10%；500—1000 宗的立案率要达到 20%，500 宗以下的立案率要达到 30%。承办市长专线电话，年度办结率要达到 100%；本级专线、投诉电话的立案件，年终办结率要达到 90% 以上。同时根据上述要求，制定了详细的奖惩标志，每年评比 2 次，从而进一步将市长专线电话的运作规范化。1995 年，广州市又在广州电视台专门开辟了《市长专线追踪》栏目，在广州电台开辟《公仆热线》节目，追踪报道市长专线电话所反映的问题和处理情况，将这一参与渠道做得更具成效。

20 世纪 90 年代之后，广州市长专线电话成为市民有序参与的重要渠道，同时又成为政府吸纳民意的重要渠道。市政府将市长专

线电话作为政府信访工作的重要组成部分，通过这一渠道受理了一大批与群众生活密切相关的信访要案。到1999年之后，“市长专线”这一政民沟通渠道已为全国大多数城市所采用，信息产业部于1999年6月25日下发了《关于启用全国统一的政府热线电话号码“12345”的通知》，在全国统一启用“12345”作为各地方政府开办政府热线的专用电话号码。2003年，广州市市长专线电话号码更改为全国统一的“12345”特服号，并筹建市长专线电话受理中心，线路也由原来的1条增加到30条。[①] 2005年底，广州市通过了《广州市政府领导接听群众来电工作方案》，政府官员重新走上市长（政府部门）专线电话的接听前台，该方案规定从2005年11月起，每月23日上午9时至11时30分，由市长、副市长轮流到市长专线电话受理中心直接接听群众来电，听取群众呼声。

（二）通过公共电台表达利益呼声

在通过传统的政府领导专线、领导信箱实践公民参与的过程中，公民的参与度和参与的影响力都相对有限，而随着改革的深入和市场经济体制建设的不断深化，广东社会越来越向利益多元化发展，传统的领导专线、领导信箱也凸显出一定的局限性，新的参与渠道得以开辟。

首先在这方面做出尝试的，是河源市政府纠风办。2003年3月25日，由河源市政府纠风办与河源广播电视台广播中心、电视中心，以及河源日报社、市政府门户网站、市信访局和市文明办联合开办的河源市《政风行风热线》节目正式开播，成为广东开通的首个行风热线节目。该节目每周播出两次，由纠风办安排相关职能单位到直播室宣讲政策法规、接听热线电话、解答疑难问题，对群众投诉的问题在三天内予以答复并向纠风办反馈处理情况。[②] 节

---

① 广州年鉴编纂委员会编：《广州年鉴·2004》，广州文化出版社2004年版，第78页。

② 《河源市开通“行风热线”加强舆论监督》，《中国监察》2003年第19期。

目受到群众欢迎和好评，并受到国务院纠风办的充分肯定。2005年7月，河源市纠风办作为广东唯一获邀的地级市单位，参加了国务院纠风办召开的部分省市“行风热线”工作座谈会，并介绍开办“行风热线”的经验和做法。[①] 2004年8月和12月，深圳市的《民心桥》节目和惠州市的《民声热线》节目也相继开通。

《政风行风热线》节目的开办取得了良好的社会效果。2005年，广东省作出统一部署，要求全省各市建立自己的行风热线，将这一公众参与形式推广到全省，“行风热线”节目在全省范围内遍地开花，仅2005年一年内，全省共有13个市开通了“行风热线”。到2006年，全省将近20个市开通了“行风热线”。各市的行风热线都建立了政府与媒体的联动机制，由政府官员走进直播间接听公众电话，解答疑难问题，并规定所有公众来电都必须有交代、有回复，解决公众的实际问题。

2005年11月15日，广东省政府纠风办与广东广播电台合作，以政府和媒体合作的方式联合开办了省级政风行风热线节目《民声热线》（见案例10－1），以广东卫星广播为载体，每月确定一个专题，每周二安排上线单位的厅局级干部到直播室接听电话，处理投诉，解答疑难问题。省政府纠风办规定，上线单位对来电反映的一般问题要在5个工作日内给出答复，情况较为复杂的问题则要在10个工作日内给出答复。

这个节目最大特色是从省到市县各相关单位在节目过程中的实时联动。广东卫星广播是面向全省的调频电台，全省各地的公民都可以收听到这个电台节目并向电台打热线电话反映问题。这是一个“边接听，边回答问题，边查处问题”的政务互动平台，上线的省劳动和社会保障厅、省食品药品监督管理局、省公安厅、省工商局均建立了24小时接听群众投诉的值班制度。在厅局级干部接听电

---

① 《河源“行风热线”受到国务院纠风办肯定　市纠风办获邀参加全国部分省市“行风热线”工作座谈会》，2004年7月7日，http：//hfrx. heyuan. gov. cn/viewdynamic. jsp？ id＝79.

话过程中，上线局长根据群众反映的情况发布处理命令，相关单位则随时准备处理群众反映的问题。

案例 10－1 “民声热线”

省食品药品监督管理局上线期间，利用其垂直管理的体制优势，要求全省食品药品稽查队伍全线集结，随时待命。一旦收到群众举报，队伍立即出发。2005 年 12 月 20 日，海丰市一位听众向《民声热线》反映，他几天前在海丰市海城镇卫生院云贵综合门诊部看病，医生给他开了 7 天的中成药，共 680 元。这些药品都没有标明生产厂家、厂址。吃药后，病情还有加重的趋势，而医院却称这是“正常反应”。正在上线的省食品药品监督管理局副局长张金华当即在直播室发令：“汕尾市和海丰市的药监稽查大队，请你们立即出发，赶往现场进行调查。”海丰市药监局稽查大队在接到命令后 3 分钟之内赶到了现场，发现门诊部已经关门。经查发现：该门诊部涉嫌出售“假劣药品”。之后，他们将 600 多元药款退还投诉的患者，并向患者赔礼道歉。①

（三）通过网络媒体实现快速互动

20 世纪末以来，随着个人电脑的普及和国际互联网的发展，网络作为重要的电子媒体和沟通渠道进入寻常百姓家。1997 年，在我国互联网络刚处于起步阶段时，广东的网民数量就居于全国前列，以占全国网民数 8.3% 的比例居第二位。② 2001 年底，广东网民数量首次超过北京，以 10.4% 的比例居全国之首，③ 此后广东网民

① 刘仁洲：《民生热线暖民心》，《中国监察》2006 年第 10 期。

② 中国互联网络信息中心：《中国互联网络发展状况统计报告（1997/10）》。

③ 中国互联网络信息中心：《中国互联网络发展状况统计报告（2002/1）》。同期北京网民数量占全国网民总数的 9.8%，上海网民数占全国网民总数的 9.2%；2003 年之前，北京、广东、上海三地的网民总数一直稳居全国前三位，直到 2003 年底这个格局才被打破，北京和上海分别以占全国网民总数 5% 和 5.4% 居于广东（12.0%）、山东（7.9%）、江苏（7.7%）之后，北京已被浙江（5.7%）和四川（5.3%）超过（《中国互联网络发展状况统计报告（2004/1）》）。

数量稳居全国首位。至2007年底，广东网民数量已达3344万，占全国网民总数的15.9%，广东省内的互联网普及率达到了35.9%。[①]

随着网络技术的发展和网络应用的普及，越来越多的人在互联网络上阅读信息及发表意见，网络成为一种全新的舆论力量，对社会产生越来越重要的影响。2003年广州发生的孙志刚事件，经地方媒体报道后，在网络上激起了强烈反响，网络舆论力量直指实行已久的收容遣送制度，最终导致了该制度被废除。社会信息能够在网上迅速传递，从而对公众产生重要影响，新的公民参与渠道——网络参与开始出现。互联网络作为一种虚拟现实空间，除了公共性和信息传递的快捷性之外，还具有高度的开放性。公众可以便捷地在网上发表言论、表达意见、形成社会影响，并且这种影响能够轻易超出政府的影响范围。

为了顺应形势发展，疏通公民网络参与渠道，广东省进一步加强了电子政务的建设，于2002年12月25日开通了全省统一的“电子政务网络平台”，连通省四套班子、44个省政府直属部门和21个地级市，具备省级应急指挥、视像会议、多媒体服务、电子邮件交换等多项公用功能，还可提供安全认证、主机托管、网站托管、互联网电子邮件、内部电子邮件、网络平台接入、网站维护、网页制作、信息内容等公共服务。[②] 2003年5月，广东省发布了《广东省电子政务建设实施意见》，提出以电子政务建设作为“十五”期间全省信息化工作的重点，建设统一的电子政务网络，各地级以上市要重点围绕政务办公、社会管理和公共服务三个方面开展电子政务业务系统建设。传统的立足于政府信息发布的电子政务建设，逐渐向新型的立足于政府与公众互动的电子政务转变。

2004年7月，汕头市率先在全省推出了网上参政议政栏目——《网上参政大厅》。[③] 网上参政大厅的栏目设置分为两类，一类是信息

① 中国互联网络信息中心：《中国互联网络发展状况统计报告（2008/1）》。
② 广东年鉴编纂委员会编：《广东年鉴·2003》，广东年鉴社2003年版，第263页。
③ 汕头市网上参政大厅，http：//czdt. shantou. gov. cn/.

公开板块，如《参政动态》栏目用于公布报道汕头市范围内公民政治参与情况、人大政协会议进展情况，《议案提案》栏目专门发布汕头市人大代表在人代会上的提案、政协代表在政协会议上的提案，从而使政府行为信息公开化，人大、政协提案公开化，兑现公众的政务知情权。另一类是信息互动板块，如公众可以在《建言献策》栏目中就社会发展、民生问题、政府管理等问题提出建议、意见或投诉，公众所提意见或投诉经相关部门核实处理后，在参政大厅的《部门答复》栏目进行答复；公众的合理化建议，则转呈相关部门领导审阅，为政府决策提供参考。《民意调查》和《网上听政》栏目则就社会热点问题或政府拟推行的政策草案、拟制订的法规草案进行网上公示并以问卷的方式征求各界人士的意见，供政府最终决策作参考。这些栏目的设置，有利于网上政治参与者便捷有效地了解政务动态，表达利益立场，提供决策参考意见，形成公众与政府之间的互动，有效地吸纳民间参与诉求；同时也有利于政府广纳民意，集中民智，使决策更加透明化、科学化、民主化。

汕头市网上参政大厅的开办，开辟了政府与公众互动和公民参政的新渠道。随着网络应用的普及，广东省下辖各市政府部门逐步开设了方便公民网上参政议政的互动平台。到目前为止，全省21个地级市已全部开通了政府门户网站，绝大多数政府门户网站都以不同的形式开辟了政府与公众沟通的互动栏目，如省长（市长、区长）信箱、网上接访、政务论坛、网上调查、网上咨询、公众留言、投诉举报等。绝大多数政府网站都将政民互动板块与“行风热线”相挂钩，在网上发布行风热线的上线单位信息、上线安排，反馈热线问题的处理情况等。

与以往的热线电话、专门信箱等渠道相比，网络参与渠道具有传统渠道不可比拟的优势。首先，互联网络已经普及广东，广东网民数量居全国首位，网络已走入寻常百姓家，成为与电话一样平常但是更为方便的信息沟通工具，并已基本淘汰了传统的信件沟通方式。公民通过网络渠道参政议政，只是其网络应用中极小的一个领域，不仅在经济上成本低廉，而且能为参与者节省大量时间，从而在时间和精力上同样成本低廉，这是普通公民网络参政的基本条件。其次，网络参政有其独特的便捷性，它减少了公民参政议政的中间环节，直接通过网络渠道将自己的意见、建议和利益立场传达到政府相关部门，而不受时间、场地、人员条件的限制，与政府部门快速互动，从而大大提高了公民参政的效率和效能，并进而提高公民参政的积极性。2005 年 8 月，汕头市交通局就《汕头市公共交通规划实施纲要（征求意见稿)》在网上参政大厅及汕头电视台、《汕头日报》等媒体征集公众意见，5 天内通过报社和电视台收集到的意见只有 4 条，而通过网上参政大厅征集到的意见达 246 条，[①] 这一案例有力地凸显了网络参政的优势。再次，网络参政有利于公民平等权利观念的传播。网络是一个公共的开放平台，权力在这个平台上不占据主要位置，政府在网络面前不再具有传统政府的信息垄断能力，公民因网络而获得了比以往任何时候都广泛的知情权，并在这个过程中完成新一轮的政治社会化，这又进一步激发公民政治参与的热情，在参与中维护自己的权利。

当然，网络参政的这种便捷性需要政府相关部门的有效引导，因为网络是一个公共的、开放的信息平台，同时也是一个虚拟现实空间，在这个空间里，公众意见的表达获得了前所未有的自由，从而潜藏着“网络暴政”的隐忧。公民有序的网络参与，也仰赖于政府政策法规的完善和信息安全技术的提升。

三、公民政治参与方式的演进

广东公民的政治参与方式随着改革开放的深入而不断演进。早期的公民参与方式更多地体现出个人化的特征，进入 20 世纪 90 年代之后，随着广州《羊城论坛》的出现，公民参与方式日益呈现出公共性特征。广东公民通过参与公众论坛、听证、竞选等方式，

---

① 陈庆辉：《构筑政民互动平台　扩大参政议政渠道——对汕头市网上参政大厅建设的思考》，《电子政务》2006 年第 8 期。

将政治参与的层次不断推向新高度。

（一）公众论坛：参与决策

广州市民历来有热心参与公共政治生活的传统，20 世纪 90 年代，《人民日报》曾报道“近 10 年来，关乎市民切身利益的重大决策出台实施前，广州市都把方案交群众广泛讨论……广州市持续 10 年的这种做法，是提高群众参政议政意识，建设社会主义民主政治的有效途径，正有力地促进着广州的改革开放和现代化建设”。[①] 1992 年，广州市开创了公民参与公共政治生活的新模式——《羊城论坛》，从而使广州公共政治生活具有了“广场政治”的某些特征。

《羊城论坛》始创于 1992 年 5 月 2 日，由广州市人大常委会和广州市电视台联合主办，[②] 是国内首个大型政论性公开论坛。论坛以“国事家事天下事，你谈我谈大家谈”为宗旨，邀请政府官员、人大代表、专家学者和普通市民参政议政，开播 16 年来深入人心，广受市民欢迎。截至 2008 年 2 月底，《羊城论坛》已经播出 110 期，成为“市民喜爱、政府欢迎、人大重视、市委支持”的广州市人大、政府与公众三方沟通的重要桥梁，对广州市公共政治生活的发展和民主政治建设产生了重要的推动作用，成为广州政治文明的一张“名片”。

《羊城论坛》节目经久不衰，得益于这个节目本身的以下几个特色：

一是聚焦热点。

《羊城论坛》节目是有针对性的政论节目，每期针对一个社会热点问题开展讨论，选题遵循“贴近实际、贴近群众、贴近生活”的“三贴近”原则。1992 年 5 月，《羊城论坛》开播的第一个主题

---

① 江佐中、刘霄：《市民积极参与重大决策　广州民主政治空气日浓》，《人民日报》1993 年 4 月 9 日。

② 2001 年，广州社情民意研究中心加盟，成为羊城论坛的协办和策划单位。

就涉及当时广州市民正在热议并将于当年6月1日实施的《广州市销售燃放烟花爆竹管理规定》，将这一移风易俗的地方法规的基本精神通过电视节目广为传播，而市民意见亦从中得到充分表达，从而使规定执行到位，取得了良好的社会效果，《人民日报》有评论称之为"广州的'奇迹'"①。

随着改革开放的深入和权利观念的拓展，论坛选题逐步从谨慎走向开放，由初期关于环境保护、文化教育、公共设施建设等公众比较有共识的问题，逐步拓展到诸如社会治安、物业管理、社会保障、城市拆迁等更为敏感、利益多元的领域，这些论题与市民切身利益更加密切相关，更能引起公众关注、激发公众参与热情，吸引更多的市民参与到论坛中表达意见。1997年10月第35期题为《房屋拆迁管理大家谈》的论坛，因其话题之敏感、与公众利益关系之密切，吸引了400多人自发参加，甚至有市民早上5点多从几十公里外赶赴论坛现场参与讨论；2003年12月第71期题为《完善社保体系，保障全民利益》论坛，由于牵涉面广，遗留及亟待解决的问题多，自发参与者多达300余人，讨论场面极为"火爆"。②

二是开放有序。

《羊城论坛》是开放的电视论坛，通常每月举办一次，每次时长90分钟。主办方在确定讨论主题后，即在广州电视台及报纸、网络等媒体上发布《羊城论坛》邀请函，向公众公告论坛的主题、举办时间和地点、论题的基本背景以及讨论的参考提纲等，邀请市民参与讨论。早期的《羊城论坛》没有固定的举办地点，2003年7月之后，论坛地点固定在人民公园南门牌坊附近，如遇雨天则改在广州市人大常委会机关办公大楼二楼大堂。将论坛固定在人民公园这一免费开放的公共场所举行，既能方便公众参与，又有利于进一步扩大论坛影响，将游园的普通市民也吸引到论坛中来，从而使

① 钟怀：《广州的"奇迹"》，《人民日报》1993年1月29日。

② 陈建智：《〈羊城论坛〉，一个构筑和谐的平台》，《人民之声》2006年第5期。

论坛更具有了“广场政治”的意味。市民在论坛发言要遵循主持人的引导和发言规则，参与过程理性而有序。

三是平等沟通。

《羊城论坛》主办方发布的邀请函，都附有一个“注意事项”，内容有三条：“（一）发言人需举手，经主持人同意后可发言。发言时先作自我介绍，可多次举手发言。（二）每次发言时间控制在3分钟左右。（三）发言时不能读稿。”这三项注意是论坛的基本规则，不管是政府官员还是普通市民，在讨论时都必须遵守基本规则，广州市人大常委会研究室宣传处有关负责人甚至表示“这三项注意其实主要是针对领导的”。在这样的规则制约下，政府官员不是高高在上的管理者，也不是说教式的政治宣传者，而是与市民平等的沟通主体，大家就论坛主题平等地表达意见、展示观点、公开辩论。

政论性公共论坛的开辟，标志着广东公民的政治参与走上了一个新高度。公共论坛凸显了公民政治参与的公共性、民主性、平等性和互动性。在此过程中，公民不但与政府发生联系，同时也与其他利益相关人（公民与公民之间）发生联系。在公共辩论中，政府公共政策被摆到参与者和电视观众面前接受普通公民的审视和拷问，不同利益相关人从不同角度对公共政策作出评判、表达意见，促使政府在公共政策制定和实施过程中更多地考虑不同群体的利益需求，使决策更加公开化、民主化、科学化。同时，公民的基本权利通过现场辩论和电视转播得以彰显和强化，并产生很强的社会效应，使民主、平等、公开的理念深入民心，为政治文明的进一步发展奠定坚实的公民基础。

（二）听证：参与立法

20世纪90年代，随着改革开放的深入和公民权利意识的成长，广东公民的政治参与方式有了很多新的突破，立法听证制度的首创就是其中之一。

1999年9月9日，《广东省建设工程招标投标管理条例（修订草案)》听证会在广东省人大常委会会议厅举行，就建设工程招投标管理条例的修订问题广泛征求社会各界意见。这是新中国成立以来举行的第一次立法听证会，也是广东省探索阳光立法之路、推进民主进程的一次重要尝试。时任广东省人大常委会主任的朱森林表示，举行立法听证会的目的是“广泛听取有关单位、专家、学者及个人的意见，进一步对条例的重点内容进行论证，使条例的内容更加准确、措施更具有针对性、条款更具有操作性，并增加立法工作的透明度”。[①]

广东省人大常委会在1999年8月底就在媒体公开发布听证通告，接受公众报名，引起社会各界的广泛关注，咨询和报名参与者众多。在规定的时间内，共有30人报名要求发言并递交发言要点，另有40人报名旁听（其中包括美国和澳大利亚驻广州领事馆官员）。组织方最终按报名先后及支持与反对意见大体对等的原则，确定了20人在听证会上发言。[②] 参与发言者都是法律界和建筑业界的专业人士，熟悉建筑工程招投标的运作程序和存在问题，并做了充分准备。长达三个半小时的听证过程，体现了公开、平等、民主的原则，发言人观点之间互有碰撞，辩论激烈，有一位旁听人员也依据听证规则的规定发表了自己的见解。各方意见为条例的修订提供了更为全面的参考信息，听证会在没有先例可循的情况下取得了成功。1999年9月24日，广东省九届人大常委会第十二次会议审议通过了该条例，听证会上的许多意见都被吸纳到新修订的条例当中。

其后，广东省人大常委会还举行了《广东省建设工程监理条例（草案)》立法听证会（2000年11月10日）和《广东省爱国卫生工作条例（草案)》立法听证会（2003年7月8日)。2003年的立法听证会吸引了200多人参加，并且是全国第一个由中央电视

---

① 张昭祥、杨霞：《开门立法的新尝试——广东省人大举行全国首次立法听证会》，《瞭望》1999年第40期。

② 徐惟凯、王菲：《开门立法新尝试——记广东省人大常委会举行立法听证会》，《人民日报》1999年10月27日。

台直播的立法听证会。

立法听证是广东民主政治发展和公民政治参与进一步深化的新探索。与公共论坛相比，立法听证具有了更加实质性的民主内容。公共论坛仅仅是就某个社会热点问题召集感兴趣的人员开展讨论、发表见解，属于公民参与中的“政策评议”行为，而立法听证则是就将要表决的法律法规在草案阶段展开辩论，是宪法条款中“人民依照法律规定，通过各种途径和形式，管理国家事务，管理经济和文化事业，管理社会事务”之规定的具体实践过程，是人大立法过程的延伸。三次立法听证的结果表明，虽然公民参与立法听证并不能直接决定法律法规的全部内容，但公民在立法听证中表达出来的不同意见却能够影响最终法规的具体条款，为法规的最后颁行提供意见参考和民主依据。

广东省人大常委会举行立法听证会的尝试影响深远，在 1999 年听证会之后，“听证”逐渐成为全国各地立法、行政工作中的常见现象。2000 年 3 月 15 日，第九届全国人民代表大会第三次会议通过了《中华人民共和国立法法》，其中第三十四条规定“列入常务委员会会议议程的法律案，法律委员会、有关的专门委员会和常务委员会工作机构应当听取各方面的意见。听取意见可以采取座谈会、论证会、听证会等多种形式”，正式将听证写入立法法中。在广东，深圳于 1993 年就实行了价格审价制度，最早在价格领域开展了具有听证性质的活动；2000 年 11 月 28 日，深圳市人大常委会就《深圳经济特区审计监督条例（草案）》举行了立法听证会，成为《中华人民共和国立法法》颁布以来首个具有听证规则的立法听证会。[①] 2001 年 12 月 26 日，深圳市人大常委会通过了《深圳市人民代表大会常务委员会听证条例》，对听证会的具体运作程序作了详细规定，是全国第一部地方性听证法规。2003 年 10 月 31 日，汕头市人大常委会也通过了《汕头市人民代表大会常务委员会立

① 李桂茹：《深圳首开立法听证会》，2000 年 11 月 30 日，http：//www. people. com. cn/GB/channel1/11/20001130/332147. html.

法听证条例》。这些条例的出台，为各地听证活动的开展提供了法律依据和程序保障。

1999 年以来，以广东省人大常委会举行立法听证会为先导，全省各地纷纷举办各种听证会，其中最常见的是各种价格听证会。尽管这些听证会质量不一、效果不一，但在听证制度已经作为人大立法、政府行政过程中广纳民意的基本制度的情况下，广东公民的政治参与度正在不断提高，公民的政治参与能力也在这个过程中得到了锻炼和提升。

（三）竞选：参与选举

2003 年，在广东政治发展历程中是具有特殊意义的一年，当年3月发生的孙志刚案，掀起了全省乃至全国范围的普通公民对公民基本权利保障的热议和反思，并最终导致收容遣送制度被废除；同年3月至5月，在深圳市区级人大代表换届选举过程中，出现了多起选民独立参选的新现象，学界和媒体称之为“深圳竞选风云”。

掀起这场“竞选风云”的第一人是深圳市罗湖区居民肖幼美。2003 年3 月，原本已是深圳市人大代表的肖幼美在其所在辖区选民的劝说下，以独立候选人的身份报名参加了罗湖区第 12 选区的人大代表换届选举，经历了一个与她当选市人大代表完全不同的参选过程：从争取候选人资格到与选民见面，再到制作并张贴竞选海报作自我宣传，最后在选举日参与投票，整个选举历程呈现出以往深圳人大代表选举过程中从未有过的竞争性。由肖幼美开始，深圳先后出现了十余位“独立候选人”（见表10－3），以大体相类似的形式和策略，参加了各区人大代表的竞选，掀起了一场“深圳竞选风云”。

2003 年深圳区级人大代表选举因大量“独立候选人”的参与和由此带来的竞争性选举现象的群发，引起了人大、政府媒体和学界的广泛关注。在深圳这一改革开放前沿阵地出现的这场“竞选风云”，折射出改革开放以来深圳乃至广东公民政治参与在质的方面的变化，意味着广东公民的政治参与水平上升到了一个新的高度。

表 10－3　2003 年深圳市区级人大代表部分“独立候选人”基本情况①

姓名	性别	年龄	学历	党派	选区	身份	竞选策略	结果
肖幼美	女	48	大学	民盟	罗湖区 12 选区	公司白领	会见选民、张贴竞选海报	落选
吴海宁	男	38	大学	民盟	南山区麻岭选区	民营企业主	张贴竞选海报、发布公开信	落选
谢潇英	女	50	大专	无党派	南山区花果山选区	下岗人员	拜访选民争取联名推荐、张贴海报和宣传单	落选
邹家健	男	47	大学	无党派	福田区 55 选区	公司主管	张贴竞选海报	落选
徐波	男	39	大学	九三学社	福田区 55 选区	公司副总	张贴竞选海报	落选
叶原百	男	39	大学	无党派	福田区 39 选区	公司员工	张贴及挨户散发竞选宣传单、投票现场展牌宣传	落选
王亮	男	44	海归 MPA	中共党员	福田区 29 选区	技校校长	集体动员校内选民、发放宣传单	当选

竞争性参与的群发性出现，是公民政治权利意识觉醒的结果。独立参选人的出现，与他们在新时期社会生活中日渐觉醒的政治权利意识密切相关。唯一竞选成功的独立候选人王亮表示：“以前觉得每次人大选举都好像离自己很远，但这几年的普法教育使我们了解到，选举权和被选举权都是公民神圣的权利。这两年的办学经历，使我们参选的意识强烈”。② 第一个以独立候选人身份出来参选的肖幼美在要求竞选遭劝退时，就“坚持认为她是中华人民共和国公民，拥有宪法赋予的选举权和被选举权，居委会没有理由不让她参加”。③ 另一位独立候选人徐波在考虑并决定以自荐方式参

① 本表部分信息来自邹树彬《民主实践呼唤制度跟进——深圳市群发性“独立竞选”现象观察与思考》（《人大研究》2003 年第 8 期）一文中“深圳市群发性‘独立竞选’事件 8 位当事人基本情况”表的内容。

② 唐娟、邹树彬主编：《2003 年深圳竞选实录》，西北大学出版社 2003 年版，第 116 页。

③ 唐娟、邹树彬主编：《2003 年深圳竞选实录》，西北大学出版社 2003 年版，第 6 页。

选时，表示“我作为公民，我有这样的权利”。[①] 下岗人员谢潇英在其参与竞选的要求遭到街道办主任拒绝时，也理直气壮地反问：“我的公民权利何时被剥夺了？”[②] 这些案例表明，随着改革开放的深入和社会的发展，不管是海归的知识精英还是处境较困难的下岗工人，“公民权利”意识都在日益觉醒并逐渐成为他们参与政治生活、兑现宪法规定的政治权利的观念动力，它足以使公民参与行为逐渐从被动转变为主动，从而使参与成为一种自觉的行动。与公民政治权利意识觉醒相伴而行的，是公民的民主意识的觉醒，以独立候选人身份参与人大代表竞选，本身就是民主政治生活的具体实践，它让普通公民由政治生活的配角转换为政治生活的主角。

竞争性参与的群发性出现，也对中国传统的基层民主选举模式提出了挑战。自新中国成立以来，选举权和被选举权就被作为公民的一项基本权利写入了宪法。但传统的“安排性”的政治运作模式使公民的选举权和被选举权失去了自主性，因而传统的基层民主选举也呈现出“确认性”强而“竞争性”弱的特征。这种选举模式带来的负面效果之一就是普通公民的政治冷漠，因为在官方安排占据主动的情况下，基层民主选举的结果通常都是可以预计的，选民主动施加影响的能力则被弱化了，最终结果是公民容易产生“我参不参与都影响不了选举结果”的冷漠心态。在深圳独立候选人的参选经历中，我们可以看到一种有别于传统的公民参与热情，有些参选者的参与动机甚至与传统“安排性”选举的做法直接相关。独立候选人都是以“另选他人”的方式成为候选人的，在这个过程中，他们或多或少地受到来自于“安排性”力量有关的单位或人员的压力，如肖幼美到居委会咨询参选事宜时，居委会认为她来晚了，因而反应十分冷淡，且“对她竞选要求的第一个反应就是劝退”；福田区益田村的叶原百由90多名选民联名推荐为非组

① 唐娟、邹树彬主编：《2003年深圳竞选实录》，西北大学出版社2003年版，第112页。

② 唐娟、邹树彬主编：《2003年深圳竞选实录》，西北大学出版社2003年版，第165页。

织提名的候选人之后，居委会干部上门谈话，希望他“顾全大局”退出竞选；[①] 福田区第55选区的邹家健被称为是“拍案而起的自荐竞选者”，他一开始被九三学社提名为初步候选人，后来没有被列入正式候选人名单，他看了选举法后感到取消他候选人资格的过程不透明。后来他在得知居委会干部打电话给他单位领导要求投票时选某某人的消息时，则被激怒了，遂决定重新竞选人大代表。[②] 谢潇英在要求参选人大代表时，居委会主任也劝她不要参选，甚至坦率地告诉她哪些人必须选上，哪些人属于陪选，“上面”领导作了哪些布置等，甚至提出“待业的不能参选，拿低保的不能参选，有病的不能参选”的荒唐论调，[③] 以图令她打消参选念头。在这种情势下，谢潇英的参选动机除了要促使政府制定“反就业歧视法”外，还有相当重要的一点就是“挑战内定选举”。[④] 当然，对于独立候选人参与选举的积极行动，深圳人大的主要负责部门都采取了较为宽容的态度，因而他们最终都能够参与到竞选中来。尽管除了王亮之外，其他独立候选人全部落选，但这场前所未有的选举活动，包括由这场选举所衍生出来的麻岭选区吴海宁动议罢免新当选人大代表陈慧斌的案例，[⑤] 都引起了全国范围内从地方到中央各大媒体的密切关注和追踪报道，甚至全国人大常委会有关人员也专程到广东调研深圳竞选案例，广东省人大也对深圳竞选公开表态并作

① 唐娟、邹树彬主编：《2003年深圳竞选实录》，西北大学出版社2003年版，第90页。

② 唐娟、邹树彬主编：《2003年深圳竞选实录》，西北大学出版社2003年版，第112页。

③ 唐娟、邹树彬主编：《2003年深圳竞选实录》，西北大学出版社2003年版，第164～165页。

④ 唐娟、邹树彬主编：《2003年深圳竞选实录》，西北大学出版社2003年版，第163页。

⑤ 麻岭选区在5月9日的选举日出现了一个选民接受多人委托投票的违规做法以及唱票时计得票数高出回收选票数4张的情况，吴海宁认为选举不公正，对自己落选的结果表示不满。5月25日第四届南山区人大开幕之时，麻岭选区的33名代表联名向南山区人大常委会递交要求罢免新当选的人大代表陈慧斌的罢免函（参见唐娟：《麻岭选举风波始末》，唐娟、邹树彬主编：《2003年深圳竞选实录》，西北大学出版社2003年版，第18～67页）。

肯定评价，[①] 学界则呼吁对人大选举制度作出改革。2004 年 10 月，全国人大对《全国人民代表大会和地方各级人民代表大会选举法》作了修订，将联名提出罢免（县级）人大代表要求的选民人数由原来的 30 人改为 50 人，或可看作是全国人大在选举制度调整方面对深圳竞选风云的一个回应。[②]

四、公民有序政治参与的机制建设

改革开放以来广东公民有序参与的发展，一方面基于公民自身权利意识的觉醒和成长，另一方面又与执政党和政府的政策引导、体制建设和制度性规范密不可分。前者是公民参与发展的内在动力，后者则是公民参与空间不断扩大及参与走向规范有序不可或缺的外部条件，它涉及公民有序参与的机制建设问题，表现为政府对公民参与的积极引导、有序规范和有效吸纳。

（一）创设“参与引导机制”

公民参与政治生活的程度，很大程度上取决于公民所能获取的信息。政务信息的开放有利于公民理性权衡是否采取相应的行动参与政治生活、是否争取影响政府决策，以及如何采取成本最低的方式来维护自己的权益。广东较早地实施了政务公开的做法并将其制度化，以确保公民获得足够的政务信息，积极引导公民参与公共生活。

1. 政务公开制度化。

20 世纪 80 年代中后期，广东省各地就逐步开展了政务公开的探索工作。1988 年 11 月，广东省委、省政府发出了《关于加强政

---

① 唐娟、邹树彬主编：《2003 年深圳竞选实录》，西北大学出版社 2003 年版，第 293 页。

② 陈文、黄卫平：《公民参政需求增长与制度回应的博弈——以 2003 年深圳和北京人大代表“竞选”现象为例诠释 2004 年我国修订〈选举法〉的政治意义》，《人大研究》2005 年第 3 期。

务工作公开性的通知》，强调要不断完善政务工作公开制度，逐步向规范化法律化过渡。1990 年 4 月，广东省委六届四次全体委员（扩大）会议通过了《中共广东省委关于进一步推行办事公开、群众监督制度的决定》，将政务公开工作进一步推向深入。

广州市的政务公开工作走在了广东省前列。1992 年 7 月 9 日，为使政府公开政务活动制度化，推进广州市民主政治建设，广州市政府率先发布实施了《广州市人民政府公开政务活动试行办法》，办法规定了应向社会公开的 11 项政务活动内容和应向规定单位或在一定范围内公开的 16 项政务活动内容，并对政务公开的方式、程序、奖惩办法等作了详细规定。2002 年 11 月 6 日，颁布了新的《广州市政府信息公开规定》，并于 2003 年 1 月 1 日起正式实施。该规定是全国第一部由地方政府制定的系统规范政府信息公开行为的政府规章，为各地政务公开工作提供了基本的规范性参考。规定明确提出了“政府信息以公开为原则，不公开为例外”的崭新理念，标志着政务公开工作走向全面公开阶段。深圳市紧跟其后，在 2003 年 12 月也颁布了《深圳市行政机关政务公开暂行规定》，其他各地、市也纷纷出台了相应的政务公开的做法。

2005 年 7 月 29 日，广东省第十届人大常委会第十九次会议通过了《广东省政务公开条例》，并于 2005 年 10 月 1 日开始实施，这是全国范围内第一次由省级人大为政务公开立法。该条例规定“除国家秘密、依法受保护的商业秘密、依法受保护的个人隐私和法律、法规禁止公开的事项之外，所有有关国计民生的大小事情都应该公开”。条例中列举了 23 项原则上应予公开的政务内容，并规定了政府公报、政府网站、监督热线等 11 种政务公开形式，公开的方式包括主动公开和依法申请公开两种。公民、法人和其他组织可以向国家机关申请公开有关政务信息，政府则必须根据《条例》规定来决定是否公开，并在 20 个工作日内给予答复。

通过这一系列的制度建构的努力，一个政务公开的制度性框架体系在广东基本成形，对规范政府公开、透明运作、鼓励公民积极参与公共政治生活提供了法律和制度上的保障。

2. 政务公开网络化。

政务公开活动随着各地相关规定的出台而走向深入，并随着这一时期互联网络应用的兴起而走向全面普及，网络成为政府公开政务信息的最佳载体。随着网络政府建设的深入，各地市纷纷在网上开辟了政务公开栏目、网上办事栏目。以新版广东省人民政府网站为例，网站的《政务公开》栏目下设立了包括省政府领导信息、省政府机构信息、广东省人民政府公报、省政府文件、政府工作报告、计划规划、重大项目、应急管理、新闻发布、政务动态、通知公示公告、政务公开指南、人事信息、财政信息、政府采购、统计数据、热点专题、行政执法、法律法规等19个子栏目，《网上办事》栏目下设了居民办事、企业办事、主题服务、百件实事网上办、广东办事易、办事指南、在线办理、状态查询、在线咨询、表格下载、机构查询等11个子栏目，公众足不出户即可从这些栏目中获取广东省人民政府的绝大部分基本政务信息，并可以方便地通过网络办理一些基本业务。

政务公开的网络化，实际上承载了信息发布和网上办事两大功能。信息发布功能向公众提供政府政策的各种信息，这些信息是由政府向公众单向提供的，它仅仅是静态的信息发布，而不包括信息的反馈。网上办事功能则是政府与公众之间双向互动的。政府在网上提供相应的互动栏目，如咨询建议、投诉举报、材料提交等，公众可以通过这些栏目，向政府咨询信息、反馈意见、反映问题、提供建议以及提交办事材料等。

政务公开网络化的这两种功能，都有助于实现政府信息的透明化，并提升政府与公民之间的沟通效率、降低沟通成本。它一方面有利于普通公民更方便地从网上获取与政府政策相关的信息，从而对政府行为作出及时的回应、评价和监督；另一方面也有利于政府有关部门精简政务信息发布程序、提高政务信息发布效率、节省行政成本，并从公民对政府的网上监督中，调整政府政策，提升施政质量。

3. 寓参与于政务公开之中。

公民政治参与是一个双向互动的过程，一方面需要公民自身有政治参与的意识自觉和内在动力，另一方面则需要政府公开相应信息并开放合适的参与渠道。改革开放以来，在广东公民政治参与的实践中，不少参与渠道的开放都与政务公开紧密联系在一起。

在省一级层面，广东省人大领先于全国其他省，于1999年举行了全国第一个立法听证会，开创了立法听证的参与渠道；进入本世纪初，又着力推动电子政务网络平台建设，构建了省、市、县三级联动的公民网络参与新途径。1992年，创办了全国第一个大型政论性电视论坛——《羊城论坛》，论坛经久不衰并成为广受广州市民赞誉的公众讨论平台。2002年，广州市十一届人大常委会第三十一次会议和广东省九届人大常委会第三十八次会议先后设立公民旁听席，接纳普通公民旁听人大常委会会议，召开专场会议听取旁听公民的意见和建议，并使公民旁听和意见反馈制度化。2003年之后，以河源市行风热线的开办为契机，在广东省政府的统一部署下，全省各市都开设了旨在沟通政府与公众、实现政府处理民生问题的快速反应机制的行风热线节目。2004年，汕头市又充分发挥互联网络的快速互动优势，率先开设了《网上参政大厅》。

政府的上述举措，既是政务公开项目的组成部分，又是公民政治参与的重要渠道。它保障了政府信息的有效发布和公民权益的有力表达，并引导公民沿着合法、理性、有序的路径，参与社会政治生活，维护公民权益。

政务公开工作的深入开展，保障了广东公民的政务知情权，逐渐转变了传统政府在施政过程中的信息垄断，有利于弥合政府与公众之间的信息鸿沟，转变政府与公众之间的信息不对称状况，从而有利于公民根据所掌握的信息理性地采取行动，参与社会政治生活。

（二）建设“参与规范机制”

公民政治参与的有序性与两个要素紧密相关：一是政治体制，二是法治框架。前者体现的是一种政治秩序，后者体现的是一种法律秩序，这两者构成了社会秩序不可或缺的两个维度。在中共十五大之前，中国社会政治生活的“秩序”偏重于政治秩序，历次党员代表大会报告均只有“法制”建设的内容，而无“法治”的内容。从1997年的中共十五大开始，这一状况发生了变化。江泽民在十五大报告中指出：“建设有中国特色社会主义的政治，就是在中国共产党领导下，在人民当家作主的基础上，依法治国，发展社会主义民主政治”。首次将“党的领导”、“人民当家作主”和“依法治国”并列为发展社会主义民主政治、建设有中国特色社会主义政治的基础。其中，“党的领导”是国家政治秩序的表征，“依法治国”则是国家法律秩序的表征，社会主义民主政治的建设在国家从以政治秩序为主导向以法律秩序为主导过渡的过程中不断深入。

改革开放以来，广东以“依法治省”政策为基础，通过立法建构公民参与的法治框架，通过普法普及公民参与的法治理念，并将公民参与整合到依法治省过程中，构建起公民有序参与的规范机制。

1. 建构公民参与的法治框架。

改革开放以来，全国各地出现了以往不曾面对的各种新情况、新问题，对处在改革开放前沿的广东省来说，这些新情况、新问题显得尤为突出。为了及时解决新时期出现的各种新问题，地方立法工作被提上了议事日程。1979年，全国人大颁布实施了《中华人民共和国地方各级人民代表大会和地方各级人民政府组织法》，规定各省、自治区、直辖市人民代表大会及其常委会，在不同宪法、法律和行政法规相抵触的前提下，可以制定和颁布地方性法规。1986年12月，随着全国人大对地方组织法的修订，地方立法权进一步扩大了。

1992年7月，七届全国人大常委会决定授予深圳市人大及其常委会制定法规、市人民政府制定规章并在深圳经济特区施行的权力。2000年，立法法又赋予深圳市较大市立法权。截至2007年，深圳市人大及其常委会共通过法规及有关法规问题的决定296项，

市政府制定规章189项，[①] 对深圳市的改革、创新和发展，产生了不可替代的助推作用，并形成了与市场经济发展相适应的地方法律法规体系。此外，广州、汕头、珠海等市也依立法法和《广东省地方立法条例》而拥有了较大的立法权。

1993年4月，全国人大常委会委员长乔石在视察广东时指出，“制定社会主义市场经济方面的法律，对我们来说是一个新课题。在国家法律还不很完备的情况下，地方可以先探索搞一些地方法规。在这方面，改革开放前沿的广东，也可成为立法工作的试验田”。[②] 在广东的地方立法工作中，着眼于保护和促进市场经济的发展和市场经济主体的权益，将立法决策和改革决策紧密结合起来。改革开放以来，广东的地方立法数量居全国首位，截至2007年，广东共制定了400多项地方性法规，其中近一半的地方性法规属于先行性、试验性和自主性的立法。[③]

随着改革的深入和社会的发展，公民参与的形式和渠道越来越多元化，有序参与和无序参与相伴而行。广东地方立法的发展，为广东的社会发展提供了基本的法治平台，同时也为广东公民的有序参与创造了制度性条件。地方立法将公民参与权利规范化、参与渠道制度化，并不断规导公民参与走向有序化。

2. 普及公民参与的法治理念。

立法工作所创建的法治框架，并不能自动地形成社会秩序。只有将法律精神普及到每一个公民，公民参与才能走向规范化和有序化。广东省在改革开放之初就非常重视法制建设，尤其重视法制宣传教育，于20世纪80年代在全省范围内开展了大规模的普法教育，截至1989年，全省共完成了3800万人“十法一例”的普法教

① 叶晓滨、方兴业：《深圳隆重纪念授权立法十五周年》，《深圳特区报》2007年7月25日。

② 刘茜：《乔石谈制定社会主义市场经济法律：地方可先探索搞一些地方法规，广东可成为立法工作试验田》，《人民日报》1993年4月16日。

③ 毕征：《广东“开门立法”收获全国第一》，《广州日报》2007年5月18日。

育，1100多万在校学生接受了不同程度的法制教育。[①]

20世纪80年代末到90年代初，广东省的广州市、曲江县等地提出了“依法治市”、“依法治县”的口号。为了进一步推进广东的法制建设，中共广东省委在1993年的第七次党代会上作出了依法治省的决策，并于1996年7月在中共广东省委扩大会议上讨论通过了《中共广东省委关于进一步加强依法治省工作的决定》，依法治省进入了全面实施阶段。随着这一决定的出台，广东省将普法工作由全民普法转向重点普法，将普法主要对象设定为领导干部、执法人员、青少年、农民和外来务工人员。从1996年到2006年10年间，广东省外来务工人员接受法律教育的比例达85%以上；在“四五”普法期间，全省组织外来务工人员上法制课、参加法律知识竞赛等活动达1393万人次，[②] 全省接受普法教育的公民达到9255万人次。[③]

广东的普法教育不仅重视对普通公民的法律知识普及，而且将公职人员的法律知识普及作为依法行政的根本措施来抓。1993年，广州市举办了副局级以上干部法律知识轮训班，被认为是以领导干部为重点普法对象的开端。[④] 1996年8月，广东省下发了《关于组织广大干部学习社会主义法律知识的通知》和《广东省干部学法考核的通知》，逐步建立了领导干部学法的“五项”制度：法制讲座制度、党委（组）中心组定期学法制度、法律培训制度、学法考试登记制度和任职前法律考试制度。在“三五”普法期间，全省共组织领导干部法制课6339次，参加人数达130万人；组织干部法律知识考试2899次，考试人数达1517万人。在“四五”普法

---

① 黄慰慈、秦兴洪、沈金生等：《从广东的改革开放看社会主义制度优越性的发挥》，《纪念中国共产党成立70周年学术讨论会论文集》，第15页。

② 广东省依法治省工作领导小组办公室：《前进中的广东法治》，广东人民出版社2006年版，第25页。

③ 广东省依法治省工作领导小组办公室：《前进中的广东法治》，广东人民出版社2006年版，第27页。

④ 刘洪群、贺信：《公职人员普法　推动依法行政》，《南方日报》2005年12月4日。

期间，全省共组织领导干部上法制课达735775人次，组织领导干部法律知识考试1345次，考试人数达516688人。[①] 除了大规模地举办法律知识培训和考试外，广东省还将学习法律的情况与公职人员考核、选拔、晋升等相挂钩，切实提升领导干部学法懂法、依法行政、依法决策的意识和能力。

2006年底，《广东省法制宣传教育条例》经广东省十届人大常委会第二十八次会议审议通过，并于2007年元旦开始实施，成为全国第一部地方普法条例。该条例规定各级人民政府应当将法制宣传教育工作纳入国民经济与社会发展的总体规划和年度计划并组织实施，政府应保障开展法制宣传教育所需的经费，同时规定公职人员、行政执法人员在录用、取得执法资格时，必须参加法律知识考试或者考核。《广东省法制宣传教育条例》的制定和实施，意味着广东的普法工作正式纳入了法制化轨道。

长时期大规模的普法教育对于提升广东公民的法律素质、拓展公民对自身权益的认知具有重要意义。针对公职人员的普法教育，有利于政府官员依法行政，尊重公民的法律权利，形成良好的法治氛围；针对普通公民的普法教育，则有利提升公民的合法维权意识，引导公民依法表达自身利益诉求，通过规范有序的方式和渠道理性地参与社会政治生活、维护自身权益，从而实现公民参与的有序化。

3. 在法制建设中贯彻公民参与。

1999年，广东省人大常委会就《广东省建设工程招标投标管理条例（草案）》所举行的立法听证会，成为新中国首次立法听证会。人大吸纳公民参与立法过程的做法，无论在公民参与上还是在法制建设上都具有标志性意义。自2003年起，广东省人大的所有法规草案都通过省人大信息网站向全社会公开并征求公众意见，同时采用听证会、论证会、座谈会等形式听取公众意见和建议。是年

① 广东省依法治省工作领导小组办公室：《前进中的广东法治》，广东人民出版社2006年版，第24页。

11月，广东省人大常委会又首度向社会公开征集立法项目和法规草案稿，“开门立法”迈出了新的步伐。

2006年，广东省人大在制定《广东省预防未成年人犯罪条例》过程中，不仅公开在网上征求社会各界意见（包括广泛征求未成年人的意见），并且面向社会公开招聘5名未成年人参与《条例》起草小组，成为我国首部由未成年人代表全程参与起草的地方性法规。广州市第97中学张萌萌等11名未成年人（年纪最小者13岁）提出了70多条建议，其中8条建议被该条例所吸纳。①

随着广东省人大“开门立法”、“民主立法”理念的深入贯彻并逐步走向制度化，人大立法不再仅仅是法学家和人大代表的专有领域，公民的意见得到了越来越多的尊重、倾听和吸收，成为人大立法的重要参考内容。在人大立法的过程中，广东公民参与的能量得到了越来越充分的释放。

广东省实施依法治省决策的过程，是一个普及法律知识、提升政府官员和普通公民法治意识、完善规范公民有序参与的体制框架的过程，同时又是一个在法制建设进程中不断开放公民参与渠道、引导公民有序参与的过程。公民参与与依法治省相得益彰，前者为后者提供重要的公民智慧，后者则保障前者在法治、有序的情况下得以开展。

（三）探索“民智吸纳机制”

公民意见表达是公民政治参与中相当重要的组成部分。公民意见表达有几个方面，一是表达公民自身的利益需求，希望政府能够通过相关政策措施来改善自己的生活条件或维护自己的切身利益；二是对政府政策提出批评，形成对政策的民间意见（或通过媒体上升为公众舆论），希望政府对存在偏颇的政策进行纠正；三是向政府提供政策建议，针对社会发展问题提供战略性或策略性的建议，期望政府适时调整相关战略或政策策略，以促社会长远发展。

① 毕征：《广东“开门立法”收获全国第一》，《广州日报》2007年5月18日。

其中，后两方面成为公民政治参与过程中，可供政府吸纳的民间智慧的重要来源。

广东公民的意见表达，有一部分是通过官民之间的直接沟通、互动来实现的。随着时代的变迁，广东官民互动的方式、形态、载体也有所不同，形成了广东官民互动自身的特色。

1. 官民互动的早期形态。

广东早期的官民互动主要是通过政府部门开设的政务电话、政务电台以及官员接待群众信访等方式来实现的。

早在1984年9月，深圳市委、市政府就建立了领导干部处理群众及投资者来访制度，规定每星期六上午由市委常委、副市长、副秘书长等领导干部轮流值班，接待群众来访。

1986年元旦开通的广州市“市长专线电话”就是极富代表性的官民互动沟通的渠道。特别是在市长专线电话开通的早期，广州市长或副市长都是亲自接听公众来电，倾听公众呼声，为市民解决实际问题。到2005年，广州市长及下属各职能局的领导重新走上专线电话接听前台，受理群众来电所反映的问题。[①] 次年10月，深圳市也开通了市长专线电话，接受群众监督，倾听群众呼声。[②]

早期的这种官民互动，着重于为普通公民提供向政府官员直接反映问题的渠道，因此这种官民互动的技术条件要求相对简单，官民互动的层次也较低。虽然这种形式也能有效地引导公民参与，疏通政府与官民之间的沟通渠道，但官员在此过程中主要担任公民援助者的角色，而很少成为公民意见和建议的吸纳者。

2. 网络时代的官民互动。

随着改革开放的深入，广东社会逐渐呈现多元化的发展态势。伴随着网络时代的到来，普通公民的意见表达产生了根本性的变化。传统的公民意见表达只能通过市长专线、市长信箱之类的官方

① 深圳市史志办公室编：《深圳大事记（1979—2000年）》，海天出版社2001年版，第88页。

② 深圳市史志办公室编：《深圳大事记（1979—2000年）》，海天出版社2001年版，第170页。

设定的传统渠道，而随着互联网络应用的普及，这种格局完全被打破。随着越来越多的网络论坛的建立，公民可以自由地在网络论坛上发表见解。更为实质性的改变是，公民在网络上所表达的意见，已经不局限于与公民自身利益有关的民生问题，而是拓展到议论时政、点评政府施政得失等领域，公民的社会关怀跃然网上。尽管政府也因应时势发展，适时地建设政府上网工程和电子政府，但电子政府所开辟的渠道也仅仅是公民网上意见表达的众多渠道中极小的一个组成部分。

对于政府而言，公民的网上意见表达是一把双刃剑。如能因势利导，则网友意见可以成为改善政府施政的有益参考，成为提升政府施政质量的民间智慧来源。如处理不当，则网友意见也可能成为误导社会舆论、影响社会安定的不利力量。其中最关键的，还是政府在网络民意面前，如何妥善处理并从中吸纳民间智慧的问题。

2002 年 11 月 17 日，一篇名为《深圳，你被谁抛弃》的文章悄然现身于网络论坛。这篇署名为“我为伊狂”的 18000 字的长文迅速在互联网上被反复转载，并很快引起轰动，其影响不仅超出深圳、波及全国，甚至引起了海外华人社会的广泛关注。2002 年 12 月 12 日，《南方周末》率先以《深圳谋划转身——万言书轰动深圳朝野》为题，详细报道了此文及由此所带来的深刻影响。该文引用深圳市政府一官员的话说：“读后感慨万千，一夜未眠。”在短短的一个多月中，该网文就受到了《南方周末》、《南方日报》、《南方都市报》、《国际金融报》、《经济观察报》、《中国青年报》、《北京青年报》、香港《大公报》、《香港商报》、香港《明报》、香港《经济日报》、凤凰卫视中文台、新加坡《联合早报》等境内外十几家主要媒体的关注和报道。[①]

更为轰动的是，2003 年 1 月 19 日上午，时任深圳市长的于幼军在广州会见了《深圳，你被谁抛弃》一文的作者、网名为“我为伊狂”的呙中校，进行了长达两个半小时的谈话，一时被传为

① 我为伊狂：《深圳，谁抛弃了你》，江苏人民出版社 2003 年版，第 214 页。

佳话。面对这篇甚至被香港部分媒体称为“唱衰深圳”的文章，于幼军给予了肯定的评价。凤凰卫视时事评论员何亮亮认为，“这篇文章引起了市长本人非常正面的回应”，“这个事情在中国内地应该算是破天荒”。[①]

网友的批评文章引起市长关注并获积极评价，这在改革开放的广东又开创了一个先例。更为重要的是，于幼军的这一创举，不但体现了一个政府官员对公民网络意见表达的尊重和理性对待，更表现出政府在直面网络民意、吸纳民间智慧上的独到眼光和莫大的诚意。

2008 年初，广东省委书记汪洋、省长黄华华在 3 个月内与网友三次互动，成为广东官民互动的新佳话。第一次互动发生在 2008 年 1 月的广东“两会”期间，有网友发帖邀新任广东省委书记的汪洋网聊，汪洋积极回应，表示“以后会有机会的”。2008 年 2 月 3 日，广东省委书记汪洋、省长黄华华联名给广东网友写信，表示“对共同关心的话题，我们愿意和大家一起‘灌水’；对于我们工作和决策中的不完善之处，我们也欢迎大家‘拍砖’”。该信发出后引起网友热烈反响，不到 3 小时就获得了 17 万人次的点击量。[②] 其后，网友在网上积极建言，出现了具有相当强的针对性和建设性的 10 篇帖子，内容涵盖了广东未来发展问题的方方面面，被网友称为“岭南十拍”，受到汪洋的肯定。4 月 17 日，汪洋、黄华华及有关单位负责人共同约见了金心异等 26 名网友，听取网友对广东科学发展的意见建议。广东省委、省政府举办的新一轮官民互动活动，进一步表明了党委和政府正视网络民意的远见和诚意，为政府深入了解民意、吸纳民间智慧进一步打下了基础。

3. 民意吸纳呼唤官民互动的规范化。

从早期的市长专线专邮到网络时代的“网上拍砖”，意味着一种全新的官民互动模式已经形成，民间意见从个体化的利益诉求转

---

① 我为伊狂：《深圳，谁抛弃了你》，江苏人民出版社 2003 年版，第 215 页。

② 田霜月等：《要把网络呼声及时纳入决策》，《南方都市报》2008 年 4 月 18 日。

向了具有社会公共关怀的政策批评和建议；从于幼军到汪洋和黄华华，从“我为伊狂”到金心异等26名网友，意味着广东官民互动的模式又产生了新的变化，政府对民间意见的吸纳从被动转向了主动、从事后应对转向了事前倡导。

官民互动的真正意义，不在于在网络时代吸引眼球以树立政府或官员的亲民形象，而在于通过官民网络互动，政府得以广开言路、听取各方意见，为科学执政提供更完整的信息支持，避免陷入政策盲点之中。不过，尽管广东已经两度出现网络时代官民互动的佳话，但到目前为止，仍只能算是为数不多的典型案例。更深入的官民互动，需要进一步的规范化支持。

在4月17日的互动中，规范化的互动构思已现端倪。黄华华指出，网民的不少意见已经成为党委、政府科学决策的重要依据，这是政府吸纳民意辅助决策的良好开端。汪洋则提出要“构建充满活力、和谐有序、建设性的网络民主平台”，并提出了四条建议：“每年一次两次请网友谈一谈有什么高见；省委省政府办公厅每周收集一些网上集中讨论的问题送到省委省政府领导手上，供决策参考；研究室可以不定期约见发表高见的网友；宣传部可以设立专门机构联络网友，开邮箱纳民意。”① 此外，制度化和规范化只是深化官民互动、吸纳民间智慧的一个操作性基础。更为重要的是，良性的民意吸纳机制还需要宽松的言论环境。正如汪洋在网友见面会上对自称“在网上发言比较放肆”的金心异所说的那样，“你今天仍然可以‘放肆’，否则就没有个性了”②。只有在“言者无罪”的情境之中，公民的议政热情才能得以充分发挥，民间智慧才能顺利地传导到决策者手中。

公民是政府施政的重要客体，在政府施政过程中，民间意见无疑是实现政策科学性、有效性的重要参考。随着“构建和谐有序网络民主平台”的观点的提出，可以预见广东公民网络意见表达

---

① 田霜月等：《要把网络呼声及时纳入决策》，《南方都市报》2008年4月18日。

② 田霜月等：《要把网络呼声及时纳入决策》，《南方都市报》2008年4月18日。

将会纳入到更为自由、理性、规范、有序的渠道，而公民网络政治参与也可期望释放出越来越大的能量。

小　结

公民政治参与是民主政治发展的基础，正如亨廷顿所言，“政治参与扩大是政治现代化的标志”①。从某种意义上讲，从公民政治参与的水平，可以衡量一国或地区政治现代化发展的程度。改革开放以来广东公民政治参与的发展，成就突出，影响深远，为广东政治文明建设的进一步发展开拓了新的空间。

首先，广东创造了公民政治参与的新模式。改革开放 30 年来，在广东省委、省政府和省人大不遗余力的推动下，广东公民政治参与的方式和渠道不断拓展，并产生了良好的社会效应。广东通过不断的实践和探索，逐渐创新了由官方推动、政策促进和法制保障的合力所构成的、以多种参与方式和渠道为代表的具有广东特色的公民政治参与模式。广东所开创的公民参与新方式和新渠道，如市长专线、羊城论坛、立法听证、人大代表竞选等，往往都开国内风气之先，引领着改革开放以来中国公民政治参与的潮流。

其次，公民参与培育了一批现代公民。公民参与是民主政治的基础，它在广东这片改革开放的热土上引领普通公民在尝试和实践民主政治的基本技能，培养普通公民的民主政治素质。在广东公民政治参与的发展过程中，涌现了一批为公民权益奔走呼号、为公民权利而自主竞选、为实现自身权益而积极行动的公民，他们在其自身向现代公民迈进的同时，也向其他公民展示着一个具有政治权利意识的现代公民的产生过程，具有典型的政治社会化意义。在这个过程的背后，一个具有现代参政意识的公民群体正在成长。

再次，公民参与孕育了政治制度创新的种子。改革开放以来广

① ［美］塞缪尔·亨廷顿、［美］琼·纳尔逊：《难以抉择：发展中国家的政治参与》，华夏出版社 1989 年版，第 1 页。

东公民政治参与的发展过程是一个不断创新的过程，其中包含对社会主义民主政治具体实践的大量探索，包括乡镇长三轮两票制竞选、区级人大代表竞选等新的尝试。这些尝试一方面给普通公民带来新的政治生活体验，另方面也孕育着新的民主政治实现机制的种子。

广东公民政治参与所取得的成就，得益于广东社会的思想解放和改革创新意识、公民参与的制度建设和依法治省决策的有力实施。这是改革开放以来广东公民政治参与领先发展的最重要的经验。

广东公民政治参与的领先发展，植根于改革开放前沿的思想解放及由此带来的创新意识。公民参与的具体实践是公民与政府双方互动的结果，在改革开放的过程中，广东一直在社会舆论方面持较为宽容的态度，许多重大社会问题得以公开讨论。政府敏锐地感受到了改革开放对广东社会所造成的深刻影响，看到了社会利益分化所带来的公民参与公共事务的实际需要，从而能够打破传统施政理念，开放政府与公众的沟通机制，开辟公民参与渠道。正因为有领先一步的思想解放，广东才有了众多领先于全国的公民参与的举措，在基层民主政治建设上走在了前面。

广东公民政治参与的稳步发展，仰赖于以改善民生、促进参与、保障权益为目标的一系列制度建设。公民参与的制度化，既包括国家宏观政策导向下的制度安排（如市场经济政策对私营经济的肯定、中共允许私营企业主入党等），也包括广东自身的公民参与制度创新，如广东率先提出的依法治省决策及相关的制度安排，以及其后的政府法律顾问制度、法律援助制度、市长专线电话制度、行风热线制度、立法听证制度、政务公开制度等。30年来，广东公民参与中的很多参与渠道都已通过制度化的方式巩固下来，公民参与公共生活逐步走向日常化、程序化、制度化。

广东公民参与的有序发展，取决于依法治省决策的贯彻实施。随着改革开放的深入，广东通过实施“依法治省”决策，通过地方立法逐渐建构起包括规范公民参与在内的法治框架，为广东公民

有序的政治参与提供了根本性的法治基础和制度保障。同时在全省范围内开展大规模的普法行动，普及法治理念，并将公民参与与法制建设相结合，把公民参与纳入立法程序，使法治与公民参与相互促进，力图实现公民参与的有序化。

第十一章
媒体舆论空间的扩展

引　言

媒体舆论空间是公众通过新闻媒体对公共权力、公共政策、公共事件和公共人物披露、监督、评论乃至批评的总和，是公共空间的一种重要形式。在媒体舆论空间中，大众媒体是重要的构成元素。传统的大众媒体分为报纸、杂志、广播、电视四种类型，其中前两种属于平面媒体，后两种属于电波媒体。在我国，平面媒体的言论开放性远远高于电波媒体，而在两种平面媒体中，不仅报纸的新闻时效性和受众广泛性高于期刊，而且报纸媒体具有很强的舆论导向作用，它能够有效地塑造公共意识、引导公共议程、表达公共意见、约束公共权力。所以本章将报纸媒体作为舆论空间的主要载体加以研究。

改革开放以来，我国的报纸媒体发展迅速。其中，广东报业更是一枝独秀、引领潮流，不仅在报业经营上遥遥领先，而且在媒体

舆论上也颇具特色。[①] 30 年来，媒体舆论空间的拓展、开放已经成为广东政治建设、政治发展中一道亮丽的风景。其拓展、开放的历史进程大致可以分为以下三个阶段：

（1）1978 年至 1988 年，是广东媒体舆论空间的复苏期。在“文化大革命”中受到冲击的广东报纸迅速复办，媒体舆论空间也在报业恢复元气之后逐渐复苏。这一时期的典型代表是《南方日报》、《羊城晚报》上热烈的舆论批评，它标志着舆论监督在“文化大革命”之后重回公共舆论舞台。

（2）1989 年至 1999 年，是媒体舆论空间的扩张期。随着市场经济的发展，广东媒体将舆论覆盖面扩张到社会经济生活的方方面面。这一时期的典型代表是《南方周末》的尖锐新闻报道和评论，它标志着媒体舆论空间在横向的报道面上大大扩张。

（3）2000 年至 2008 年，是媒体舆论空间的跃升期。这一时期的典型代表是《南方都市报》的公共评论，它标志着报纸舆论上升到参政议政的高度，广东媒体的舆论空间更上一层楼。

广东媒体舆论空间拓展的历史阶段是由其政治生态、经济基础、技术水平和报人理念等因素决定的，并体现为媒体舆论内容及形态的变迁。以下就以三个时期的典型媒体为例，介绍 30 年来广东媒体舆论空间拓展、开放的历程。

一、媒体舆论空间的复苏

新中国成立初期，报纸上的批评和自我批评是得到鼓励和保护

① 国家统计局 2007 年 12 月 12 日发布的统计资料显示，广东报纸在衡量报纸出版情况的三个主要指标上（种数、印数和印张数）都居于首位。我国公开发行的 1938 种报纸中，广东就有 101 种，超过全国种数的 5%；而在地方发行的 1717 种报纸中（不包含中央的 221 种），广东报纸的比重接近 6%。在印数上，广东所占比重已达到 12%，说明广东报纸在全国发行市场上具有相当的竞争力。在印张数上，广东所占比例远远超过排名第二、第三的浙江、山东两省之和，占全国报纸总印张数的 20%。参见国家统计局《2006 年中国社会统计数据》，2007 年 12 月 12 日，http：//www. stats. gov. cn/tjsj/ndsj/shehui/2006/2006shehui. htm.

的，然而在“文化大革命”期间全国报业受到严重冲击，报纸数量锐减为42家，而广东省仅存《南方日报》一家报纸，舆论监督更是无从谈起。中共十一届三中全会以后，省委机关报《南方日报》成为舆论空间拓展的领头羊，不仅积极参与“真理标准问题大讨论”，为思想解放鸣锣开道，还积极宣传“家庭联产承包责任制”和“扩大企业自主权”，为改革开放保驾护航。值得一提的是，《南方日报》为舆论批评开辟空间，并将舆论批评作为光荣传统引以为傲。[①]《南方日报》开放的舆论空间打消了改革开放初期广大干部群众的种种顾忌，推进了思想解放的步步深入，清除了改革开放的阻碍因素，在思想上保证了改革开放政策的正确落实。

（一）为思想解放鸣锣开道

《南方日报》在“真理标准问题大讨论”中反应迅速、立场鲜明。1978年5月，在《光明日报》刊载特约评论员文章《实践是检验真理的唯一标准》后，《南方日报》立即转载了这篇文章。1978年12月中共十一届三中全会后，《南方日报》连续转载《人民日报》社论《将全党的工作转移到现代化建设上来》、《解放思想、实事求是》、《把主要精力集中到生产建设中来》，并在头版的《南方论坛》栏目刊发署名文章《思想非来一个大转变不可》、《做解放思想的促进派》，全面论述了中共十一届三中全会关于执政党把工作重心从“以阶级斗争为纲”转向以经济建设为中心的重要决定，提出我们不能再让林彪和“四人帮”的紧箍咒禁锢思想了，要解放思想、开动机器、实事求是地把工作重心转移到“四个现代化”的建设中来。除了头版的重稿之外，《南方日报》在二版、三版又邀请人文社科学者撰写《必须坚持实践是检验真理的唯一标准》、《离开实践无法检验真理》、《真理有阶级性吗？——广东哲学学会对真理有没有阶级性的问题展开讨论》、《广东哲学界讨论如何理解“物质可以变成精神，精神可以变成物质”的问题》、

① 南方日报编辑部：《发挥优势　办出特色》，《新闻记者》1983年第1期。

《唯物辩证法只有一个规律吗?》等理论文章，以哲学、社会科学的学理探讨，论证实践是检验真理的唯一标准。

在这场严肃的政治斗争中，广东媒体不仅在哲学理论层面讨论真理标准问题，更在政治路线的高度表明政治立场，有力地批判“两个凡是”、推进思想解放。1979年9月5日，《南方日报》在头版发表社论《真理标准问题的讨论一定要深入下去》，提出“真理标准问题大讨论”是关乎党的政治路线的重大问题。此后，《南方日报》不仅发表了党政机关、普通读者的拥护文章，更有重量级的军队将领表态，如广州部队司令员许世友、政委向仲华对真理标准问题讨论的意见，《省军区各级党委认真讨论真理标准》等通讯都登上了头版头条的位置。1979年9月28日的评论员文章《一项根本性的思想理论建设》更是清楚地表明了《南方日报》的政治立场，文章指出，我们必须旗帜鲜明地批判“两个凡是”，如果不与“两个凡是”的错误观点作斗争，我们的经济工作就上不去。

在推动思想解放的过程中，广东媒体并不满足于真理标准问题讨论的学理探索和政治表态，而是以思想解放推进经济建设，在经济建设中落实思想解放。如1979年1月5日《南方日报》的头版头条《东莞县解放思想大抓备耕》及评论员文章《解放思想，鼓足干劲把今年农业搞上去》，就提出要以实践为标准指导农业工作。与此同时，《南方日报》还积极报道基层真理标准问题的讨论，如《和平县委深入讨论真理标准问题》、《勒流公社开展真理标准问题的讨论》、《湖光农场职工联系实际开展讨论》、《中堂县委认真讨论真理标准　政策是非一目了然　思想更加解放》等一系列报道，并配发评论员文章《在基层开展真理标准的讨论很有必要》，指出人们通过讨论，思想开窍了，干工作有信心了，不以本本和领导人的个人意见作为衡量是非的标准，在拨乱反正和落实政策中遇到的思想阻力就迎刃而解了，能顺利把基层干部群众思想统一到党的十一届三中全会的精神上来。

广东媒体以实践经验作为宣传武器，推动干部群众解放思想。《南方日报》报道思想解放地区喜人的经济效益，以实践经验帮助

干部群众作出正确选择。如1979年3月4日头版头条《这样的社会主义真有吸引力》，介绍了三水县每户分配4000多元的事迹，并提出要敢于开辟“生财之道”，鼓励全省干部群众要大步迈向共同富裕，并提出“社会主义就是共同富裕”。《他们掌握了打开思想枷锁的金钥匙——清远县委以实践检验真理标准指导工作夺取早造丰收纪实》、《产量责任制是农业经营管理的一种好形式——清远县洲心公社的调查》、《过去生产长期上不去，去年一年大翻身——大洞大队在批极左中前进》，这样的文章占据了大部分版面，大幅报道思想解放的喜人成果和实实在在的经济利益，这对思想转不过弯的干部群众有着极强的劝说引导作用。1979年8月25日《南方日报》的社论《解放思想，把经济搞活》更是直接点出解放思想的坚定立场和搞活经济的现实导向。

《南方日报》将思想解放与民主建设结合起来，以实事求是的精神推动社会主义民主。邓小平指出：“解放思想，开动脑筋，一个十分重要的条件就是要真正实行无产阶级的民主集中制。”① 解放思想与社会主义民主互为前提。《南方日报》在1979年初推出“怎样发挥社会主义民主?”系列整版讨论，连续5期发表了《指定代表的做法民主吗?》、《上面圈定队长就是不民主》等读者来信，指出基层政治生活中的不民主现象，并发表评论《发扬民主会不会削弱党的领导》、《发扬民主与加强党的领导是统一的》，表明民主并不与执政党的权威相冲突。当然，在关于民主问题的讨论中也有人认为群众的认识是片面的，“圈定”候选人是必要的，《南方日报》不回避反面意见，全文登载了反面观点并给双方提供辩论的空间。在关于社会主义民主问题的讨论中，涉及好多今天看来仍然尖锐的话题，可见当时广东媒体思想解放的力度之大、程度之深。

① 《邓小平文选》第2卷，人民出版社1994年版，第144页。

（二）为改革开放保驾护航

中共十一届三中全会之后，《南方日报》在第一时间刊发会议公报，并转发了《人民日报》的社论《把全党工作的着重点转移到现代化建设上来》、《把主要精力集中到生产建设上来》。但在改革开放初期，有些地方领导干部对党的方针政策不理解，对《南方日报》对三中全会的宣传有诸多责难和谩骂，认为卷入了错误思潮。《南方日报》在政治争论面前没有退缩，一方面在《思想阵地》《学习信箱》等专栏发表理论文章，反对“阶级斗争为纲”、“阶级斗争，一抓就灵”的错误思想，另一方面在报纸上开展“关于家庭联产承包责任制的讨论”以及“关于扩大企业自主权的讨论”，允许观点对垒以求辨明真理。《南方日报》敢于与反对意见正面交锋，旗帜鲜明地为经济改革政策保驾护航，避免了一些兄弟省市的党报在重大争论面前求稳观望、“钝刀子割肉”的被动局面。①

《南方日报》大力宣传联产承包责任制的优越。1978 年 12 月 6 日的《南方日报》头版刊登《“王法”灵，还是责任制灵?》，报道了三水县南边公社突破“左”的禁锢，实行“三定一奖”的责任制并取得了良好的经济效果。1979 年 2 月 23 日以南海县平洲公社东二大队党支部书记彭柏的切身经历，证明了“平均主义”的极左路线严重破坏了农业生产，以及建立生产责任制的必要性，正面说明联产承包责任制对经济效益的促进作用。针对一部分干部群众跳不出“左”的思想框框、抵制联产责任制的情况，《南方日报》通过树立反面典型的方式，引起讨论并促成政策落实。比如对乳源县委禁止群众推行联产责任制的报道中，《南方日报》在头版头条《这样对待联产责任制行吗?》的总标题下，发表了题为《如此“纠偏”真叫人想不通》的读者来信，揭发乳源县委把实行责任制当作“偏向”来纠正，挫伤了农民积极性，同时又全文发表了乳

① 丁希凌：《办出省报特色来》，《新闻战线》1979 年第 5 期。

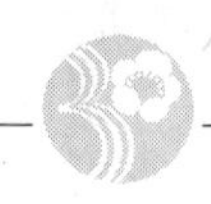

源县委关于联产责任制的“八大危害”的辩护材料。《南方日报》同时发表两篇文章，并写了一个倾向性很强的《编者按》，其中引用了中央文件关于责任制的条文，问道：“如果有的生产队迫切要求实行责任制，当地领导机关却加以制止和取缔，这样做对不对呢？联系产量责任制是不是有‘八大危害’或者五大危害、六大危害呢？希望同志们遵照实践是检验真理的唯一标准这个原则，对这些问题发表意见。”这一报道抓住了全省上下极为关注的重大问题，在当时是非常具有“爆炸性”的，编辑部在一个星期的时间内收到了几百封来信，《南方日报》连续选登了其中的几十封，掀起了关于联产责任制的系列讨论。系列讨论澄清了围绕责任制的种种错误观念，打消了广大干部群众的疑虑，“八大危害”的说法越来越没有市场。

《南方日报》还通过正反两方的观点争论，来辨明扩大企业自主权的利弊。1979年，清远县试行扩大企业自主权。当时人们对此有完全不同的看法。有人认为清远扩大企业自主权的做法兼顾了国家、企业和个人的利益，调动了广大群众的积极性，也有人认为扩大企业自主权的实践没有处理好国家、集体、个人三者关系，企业超计划提成的比例缺乏依据。《南方日报》及时报道正反两面的观点，并在《编者按》中指出，这种不同意见之间摆事实讲道理的争论是大有意义的，真理越辩越明，通过讨论将会完善尚不充分的经验，在把企业搞活、把经济搞活的工作中形成更清晰的认识。在“关于扩大企业自主权的讨论”中，《南方日报》提供平台让各方畅所欲言、集思广益，稳妥地推进企业管理体制改革。最后在1979年12月25日的头版短评中，《南方日报》以《抓住企业自主权这“牛鼻子”》为题，对全省100多个扩大企业自主权试点进行了正面评价，指出目前正面临百家争鸣、万马奔腾的热闹场面，号召全省抓住企业自主权这个“牛鼻子”，推动计划、物资、劳动、财政、银行、外贸、商业等各个部门为企业“松绑”，促进整个经济管理体制的根本变革。短评还批评了要等“红头文件”的观望态度，认为这些同志患得患失，缺少“孙悟空精神”，提出搞“四

化”，面临许多新问题，没有一股子闯劲是迈不开步的。

《南方日报》正是凭借“孙悟空精神”在改革开放之初干部群众思想尚不明晰的时期，鲜明泼辣地反对保守观点，为思想松绑、为农民松绑、为企业松绑、为奋斗在一线的改革者松绑。广东媒体的“敢说”促进了广东全省的“敢闯”，也就促成了广东在经济发展和制度变革中领跑全国，广东能在改革开放中占尽先机，媒体舆论空间对改革开放的鼓与呼是功不可没的。

（三）为舆论批评开辟空间

除了推进思想解放和宣传改革政策，80 年代《南方日报》也以批评性报道和读者来论闻名全国。作为广东省委的机关报，也是广东省内级别最高、最为权威的报纸，《南方日报》在改革开放头十年里并没有走一条四平八稳的党报路线，而是坚持“旗帜鲜明，尖锐泼辣”的办报风格。早在 1978 年党的十一届三中全会召开前夕，《南方日报》就开始了批评性报道，当时广东省内只有《南方日报》一家报纸，但该报并未忽视媒体舆论空间在舆论批评上的重要意义，从 1978 年至 1983 年共发表了批评性消息、评论和来信等共 1002 篇，还不包括不点名的批评和批评报道。这使舆论批评从改革开放初期就成为广东媒体的常态，这在全省媒体中的影响无疑是非常深远的。

《南方日报》允许民众对社会现象进行舆论批评。进入 80 年代，随着新兴社会现象的不断出现，越来越多的读者希望在公共媒体上面表达自己的声音，《南方日报》特此开辟了以批评为主的读者来论栏目。1985 年，《南方日报》开辟了《直言录》、《三言两语》、《改革之声》、《市场漫步》、《农村絮语》等多个读者评论栏目，并在头版增加《对话台》，由群众和记者直接向省党政机关提问，并请有关负责人解答，在群众和政府间架设桥梁。读者来论的特色是短小精悍、观察入微，往往能直截了当地切中时弊，比如《直言录》栏目的个人署名文章就长于从实际出发、一事一议、就事论理，让读者说出想说的话，《三言两语》栏目则善于表达大众对新时期新现象的普遍困惑。《南方日报》在这一时期开辟读者来论的专栏，疏导了民意，宣扬了正气，匡正了时弊，也活跃了思想。这些栏目做到“思想无禁区”、“批评无禁区”，成为当时闻名全国的报刊栏目，被读者称赞“犹如一股春风吹进读者心扉”。①

《南方日报》敢于直接对权力腐败进行舆论批评。改革开放初期的腐败现象虽不太严重，但仍有一部分领导干部非法兴建私房，有些地方甚至出现“书记村”的现象。《南方日报》从1980年8月开始，连续批评了顺德县长吕根非法兴建“吕公馆”，四会县委书记宋树声非法兴建“花园别墅”，龙川县长、县委书记魏昆等五名县委常委非法为自己和子女营造高级住宅的严重错误行为。来自媒体的舆论批评是有力的。经《南方日报》曝光之后，这些干部受到了强大的社会舆论谴责，不得不纠正自己的行为，有的还受到了党纪处分。又如当时的英德县委书记压制民主、打击报复，将反映真实情况的举报当作“反革命信件”追查，使得县级机关好多干部惶惶不可终日。1983年1月4日《南方日报》在头版头条位置发表了读者来信——《向党报反映情况引起轩然大波——英德县委主要负责人动用专政工具追查写信人》，同时发表评论员文章《是宪法大，还是县委大?》，严厉批评英德县委书记的错误行为。这一批评一度成为全省的舆论中心，相关责任人得到应有的处理，这篇报道和评论也成为县委书记会议的材料。②

《南方日报》的舆论批评是热烈而持续的。当时的总编辑张琮非常重视报纸在舆论监督方面的作用，他认为：“报纸应该有所作为，无论何时都不能忘了舆论监督这个功能……人有人格，报有报格，其中最重要的是无私无畏，不然，办一张不痛不痒的报纸有什么用?”③ 他制定了一条不成文的规定：平均一年至少8篇批评稿上头版头条，平均一个半月有1篇批评稿上头版头条。在头版头条

---

① 古凡：《〈南方日报〉的新面貌》，《中国记者》1985年第3期。

② 陈培：《报纸要敢于和善于批评》，《新闻记者》1983年第8期。

③ 李敏：《无私无畏办出“报格”——访原〈南方日报〉总编辑张琮》，《汕头日报》2007年9月25日。

刊发批评性稿件，是80年代《南方日报》的创举，展现了新时期党报的战斗风范。当时的一句口号是“不拘一格选头条”，从婚姻陋习到物价问题，从违法违纪到困难群众生活，只要是人民群众关心的问题，无论批评哪个部门，都可以放到头版头条的位置。[①]这一时期的批评报道以系列报道为主，新闻批评持续多期以引起公众注意，如1988年6月间的一起流氓案经《南方日报》连续68篇稿件和10多张照片的连续报道后，引来读者强烈关注，并使罪犯被绳之于法，收到了良好的舆论批评效果，并得到了省有关部门的表扬。[②]

《南方日报》不仅敢于刊发批评性报道和言论，更善于把握批评的方式，注重批评的艺术。按照宣传惯例，对负面新闻只搞典型报道，不搞综合报道，不能给读者造成一团漆黑的错觉。为了突出主流，《南方日报》经常创造性地将负面新闻转化为正面新闻，比如，在1982年关于邮电工人揭发潮阳县邮电局长包庇纵容走私的报道中，原本的批评性报道被转化为表扬邮电工人庄惜英不怕打击报复，坚决同坏人坏事作斗争的报道，树立了一个正面形象。

作为省委机关报，《南方日报》在头版显著位置刊登有分量的批评性报道，在4个版面的有限空间里发表大量读者言论，“旗帜鲜明、尖锐泼辣”地与丑恶现象作斗争。这极大地带动了广东媒体开放舆论空间。在《南方日报》等报纸媒体的影响下，广播、电视系统也通过现场报道的形式进行批评报道，发挥广电系统在舆论空间中即时报道的独特作用。省内各种媒体对社会丑恶现象的批评报道，使得一些“老大难”问题得到不同程度的解决，人民赞扬它们“为人民说话、为人民除害”。[③]

① 魏文秀：《〈南方日报〉深化改革，成绩喜人》，《新闻爱好者》1988年第9期。

② 黄峨：《一起流氓案，牵动万人心——记〈南方日报〉的一次连续报道》，《中国记者》1989年第4期。

③ 谢烽：《广东省新闻改革迈出新的一步》，《新闻战线》1988年第2期。

二、媒体舆论空间的扩张

1984年2月11日，《南方周末》创刊。作为《南方日报》的补充，当时的《南方周末》充其量只能算是一份文化娱乐小报。但在随后的发展中，《南方周末》异军突起，不仅成为广东拓展媒体舆论空间的突击手，而且获得了全国性的声誉。本节主要以《南方周末》为例，叙述广东媒体舆论空间扩张的故事。

（一）直面市场经济

《南方周末》的口号是“记录时代进程”，该报对于时代脉搏的把握是相当精准的。在百姓文化生活相对贫瘠的80年代，它以文化娱乐丰富百姓生活，进入90年代，特别是在邓小平发表南方谈话以后，市场经济逐渐成为《南方周末》关注的重心。

1992年12月11日，《南方周末》将位于第二版的《文海撷英》版改为《经济与人》版，这标志着对市场经济的直面关注。该版关注从计划经济向市场经济转轨中的热点问题，如《中国经济：又成脱缰野马?》、《1993：中国是“热”还是“冷”?》对我国宏观经济形势进行分析，《人民代表大会——不请企业家参加能行吗?》、《青岛行》等文章则表明政体改革、经济立法对于促进市场经济的不可或缺。该版立足广东，面向全国，如《深圳话题：私人能收购国营企业?》、《广州，有这样一群“下海者”》，介绍广东经济生活中的新气象，而《“炒更”走进大上海》、《多姿多彩的温州》则描述了全国其他地方市场经济孕育过程中的新现象。

《经济与人》版上对经济学家的专访和报道则包含对市场经济的呼唤。一方面，它通过专访那些主张市场经济的经济学家，发表《吴敬琏“侃”股票》、《京城近访于光远》等文章，为市场经济摇旗呐喊。另一方面，则发表《蒋学模古稀之年从商记》等文章，以表明市场大潮波涛汹涌：复旦大学的蒋学模教授在经济学界有很高的声望，他主编的《政治经济学》曾风行一时，商品经济大潮

涌起，蒋教授的书斋也不再平静，他与复旦经济学系几位年轻教师创办了“头脑型”顾问公司“复兰德经济顾问行”并担任董事长。《南方周末》对此加以报道，意在说明市场经济势不可当，连年近古稀、过去研究计划经济的学者也要下海“潇洒走一回”。

《南方周末》不仅呼唤市场经济，而且呼唤规范的市场经济。比如，1993 年 7 月 2 日发表的《通货膨胀抑或“通货腐败”?》指出，当前市场经济运行中最棘手的问题是严重的“通货腐败”，治理“通货腐败”必须毫不手软地将权力挤出金融领域，首要的不是收缩货币，而是“收缩银行”，狠治金融界的混乱现象。再如，《“换汤不换药”新探》批判某些政府部门仅以“某集团公司”招牌替下“某局”招牌，就号称成功转变了政府职能。又如，《政府“衙门”大拍卖》则讽刺地方政府将土地变成黄金的“卖地财政”，《叹息的大地——深圳市宝安龙岗两区占地问题透视》则直指开发商违法圈地的制度根源。《南方周末》还积极为完善市场经济建言献策，如《户籍制度和人事档案制度——市场经济的“拦路虎”》、《无影灯下的“红包”现象》、《悄然兴起的羊城私营广告业》、《“贵州醇”风波与知识产权》、《商标抢注——市场经济的冷面杀手》等文章，就针对市场经济中的户籍制度、知识产权保护等问题陈明观点，并建言献策。

（二）维护消费者权益

随着市场经济的不断深入，各种与市场经济相伴生的社会热点问题也层出不穷。在诸多问题中，假冒伪劣商品问题与群众生活息息相关且政治敏感度不高，成为 90 年代中国媒体舆论空间扩张的突破口。一度冷却的公共舆论借由“质量万里行”、“王海打假”等公共事件重新活跃起来，《南方周末》也在维护消费者权益的运动中脱颖而出。

在中国市场经济发展的初期，由于法律法规尚不完善，经济伦理发育不全，大量的假冒伪劣产品充斥在 90 年代繁荣的商品市场中，它们严重危害着百姓的健康和生命财产安全，损害着国家的利益。《南方周末》在这样一个特殊的历史时期，不仅为假冒伪劣产品的受害者讨回公道，更致力于保障平民百姓的基本生存权和知情权，深入揭示滋生假冒伪劣产品的制度土壤和社会土壤，在全国媒体对消费者维权的报道中，以其尖锐性和深刻性获得读者认同。如1997年1月24日《肯塔基惹起布衣之怒》、2月8日《兮下海口，‘巨人’（公司）难收场》、3月21日《把所有索尼产品撤下来》和5月16日《周林公司伪造了些什么》等报道，无不洛阳纸贵、反响强烈。1998年4月3日头版头条《这厂那厂全是假烟加工厂，追假打假千辛万苦求灭假》一文讲述了有关部门在广东潮阳和福建云霄打击假烟生产者的故事，深刻揭示了造假的根源和打假的阻力所在。1998年2月6日头版头条《朔州毒酒惨案目击》反映了震惊全国的有毒假酒在新春之际吞噬数十条生命的重大事件。《南方周末》的《消费广场》版还专门刊发维护消费者权益的报道，如1998年1月9日的《118名消费者告倒“神鞋”》，1998年1月30日的《终于有人站出来了——清华学生、北大律师起诉中国电讯》，掀起了有关铁路乱收费、电信业乱收费的全国性大讨论，对我国方兴未艾的消费者维权运动起到了推波助澜的作用。①

与一些媒体报道不同之处在于，《南方周末》的策略是塑造中国消费者权益维护示范者的形象。这些示范者就是王海等人。当一些媒体将王海戏称为“刁民”的时候，《南方周末》却将王海等称为“我们自己的英雄”，并在1997年与1998年“消费者权益日”前夕分别以“1997个人打假群英会”和“1998消费者维权群英会”为题，推出对王海、丘建东、李新荣、刘政军等一批消费者权益运动先进个体的集中报道。值得注意的是，报道标题中从“个人”到“消费者”、从“打假”到“维权”的用词变化，体现了消费者权益保障运动的扩展性成果。《南方周末》也因此成为消费者权益维护领域中的“风中之旗”，成为守卫消费者权益的护法

① 田秋生：《〈南方周末〉的舆论监督特色》，《暨南学报》（哲学社会科学版）1999年第5期。

"南天王"。①

（三）揭露权力腐败

90 年代末期，中国的改革进入了攻坚阶段，经济体制改革难度加大，而法制建设和廉政建设又刚刚起步。在这一时期，如果缺乏来自公共媒体的有力监督，改革将会更加艰难。此时的《南方周末》以"彰显爱心、维护正义、坚守良知"为办报宗旨，拒绝权力与金钱的诱惑，立足平民立场，甘当人民群众的代言人。

《南方周末》的声名鹊起与当时的政治环境有着直接的关系。90 年代后期，中央大力推进廉政建设和法制建设，扶植新闻媒体的舆论监督。1999 年 10 月中宣部召开"典型宣传、热点引导、舆论监督座谈会"，更是把舆论监督作为新闻宣传的"三大工程"之一加以强调。朱镕基等中央领导对媒体舆论极为重视，广东省委书记谢非等领导也对《南方周末》特别关照。所有这些都促使《南方周末》的舆论批评在 90 年代显得更加强劲有力，某些媒体慎之又慎的揭露性报道，在《南方周末》那里则是司空见惯，俯拾皆是，仅 1998 年的头版头条就有如下揭露性的选题（见表 11－1）。

《南方周末》的批评报道首先指向官吏腐败，因为官吏贪腐是对公权力的滥用，它直接损害人民的利益、国家的利益，关系到执政党的命运。因此，《南方周末》对官吏腐败加以毫不留情的揭露。如 1997 年 11 月 7 日的头版头条《靠陈希同发迹的蛀虫》一文揭露的是腐败官员刘金生，此人在担任北京市延庆县委书记期间先后从八达岭区调动资金 174 万元，并以出国考察为名向县财政索要 41 万元供自己挥霍。1998 年 4 月 24 日头版头条《三贪官卖官鬻爵终落法网　一市长拘留所内忏悔万言》则揭露被称为"杨善人"的贪官杨善修，此人在升任河南安阳市长之际，曾口口声声说自己是农民的儿子，要用毕生精力回报党和人民，然而正是这个杨善修在任期间参与卖官 18 起，收受贿赂折合人民币 1519 万元。

① 洪兵：《〈南方周末〉与中国消费者权益维护运动》，《新闻大学》1998 年第 2 期。

表11-1 《南方周末》1998年头版头条标题

日期	标题	作者
1月9日	《昆明在呼喊:铲除恶霸》	余刘文等
2月6日	《朔州毒酒惨案直击》	郭国松
2月13日	《四川筠连黑枪事件》	章　夫
3月13日	《西安大爆炸连烧三日　七消防队员以身殉职》	赵世龙
3月20日	《养鳗大王抛出金钱美女　银行干部拱手相送12亿》	王广祥等
3月27日	《工人投票罢免渎职厂长　齐齐哈尔连发三起血案》	戴　煌
4月3日	《这厂那厂全是假烟加工厂　追假打假千辛万苦求灭假》	骆汉城等
4月24日	《三贪官卖官鬻爵终落法网　一市长拘留所内忏悔万言》	孙保罗
5月1日	《扣押六人质要求退货赔款　梦碎坪塘传销客落魄归乡》	赵世龙
5月22日	《惩治腐败裁减官员实施新政　董阳变法遭遇强敌惨败河口》	郭国松
6月5日	《中国烟王褚时健惹风波　玉溪红塔集团索赔1000万》	谢方伟
6月12日	《岳阳6.8亿集资案宣判　市委领导表示一查到底》	方三文
6月19日	《调查组与群众究竟谁在说谎　一份难以服人的"调查报告"》	郭国松等
7月3日	《偷漏税一亿成难言之隐　恩威不服如何一洗了之》	刘洲伟
7月10日	《一个农民向一群官僚分子宣战　十年血泪诉讼屡败屡战》	陈　骥
7月31日	《挪用巨额收购金兼受贿卖官　"霍邱"粮鼠猖獗惊动国务院》	朱　强
8月7日	《为保住耕地众村民十八次上访　求法治选村委三番仍未果》	连清川等
8月14日	《我们的勇气和抗争精神》	赵世龙等
8月21日	《同舟共济中流击水三千》	方三文等
9月18日	《耗费亿元制造抗旱神话　样板工程原来漏洞百出》	郭国松
9月25日	《老太太告房地产管理局　私人产权应该怎样保护》	方进玉等
10月16日	《粮食系统6年亏空2140亿　总理点将5万审计员上阵》	刘洲伟
10月23日	《五父子称霸固县小张村　四村民查账惹杀身之祸》	朱　强
11月13日	《一个残疾弃婴的四十小时》	翟　迪
11月20日	《少年天宝的火车流浪生涯》	陈菊红
11月27日	《书记专员突击签字调人　机构膨胀积重吃饭财政》	鄯宝红等
12月11日	《耗资3.8亿通车18天断毁　"坑人路"内幕何时揭开》	尹鸿伟

《南方周末》的批评报道不仅针对官吏腐败，而且指向与之相联系的司法腐败。《南方周末》的《人与法》版矛头就直指司法腐败，披露了大量冤假错案，反映一些素质低下的执法人员以违法的方式行使权力，大搞刑讯逼供，以案生财、以权谋私。如《一桩

出自公安局的命案》一文披露了一起典型的刑讯逼供案：湖北郧县公安人员李全冒、王军怀疑青年职工张明波盗窃电脑，在无任何证据的情况下，将其带回公安局，对其施以酷刑并最终将张折磨致死。又如《一个派出所的生财之道》则揭露了一件以案生财的典型案件：某派出所所长林志荣等人，不处罚卖淫妇女和容留、介绍妇女卖淫的饭店老板，专抓嫖客罚款生财，并对涉嫌嫖娼人员辱骂殴打、刑讯逼供，从而酿成重大恶性刑讯逼供事件。[①]“维护正义”是《南方周末》三大办报宗旨之一，《南方周末》通过对司法不公的揭露，以媒体舆论的批评来替弱者伸张正义。

《南方周末》对权力贪腐案件的持续报道，大大扩张了中国媒体的舆论监督空间。该报也在 90 年代后期“一纸风行”，成为我国第一个发行量过百万，以自费订阅为主的大型周报。《南方周末》深刻影响了这一时期全国各个媒体，中央电视台的《焦点访谈》也学习其选题与报道经验，并获得中央领导“舆论监督，群众喉舌，政府镜鉴，改革尖兵”的赞誉。以致这一时期有“南有《南方周末》，北有《焦点访谈》”的说法。以《南方周末》为代表的广东媒体率先点燃燎原之火，致使全国媒体舆论报道空间大幅扩张。[②]

三、媒体舆论空间的跃升

如果说，在 20 世纪 90 年代的广东媒体舆论空间中，《南方周末》几乎是一枝独秀，那么，进入 21 世纪后，广东媒体的舆论空间则大为扩展。在此阶段，广东媒体舆论空间的拓展已经跃升到关注公民权利、推动法治进步、促进民主发展的政治文明高度，公共舆论空间的开放进入了一个新的时期。

---

① 田秋生：《〈南方周末〉的舆论监督特色》，《暨南学报》（哲学社会科学版）1999 年第 5 期。

② 方汉奇、陈昌凤主编：《正在发生的历史：中国当代新闻事业》（上），福建人民出版社 2002 年版，第 361 页。

（一）报道“孙志刚案”：推动法治进步

2003年3月17日晚上，大学毕业生孙志刚因为没有携带任何证件而被天河区黄村派出所民警李耀辉带回派出所，孙志刚在派出所辩解自己有正当职业、固定住所和身份证，但李耀辉拒绝孙志刚的朋友“保领”他的请求，将孙志刚作为拟收容人员送至广州市公安局天河区分局待遣所。3月18日晚，孙志刚因病被从待遣所送往收容人员救治站。3月19日晚至3月20日凌晨，孙志刚在救治站遭工作人员以及其他收容人员的连续殴打至死。其亲属南下广州，上访投诉几十天却毫无结果。

2003年4月25日，《南方都市报》发表陈锋和王雷的报道《被收容者孙志刚之死》，率先报道“孙志刚事件”，并配发评论员文章《谁为一个公民的非正常死亡负责》。事件被《南方都市报》报道后，其他媒体纷纷转载并进行追踪采访。《南方周末》发表头版评论《绝不能出现第二个孙志刚》，《二十一世纪经济报道》也发表了“孙志刚案”的新闻评论，《深圳特区报》也对此案进行了报道。随后，“孙志刚案”引起了法学界人士的强烈关注和公开呼吁。2003年4月29日，余樟法、杨支柱等百名人士致信全国人大，呼吁废止收容遣送和暂住证制度。随后，旷新年、李陀等五位学者致信全国人大，呼吁改革收容和暂住证制度。5月14日，滕彪、许志永、俞江三位北大法学博士向全国人大常委会递交《关于审查〈城市流浪乞讨人员收容遣送办法〉的建议》。5月23日，贺卫方、萧瀚等五学者致书全国人大常委会，就孙志刚案及收容遣送制度实施状况提请启动特别调查程序。①

媒体联动产生了强大的舆论攻势，引起了更大范围和更高层次的关注。6月4日，23名政府官员因对孙志刚事件负有责任而受到从记过到撤职的处分，孙志刚家属也得到了应有的赔款。6月9

① 陈锋、郑悦：《令一部陈规作古的报道》，展江、白贵主编：《中国舆论监督年度报告（2003—2004）》，社会科学文献出版社2006年版，第14页。

日，经广州市中级人民法院公开开庭审理，孙志刚案主要涉案人员被一审判决死刑。6 月 18 日，国务院常务会议审议并原则通过了《城市生活无着的流浪乞讨人员救助管理办法（草案）》，该办法草案经进一步修改后，由国务院公布施行。

施行了 21 年的《城市流浪乞讨人员收容遣送办法》宣告废止，媒体呼吁得到了国家决策高层的回应。虽然全国人大常委会并没有对北大三博士关于《收容遣送办法》是否违宪作出判断，但新的《救助管理办法》的出台作为一种制度推进，毕竟标志着法治的进步。而这一进步初始于一家广东媒体的大胆报道，中经法学界人士在媒体中的公开呼吁，终于得到权威部门的回应，这在新中国政治史和新闻史上还是头一次。以《南方都市报》为杰出代表的广东媒体，以其敏锐的时代嗅觉捕捉到当代中国维护公民权利、落实宪政承诺的发展趋势，以巨大的政治勇气和历史使命感，树立了一个标志媒体舆论空间跃升的里程碑。

（二）打造“时评盛宴”：广开议政言路

“时评”是时事评论的略称，是以议论时事为内容的评论，是表达政治观点最为直接、构建舆论空间最为有效的新闻手段，因而也最具政治敏锐性。2002 年 3 月 4 日，《南方都市报》开风气之先，在全国首辟时评版，从而引爆了全国的时评热潮。2004 年 3 月 1 日，《南方都市报》将时评版分为“社论”和“个论”两版，邀请海内外知名学者和记者供稿，大大提升了时评版的理性和深度。[①] 据 2005 年之前时评版的抽样统计，《南方都市报》的时评 66% 都配有插图，这大大提高了时评文章的阅读率，在时效性方面，该报针对当日新闻的言论约占 12.7%，针对昨日新闻的约 30.3%，针对前日新闻的占 25.4%，针对近期新闻的占 25.3%，

① 谭梦玲、董天策：《打造“思想的圆桌会议”——〈南方都市报〉时评版简析》，《新闻记者》2003 年第 11 期。

没有时效，仅仅表达观点的文章几乎没有。①

《南方都市报》的时评不仅具有强烈的时效性与针对性，而且往往有着高度的可读性与易读性，起到了传达意见、评议政事、启蒙思想、培育民智的历史作用。《获得政治认同是最大的执政能力》、《重申和重温中国共产党的民主追求》、《颜色革命与革命的颜色》、《高官知识背景的历史逻辑》等评论文章大胆讨论执政党政治合法性获得与巩固的问题，为执政党的建设和政治发展建言献策。《和谐社会：公民社会为基，宪政秩序为纲》、《宪法的尊严源自为民所用》、《三十年纪念：为了更改革更开放》、《解放思想必须以世界进步为参照》、《人民不幸福，崛起是空话》等文章则对宪法秩序与大政方针发言，以民间的立场捍卫宪政框架下的政治文明。《钉子户，挺住！》、《渎职官员免刑，矿难如何遏制》、《PX 项目暂缓，政府切莫误读民意》、《散步是为了遇上可说服的市长》、《“爱国”病毒败坏中国人声誉》、《拒绝回应虎照真伪，政府部门自毁公信》、《网上问总理，意义有几许》等等时评，针对的是影响一时的公共事件，但其实质是对普世价值的捍卫和对民主法治的追求。

另一份以评论为特色的广东报纸是《南方周末》，其评论文章更重思想的深刻性和历史的厚重感。除了上面提到的“孙志刚事件”中《决不能出现第二个孙志刚》的评论，这一时期比较有影响的评论还有对“孙大午案”的专评：《做一个正直的企业家，不容易》（茅于轼）和《孙大午需要人身自由，还是清白名分?》（王怡）。这些学者的言论大大增强了媒体舆论空间的深度、广度、力度和厚度，同时也为知识分子评政议政开辟了一条宽广的言路。

（三）还原“非典”真相：捍卫公民知情权

2002 年底至 2003 年初，一种被命名为“非典”的传染性疾病

① 丁玲华、唐天啸：《“短、平、快”：时评版的制胜之道——以〈南方都市报〉时评版为例》，《新闻知识》2007 年第 6 期。

在广东蔓延。由于缺乏及时公开的报道，“肺炎流行”的谣言由于恐慌开始蔓延，并导致市民抢购白醋、板蓝根、维生素的风潮。2003年2月8日起，人们通过短信传递“广东发生致命流感”的消息，据广东省移动通信公司的统计，2月8日的短信量有4000万条之巨，2月9日达4100万条，2月10日4500万条。①

广东媒体为了向公众报道真相，甚至不惜突破宣传禁区，使谣言止于智者。2003年2月10日，广东省有关部门下发通知：“省内各级新闻单位一律不得采访报道在我省个别地方发现的不明原因呼吸道感染的病例一事，各新闻单位要严格保密，不得泄密，不得扩散。”然而《羊城晚报》当日在头版A1版率先刊发《广东发现非典型肺炎病例》的消息，当天晚报一出街，即被抢购一空，这是全国媒体第一次直面谣言、披露疫情，打响了“非典”报道战的第一枪。2月11日，广东省有关部门又通知：“省卫生厅将召开新闻发布会，有关领导和专家将通报我省非典的情况，请各报纸在二版刊登（不要上头版）。”2月11日，广州市政府召开新闻发布会，《羊城晚报》当天在头版以《病情已控制，市民毋须恐慌》为题报道了新闻发布会的内容，首次公布了疫情。《南方都市报》也在头版发表《专家辟谣：恐慌完全不必要》和《省政府请市民放心》两则报道。

随着12日放开报道，民众对真实情况了解增多，谣言也自然被遏制了。2月12日，《羊城晚报》在头版《中央领导高度关注广东病情》、二版《传染情况没有想象的严重》的大标题下，从医院、药店、物价各个层次一口气刊发了19篇报道，全面向民众介绍当前的情况，消除社会不安，同时还公布了广东省内6城市的病例，做到疫情公开。《南方都市报》12日发表《广州前日新病例首次为0》和《广州前日已无新病例》两篇报道，为民众疏解紧张情绪。《南方日报》、《广州日报》也都在显著位置或以“特别报道”

---

① 张君昌、郑妍：《媒体舆论与全民动员——中国传媒抗击非典报道全景透视》，《现代传播》2003年第6期。

的形式做了报道，并组织言论平息谣言。13日，《羊城晚报》头版大字标题《放心！广东备有百日盐半年粮》，以权威的声音和准确的数据迅速遏制了谣言，平息了抢购风潮。

至此，广东各地社会生活中的恐慌情绪基本消除，广东媒体开始对“非典”风波进行反思。一方面报道省市政府查处在抢购风波中囤积居奇、哄抬物价的奸商，另一方面则开始回顾整个事件过程：《羊城晚报》从传播、心理、德商、机制、传媒等角度连续几天对“两大事件”进行反思，《新快报》也策划多个专题反思政府、媒体、商家、市民的表现，《南方都市报》每天发表评论分析谣言产生原因，反思市场经济道德，评论政府机制等等。

在这次媒体战役中，广东报纸可圈可点之处有很多。在“非典”前期的紧急时刻，为了公共利益和及早平息谣言，以《南方都市报》为代表的广东媒体敢于突破宣传禁区，还原事实真相，捍卫公众知情权，其精神与做法难能可贵。事后证明，在紧急状况下勇于突破宣传禁区的做法，不仅与党中央对“非典”的处置态度高度一致，同时与人民的利益高度一致。在“非典”中后期，某些媒体对真相曾有所隐瞒，直到瞒报高官被免职才放开报道，而广东报纸却又一次走在了全国媒体的前面。

小 结

30年来，广东媒体舆论空间迅速从“文化大革命”的沉睡中复苏，在90年代开始扩张，于新世纪跃升到新的高度。回顾30年来广东媒体舆论空间的拓展，可以用“开放适度，包容多元”来概括其发展特征。

“开放适度”的第一层含义是指广东媒体思想开放，敢于突破舆论空间的瓶颈，推动媒体舆论空间从复苏到扩张，再到跃升的层层推进。“开放适度”的第二层含义是媒体舆论空间的内容开放，无论是《南方日报》的批评性稿件，还是《南方周末》纵横全国的舆论批评，无论是“孙志刚案”、“非典”风波中的大胆报道，

还是时评中随处可见的指点江山，广东媒体都以其他许多媒体并不具备的内容开放性，支撑起强大的媒体舆论空间。“开放适度”的第三层含义是媒体舆论空间形式的开放性，广东媒体不仅将报道和言论结合起来，而且将文字和图片结合起来，多种形式并用使舆论空间更加成熟和开放。“开放适度”的第四层含义是指广东媒体思想上、内容上和形式上的开放都是有序的，在执政党的领导下进行的，因而也是适度的。

“包容多元”的含义是广东媒体对各种观点兼容并蓄。观点的多元差异是公共舆论空间的一个重要特征。面对中国转型社会刚刚出现的利益多元化局面，一个成熟的公共舆论空间是包容异己、求同存异，媒体的责任就是对各种观点兼容并蓄以支撑多元的公共舆论空间。无论是《南方日报》关于经济体制改革政策的讨论，还是《南方周末》、《南方都市报》上常见的观点对垒，广东媒体乐于给读者留下思考空间，而不是直接提供答案。与其说广东媒体提供了某种观点，不如说它架设了一个不同观点可以沟通的公共舆论平台；与其说广东媒体偏向某种价值，毋宁说它是坚持一种平等沟通的基本架构，而这一基本架构是多元的公共舆论空间成为可能的基础。

30 年来，广东媒体舆论空间的稳健拓展，强有力地促进了执政党和政府决策的民主化、科学化，吸引了广大群众参政议政，并最终保障执政党的路线、方针、政策的正确执行。广东媒体舆论空间取得这样的历史成就，归因于广东省开明宽松的政治环境、保护媒体的制度设计、竞争激烈的报业市场。

首先是开明宽松的政治环境。习仲勋、任仲夷、谢非等广东省老领导对待媒体批评的开明态度，极大地鼓舞了广东新闻工作者的批评热情。早在 1978 年 11 月 8 日，《南方日报》就在头版刊登了一篇批评稿——《麦子灿同志给习仲勋同志的信》。麦子灿是中共惠州地委农村办的干部，他在信中直言不讳地批评当时的中共广东省委书记习仲勋“爱听汇报，爱听漂亮话，喜欢夸夸其谈”。习仲勋同志闻过则喜，表示这个批评很好，要改进工作，并回信加以鼓励。麦子灿的批评信和习仲勋接受批评的信同时见报，这在省级机关报当中是前所未有的，也是改革开放以来广东舆论批评的肇始，在广东和全国新闻界引起强烈的反响。1980年11月22日，任仲夷同《南方日报》、《羊城晚报》的领导同志座谈时说，我们的报纸向来是重视开展批评与自我批评的报道的，但是有一段时间中断了，报纸上光讲好的，一好百好。近两年来报纸逐步恢复了批评性的报道，对推动工作，改进作风，起到了积极作用。报纸批评的这种效果，反映了群众的力量，群众在党领导下监督干部产生的力量。① 又如在谢非主持广东省委工作期间，《南方日报》的头版头条可以上批评稿，这在国内机关报中是难得一见的。90年代前期的《南方周末》因一篇报道出了问题（来稿作者写了假报道，编辑未核实）而面临停刊的局面，谢非等省委领导认真了解情况后让《南方周末》在报纸头版登了一篇长文检讨后继续出报，体现出一种既坚持原则又开明处理的政治风范。② 除了省委领导对舆论空间拓展的支持，广大官员对舆论批评的宽容也是有益于舆论空间拓展的政治文化。广东官员能容忍不同声音，不将媒体的批评视为"洪水猛兽"，这是媒体舆论空间拓展的人文环境。

其次是保护媒体的制度设计。广东媒体舆论空间的拓展与广东省各级政府积极创造有利于媒体监督的制度环境是分不开的。1999年5月11日，珠海市在全国率先颁布了《珠海市新闻舆论监督办法（试行）》，这个办法第一次使新闻舆论监督有章可循。深圳市更把对媒体舆论监督的保护上升到法律的高度，在2005年深圳市三届人大常委会三十五次会议上通过了《深圳市预防职务犯罪条例》，该条例规定："新闻工作者在宣传和报道预防职务犯罪工作过程中，依法享有进行采访、提出批评建议和获得人身安全保障等权利"。"新闻媒体报道或者反映的问题，可能涉嫌职务犯罪的，有关部门应当及时进行调查，对其中有重大影响的问题，可以将调

① 佚名：《任仲夷在南方日报谈报纸工作》，《新闻战线》1981年第1期。

② 董天策：《广东报业发展的人文审思》，《传媒观察》2006年第8期。

查处理情况向新闻媒体通报”。同时，为使记者的舆论监督权落到实处，《条例》还首次提出对阻碍新闻舆论监督造成严重影响的，可以追究刑事责任。[①] 从此，深圳市新闻媒体的舆论监督走上了法治轨道，使新闻舆论监督权利得到了法律保障，这在全国尚属首例。

再次是广东报业激烈的市场竞争。回顾《南方周末》与《南方都市报》的发展我们不难看出，广东媒体率先举起舆论监督大旗，正是在同质化竞争日趋激烈之时，因为无论揭露性的深度调查，还是批评性的言论监督，都最容易吸引读者、争取市场。《南方周末》与《南方都市报》在树立“周末报”、“都市报”的成功样板之后，都被其他报纸仿效并先后出现“周末报大战”、“都市报大战”的同质化竞争局面。在激烈的市场竞争面前，广东报人认识到只有在产品差异化上有所作为，建构独特的品牌文化，才能摆脱急功近利的市场驱动，使报业市场朝向共赢互补的良性方向发展。因而《南方周末》以揭露报道和深度调查成为“中国舆论监督的一面旗帜”，冲出了“周末报”的发展瓶颈，《南方都市报》则以时评版的言论监督彰显解析时局的理性力量，在网络媒体和都市媒体的两面夹击下，开出一条生机勃勃的新路。广东媒体在市场经济的大潮中发扬了“敢为天下先”的创新气魄与进取精神，在报业经营和报纸内容上不断创新，并以敞开的舆论空间赢得了读者，也赢得了市场。

30 年来，广东报业在相对宽松的政治环境下，对办报理念和经营体制不断进行创新，并在资本日益雄厚、竞争日趋激烈的情况下，积极发挥现代媒体的政治功能，打造媒体舆论空间。一方面，广东报纸坚持“政治家办报”的方针，活泼生动地宣传执政党的方针政策和广东的改革成就，将贴近性与引导性结合起来。另一方面，在坚持舆论导向的同时，广东报业积极稳妥地发挥舆论监督、参政议政的作用。广东媒体舆论空间的不断拓展是社会主义政治文明发展的显著标志，也是构建和谐社会的重要保障。

---

① 王椿、胡武：《新闻媒体如何增强舆论监督力》，《传媒观察》2007 年第 4 期。

后　记

30 年前的 1978 年是中国改革开放的元年。正是那一年，我高中毕业，通过刚刚恢复不久的高考，幸运地考上了大学。77、78 级大学生们的命运与国家改革开放 30 年的历史进程紧密相连。因此，记录这段极不平凡的历史，叙述其中的故事，是我们义不容辞的责任。从这一角度来看，本课题虽然属于“命题作文”，但除了接受和完成这一课题，我确实没有别的选择。

本书是广东政治发展 30 年课题的结项成果。作为本课题的负责人，我虽然负责设计全书的整体框架、撰写导论、确定主要章节的标题、就各章提出写作和修改意见、对一些章节进行删改和通读定稿，但它主要是集体合作的产品，是课题组全体参与成员辛勤劳动的成果。在此，根据全书各章的先后顺序，我将课题组分工写作的情况陈述如下，以展示他们的辛勤与努力、记录他们的收获与成果：

肖滨：导论/广东为中国政治转型探路

钟莉：第一章/省委集体领导链条的确立

蒋红军：第二章/广东与中央关系的调适

薛凤平：第三章/让广东人大硬起来

颜昌武：第四章/重构政府体系

蒋红军：第五章/走向有限政府

颜昌武：第六章/建设公共服务型政府

薛凤平：第七章/携手政治协商

陈晓岚：第八章/以制度抑制腐败

刘剑：第九章/基层群众自治

甘长山：第十章/公民有序政治参与

栾会冰：第十一章/媒体舆论空间的扩展

在我们实地调研和寻找资料的过程中，广东省的一些相关党政部门给我们提供了很大的帮助，为本课题的顺利完成创造了有利条件。在此，我们虽然没有标出他们的职位，胪列他们的姓名也不分先后，但是，感谢他们的意愿是真诚的。请让我们记下他们的姓名和工作单位：郑毅生（广东省人大常委会），陈强（广东省地方史志办公室），郭晓莉（广东省政协），徐春建（中共广东省纪律检查委员会），陈俊风、卢荻（中共广东省委党史办公室），陈宗文（广东省总工会）。

本书在写作过程中，得到了一些学界同行的帮助。中山大学社会科学处曾组织两位校内专家对本书初稿进行匿名评审，他们提供了很好的书面修改意见；深圳大学黄卫平教授、华南师范大学王金红教授也就初稿或写作提纲提出了中肯的意见。在此，我们向他们表示衷心的感谢。本书因为吸收他们的意见而增色。

博士生蒋红军不仅负责课题的事务工作（课题联络、经费报销、文本打印等），而且为本书的技术处理（注释统一、表格完善等）花了不少时间和精力。此外，蒋红军和薛凤平还采取交叉阅读的办法，帮助课题负责人发现初稿中的一些写作问题。在此，特向他们表示感谢。

30 年的广东政治建设和发展是一个内容相当丰富同时也很复杂的故事。一本 30 万言的书虽然只能勾画这个故事大致的轮廓、梳理其基本的脉络，但它确实寄托了我们对改革开放 30 周年的纪念。这种具有纪念性特征的作品也许难以归入严格的学术论著范畴，但它依然必须受到来自学界内外的批评。何况，限于研究者的能力、水平以及各章写作风格的差异，书中的疏漏、错谬一定不少。我们真诚地欢迎和期待大家的批评。

肖 滨

2008 年北京奥运会期间于中山大学